# 강정훈

# 감정평가 및 보상법규

강정훈 편저

## 2차 | 종합문제(연습) 2권 제8판

8년 연속
★ 전 체 ★
수 석

합 격 자 배 출

# 박문각 감정평가사

1.  본 **감정평가 및 보상법규 종합문제(연습)**는 감정평가사 제2차 시험 응시자들을 위한 기본 문제와 응용문제, 그리고 기출 응용문제 훈련을 위한 교재입니다. 감정평가사 제2차 논술 시험에서 가장 중요한 것은 출제자의 의도에 부합되는 논지의 쟁점을 목차화하고, 이를 토대로 자신의 논증을 객관적으로 피력하는 것이라 하겠습니다. 따라서 교재가 그러한 쟁점 부각 목차 훈련과 아울러 실제 시험의 적응에 큰 도움이 되리라 생각됩니다.

2.  본 교재를 공부하기에 앞서 먼저 감평행정법과 감정평가 및 보상법규 기본서 수강과 아울러 이론서를 2~3회 탐독 후에 이론적인 숙지를 바탕으로 기본문제부터 응용 사례문제를 차분히 풀어보는 연습을 하신다면 좋은 성과를 거두실 수 있으리라 보여집니다. 수험 공부에 있어서 보상법규 관련 법령에 대한 숙지와 관련 판례의 검토는 전제가 되어야 함으로 평상시 보상법전과 판례집을 휴대하고 다니면서 항상 관계 법령 및 판례를 찾아보고 꼼꼼히 점검하는 습관을 들여야 할 것입니다.

3.  "고시 공부의 첫 번째 왕도"는 기출문제를 분석하고 이를 토대로 향후 기출 가능성을 고찰하여 보는 것이라 하겠습니다. 따라서 평상시 기출문제에 대한 목차와 응용가능성에 대하여 염두에 두면서 공부를 하신다면 실전에서 소기의 성과를 거둘 수 있으리라 생각됩니다.

4.  본서의 특징은 최근 2025년 7월 현재 개정된 3법, 공익사업을 위한 토지 등의 취득 및 보상에 관한 법률과 부동산 가격공시에 관한 법률, 감정평가 및 감정평가사에 관한 법률 등 우리 시험 범위 관련 법령(2025년 7월 개정 법령까지 모두 개정 반영)을 기준으로 하여 관계법령의 순서대로 문제가 편저된 것이 특징입니다. 2025년~2026년 최신 개정판 보상법전과 **감정평가 및 보상법규** 판례집을 토대로 확인을 하면서 공부에 임한다면 그 효과는 배가 되리라 생각됩니다. 기존의 문제집의 틀을 벗어나서 획기적인 방법으로 문제를 구성한 만큼 큰 도움이 되리라 생각됩니다. 특히 최근에 제정된 행정기본법 관련 내용을 모두 반영하였고, 토지보상법상 환매권 행사요건 개정과 감정평가법 징계 등 전면 개정 내용을 모두 반영하였습니다.

5.  실전 시험에서 중요한 부분은 답안의 함축과 요약입니다. 그런 점에서 본서는 수험용 답안과 베타답안을 통하여 답안 분량으로 어떻게 문장을 축약하여 답안을 구사하는지를 보여줌으로써 평상시 이런 점을 고민하셨던 분들에게는 좋은 길잡이가 되리라 여겨집니다. 행정법 쟁점과 보상법규 쟁점이 혼합된 내용을 보여주면서 행정법과 보상법규가 따로 국밥이 아니라 잘 정선된 기본문제와 사례문제를 통해서 실전에

적합하도록 행정법과 보상법규 문제를 유기적으로 구성하고 예시답안을 배치하였습니다. 최근 판식된 대법원 판례문제를 많이 추가하였고, 법령이 개정되어 **감정평가 및 보상법규 종합문제**를 1권과 2권으로 나누어 1권에는 토지보상법 문제를, 2권에는 부동산공시법과 감정평가법 문제를 수록하였습니다.

6. 풍납토성보존을 위한 사업인정사건 2017두71031 판결을 비롯하여 최근에 대법원에서 업그레이드된 손실보상 당사자적격에 대한 대법원 2018두67 판결, 공익사업시행지구 밖 간접손실보상 대법원 2018두227 판결, 재결신청청구거부처분 취소소송을 적시한 대법원 2018두57865 판결, 표준지공시지가와 과세처분 사이의 하자의 승계 대법원 2018두50147 판결, 감정평가법인등에 대한 과징금부과처분과 성실의무위반 2020두41689 판결 등을 모두 문제에 반영하여 수록하였습니다. 결국 감정평가사 2차 **감정평가 및 보상법규** 시험에서 승부의 관건은 대법원 판례 유형의 문제를 어떻게 답안지에 효과적으로 정해진 시간 안에 정해진 지면에 정해진 내용을 잘 기술하는 것입니다.

7. 본서 출간에 많은 도움을 주신 박문각 박용 회장님과 출판사 노일구 부장님 등 출판사 관계자 여러분들께 진심으로 감사 인사드리고, **감정평가 및 보상법규** 자료 수집과 책 오타 수정에 많은 도움을 준 김가연, 계미정, 정유주, 박준석 예비감정평가사님에게 고마운 마음을 전합니다.

"역사는 도전과 응전의 연속이다."라고 한 역사학자 아놀드 토인비의 명언처럼 본 교재가 여러분들 인생에 있어서 "아름다운과 도전과 응전의 도구"가 되길 바랍니다. 고맙습니다.

좌우명 : 미래는 준비하는 자의 것이다!
(태양이 떠오르거든 앞만 보고 뛰어라!)

감정평가사 · 법학박사 강정훈

## 감정평가사란?

감정평가란 토지 등의 경제적 가치를 판정하여 그 결과를 가액으로 표시하는 것을 말한다. 감정평가사(Certified Appraiser)는 부동산·동산을 포함하여 토지, 건물 등의 유무형의 재산에 대한 경제적 가치를 판정하여 그 결과를 가액으로 표시하는 전문직업인으로 국토교통부에서 주관, 산업인력관리공단에서 시행하는 감정평가사시험에 합격한 사람으로 일정기간의 수습과정을 거친 후 공인되는 직업이다.

## 시험과목 및 시험시간

가. 시험과목(감정평가 및 감정평가사에 관한 법률 시행령 제9조)

| 시험구분 | 시험과목 |
|---|---|
| 제1차<br>시험 | ❶「민법」중 총칙, 물권에 관한 규정<br>❷ 경제학원론<br>❸ 부동산학원론<br>❹ 감정평가관계법규(「국토의 계획 및 이용에 관한 법률」, 「건축법」, 「공간정보의 구축 및 관리 등에 관한 법률」중 지적에 관한 규정, 「국유재산법」, 「도시 및 주거환경정비법」, 「부동산등기법」, 「감정평가 및 감정평가사에 관한 법률」, 「부동산 가격공시에 관한 법률」 및 「동산·채권 등의 담보에 관한 법률」)<br>❺ 회계학<br>❻ 영어(영어시험성적 제출로 대체) |
| 제2차<br>시험 | ❶ 감정평가실무<br>❷ 감정평가이론<br>❸ 감정평가 및 보상법규(「감정평가 및 감정평가사에 관한 법률」, 「공익사업을 위한 토지 등의 취득 및 보상에 관한 법률」, 「부동산 가격공시에 관한 법률」) |

나. 과목별 시험시간

| 시험구분 | 교시 | 시험과목 | 입실완료 | 시험시간 | 시험방법 |
|---|---|---|---|---|---|
| 제1차<br>시험 | 1교시 | ❶ 민법(총칙, 물권)<br>❷ 경제학원론<br>❸ 부동산학원론 | 09:00 | 09:30~11:30(120분) | 객관식<br>5지<br>택일형 |
| | 2교시 | ❹ 감정평가관계법규<br>❺ 회계학 | 11:50 | 12:00~13:20(80분) | |

| | | | | | |
|---|---|---|---|---|---|
| **제2차<br>시험** | 1교시 | ❶ 감정평가실무 | 09:00 | 09:30~11:10(100분) | **과목별<br>4문항<br>(주관식)** |
| | 중식시간 11:10 ~ 12:10(60분) | | | | |
| | 2교시 | ❷ 감정평가이론 | 12:10 | 12:30~14:10(100분) | |
| | 휴식시간 14:10 ~ 14:30(20분) | | | | |
| | 3교시 | ❸ 감정평가 및 보상법규 | 14:30 | 14:40~16:20(100분) | |

※ 시험과 관련하여 법률·회계처리기준 등을 적용하여 정답을 구하여야 하는 문제는 시험시행일 현재 시행 중인 법률·회계처리기준 등을 적용하여 그 정답을 구하여야 함

※ 회계학 과목의 경우 한국채택국제회계기준(K-IFRS)만 적용하여 출제

다. 출제영역 : 큐넷 감정평가사 홈페이지(www.Q-net.or.kr/site/value) 자료실 게재


## 📖 응시자격 및 결격사유

가. 응시자격 : 없음

※ 단, 최종 합격자 발표일 기준, 감정평가 및 감정평가사에 관한 법률 제12조의 결격사유에 해당하는 사람 또는 같은 법 제16조 제1항에 따른 처분을 받은 날부터 5년이 지나지 아니한 사람은 시험에 응시할 수 없음

나. 결격사유(감정평가 및 감정평가사에 관한 법률 제12조, 2023.8.10. 시행)

다음 각 호의 어느 하나에 해당하는 사람

1. 파산선고를 받은 사람으로서 복권되지 아니한 사람
2. 금고 이상의 실형을 선고받고 그 집행이 종료(집행이 종료된 것으로 보는 경우를 포함한다)되거나 그 집행이 면제된 날부터 3년이 지나지 아니한 사람
3. 금고 이상의 형의 집행유예를 받고 그 유예기간이 만료된 날부터 1년이 지나지 아니한 사람
4. 금고 이상의 형의 선고유예를 받고 그 선고유예기간 중에 있는 사람
5. 제13조에 따라 감정평가사 자격이 취소된 후 3년이 지나지 아니한 사람. 다만, 제6호에 해당하는 사람은 제외한다.
6. 제39조 제1항 제11호 및 제12호에 따라 자격이 취소된 후 5년이 지나지 아니한 사람

# 차례

**CONTENTS | PREFACE | GUIDE**

## PART 02　부동산 가격공시에 관한 법률

## PART 03   감정평가 및 감정평가사에 관한 법률

### CHAPTER 01   기본문제



### CHAPTER 02   심화문제

PART

# 02

# 부동산 가격공시에
# 관한 법률

## 1절 부동산공시법 제3조(표준지공시지가의 조사·평가 및 공시 등)

> **문제**
>
> 공익사업이 예상되는 지역의 표준지 소유자인 甲 마을이장은 고민에 빠져 있다. 토지 보유에 대한 세금을 고려하는 경우 공시지가가 낮은 것이 좋으나, 이번에 합격한 수습평가사 처조카인 乙의 얘기를 들어보니 토지보상은 공시지가에 의한다는데, 공익사업이 진행되어 보상금을 받자니 높은 공시지가를 내달라고 해야 하는지 딜레마가 아닐 수 없다. 표준지가 수용목적물인 경우 표준지공시지가와 보상평가 간의 불일치에 대한 문제를 법적 측면에서 검토하시오. `20점`

Ⅰ. 서

Ⅱ. 공시지가의 성격 및 공시지가기준 평가의 정당성 문제

  1. 공시지가의 성격에 대한 논의

    (1) 정책가격이라는 견해

    (2) 시가라는 견해

    (3) 판례

    (4) 검토

  2. 공시지가기준 보상평가의 정당성 여부

Ⅲ. 표준지공시지가와 보상가격과의 괴리 발생이유

  1. 이론적 측면(적정가격과 정당보상)

  2. 실무적 측면

    (1) 지가에 대한 이해관계인의 이중성

    (2) 평가방법상 차이

Ⅳ. 불일치를 해소하기 위한 방안

  1. 표준지공시지가 산정 시 시가의 반영

  2. 보상평가 시 시가보상 원칙의 실현

    (1) 기타요인보정

    (2) 공시지가기준 보상액 산정 시 기타사항 참작 여부

Ⅴ. 결

## Ⅰ 서

부동산 가격공시에 관한 법률(이하 '부동산공시법')에 의한 표준지공시지가는 적정가격으로 표시되고 보상관련법령에서는 보상가액을 공시지가를 기준으로 평가하도록 규정하고 있다. 그러나 양자의 결과는 불일치하는 경우가 일반적인바, 이러한 문제의 법적 고찰을 위하여는 첫째, 공시지가의 성격 및 공시지가기준 평가의 정당성 문제를 검토하고, 둘째, 표준지공시지가와 보상가격과의 괴리 발생이유를 검토한 후 마지막으로 불일치를 해소하기 위한 방안을 검토하기로 한다.

## Ⅱ  공시지가의 성격 및 공시지가기준 평가의 정당성 문제

### 1. 공시지가의 성격에 대한 논의

#### (1) 정책가격이라는 견해

이 견해는 부동산공시법상의 제정목적이 공시지가의 공시를 통하여 적정한 지가형성을 도모하는데 있으므로 공시지가는 현실의 거래가격과는 관련이 없고, 투기억제, 지가안정이라는 정책적인 목적에 따라 결정되는 당위가격으로 시가와의 차이는 위법성이 인정되기 어렵다고 본다.

#### (2) 시가라는 견해

시가설은 공시지가를 각종 세금이나 부담금 산정의 기준이 되는 토지가격, 현실의 거래가격을 반영하는 존재가격으로 보고 시가와의 부합하지 않은 공시지가는 위법하다고 본다.

#### (3) 판례

개별토지가격은 해당 토지의 시가나 실제거래가격과 직접적인 관련이 있는 것은 아니므로 단지 그 가격이 시가나 실제거래가격을 초과하거나 미달한다는 사유만으로 그것이 현저하게 불합리한 가격이어서 그 가격결정이 위법하다고 단정할 것은 아니라고 하여 정책가격설의 입장을 취하고 있다.

#### (4) 검토[1]

부동산공시법상 공시지가의 산정절차 및 방법의 면에서 볼 때 공시지가는 시가대로 결정되기를 요구하고 있다. 또한 공시지가의 효력 내지 기능면에서 보더라도 공시지가는 시가와 유리되는 가격이어서는 안되며, 권리구제의 면에서 보더라도 공시지가가 시가와 관련이 없는 것이라고 할 경우 공시지가 수준에 대한 사법적 통제가 사실상 불가능하여 국민의 권리구제를 어렵게 만들 수 있는 바, 시가설로 봄이 타당시된다. 표준지공시지가를 시가로 보는 한 시가와의 괴리가 있는 표준지공시지가의 위법을 주장할 수 있다. 다만, 정책가격설을 취하는 판례의 입장이라면 단순한 시가와의 괴리가 아니라, 표준지공시지가의 산정절차나 표준지 선정, 틀린 계산, 오기, 가격조정률 적용의 하자가 있는 경우에 있어 인용이 가능하다 할 것이다.

---

[1] 공시지가가 자유로운 시장에서 형성되는 정상적인 시가를 제대로 반영하는 것이 바람직하나, 실제 공시지가를 산정함에 있어서 시가대로 산정해야 한다면 공시지가제도를 둔 취지를 훼손할 우려가 있으므로 정책가격설과 판례의 태도가 타당하다 여겨진다. 그러므로 시가와의 괴리만을 이유로 표준지공시지가의 위법성은 인정될 수 없다. 그러나 각종 토지정책의 기준으로 작용한다는 점을 고려해 제도운용상의 문제점을 해결하여 공시지가의 현실화가 필요하다고 본다.

## 2. 공시지가기준 보상평가의 정당성 여부

보상액의 산정이 공시지가를 기준으로 한다는 점에서 시가가 제대로 반영되지 못한다는 문제점을 제기할 수 있으나 공시지가에 대하여는 이의신청 및 기타사항 참작 등의 방법에 의하여 그 적정성을 마련하는 방안이 마련되어 있으므로 공시지가에 의해 보상을 한다 하더라도 정당보상에 합치된다고 볼 것이다. 헌법재판소 역시 공시지가는 그 평가의 기준이나 절차로 미루어 객관적 가치를 평가하기 위한 것으로서 적정성을 갖는 점에서 정당보상의 원칙에 위배되는 것이 아니라고 한다.

## Ⅲ 표준지공시지가와 보상가격과의 괴리 발생이유

### 1. 이론적 측면(적정가격과 정당보상)

공시지가는 적정가격으로 공시되는데 이 경우 적정가격이란 객관적 시장가격을 의미한다고 할 수 있다. 그런데 손실보상의 헌법상 기준인 정당한 보상의 해석을 놓고 그 보상범위에 있어서 피침해 재산권의 객관적 시장가치 이외에 부대적 손실에 대한 보상도 포함되는 개념으로서 완전한 보상으로 보아야 하므로, 객관적 시장가치로만 공시되는 공시지가와는 차이가 있게 된다.

### 2. 실무적 측면

#### (1) 지가에 대한 이해관계인의 이중성

표준지공시지가는 국토교통부장관이 조사·평가하여 공시하는 공시기준일 현재 표준지의 단위면적당 가격으로서, 공공용지의 매수 및 토지의 수용·사용에 대한 보상액 산정의 기준이 될 뿐만 아니라 그 자체는 표준지의 개별공시지가가 되어 과세표준으로 활용되기도 한다(부동산공시법 제8조). 따라서 표준지공시지가는 과세 시에는 낮은 가격, 보상 시에는 높은 가격을 선호하는 국민의 이중적 이해관계가 어느 정도 반영된 것이라면 보상가격은 되도록 높은 가격을 선호하는 일면성을 반영하기 때문이다.

#### (2) 평가방법상 차이

공시지가는 도시계획시설저촉 등의 공법상 제한을 받는 상태대로 평가되며, 또한 현실적으로 실현된 개발이익이 반영되어 평가하여 공시된다. 반면에 보상가격은 해당 공익사업의 시행을 직접 목적으로 가하여진 공법상 제한은 제한이 없는 것으로 보고·평가하며, 개발이익을 배제시키기 위해서 공익사업의 계획 또는 시행의 공고·고시일 또는 사업인정고시일 이전을 공시기준일로 하는 공시지가를 선정하여(토지보상법 제70조 제3항, 제4항), 해당 공익사업으로 인한 지가의 영향을 받지 아니하는 지역의 지가변동률을 적용하여 평가하도록 하고 있는 점에서 차이가 있다(동조 제1항).

## Ⅳ 불일치를 해소하기 위한 방안

### 1. 표준지공시지가 산정 시 시가의 반영

보상액의 결정은 시장가격을 원칙으로 하여야 할 것이나 공시지가를 기준으로 보상액을 산정하므로 공시지가의 적정성 여부가 정당보상과 직접 관련이 된다. 그러나 현실적으로 공시지가수준은 시가에 이르지 못하는 경우가 일반적인바, 이의 보완을 위해 기타사항 참작의 가능성을 인정하여야 할 것이다. 판례는 호가의 경우에도 인근 유사토지에 대한 것으로 정상적인 거래가격수준을 나타내는 것이 입증되는 경우에는 보상액 산정에 참작할 수 있다고 하는바, 이를 긍정하고 있다.

### 2. 보상평가 시 시가보상 원칙의 실현

#### (1) 기타요인보정

기타요인보정이란 지가변동률, 생산자물가상승률, 지역요인 및 개별요인의 비교 이외에 지가변동에 영향을 미치는 요인이 있는 경우 이를 기타요인으로 하여 보정하는 것을 말한다. 기타요인으로는 관계법령에 의한 토지의 사용·처분 등의 제한 또는 그 해제, 도시관리계획의 결정·변경 또는 도시계획사업의 시행 등이 있다.

#### (2) 공시지가기준 보상액 산정 시 기타사항 참작 여부

학설은 토지보상법 제정 시 기타사항 참작 규정의 삭제 취지 및 토지보상법의 위치, 형상, 환경, 이용상황 등의 규정은 개별요인의 비교항목에 한정된 것이기 때문에 기타요인은 참작할 수 없다는 부정설과 토지보상법 규정은 적정보상을 실현할 수 있는 모든 사항을 포괄하는 예시적 규정으로 해석된다는 점을 논거로 긍정하는 견해가 대립된다.

판례는 기타사항으로 인근 유사토지의 정상거래가격, 보상선례, 호가 및 자연적인 지가상승분 등 적정보상액 산정에 영향을 미침이 입증된 경우 이를 기타사항으로 참작할 수 있다는 입장인 바, 공시지가를 기준으로 보상액이 완전보상에 미치지 못하는 것이 현실이라는 점에서 공시지가를 기준으로 보상액을 산정하되 기타 사항의 적극 반영을 통하여 완전보상이 실현될 수 있도록 하여야 할 것이다.

## Ⅴ 결론

표준지공시지가와 피수용자의 보상가격과의 괴리를 현실적으로 기타요인의 보정을 통해 그 형평성을 제고하고 있다. 따라서 이를 제도권 내에서 긍정적으로 융화하는 작업, 즉 완전보상을 할 수 있는 제도개선 및 지가공시제도의 보완을 강구하여야 할 것이다.

## 2절
**– 부동산공시법 제3조(표준지공시지가의 조사·평가 및 공시 등)**
**– 행정법 쟁점 : 법령보충적 행정규칙**

---

**문제**

부동산 가격공시에 관한 법률상 토지가격비준표에 대해 설명하고 그 법적 성질을 검토하시오. 20점

Ⅰ. 서(토지가격비준표 개념 및 근거)

Ⅱ. 작성 및 구성, 적용방법
  1. 작성 및 구성
    (1) 작성
    (2) 구성
  2. 적용방법

Ⅲ. 법적 성질
  (법령보충적 행정규칙의 법적 성질)
  1. 학설
  2. 대법원 판례
  3. 소결

Ⅳ. 권리구제
  1. 법적구속력을 인정할 경우
  2. 법적구속력을 인정하지 아니하는 경우

Ⅴ. 결

---

**판례**

● 대판 1998.5.26, 96누17103[개발부담금부과처분취소]

토지가격비준표는 지가공시법 제10조의 시행을 위한 집행명령인 개별토지가격합동조사지침과 더불어 법률보충적인 구실을 하는 법규적 성질을 가지고 있는 것으로 보아야 할 것인 바, 신법 제10조 제1항에 의하면 개발부담금의 부과기준으로서 부과종료시점의 지가는 지가공시법 제10조 제2항의 규정에 의한 비교표에 의하여 산정하도록 규정하고 있으므로, 원심이 토지가격비준표에 의하여 부과종료시점의 지가를 산정한 것은 정당하고, 거기에 논하는 바와 같은 조세법률주의나 재산권 보장의 원칙을 위반한 잘못 등이 있다고 할 수 없다.

● 대판 2013.5.9, 2011두30496

부동산공시법 제9조 제2항은 '국토해양부장관은 지가산정을 위하여 필요하다고 인정하는 경우에는 표준지와 지가산정 대상 토지의 지가형성요인에 관한 표준적인 비교표를 작성하여 관계 행정기관 등에 제공하여야 하고, 관계 행정기관 등은 이를 사용하여 지가를 산정하여야 한다'고 규정하고 있으므로, 국토해양부장관이 위 규정에 따라 작성하여 제공하는 토지가격비준표는 부동산공시법 시행령 제16조 제1항에 따라 국토해양부장관이 정하는 '개별공시지가의 조사·산정지침'과 더불어 법률보충적인 역할을 하는 법규적 성질을 가진다고 할 것이다.

## I  서(토지가격 비준표 개념 및 근거)

토지가격비준표는 개별토지에 대한 가격을 간편하게 산정할 수 있도록 계량적으로 고안된 '간이 지가산정표'이며, 이는 부동산 가격공시에 관한 법률(이하 '부동산공시법') 제3조 제8항에 근거한다. 즉, 국토교통부장관은 법 제10조에 따른 개별공시지가의 산정을 위하여 필요하다고 인정하는 경우에는 "표준지와 산정대상 개별 토지의 가격형성요인에 관한 표준적인 비교표(토지가격비준표)"를 작성하여 시장·군수 또는 구청장에게 제공하여야 한다.

## II  작성 및 구성, 적용방법

### 1. 작성 및 구성

#### (1) 작성

토지가격비준표는 표준지공시지가의 특성을 다중회귀분석하여 추출된 토지특성별 배율을 행렬표(matrix)형태로 재구성한 것으로 세로방향은 표준지의 토지특성 배율을, 가로방향은 지가산정 대상필지의 토지특성 배율을 의미한다. 또한 작성에 활용된 표준지공시지가 자료는 용도지역, 토지면적, 토지이용상황, 도로조건 등 개별공시지가 조사항목과 동일한 19개의 토지특성으로 구성되어 있다. 그 작성절차는 시·군·구별 공시지가자료를 분석, 지가형성요인이 동일한 권역(동일 시장권)을 결정하고 이를 작성단위로 하고 비준표 작성단위별로 지가형성요인을 추출한 후 요인 간 상관관계분석을 통하여 지가평가모형을 작성하였으며, 지가평가모형상의 파라메타(parameter)값을 이용하여 비준표를 작성하였다.

#### (2) 구성

토지가격비준표는 전국의 시·군·구(비자치구 포함)를 대상으로 하여 읍·면·동(법정동 기준) 용도지역별로 작성하며 그 기초단위가 되는 용도지역은 총 13개로 세분되는데, 주거지역, 준주거지역, 상업지역, 중심상업지역, 공업지역, 준공업지역, 녹지지역, 자연녹지지역, 개발제한구역, 용도미지정지역, 관리지역, 농림지역, 자연환경보전지역이다. 토지가격비준표에 제시된 가격배율의 의미는 토지특성의 변화에 대한 지가수준 차이를 나타내는 것이다. 즉, 토지특성이 서로 다른 데에 대한 상대적인 지가수준을 의미한다. 비준표상에 제시하지 않는 특성항목은 적용치 않는다.

### 2. 적용방법

개별토지가격 산정의 기준이 되는 토지(비교표준지)를 선택하고, 비교표준지와 산정대상필지의 토지특성을 비교하여 서로 다른 특성을 찾아낸 다음 서로 다른 토지특성에 대한 가격배율을 토지가격비준표에서 추출한 후 비교표준지 가격(공시지가)에 가격배율을 곱하여 개별공시지가를 산정한다. 또한 토지특성항목(지목, 토지면적, 공적규제 등)별 적용방법에 따라 적정하게 적용하여야 한다.

## **Ⅲ** 법적 성질(법령보충적 행정규칙의 법적 성질)

토지가격비준표는 개별공시지가조사·산정지침(국토교통부)의 일부를 구성하는 내용으로 이는 부동산공시법 제8조의 보충적 기능을 수행하기 위해 작성된 것이다. 그러나 이러한 법령을 보충하는 행정규칙의 법규성을 인정할 수 있는가에 대해서는 견해가 대립되고 있다.

### 1. 학설

#### ① 행정규칙설(형식설)

행정입법은 국회입법원칙의 예외, 헌법이 규정한 법규명령의 형식은 한정되어 있다는 점에서 이러한 법규명령의 형식이 아닌 훈령, 고시 등의 형식을 취하는 이상 행정규칙으로 보아야 한다는 견해. 행정규칙으로 보면서 대외적 구속력을 가진다고 보는 견해도 있다.

#### ② 법규명령설(실질설)

해당 규칙이 법규와 같은 효력을 가지므로 법규명령으로 보아야 한다는 견해이다. 법령의 구체적 개별적 위임이 있고, 그 내용도 법규적 사항으로 법규를 보충하는 기능을 가져 대외적 효력을 가진다는 점, 헌법이 인정하는 법규명령은 예시적이라는 점, 명령규칙심사로 통제 가능한 점 등을 근거로 상위법령과 결합하여 전체로서 대외적 효력을 가지는 법규명령의 성질을 가진다.

#### ③ 규범구체화 행정규칙설

독일에서 논의되는 규범구체화 행정규칙을 인정하여 통상적인 행정규칙과 달리 그 자체로서 국민에 대한 구속력을 인정하는 견해이다.

#### ④ 위헌무효설

행정규칙설과 마찬가지로 법규명령의 형식이 헌법상 한정되어 있다는 전제하에 행정규칙형식의 법규명령은 허용될 수 없으므로 위헌, 무효라는 견해이다.

#### ⑤ 법규명령이 효력을 갖는 행정규칙설

법령보충적 행정규칙에 법규와 같은 효력(구속력)을 인정하더라도 행정규칙의 형식으로 제정되었으므로 법적 성질은 행정규칙으로 보는 견해이다.

### 2. 대법원 판례

상급행정기관이 하급행정기관에 대하여 업무처리지침이나 법령의 해석적용에 관한 기준을 정하여서 발하는 이른바 행정규칙은 일반적으로 행정조직 내부에서만 효력을 가질 뿐 대외적인 구속력을 갖는 것은 아니지만, 법령의 규정이 특정행정기관에게 그 법령내용의 구체적 사항을 정할 수 있는 권한을 부여하면서 그 권한행사의 절차나 방법을 특정하고 있지 아니한 관계로 수임행정기관이 행정규칙의 형식으로 그 법령의 내용이 될 사항을 구체적으로 정하고 있다면 그와 같은 행정규칙, 규정은 행정규칙이 갖는 일반적 효력으로서가 아니라, 행정기관에 법령의 구체적 내용을 보충할 권한을 부여한 법령규정의 효력에 의하여 그 내용을 보충하는 기능을 갖게 된다 할 것이므로 이와 같은 행정규칙, 규정은 당해 법령의 위임한계를 벗어나지 아니하는 한, 그것들과 결합하여 대외적인 구속력이 있는 법규명령으로서의 효력을 갖게 된다(대판 1987.9.29, 86누484)고 판시하였다



> **판례**
>
> ● 대판 1987.9.29, 86누484[양도소득세부과처분취소]
>
> [판시사항]
> [1] 행정규칙의 법규성
>
> [판결요지]
> [1] 상급행정기관이 하급행정기관에 대하여 업무처리지침이나 법령의 해석적용에 관한 기준을 정하여서 발하는 이른바 행정규칙은 일반적으로 행정조직 내부에서만 효력을 가질 뿐 대외적인 구속력을 갖는 것은 아니지만, 법령의 규정이 특정행정기관에게 그 법령내용의 구체적 사항을 정할 수 있는 권한을 부여하면서 그 권한행사의 절차나 방법을 특정하고 있지 아니한 관계로 수임행정기관이 행정규칙의 형식으로 그 법령의 내용이 될 사항을 구체적으로 정하고 있다면 그와 같은 행정규칙, 규정은 행정규칙이 갖는 일반적 효력으로서가 아니라, 행정기관에 법령의 구체적 내용을 보충할 권한을 부여한 법령규정의 효력에 의하여 그 내용을 보충하는 기능을 갖게 된다 할 것이므로 이와 같은 행정규칙, 규정은 해당 법령의 위임한계를 벗어나지 아니하는 한 그것들과 결합하여 대외적인 구속력이 있는 법규명령으로서의 효력을 갖게 된다.
>
> ● 대판 1998.12.22, 97누3125[개별공시지가결정취소]
>
> [판시사항]
> [1] 표준지의 공시지가에 토지가격비준표에 의한 가격조정률을 적용하는 방식에 따르지 아니한 개별토지가격 산정의 적법 여부(소극)
>
> [판결요지]
> [1] (구)지가공시 및 토지 등의 평가에 관한 법률(1995.12.29. 법률 제5108호로 개정되기 전의 것) 제10조, 개별토지가격 합동조사지침 제7조에 의하면 개별토지가격은 토지가격비준표를 사용하여 표준지와 해당 토지의 특성의 차이로 인한 조정률을 결정한 후 이를 표준지의 공시지가에 곱하는 방법으로 산정함이 원칙이고(산정지가), 다만 같은 지침 제8조 등에 의하여 필요하다고 인정될 경우에는 위와 같은 방법으로 산출한 지가를 가감조정할 수 있을 뿐이며 이와 다른 방식에 의한 개별토지가격 결정을 허용하는 규정은 두고 있지 아니하므로, 표준지공시지가에 토지가격비준표에 의한 가격조정률을 적용하는 방식에 따르지 아니한 개별토지가격 결정은 같은 법 및 같은 지침에서 정하는 개별토지가격 산정방식에 어긋나는 것으로서 위법하다.

● 대판 2007.7.12, 2006두11507[손실보상금증액청구]

[판시사항]

[1] 토지가격비준표가 토지수용에 따른 보상액 산정의 기준이 되는지 여부(소극)

[판결요지]

[1] 건설교통부장관(현 국토교통부장관)이 작성하여 관계 행정기관에 제공하는 '지가형성요인에 관한 표준적인 비교표(토지가격비준표)'는 개별토지가격을 산정하기 위한 자료로 제공되는 것으로, 토지수용에 따른 보상액 산정의 기준이 되는 것은 아니고 단지 참작자료에 불과할 뿐이다.

● 대판 1994.4.12, 93누19245 · 19252[개별토지가격결정처분취소, 토지초과이득세부과처분취소]

[판시사항]

[1] 토지가격비준표에 의하지 아니한 개별토지가격결정의 적법 여부

[판결요지]

[1] (구)지가공시 및 토지 등의 평가에 관한 법률 제10조와 개별토지가격합동조사지침(1990.4.14. 국무총리훈령 제241호 및 1991.4.2. 국무총리훈령 제248호) 제7조, 제8조 등의 규정취지를 종합하면, 개별토지가격을 결정함에 있어서는 해당 토지와 유사한 이용가치를 지니는 표준지의 공시지가를 기준으로 건설부장관(현 국토교통부장관)이 제공하는 표준지와 해당 토지의 지가형성요인에 관한 표준적인 비교표(토지가격비준표)를 활용하여 두 토지의 특성을 조사하고 상호 비교하여 가격조정률을 결정한 후 이를 표준지의 가격에 곱하는 방법으로 토지가격을 산정하도록 하고 있으므로 개별토지가격의 결정은 특별한 사정이 없는 한 위와 같은 방법으로 산정함이 원칙이라 할 것이고, 이와 다른 방법으로 이루어진 개별토지가격결정은 관계법령에 따르지 아니한 것으로서 위법을 면치 못한다.

● 대판 1993.6.11, 92누16706[개별토지가격결정처분취소]

[판시사항]

[1] 개별토지가격결정의 위법 여부나 당부에 대하여 다툴 수 있는 경우 및 토지가격비준표상 평가요소의 추가 또는 제외로 인하여 가격상승 또는 가격하락이 초래되었다는 것만으로 개별토지가격결정의 당부에 대하여 다툴 수 있는지 여부(소극)

[2] 개별토지가격결정 시 토지가격비준표상의 평가요소를 적정하게 고려하였는지 여부에 대한 법원의 심리방법

[3] 토지가격비준표상 비준율을 달리 규정한 것이 합리적 근거가 없다거나 변경된 비준율에 따라 개별토지가격을 산정한 결과 개별토지가격이 상승하였다 하여 신뢰보호의 원칙에 반하는 것인지 여부(소극)

[판결요지]

[1] 시장, 군수 또는 구청장의 개별토지가격결정은 관계법령에 의한 토지초과이득세, 택지초과소유부담금 또는 개발부담금 산정의 기준이 되어 국민의 권리나 의무 또는 법률상 이익에

직접적으로 관계되는 것으로서 행정소송법 제2조 제1항 제1호 소정의 행정청이 행하는 구체적 사실에 관한 법집행으로서 공권력 행사이므로 항고소송의 대상이 되는 행정처분에 해당한다.

[2] 개별토지가격결정 과정에 개별토지가격합동조사지침(국무총리훈령 제241호, 제248호)에서 정하는 주요절차를 위반한 하자가 있다거나 비교표준지의 선정 또는 토지가격비준표에 의한 표준지와 해당 토지의 토지특성의 조사 비교, 가격조정률의 적용이 잘못되었다거나 기타 틀린 계산, 오기로 인하여 지가산정에 명백한 잘못이 있는 경우에는 개별토지가격결정의 위법 여부에 대하여 다툴 수 있고, 한편 표준지의 공시지가에 토지특성조사의 결과에 따른 토지가격비준표상의 가격배율을 적용하여 산출된 산정지가를 처분청이 지방토지평가위원회 등의 심의를 거쳐 감액 또는 증액하여 조정한 결과 결정된 개별토지가격이 현저하게 불합리한 경우에는 개별토지가격결정의 당부에 대하여도 다툴 수 있으나 해당 토지의 전년도 개별토지가격에 비하여 토지가격비준표상 새로운 평가요소가 추가되거나 기존의 평가요소가 제외됨으로써 가격상승 또는 가격하락이 있게 되었다는 것만으로는 개별토지가격결정이 부당하다고 하여 이를 다툴 수는 없다.

[3] 토지가격비준표상의 개별요인 중 도로접면 상황에 관하여 요소를 세분하여 비준율을 달리 규정한 것을 합리적인 근거가 없다고 할 수는 없고 변경된 기준에 따라 개별토지가격을 산정한 결과 개별토지가격이 종전보다 상승하였다 하여 신뢰보호의 원칙에 반한다고 할 수 없다.

## 3. 소결

행정입법이 실질적으로 근거법령과 결합하여 국민에 대한 대외적 효력을 갖게 된다면 그 내용을 중시하여 법규명령으로 보는 것이 타당할 것이다. 다만, 법치주의 원리상 법규명령의 제정절차를 거치지 않는 규범은 법규명령으로 볼 수 없다는 입장에 선다면 법규성을 부정하는 견해도 일면 타당성이 인정된다. 다만, 최근 대법원 2013.5.9, 2011두30496 판결에서는 "관계 행정기관 등은 이를 사용하여 지가를 산정하여야 한다고 규정하고 있으므로, 국토교통부장관이 위 규정에 따라 작성하여 제공하는 토지가격비준표는 가격공시법 시행령 제16조 제1항(현행 법령은 시행령 제17조 제1항임)에 따라 국토교통부장관이 정하는 '개별공시지가의 조사·산정지침'과 더불어 법률보충적인 역할을 하는 법규적 성질을 가진다고 할 것이다."라고 판시함으로써 법규적 성질을 갖는다고 판시하고 있다.

## Ⅳ  권리구제

### 1. 법적구속력을 인정할 경우

토지가격비준표를 법규명령으로 볼 경우 헌법 제75조의 위임입법의 한계를 위반한 하자가 있다면 위법한 법규명령에 대해 위헌위법명령심사를 통해 구체적 규범통제가 가능할 것이다. 대법원 역시 토지가격비준표 작성 시 가격배율이나 토지특성항목의 변경을 이유로 행정쟁송의 제기를 부정한 바 있으나, 비준표의 활용상 하자는 개별공시지가 산정절차의 하자로 보아 인정하고 있다.

> **판례**
>
> - **대판 1998.5.26, 96누17103[개발부담금부과처분취소]**
>
>   토지가격비준표는 지가공시법 제10조의 시행을 위한 집행명령인 개별토지가격합동조사지침과 더불어 법률보충적인 구실을 하는 법규적 성질을 가지고 있는 것으로 보아야 할 것인 바, 신법 제10조 제1항에 의하면 개발부담금의 부과기준으로서 부과종료시점의 지가는 지가공시법 제10조 제2항의 규정에 의한 비교표에 의하여 산정하도록 규정하고 있으므로, 원심이 토지가격비준표에 의하여 부과종료시점의 지가를 산정한 것은 정당하고, 거기에 논하는 바와 같은 조세법률주의나 재산권 보장의 원칙을 위반한 잘못 등이 있다고 할 수 없다.
>
> - **대판 2013.5.9, 2011두30496**
>
>   부동산공시법 제9조 제2항은 '국토해양부장관은 지가산정을 위하여 필요하다고 인정하는 경우에는 표준지와 지가산정 대상 토지의 지가형성요인에 관한 표준적인 비교표를 작성하여 관계 행정기관 등에 제공하여야 하고, 관계 행정기관 등은 이를 사용하여 지가를 산정하여야 한다'고 규정하고 있으므로, 국토해양부장관이 위 규정에 따라 작성하여 제공하는 토지가격비준표는 가격공시법 시행령 제16조 제1항에 따라 국토해양부장관이 정하는 '개별공시지가의 조사·산정지침'과 더불어 법률보충적인 역할을 하는 법규적 성질을 가진다고 할 것이다.

### 2. 법적구속력을 인정하지 아니하는 경우

토지가격비준표를 행정규칙으로 볼 경우 이는 대외적 구속력이 없으므로 내부적 사무처리기준 위반이 될 뿐 이를 위반한 행정행위가 위법하다 볼 수 없어 쟁송제기가 불가능하며 또한 구체적 규범통제의 대상이 되지 못하여 권리구제가 용이하지 못하다. 다만, 이러한 침해를 더 이상 다툴 수 없어 권리보호가 불가능하다면 헌법소원을 생각해 볼 수 있으나, 이 역시 행정규칙의 외부적 효력을 인정할 경우만 가능할 것이다.

## Ⅴ 결

토지가격비준표는 형식은 행정규칙이나 실질이 법규명령으로 그 법적 성질에 대한 논의가 있으나 대법원이 이를 법령보충적 행정규칙으로 보아 법규성을 인정하고 있다. 따라서 개별공시지가 산정의 제반절차는 토지가격비준표에 구속되어야 하며 이를 위반한 경우 위법한 개별공시지가로 행정쟁송의 대상이 되어 권익구제가 가능하다.

> **판례**
>
> **부동산 가격공시에 관한 법률 개정 전 판례**
>
> ● 대판 1994.4.12, 93누19245 · 19252[개별토지가격결정처분취소, 토지초과이득세부과처분취소]
>
> [판시사항]
>
> 가. 토지가격비준표에 의하지 아니한 개별토지가격결정의 적법 여부
>
> 나. 도시설계조정심의신청이 (구)토지초과이득세법 시행령 제23조 제3호 단서소정의 "건축허가를 신청한" 행위에 포함되는지 여부
>
> [판결요지]
>
> 가. (구)지가공시 및 토지 등의 평가에 관한 법률 제10조와 개별토지가격합동조사지침(1990.4.14. 국무총리훈령 제241호 및 1991.4.2. 국무총리 훈령 제248호) 제7조, 제8조 등의 규정취지를 종합하면, 개별토지가격을 결정함에 있어서는 해당 토지와 유사한 이용가치를 지니는 표준지의 공시지가를 기준으로 건설부장관이 제공하는 표준지와 해당 토지의 지가형성요인에 관한 표준적인 비교표(토지가격비준표)를 활용하여 두 토지의 특성을 조사하고 상호 비교하여 가격조정률을 결정한 후 이를 표준지의 가격에 곱하는 방법으로 토지가격을 산정하도록 하고 있으므로 개별토지가격의 결정은 특별한 사정이 없는 한 위와 같은 방법으로 산정함이 원칙이라 할 것이고, 이와 다른 방법으로 이루어진 개별토지가격결정은 관계법령에 따르지 아니한 것으로서 위법을 면치 못한다.
>
> 나. 토지초과이득세법 제8조 제3항 및 (구)토지초과이득세법 시행령(1992.5.30. 대통령령 제13655호로 개정되기 전의 것) 제23조 제3호의 규정내용과 입법취지에 비추어 보면, (구)건축법(1991.5.31. 법률 제4381호로 전문 개정되기 전의 것) 제8조의2, 제33조, 제44조의2, 같은 법 시행령(1992.5.30. 대통령령 제13655호로 전문 개정되기 전의 것) 제13조, 제13조의2, 제97조 등 관계법령에 의하여 도시설계구역 내의 토지에서 건축물 건축허가를 신청함에 있어서 사전에 반드시 거쳐야 할 절차로 되어 있는 도시설계조정심의신청은 (구)토지초과이득세법 시행령 제23조 제3호 단서 소정의 "건축허가를 신청한" 행위에 포함된다.

**베타답안**

**문** 20점

## I. 서

토지가격비준표는 표준지와 주변토지의 지가형성요인 비교표로서, 시·군·구청장이 개별공시지가에 적용할 가격배율을 추출하기 위한 것이다.

이는 「부동산 가격공시에 관한 법률」(이하 '부동산공시법') 제3조 제8항에 근거하며, 지가산정에 소요되는 비용절감과 전문성을 보완하는 데에 그 취지가 있다.

## II. 토지가격비준표의 작성 및 활용

### 1. 작성

토지가격비준표는 토지특성정보를 토대로 토지가격형성요인에 중요한 영향을 미친다고 분석되는 항목을 설정하여 다중회귀분석기법에 의해 산출된 기준으로 작성되며, 공통비준표와 지역비준표로 구분된다.

### 2. 활용

① 부동산공시법 제8조의 공공용지의 매수 및 토지의 수용·사용에 대한 보상, 국유지·공유지의 취득 또는 처분 등의 목적을 위한 지가의 산정 및 ② 동법 제10조 제4항에 의거, 개별공시지가 산정 시 활용한다.

## III. 토지가격비준표의 법적 성질

### 1. 법규적 내용을 갖는 행정규칙

토지가격비준표는 행정규칙의 형식을 취하고 있으나, 그 근거가 되는 법령의 규정과 결합하여 법령의 내용을 보충하는 기능을 갖는 행정입법인 법령보충적 행정규칙이며, 이에 관한 법적 성질의 논의가 있다.

### 2. 법규성을 갖는지의 여부

#### (1) 학설 및 판례

① 학설에는 법규명령설, 행정규칙설, 규범구체화 행정규칙설, 위헌무효설 등이 있다.
② 대법원은 토지가격비준표를 법령보충적인 구실을 하는 법규적 성질을 가지고 있다고 판시하고 있다.

#### (2) 검토

법령보충적 행정규칙은 그 위임의 한계를 벗어나지 아니하는 한 법규성을 인정할 수 있다. 토지가격비준표는 부동산공시법 제3조 제8항에서 국토교통부장관에게 위임의 근거를 마련하고 있으므로 법규명령으로 보는 것이 타당하다고 여겨진다.

## Ⅳ. 토지가격비준표의 하자와 권리구제

### 1. 논의의 실익

개별공시지가는 국민에 대한 각종 조세와 관련이 있어 그 적정성이 중요한 문제로 대두된다. 따라서 하자의 발생 시 그에 대한 권리구제 역시 중요하게 된다.

### 2. 작성상의 하자(토지가격비준표 자체의 하자)

토지가격비준표는 법령보충적 행정규칙으로서 작성행위 자체는 소송의 대상이 되는 처분이라 할 수 없고, 이를 다툴 수 없다고 본다. 따라서 토지가격비준표의 위헌·위법 여부는 재판의 전제가 되는 경우에 한하여 법원의 명령규칙심사를 통해 판단한다. 이때 위헌·위법성이 인정되면 토지가격비준표는 해당 사안에 한하여 무효이며, 무효인 토지가격비준표에 근거한 개별공시지가 결정·공시는 위법하게 된다(판례동지).

### 3. 활용상의 하자(개별공시지가의 하자)

① 이는 개별공시지가 산정절차의 하자가 되므로 개별공시지가의 처분성을 인정하면 이에 불복하여 행정쟁송을 제기할 수 있다. 토지가격비준표를 통한 표준지와 해당 토지특성의 조사·비교에 잘못이 있는 경우, 가격조정률을 잘못 추출한 경우, 틀린 계산·오기로 인하여 지가산정이 잘못된 경우 등이 이에 해당한다.

② 판례는 비교표준지와 개별토지의 특성을 비교하여 토지가격비준표상의 가격배율을 모두 적용하여야 하며, 이를 일부만 적용하는 것은 위법하다고 판시하였다.

## Ⅴ. 결

비준표상의 토지특성항목의 적정성 여부를 검증할 수 있는 제도적 장치가 없으며, 비준표상의 가격배율은 통계처리결과로 얻은 평균값이므로 특이한 토지나 광대면적 토지 등에는 적용하기 어려운 점이 있다. 따라서 계속적으로 비준표를 세분화시키고 가격배율을 수정·보완하는 노력 등이 필요하다 할 것이다.

## 3절 – 부동산공시법 제3조(표준지공시지가의 조사·평가 및 공시 등)

> **문제**
>
> 부동산가격공시에 관한 법률(이하 '부동산공시법')상 서울특별시 관악구 봉천동 100번지(대, 100㎡) 甲 표준지공시지가인 본 토지는 상업용 토지로서 지리적·사회적 입지조건과 배후지의 질과 양, 유동인구, 접근성, 교통조건과 면적, 형상, 가로조건 등 개별적 제반 특성 등을 고려하고, 세평가격(㎡당 10,000,000원 수준), 인근 유사 표준지의 지가수준(봉천동 120번지, 대 105.8㎡) 등을 종합적으로 참작하여 평가하되, 대상 토지가 나지로서 최유효이용이 기대되는 점을 고려하여 ㎡당 11,000,000원으로 추상적으로만 평가하였는데 거래사례비교법, 원가법, 수익환원법의 표준지 평가방식에 해당하는 항목은 공란으로 하여 결정·공시하였다. 다음 물음에 답하시오. 20점
>
> (1) 부동산공시법상 표준지공시지가의 의의 및 법적 성질, 결정절차와 그 효력에 대하여 설명하시오. 10점
>
> (2) 감정평가법인등의 토지 평가액 산정의 적정성을 인정하기 위한 감정평가서의 기재 내용과 정도에 대하여 설명하시오. 5점
>
> (3) 甲 표준지공시지가 감정평가서에 토지의 전년도 공시지가와 세평가격 및 인근 표준지의 감정가격만을 참고가격으로 삼고 평가의견을 추상적으로만 기재한 사안이 위법한 것인지 설명하시오. 5점

<table>
<tr><td valign="top">

Ⅰ. 논점의 정리

Ⅱ. (물음1) 표준지공시지가의 개관
  1. 표준지공시지가의 의의(부동산가격
    공시법 제3조)
  2. 표준지공시지가의 법적 성질
    (1) 학설
    (2) 판례
    (3) 검토
  3. 표준지공시지가의 결정절차
  4. 표준지공시지가의 효력
    (1) 적용범위(부동산공시법 제8조)
    (2) 효력(부동산공시법 제9조)

</td><td valign="top">

Ⅲ. (물음2) 감정평가서의 기재내용과 정도
  1. 개설
  2. 2007두20140 판례의 요지
    (1) 표준지공시지가의 적정성
    (2) 감정평가서에의 평가원인의
      기재정도
    (3) 참고가격의 참작방법과 평가
      의견의 구체적 기술

Ⅳ. (물음3) 감정평가서의 위법성
  1. 부동산공시법의 입법취지 측면
  2. 평가원인의 구체적 특정성 여부
  3. 요인별 참작내용과 정도의 객관성
    여부
  4. 표준지공시지가의 위법성

Ⅴ. 사안의 해결

</td></tr>
</table>

# Ⅰ 논점의 정리

해당 사안은 부동산 가격공시에 관한 법률(이하 '부동산공시법')에서 표준지공시지가에 관한 쟁점이다. 표준지공시지가는 손실보상금 혹은 개별공시지가 산정의 기초가 되는바, 국민의 권리 및 의무에 영향을 미친다고 할 수 있다. 이하에서는 표준지공시지가의 결정절차 및 효력을 검토하고, 이에 근거하여 표준지공시지가의 적정성을 인정하기 위한 감정평가서의 기재 내용 및 정도를 검토한 뒤 감정평가서에 인근 표준지의 감정가격만을 참고가격으로 삼고 평가의견을 추상적으로만 기재한 사안이 위법한 것인지 관련 판례를 통해 검토해 보기로 한다.

# Ⅱ (물음1) 표준지공시지가의 개관

## 1. 표준지공시지가의 의의(부동산가격공시법 제3조)

표준지공시지가란 국토교통부장관이 조사 및 평가하여 공시한 표준지의 단위면적당 가격을 말한다. 이는 적정가격을 공시하여 적정한 가격형성을 도모하고 국토의 효율적 이용 및 국민경제 발전, 조세형평성을 향상시키기 위함에 취지가 있다.

## 2. 표준지공시지가의 법적 성질

### (1) 학설

① 보상액 산정, 개발부담금 산정에 구속력이 인정되기 때문에 행정행위에 해당된다는 행정행위설, ② 지가정책집행의 활동기준, 내부구속적 계획일 뿐이라는 행정계획설, ③ 개별성, 구체성을 결여한 지가정책의 사무처리기준이라는 행정규칙설, ④ 각종부담금 및 개별공시지가 산정의 기준이 되고, 위법한 표준지공시지가를 기준으로 행해진 처분도 위법하다고 보아야 하므로 법규명령의 성질을 갖는 고시라고 보는 법규명령설이 대립한다.

### (2) 판례

판례는 공시지가에 불복하기 위하여서는 처분청을 상대로 부동산공시법상 이의신청절차를 거쳐 그 공시지가 결정의 취소를 구하는 행정소송을 제기하여야 한다고 판시한 바 있다. 또한, 2007두13845 판결에서 표준지공시지가와 수용재결 간 하자승계를 인정함으로써 표준지공시지가의 처분성을 인정하고 있다.

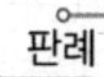

**[판시사항]**

가. 개별토지가격결정을 다투는 소송에서 그 개별토지가격 산정의 기초가 된 표준지공시지가의 위법성을 다툴 수 있는지 여부

나. 종전의 비교표준지를 바꾼 것만으로 비교표준지 선정에 위법이 있다고 할 수 있는지 여부

다. 당해 토지의 개별토지가격이 인근토지에 비하여 현저하게 부당하다는 점에 대한 입증책임

[판결요지]

**가. 표준지로 선정된 토지의 공시지가에 대하여 불복하기 위하여는 지가공시 및 토지 등의 평가에 관한 법률 제8조 제1항 소정의 이의절차를 거쳐 처분청을 상대로 그 공시지가결정의 취소를 구하는 행정소송을 제기하여야 하는 것이지, 그러한 절차를 밟지 아니한 채 개별토지가격결정을 다투는 소송에서 그 개별토지가격 산정의 기초가 된 표준지공시지가의 위법성을 다툴 수는 없다.**

나. 당해 토지와 용도지역, 지목, 이용상황, 지형 및 지세, 주위환경 등이 유사하여 표준지선정 기준에 적합한 표준지를 비교표준지로 선정한 이상 종전의 비교표준지를 바꾼 것만으로는 비교표준지 선정에 있어 어떠한 위법이 있다고 할 수 없다.

다. 당해 토지의 개별토지가격이 인근토지의 개별토지가격 등에 비추어 현저하게 부당하다는 점에 대하여는 이를 다투는 자에게 그 입증의 필요가 있다.

(출처 : 대법원 1995.3.28. 선고 94누12920 판결[개별공시지가결정처분취소])

판례

● 표준지공시지가와 수용재결 간 하자승계가 가능한지(적극) – 표준지공시지가의 처분성 인정 판례로 기재 가능

[판시사항]

수용보상금의 증액을 구하는 소송에서 선행처분으로서 그 수용대상 토지 가격 산정의 기초가 된 비교표준지공시지가결정의 위법을 독립한 사유로 주장할 수 있는지 여부(적극)

[판결요지]

표준지공시지가결정은 이를 기초로 한 수용재결 등과는 별개의 독립된 처분으로서 서로 독립하여 별개의 법률효과를 목적으로 하지만, 표준지공시지가는 이를 인근 토지의 소유자나 기타 이해관계인에게 개별적으로 고지하도록 되어 있는 것이 아니어서 인근 토지의 소유자 등이 표준지공시지가결정 내용을 알고 있었다고 전제하기가 곤란할 뿐만 아니라, 결정된 표준지공시지가가 공시될 당시 보상금 산정의 기준이 되는 표준지의 인근 토지를 함께 공시하는 것이 아니어서 인근 토지 소유자는 보상금 산정의 기준이 되는 표준지가 어느 토지인지를 알 수 없으므로, 인근 토지 소유자가 표준지의 공시지가가 확정되기 전에 이를 다투는 것은 불가능하다. 더욱이 장차 어떠한 수용재결 등 구체적인 불이익이 현실적으로 나타나게 되었을 경우에 비로소 권리구제의 길을 찾는 것이 우리 국민의 권리의식임을 감안하여 볼 때, 인근 토지소유자 등으로 하여금 결정된 표준지공시지가를 기초로 하여 장차 토지보상 등이 이루어질 것에 대비하여 항상 토지의 가격을 주시하고 표준지공시지가결정이 잘못된 경우 정해진 시정절차를 통하여 이를 시정하도록 요구하는 것은 부당하게 높은 주의의무를 지우는 것이고, 위법한 표준지공시지가결정에 대하여 그 정해진 시정절차를 통하여 시정하도록 요구하지 않았다는 이유로 위법한 표준지공시지가를 기초로 한 수용재결 등 후행 행정처분에서 표준지공시지가결정의 위법을 주장할 수 없도록 하는 것은 수인한도를 넘는 불이익을 강요하는 것으로서 국민의 재산권과 재판받을 권리를 보장한 헌법의 이념에도 부합하

는 것이 아니다. 따라서 표준지공시지가결정이 위법한 경우에는 그 자체를 행정소송의 대상이 되는 행정처분으로 보아 그 위법 여부를 다툴 수 있음은 물론, 수용보상금의 증액을 구하는 소송에서도 선행처분으로서 그 수용대상 토지 가격 산정의 기초가 된 비교표준지공시지가결정의 위법을 독립한 사유로 주장할 수 있다.

(출처: 대법원 2008.8.21. 선고 2007두13845 판결[토지보상금])

### (3) 검토

생각건대, 국민의 권리구제 측면에서는 법규명령설이 유리하나 다양한 정책수립기준으로 활용되므로 적정 공시가격의 안정성이 인정될 필요가 있다. 따라서 미리 다툴 수 있게 하여 법률관계의 조기 확정을 통한 법적안정성 확보를 도모하기 위하여 처분성을 긍정하는 판례의 태도가 타당하다고 판단된다.

## 3. 표준지공시지가의 결정절차

국토교통부장관은 표준지 선정 및 관리지침에 따라 선정된 표준지에 대하여 공시일 현재의 적정가격을 조사 및 평가하고 중앙부동산가격공시위원회의 심의를 거쳐 공시해야 한다.

> ◈ 부동산 가격공시에 관한 법률 제3조(표준지공시지가의 조사·평가 및 공시 등)
> ① 국토교통부장관은 토지이용상황이나 주변 환경, 그 밖의 자연적·사회적 조건이 일반적으로 유사하다고 인정되는 일단의 토지 중에서 선정한 표준지에 대하여 매년 공시기준일 현재의 단위면적당 적정가격(이하 "표준지공시지가"라 한다)을 조사·평가하고, 제24조에 따른 중앙부동산가격공시위원회의 심의를 거쳐 이를 공시하여야 한다.
> ② 국토교통부장관은 표준지공시지가를 공시하기 위하여 표준지의 가격을 조사·평가할 때에는 대통령령으로 정하는 바에 따라 해당 토지 소유자의 의견을 들어야 한다.
> ③ 제1항에 따른 표준지의 선정, 공시기준일, 공시의 시기, 조사·평가 기준 및 공시절차 등에 필요한 사항은 대통령령으로 정한다.
> ④ 국토교통부장관이 제1항에 따라 표준지공시지가를 조사·평가하는 경우에는 인근 유사토지의 거래가격·임대료 및 해당 토지와 유사한 이용가치를 지닌다고 인정되는 토지의 조성에 필요한 비용추정액, 인근지역 및 다른 지역과의 형평성·특수성, 표준지공시지가 변동의 예측 가능성 등 제반사항을 종합적으로 참작하여야 한다.
> ⑤ 국토교통부장관이 제1항에 따라 표준지공시지가를 조사·평가할 때에는 업무실적, 신인도(信認度) 등을 고려하여 둘 이상의 「감정평가 및 감정평가사에 관한 법률」에 따른 감정평가법인등(이하 "감정평가법인등"이라 한다)에게 이를 의뢰하여야 한다. 다만, 지가 변동이 작은 경우 등 대통령령으로 정하는 기준에 해당하는 표준지에 대해서는 하나의 감정평가법인등에 의뢰할 수 있다.
> ⑥ 국토교통부장관은 제5항에 따라 표준지공시지가 조사·평가를 의뢰받은 감정평가업자가 공정하고 객관적으로 해당 업무를 수행할 수 있도록 하여야 한다.

> ⑦ 제5항에 따른 감정평가법인등의 선정기준 및 업무범위는 대통령령으로 정한다.
> ⑧ 국토교통부장관은 제10조에 따른 개별공시지가의 산정을 위하여 필요하다고 인정하는 경우에는 표준지와 산정대상 개별 토지의 가격형성요인에 관한 표준적인 비교표(이하 "토지가격비준표"라 한다)를 작성하여 시장·군수 또는 구청장에게 제공하여야 한다.

## 4. 표준지공시지가의 효력

### (1) 적용범위(부동산공시법 제8조)

감정평가법인등의 토지평가기준, 비준표를 사용하여 지가를 직접 산정하거나 감정평가법인등에게 감정평가를 의뢰하여 산정할 수 있다. 행정목적을 위한 산정기준이 되며, 이 경우 가감조정이 가능하다. 여기서 행정목적을 위한 경우라 함은 공공용지의 매수, 토지의 수용 및 사용에 대한 보상, 국유지 및 공유지의 취득 또는 처분 등을 의미한다.

### (2) 효력(부동산공시법 제9조)

표준지공시지가는 토지시장의 지가정보를 제공하고 일반적인 토지거래의 지표가 되며, 국가 및 지방자치단체 등이 그 업무와 관련하여 지가를 산정하거나 감정평가법인등이 개별적으로 토지를 감정평가하는 경우에 그 기준이 된다.

> **◑ 부동산 가격공시에 관한 법률 제8조(표준지공시지가의 적용)**
> 제1호 각 목의 자가 제2호 각 목의 목적을 위하여 지가를 산정할 때에는 그 토지와 이용가치가 비슷하다고 인정되는 하나 또는 둘 이상의 표준지의 공시지가를 기준으로 토지가격비준표를 사용하여 지가를 직접 산정하거나 감정평가법인등에 감정평가를 의뢰하여 산정할 수 있다. 다만, 필요하다고 인정할 때에는 산정된 지가를 제2호 각 목의 목적에 따라 가감(加減) 조정하여 적용할 수 있다.
> 1. 지가 산정의 주체
>    가. 국가 또는 지방자치단체
>    나. 「공공기관의 운영에 관한 법률」에 따른 공공기관
>    다. 그 밖에 대통령령으로 정하는 공공단체
> 2. 지가 산정의 목적
>    가. 공공용지의 매수 및 토지의 수용·사용에 대한 보상
>    나. 국유지·공유지의 취득 또는 처분
>    다. 그 밖에 대통령령으로 정하는 지가의 산정
>
> **◑ 부동산 가격공시에 관한 법률 제9조(표준지공시지가의 효력)**
> 표준지공시지가는 토지시장에 지가정보를 제공하고 일반적인 토지거래의 지표가 되며, 국가·지방자치단체 등이 그 업무와 관련하여 지가를 산정하거나 감정평가법인등이 개별적으로 토지를 감정평가하는 경우에 기준이 된다.

> **판례**

**[판시사항]**

[1] 보통우편의 방법으로 우편물을 발송한 경우 그 송달을 추정할 수 있는지 여부(소극) 및 그 송달에 관한 증명책임자

[2] 표준지공시지가의 결정절차와 그 효력

[3] 감정평가업자의 토지 평가액 산정의 적정성을 인정하기 위한 감정평가서의 기재 내용과 정도

[4] 건설교통부장관이 표준지공시지가를 결정·공시하는 절차에서 감정평가서에 토지의 전년도 공시지가와 세평가격 및 인근 표준지의 감정가격만을 참고가격으로 삼고 평가의견을 추상적으로만 기재한 사안에서, 평가요인별 참작 내용과 정도가 평가액 산정의 적정성을 알아볼 수 있을 만큼 객관적으로 설명되어 있다고 보기 어려워, 이를 근거로 한 표준지공시지가 결정은 토지의 적정가격을 반영한 것이라고 인정하기 어려워 위법하다고 한 사례

**[판결요지]**

[1] 내용증명우편이나 등기우편과는 달리, 보통우편의 방법으로 발송되었다는 사실만으로는 그 우편물이 상당한 기간 내에 도달하였다고 추정할 수 없고, 송달의 효력을 주장하는 측에서 증거에 의하여 이를 입증하여야 한다.

[2] 구 부동산 가격공시 및 감정평가에 관한 법률(2008.2.29. 법률 제8852호로 개정되기 전의 것) 제2조 제5호, 제6호, 제3조 제1항, 제5조, 제10조와 같은 법 시행령(2008.2. 29. 대통령령 제20722호로 개정되기 전의 것) 제8조 등을 종합하여 보면, 건설교통부장관은 토지이용상황이나 주변 환경 그 밖의 자연적·사회적 조건이 일반적으로 유사하다고 인정되는 일단의 토지 중에서 표준지를 선정하고, 그에 관하여 매년 공시기준일 현재의 적정가격을 조사·평가한 후 중앙부동산평가위원회의 심의를 거쳐 이를 공시하여야 한다. 표준지의 적정가격을 조사·평가할 때에는 인근 유사토지의 거래가격, 임대료, 당해 토지와 유사한 이용가치를 지닌다고 인정되는 토지의 조성에 필요한 비용추정액 등을 종합적으로 참작하되, 둘 이상의 감정평가업자에게 이를 의뢰하여 평가한 금액의 산술평균치를 기준으로 하고, 감정평가업자가 행한 평가액이 관계 법령을 위반하거나 부당하게 평가되었다고 인정되는 경우 등에는 당해 감정평가업자 혹은 다른 감정평가업자로 하여금 다시 조사·평가하도록 할 수 있으며, 여기서 '적정가격'이란 당해 토지에 대하여 통상적인 시장에서 정상적인 거래가 이루어지는 경우 성립될 가능성이 가장 높다고 인정되는 가격을 말하고, 한편 이러한 절차를 거쳐 결정·공시된 표준지공시지가는 토지시장의 지가정보를 제공하고 일반적인 토지거래의 지표가 되며, 국가·지방자치단체 등의 기관이 그 업무와 관련하여 지가를 산정하거나 감정평가업자가 개별적으로 토지를 감정평가하는 경우에 기준이 되는 효력을 갖는다.

[3] 표준지공시지가의 결정절차 및 그 효력과 기능 등에 비추어 보면, 표준지공시지가는 당해 토지뿐 아니라 인근 유사토지의 가격을 결정하는 데에 전제적·표준적 기능을 수행하는 것이어서 특히 그 가격의 적정성이 엄격하게 요구된다. 이를 위해서는 무엇보다도

적정가격 결정의 근거가 되는 감정평가업자의 평가액 산정이 적정하게 이루어졌음이 담보될 수 있어야 하므로, 그 감정평가서에는 평가원인을 구체적으로 특정하여 명시함과 아울러 각 요인별 참작 내용과 정도가 객관적으로 납득이 갈 수 있을 정도로 설명됨으로써, 그 평가액이 당해 토지의 적정가격을 평가한 것임을 인정할 수 있어야 한다.

[4] 건설교통부장관이 2개의 감정평가법인에 토지의 적정가격에 대한 평가를 의뢰하여 그 평가액을 산술평균한 금액을 그 토지의 적정가격으로 결정·공시하였으나, 감정평가서에 거래선례나 평가선례, 거래사례비교법, 원가법 및 수익환원법 등을 모두 공란으로 둔 채, 그 토지의 전년도 공시지가와 세평가격 및 인근 표준지의 감정가격만을 참고가격으로 삼으면서 그러한 참고가격이 평가액 산정에 어떻게 참작되었는지에 관한 별다른 설명 없이 평가의견을 추상적으로만 기재한 사안에서, 평가요인별 참작 내용과 정도가 평가액 산정의 적정성을 알아볼 수 있을 만큼 객관적으로 설명되어 있다고 보기 어려워, 이러한 감정평가액을 근거로 한 표준지공시지가 결정은 그 토지의 적정가격을 반영한 것이라고 인정하기 어려워 위법하다고 한 사례

(출처 : 대법원 2009.12.10. 선고 2007두20140 판결[공시지가확정처분취소])

## Ⅲ (물음2) 감정평가서의 기재정도와 내용

### 1. 개설

사안에서는 토지에 결정 및 공시된 표준지공시지가가 부적정한 것인지가 문제된다. 이하에서는 거래사례비교법, 원가법 및 수익환원법 등의 가격이 공란으로 되어 있고 가격의 적정성이 구체적으로 설명되지 않은 것이 평가서의 기재내용과 정도에 부합하지 않는 것인지 대법원 판례 2007두20140의 요지를 통해 검토해보기로 한다.

### 2. 2007두20140 판결[공시지가확정취소처분 : 평가서의 기재내용과 정도]의 요지

#### (1) 표준지공시지가의 적정성

표준지공시지가는 해당 토지뿐만 아니라 인근 유사토지의 가격을 결정하는 데에 전체적, 표준적인 기능을 수행하는 것이어서 특히 그 가격의 적정성이 엄격하게 요구되어야 하는 특징이 있다.

#### (2) 감정평가서에서 평가원인의 기재의 정도

감정평가서에는 평가원인을 구체적으로 특정하여 명시함과 아울러 각 요인별 참작 내용과 정도가 객관적으로 납득이 갈 수 있을 정도로 설명됨으로써, 그 평가액이 해당 토지의 적정가격을 평가한 것임을 인정할 수 있어야 한다.

#### (3) 참고가격의 참작방법과 평가의견의 구체적 기술

감정평가서에서는 거래선례나 평가선례, 거래사례비교법, 원가법 및 수익환원법 등을 모두 공

란으로 둔 채 그 토지의 전년도 공시지가와 세평가격 및 인근 표준지의 감정가격만을 참고 가격으로 삼으면서 그러한 참고가격이 평가액 산정에 어떻게 참작되었는지와 관련하여 별다른 설명 없이 평가의견을 추상적으로만 기재하여서는 안된다. 따라서, 평가요인별 참작 내용과 정도가 평가액 산정의 적정성을 알아볼 수 있을 만큼 객관적으로 설명되어야 한다.

> **판례**
>
> [판시사항]
> [1] 보통우편의 방법으로 우편물을 발송한 경우 그 송달을 추정할 수 있는지 여부(소극) 및 그 송달에 관한 증명책임자
> [2] 표준지공시지가의 결정절차와 그 효력
> **[3] 감정평가업자의 토지 평가액 산정의 적정성을 인정하기 위한 감정평가서의 기재 내용과 정도**
> **[4] 건설교통부장관이 표준지공시지가를 결정ㆍ공시하는 절차에서 감정평가서에 토지의 전년도 공시지가와 세평가격 및 인근 표준지의 감정가격만을 참고가격으로 삼고 평가의견을 추상적으로만 기재한 사안에서, 평가요인별 참작 내용과 정도가 평가액 산정의 적정성을 알아볼 수 있을 만큼 객관적으로 설명되어 있다고 보기 어려워, 이를 근거로 한 표준지공시지가 결정은 토지의 적정가격을 반영한 것이라고 인정하기 어려워 위법하다고 한 사례**
>
> [판결요지]
> [1] 내용증명우편이나 등기우편과는 달리, 보통우편의 방법으로 발송되었다는 사실만으로는 그 우편물이 상당한 기간 내에 도달하였다고 추정할 수 없고, 송달의 효력을 주장하는 측에서 증거에 의하여 이를 입증하여야 한다.
> [2] 구 부동산 가격공시 및 감정평가에 관한 법률(2008.2.29. 법률 제8852호로 개정되기 전의 것) 제2조 제5호, 제6호, 제3조 제1항, 제5조, 제10조와 같은 법 시행령(2008.2.29. 대통령령 제20722호로 개정되기 전의 것) 제8조 등을 종합하여 보면, 건설교통부장관은 토지이용상황이나 주변 환경 그 밖의 자연적ㆍ사회적 조건이 일반적으로 유사하다고 인정되는 일단의 토지 중에서 표준지를 선정하고, 그에 관하여 매년 공시기준일 현재의 적정가격을 조사ㆍ평가한 후 중앙부동산평가위원회의 심의를 거쳐 이를 공시하여야 한다. 표준지의 적정가격을 조사ㆍ평가할 때에는 인근 유사토지의 거래가격, 임대료, 당해 토지와 유사한 이용가치를 지닌다고 인정되는 토지의 조성에 필요한 비용추정액 등을 종합적으로 참작하되, 둘 이상의 감정평가업자에게 이를 의뢰하여 평가한 금액의 산술평균치를 기준으로 하고, 감정평가업자가 행한 평가액이 관계 법령을 위반하거나 부당하게 평가되었다고 인정되는 경우 등에는 당해 감정평가업자 혹은 다른 감정평가업자로 하여금 다시 조사ㆍ평가하도록 할 수 있으며, 여기서 '적정가격'이란 당해 토지에 대하여 통상적인 시장에서 정상적인 거래가 이루어지는 경우 성립될 가능성이 가장 높다고 인정되는 가격을 말하고, 한편 이러한 절차를 거쳐 결정ㆍ공시된 표준지 공시지가는 토지시장의 지가정보를 제공하고 일반적인 토지거래의 지표가 되며, 국가ㆍ지방자치단체 등의 기관이 그 업무와 관련하여 지가를 산정하거나 감정평가업자가 개별적으로 토지를 감정평가하는 경우에 기준이 되는 효력을 갖는다.

> [3] 표준지공시지가의 결정절차 및 그 효력과 기능 등에 비추어 보면, 표준지공시지가는 당해 토지뿐 아니라 인근 유사토지의 가격을 결정하는 데에 전제적·표준적 기능을 수행하는 것이어서 특히 그 가격의 적정성이 엄격하게 요구된다. 이를 위해서는 무엇보다도 적정가격 결정의 근거가 되는 감정평가업자의 평가액 산정이 적정하게 이루어졌음이 담보될 수 있어야 하므로, 그 감정평가서에는 평가원인을 구체적으로 특정하여 명시함과 아울러 각 요인별 참작 내용과 정도가 객관적으로 납득이 갈 수 있을 정도로 설명됨으로써, 그 평가액이 당해 토지의 적정가격을 평가한 것임을 인정할 수 있어야 한다.
>
> [4] 건설교통부장관이 2개의 감정평가법인에 토지의 적정가격에 대한 평가를 의뢰하여 그 평가액을 산술평균한 금액을 그 토지의 적정가격으로 결정·공시하였으나, 감정평가서에 거래선례나 평가선례, 거래사례비교법, 원가법 및 수익환원법 등을 모두 공란으로 둔 채, 그 토지의 전년도 공시지가와 세평가격 및 인근 표준지의 감정가격만을 참고가격으로 삼으면서 그러한 참고가격이 평가액 산정에 어떻게 참작되었는지에 관한 별다른 설명 없이 평가의견을 추상적으로만 기재한 사안에서, 평가요인별 참작 내용과 정도가 평가액 산정의 적정성을 알아볼 수 있을 만큼 객관적으로 설명되어 있다고 보기 어려워, 이러한 감정평가액을 근거로 한 표준지공시지가 결정은 그 토지의 적정가격을 반영한 것이라고 인정하기 어려워 위법하다고 한 사례
>
> (출처 : 대법원 2009.12.10. 선고 2007두20140 판결[공시지가확정처분취소])

## Ⅳ (물음3) 감정평가서의 위법성

### 1. 부동산공시법의 입법취지 측면

부동산공시법은 부동산의 적정가격 공시에 관한 기본적인 사항과 부동산 시장 동향의 조사 및 관리에 필요한 사항을 규정함으로써 부동산의 적정한 가격형성과 각종 조세 및 부담금 등의 형평성을 도모하고 국민경제의 발전에 이바지함을 목적으로 한다고 규정하고 있다. 이러한 부동산공시법의 입법취지 측면에서도 평가원인이 특정되지 않고 참작내용과 정도가 제대로 기술되지 않은 감정평가서는 위법하다고 봄이 타당하다.

### 2. 평가원인의 구체적 특정성 여부

사안의 표준지공시지가의 감정평가서는 거래선례나 평가선례를 수집하지 못해서 거래사례비교법, 원가법 및 수익환원법 등을 구체적으로 적용하지 못하였다. 또한 해당 감정평가서는 평가원인을 구체적으로 특정하지 못하였다.

### 3. 요인별 참작 내용과 정도의 객관성 여부

사안의 표준지공시지가에는 거래사례비교법, 원가법 및 수익환원법 등의 가격란은 공란으로 되어 있고, 전년도의 공시지가와 세평가격만이 참고가격으로 적시되어 있는 등 별다른 요인별 참작 내용은 없었으므로 이는 객관적으로 설명되었다고 보기 어렵다고 판단된다.

## 4. 표준지공시지가의 위법성

甲 표준지공시지가 감정평가서에서는 평가원인을 구체적으로 특정하여 명시함과 아울러 각 요인별 참작 내용과 정도가 객관적으로 납득이 갈 수 있을 정도로 설명되었다고 보기 어렵다. 표준지공시지가는 해당 토지뿐 아니라 인근 유사토지의 가격을 결정하는데 전체적, 표준적 기능을 수행하는 것이어서 특히 그 가격의 적정성이 엄격하게 요구된다는 점에 비추어 상업용 나지의 표준지공시지가 결정은 적정성이 인정되지 않는다고 판단된다. 따라서 국토교통부장관은 공시지가 확정을 취소하고 적정한 공시지가를 재공시해야 할 것이다.

## Ⅴ 사안의 해결

사안의 경우 표준지공시지가의 결정은 평가원인의 구체적 특정성이 이루어지지 않았으며, 요인별 참작내용과 정도가 객관적으로 설명되지 않아서 위법하게 결정되었다고 판단된다. 표준지공시지가는 국민의 권리 및 의무에 직접적인 영향을 미치는 것으로써 감정평가법인등의 토지 평가의 기준이 되고 거래의 지표가 된다는 점에서 중요한 효력을 지녔고 표준지의 평가원인에 대해 구체적으로 특정하고 요인별 참작 내용과 그 내용에 대해서 객관적으로 설명되어야 타당하다고 보인다. 이는 표준지공시지가가 국민에게 미치는 영향이 지대한바, 해당 감정평가법인등은 신중에 신중을 기해야 할 것이다.

## **4**절 – 부동산공시법 제3조(표준지공시지가의 조사·평가 및 공시 등)

**문제**

국토교통부장관은 매년 1월 1일 기준으로 하여 전국에 58만 필지의 표준지공시지가를 조사·평가하여 결정·공시하고 있다. 표준지공시지가를 평가하려면 표준지선정·관리지침(국토교통부 훈령)에 따른 적정한 표준지를 선정하여 평가하여야 한다. 해당 훈령 내용은 부동산 가격공시에 관한 법률과 동법 시행령에 위임 규정을 두고 있다. 다음 물음에 답하시오. 20점 (단, 각 물음은 상호독립적임)

(1) 표준지공시지가의 의의 및 법적 성질에 대하여 설명하시오. 5점

(2) 표준지선정·관리지침에 위반한 표준지 평가의 위법성에 대하여 설명하시오. 5점

(3) ① 대법원 2022.5.13. 선고 2018두50147 판결[재산세부과처분취소]에 따라 표준지로 선정된 토지의 표준지공시지가에 대한 불복방법 및 ② 그러한 절차를 밟지 않은 채 토지 등에 관한 재산세 등 부과처분의 취소를 구하는 소송에서 표준지공시지가결정의 위법성을 다투는 것이 허용되는지 여부를 설명하시오. 10점 (다만 선행처분인 표준지공시지가 처분은 단순 취소사유에 해당되고, 선행처분인 표준지공시지가 취소소송에 대한 제소기간은 도과하였고, 후행 재산세 부과처분은 고유한 하자가 없는 적법한 것으로 전제함)

Ⅰ. 논점의 정리

Ⅱ. (물음1)표준지공시지가의 개관
  1. 표준지공시지가의 의의(부동산공시법 제3조)
  2. 표준지공시지가의 법적 성질
    (1) 학설
    (2) 판례
    (3) 검토
  3. 표준지공시지가의 결정절차
  4. 표준지공시지가의 효력
    (1) 적용범위(부동산공시법 제8조)
    (2) 효력(부동산공시법 제9조)

Ⅲ. (물음2)에 대하여
  1. 표준지선정·관리지침의 법적 성질
    (1) 문제점
    (2) 학설
    (3) 판례
    (4) 검토 및 사안의 경우

  2. 표준지선정·관리지침에 위반한 표준지공시지가의 위법성 및 정도
    (1) 위법성 여부
    (2) 위법성의 정도

Ⅳ. (물음3)에 대하여
  1. 표준지로 선정된 토지의 표준지공시지가에 대한 불복방법
    (1) 이의신청(부동산공시법 제7조)
    (2) 행정심판 제기가능성
    (3) 행정소송 가능성
      1) 개설
      2) 소송요건
        ① 대상적격
        ② 원고적격
        ③ 제소기간
  2. 표준지공시지가와 과세처분 간 하자 승계 가능여부
    (1) 하자승계의 의의 및 취지
    (2) 하자승계의 전제요건

<table>
<tr><td>

1) 하자승계 전제요건<br>
2) 사안의 경우<br>
(3) 하자승계의 가능여부<br>
  1) 학설의 태도<br>
  2) 판례의 태도

</td><td>

3) 검토<br>
4) 대법원 판례를 통한 사안의<br>
  해결<br>
**V. 사안의 해결**

</td></tr>
</table>

## I 논점의 정리

해당 사안은 부동산 가격공시에 관한 법률(이하 '부동산공시법')에서 표준지공시지가에 관한 쟁점이다. 표준지공시지가는 손실보상금 혹은 개별공시지가 산정의 기초가 되는바 국민의 권리 및 의무에 영향을 미친다고 할 수 있다. 이하에서는 표준지공시지가의 결정절차 및 효력을 검토하고, 표준지 선정·관리지침(국토교통부 훈령)의 법적 성질을 살펴, 이를 위반한 표준지공시지가의 위법성을 검토한다. 또한, 표준지공시지가와 과세처분 간 하자의 승계 가능 여부를 고찰해 보고자 한다.

## II (물음1) 표준지공시지가의 개관

### 1. 표준지공시지가의 의의(부동산공시법 제3조)

표준지공시지가란 국토교통부장관이 조사 및 평가하여 공시한 표준지의 단위면적당 가격을 말한다. 이는 적정가격을 공시하여 적정한 가격형성을 도모하고 국토의 효율적 이용 및 국민경제 발전, 조세형평성을 향상시키기 위함에 취지가 있다.

### 2. 표준지공시지가의 법적 성질

#### (1) 학설

① 보상액 산정, 개발부담금 산정에 구속력이 인정되기 때문에 행정행위에 해당된다는 행정행위설, ② 지가정책집행의 활동기준, 내부구속적 계획일 뿐이라는 행정계획설, ③ 개별성, 구체성을 결여한 지가정책의 사무처리기준이라는 행정규칙설, ④ 각종부담금 및 개별공시지가 산정의 기준이 되고, 위법한 표준지공시지가를 기준으로 행해진 처분도 위법하다고 보아야 하므로 법규명령의 성질을 갖는 고시라고 보는 법규명령설이 대립한다.

#### (2) 판례

판례는 공시지가에 불복하기 위하여서는 처분청을 상대로 부동산공시법상 이의신청절차를 거쳐 그 공시지가 결정의 취소를 구하는 행정소송을 제기하여야 한다고 판시한 바 있다. 또한, 2007두13845 판결에서 표준지공시지가와 수용재결 간 하자승계를 인정함으로써 표준지공시지가의 처분성을 인정하고 있다.

판례

[판시사항]

가. 개별토지가격결정을 다투는 소송에서 그 개별토지가격 산정의 기초가 된 표준지공시지가의 위법성을 다툴 수 있는지 여부

나. 종전의 비교표준지를 바꾼 것만으로 비교표준지 선정에 위법이 있다고 할 수 있는지 여부

다. 당해 토지의 개별토지가격이 인근토지에 비하여 현저하게 부당하다는 점에 대한 입증책임

[판결요지]

**가. 표준지로 선정된 토지의 공시지가에 대하여 불복하기 위하여는 지가공시 및 토지 등의 평가에 관한 법률 제8조 제1항 소정의 이의절차를 거쳐 처분청을 상대로 그 공시지가결정의 취소를 구하는 행정소송을 제기하여야 하는 것이지, 그러한 절차를 밟지 아니한 채 개별토지가격결정을 다투는 소송에서 그 개별토지가격 산정의 기초가 된 표준지 공시지가의 위법성을 다툴 수는 없다.**

나. 당해 토지와 용도지역, 지목, 이용상황, 지형 및 지세, 주위환경 등이 유사하여 표준지선정 기준에 적합한 표준지를 비교표준지로 선정한 이상 종전의 비교표준지를 바꾼 것만으로는 비교표준지 선정에 있어 어떠한 위법이 있다고 할 수 없다.

다. 당해 토지의 개별토지가격이 인근토지의 개별토지가격 등에 비추어 현저하게 부당하다는 점에 대하여는 이를 다투는 자에게 그 입증의 필요가 있다.

(출처 : 대법원 1995.3.28. 선고 94누12920 판결[개별공시지가결정처분취소])

판례

● 표준지공시지가와 수용재결 간 하자승계가 가능한지(적극) – 표준지공시지가의 처분성 인정 판례로 기재 가능

[판결요지]

수용보상금의 증액을 구하는 소송에서 선행처분으로서 그 수용대상 토지 가격 산정의 기초가 된 비교표준지공시지가결정의 위법을 독립한 사유로 주장할 수 있는지 여부(적극)

[판결요지]

**표준지공시지가결정은 이를 기초로 한 수용재결 등과는 별개의 독립된 처분으로서 서로 독립하여 별개의 법률효과를 목적으로 하지만, 표준지공시지가는 이를 인근 토지의 소유자나 기타 이해관계인에게 개별적으로 고지하도록 되어 있는 것이 아니어서 인근 토지의 소유자 등이 표준지공시지가결정 내용을 알고 있었다고 전제하기가 곤란할 뿐만 아니라, 결정된 표준지공시지가가 공시될 당시 보상금 산정의 기준이 되는 표준지의 인근 토지를 함께 공시하는 것이 아니어서 인근 토지 소유자는 보상금 산정의 기준이 되는 표준지가 어느 토지인지를 알 수 없으므로, 인근 토지 소유자가 표준지의 공시지가가 확정되기 전에 이를 다투는 것은 불가능하다.** 더욱이 장차 어떠한 수용재결 등 구체적인 불이익이 현실적으로 나타나게 되었을 경우에 비로소 권리구제의 길을 찾는 것이 우리 국민의 권리의식임을 감안하여 볼 때, 인근 토지소유자 등으로 하여금 결정된 표준지공시지가를 기초로 하여 장차 토지보상

등이 이루어질 것에 대비하여 항상 토지의 가격을 주시하고 표준지공시지가결정이 잘못된 경우 정해진 시정절차를 통하여 이를 시정하도록 요구하는 것은 부당하게 높은 주의의무를 지우는 것이고, 위법한 표준지공시지가결정에 대하여 그 정해진 시정절차를 통하여 시정하도록 요구하지 않았다는 이유로 위법한 표준지공시지가를 기초로 한 수용재결 등 후행 행정처분에서 표준지공시지가결정의 위법을 주장할 수 없도록 하는 것은 수인한도를 넘는 불이익을 강요하는 것으로서 국민의 재산권과 재판받을 권리를 보장한 헌법의 이념에도 부합하는 것이 아니다. 따라서 표준지공시지가결정이 위법한 경우에는 그 자체를 행정소송의 대상이 되는 행정처분으로 보아 그 위법 여부를 다툴 수 있음은 물론, 수용보상금의 증액을 구하는 소송에서도 선행처분으로서 그 수용대상 토지 가격 산정의 기초가 된 비교표준지공시지가결정의 위법을 독립한 사유로 주장할 수 있다.
(출처 : 대법원 2008.8.21. 선고 2007두13845 판결[토지보상금])

## (3) 검토

생각건대, 국민의 권리구제 측면에서는 법규명령설이 유리하나 다양한 정책수립기준으로 활용되므로 적정 공시가격의 안정성이 인정될 필요가 있다. 따라서 미리 다툴 수 있게 하여 법률관계의 조기 확정을 통한 법적안정성 확보를 도모하기 위하여 처분성을 긍정하는 판례의 태도가 타당하다고 판단된다.

## 3. 표준지공시지가의 결정절차

국토교통부장관은 표준지 선정 및 관리지침에 따라 선정된 표준지에 대하여 공시일 현재의 적정가격을 조사 및 평가하고 중앙부동산가격공시위원회의 심의를 거쳐 공시해야 한다.

> 부동산 가격공시에 관한 법률 제3조(표준지공시지가의 조사·평가 및 공시 등)
> ① 국토교통부장관은 토지이용상황이나 주변 환경, 그 밖의 자연적·사회적 조건이 일반적으로 유사하다고 인정되는 일단의 토지 중에서 선정한 표준지에 대하여 매년 공시기준일 현재의 단위면적당 적정가격(이하 "표준지공시지가"라 한다)을 조사·평가하고, 제24조에 따른 중앙부동산가격공시위원회의 심의를 거쳐 이를 공시하여야 한다.
> ② 국토교통부장관은 표준지공시지가를 공시하기 위하여 표준지의 가격을 조사·평가할 때에는 대통령령으로 정하는 바에 따라 해당 토지 소유자의 의견을 들어야 한다.
> ③ 제1항에 따른 표준지의 선정, 공시기준일, 공시의 시기, 조사·평가 기준 및 공시절차 등에 필요한 사항은 대통령령으로 정한다.
> ④ 국토교통부장관이 제1항에 따라 표준지공시지가를 조사·평가하는 경우에는 인근 유사토지의 거래가격·임대료 및 해당 토지와 유사한 이용가치를 지닌다고 인정되는 토지의 조성에 필요한 비용추정액, 인근지역 및 다른 지역과의 형평성·특수성, 표준지공시지가 변동의 예측 가능성 등 제반사항을 종합적으로 참작하여야 한다.

⑤ 국토교통부장관이 제1항에 따라 표준지공시지가를 조사·평가할 때에는 업무실적, 신인도 (信認度) 등을 고려하여 둘 이상의 「감정평가 및 감정평가사에 관한 법률」에 따른 감정평가 법인등(이하 "감정평가법인등"이라 한다)에게 이를 의뢰하여야 한다. 다만, 지가 변동이 작은 경우 등 대통령령으로 정하는 기준에 해당하는 표준지에 대해서는 하나의 감정평가법인등에 의뢰할 수 있다.

⑥ 국토교통부장관은 제5항에 따라 표준지공시지가 조사·평가를 의뢰받은 감정평가업자가 공 정하고 객관적으로 해당 업무를 수행할 수 있도록 하여야 한다.

⑦ 제5항에 따른 감정평가법인등의 선정기준 및 업무범위는 대통령령으로 정한다.

⑧ 국토교통부장관은 제10조에 따른 개별공시지가의 산정을 위하여 필요하다고 인정하는 경우 에는 표준지와 산정대상 개별 토지의 가격형성요인에 관한 표준적인 비교표(이하 "토지가격 비준표"라 한다)를 작성하여 시장·군수 또는 구청장에게 제공하여야 한다.

## 4. 표준지공시지가의 효력

### (1) 적용범위(부동산공시법 제8조)

감정평가법인등의 토지평가기준, 비준표를 사용하여 지가를 직접 산정하거나 감정평가법인등 에게 감정평가를 의뢰하여 산정할 수 있다. 행정목적을 위한 산정기준이 되며, 이 경우 가감조 정이 가능하다. 여기서 행정목적을 위한 경우라 함은 공공용지의 매수, 토지의 수용 및 사용에 대한 보상, 국유지 및 공유지의 취득 또는 처분 등을 의미한다.

### (2) 효력(부동산공시법 제9조)

표준지공시지가는 토지시장의 지가정보를 제공하고 일반적인 토지거래의 지표가 되며, 국가 및 지방자치단체 등이 그 업무와 관련하여 지가를 산정하거나 감정평가법인등이 개별적으로 토지를 감정평가하는 경우에 그 기준이 된다.

> 🔁 **부동산공시법 제8조(표준지공시지가의 적용)**
> 제1호 각 목의 자가 제2호 각 목의 목적을 위하여 지가를 산정할 때에는 그 토지와 이용가치가 비슷하다고 인정되는 하나 또는 둘 이상의 표준지의 공시지가를 기준으로 토지가격비준표를 사 용하여 지가를 직접 산정하거나 감정평가법인등에 감정평가를 의뢰하여 산정할 수 있다. 다만, 필요하다고 인정할 때에는 산정된 지가를 제2호 각 목의 목적에 따라 가감(加減) 조정하여 적용 할 수 있다.
> 1. 지가 산정의 주체
>    가. 국가 또는 지방자치단체
>    나. 「공공기관의 운영에 관한 법률」에 따른 공공기관
>    다. 그 밖에 대통령령으로 정하는 공공단체
> 2. 지가 산정의 목적
>    가. 공공용지의 매수 및 토지의 수용·사용에 대한 보상

나. 국유지·공유지의 취득 또는 처분

다. 그 밖에 대통령령으로 정하는 지가의 산정



## Ⅲ (물음2)에 대하여

### 1. 표준지선정·관리지침의 법적 성질

#### (1) 문제점

표준지의 선정 및 관리지침(이하 '관리지침'이라 한다)은 「부동산 가격공시에 관한 법률」 제3조 제3항 및 같은 법 시행령 제2조 제2항에 따라 표준지의 선정 및 관리 등에 관하여 필요한 사항을 정함을 목적으로 규정되었으며, 국토교통부 훈령(2016.9.1. 훈령 제745호)으로 규정되어 있어, 그 법적 성질이 문제된다.

#### (2) 학설

① 행정규칙설은 행정규칙형식은 헌법에 규정된 법규의 형식이 아니므로 행정규칙으로 보아야 한다는 견해이다.

② 법규명령설은 실질적으로 법의 내용을 보충함으로써 개인에게 직접적인 영향을 미치는 법규명령으로 보아야 한다는 견해이다.

③ 규범구체화행정규칙설은 행정규칙과는 달리 상위규범을 구체화하는 내용의 행정규칙이므로 법규성을 긍정해야 한다는 견해이다.

④ 위헌무효설은 헌법에 명시된 법규명령은 대통령령, 총리령, 부령만을 인정하고 있으므로 행정규칙 형식의 법규명령은 헌법에 위반되어 무효라는 견해이다.

⑤ 법규명령의 효력을 갖는 행정규칙설은 법규와 같은 효력을 인정하더라도 행정규칙의 형식으로 제정되어 있으므로 법적 성질은 행정규칙으로 보는 견해이다.

#### (3) 판례

① 상급행정기관이 하급행정기관에 대하여 업무처리지침이나 법령의 해석적용에 관한 기준을 정하여서 발하는 이른바 행정규칙은 일반적으로 행정조직 내부에서만 효력을 가질 뿐 대외적인 구속력을 갖는 것은 아니지만, 법령의 규정이 특정행정기관에게 그 법령내용의 구체적 사항을 정할 수 있는 권한을 부여하면서 그 권한행사의 절차나 방법을 특정하고 있지 아니한 관계로 수임행정기관이 행정규칙의 형식으로 그 법령의 내용이 될 사항을 구체적으

로 정하고 있다면 그와 같은 행정규칙, 규정은 행정규칙이 갖는 일반적 효력으로서가 아니라, 행정기관에 법령의 구체적 내용을 보충할 권한을 부여한 법령규정의 효력에 의하여 그 내용을 보충하는 기능을 갖게 된다 할 것이므로 이와 같은 행정규칙, 규정은 당해 법령의 위임한계를 벗어나지 아니하는 한 그것들과 결합하여 대외적인 구속력이 있는 법규명령으로서의 효력을 갖게 된다(대판 1987.9.29, 86누484).

② 법령의 규정이 특정 행정기관에게 그 법령 내용의 구체적 사항을 정할 수 있는 권한을 부여하면서 그 권한 행사의 절차나 방법을 특정하고 있지 않아 수임행정기관이 행정규칙의 형식으로 그 법령의 내용이 될 사항을 구체적으로 정하고 있다면, 그와 같은 행정규칙은 위에서 본 행정규칙이 갖는 일반적 효력으로서가 아니라 행정기관에 법령의 구체적 내용을 보충할 권한을 부여한 법령 규정의 효력에 의하여 그 내용을 보충하는 기능을 갖게 되고, 따라서 이와 같은 행정규칙은 해당 법령의 위임 한계를 벗어나지 않는 한 그것들과 결합하여 대외적인 구속력이 있는 법규명령으로서의 효력을 가진다(대판 2008.3.27, 2006두3742·3759).

## (4) 검토 및 사안의 경우

생각건대, 행정입법이 실질적으로 근거법령과 결합하여 국민에 대한 대외적 효력을 갖게 된다면 그 내용을 중시하여 법규명령으로 보는 것이 타당할 것이다. 다만, 법치주의 원리상 법규명령의 제정절차를 거치지 않는 규범은 법규명령으로 볼 수 없다는 입장에 선다면 법규성을 부정하는 견해도 일면 타당성이 인정된다. 다만, 최근 대법원 2011두30496 판결에서는 "관계 행정기관 등은 이를 사용하여 지가를 산정하여야 한다고 규정하고 있으므로, 국토교통부장관이 위 규정에 따라 작성하여 제공하는 토지가격비준표는 부동산가격공시법 시행령 제16조 제1항(현행 법령은 시행령 제17조 제1항)에 따라 국토교통부장관이 정하는 '개별공시지가의 조사·산정지침'과 더불어 법률보충적인 역할을 하는 법규적 성질을 가진다고 할 것이다."라고 판시함으로써 법규적 성질을 갖는다고 판시하고 있으므로, 사안에서 표준지의 선정 및 관리지침은 부동산공시법에서 위임이 있고, 이들 법령과 결합하여 대외적 구속력을 가지므로 법규성이 인정된다고 판단된다.

# 2. 표준지선정·관리지침에 위반한 표준지공시지가의 위법성 및 정도

## (1) 위법성 여부

법규성을 지니는 해당 표준지의 선정 및 관리지침을 위반하여 산정된 표준지공시지가는 위법성을 면치 못할 것이다.

## (2) 위법성의 정도

중대명백설에 따르면 법규성이 인정되는 표준지의 선정 및 관리지침의 위반은 중대성이 인정되나, 일반인 시각에서 명백한 하자라고 보기는 어려우므로 취소 정도라고 생각된다.

## Ⅳ (물음3)에 대하여

### 1. 표준지로 선정된 토지의 표준지공시지가에 대한 불복방법

#### (1) 이의신청(부동산공시법 제7조)

이의신청이란 행정청의 위법·부당한 행정작용으로 인하여 그 권리·이익이 침해된 자의 청구에 의하여 처분청 자신이 이를 재심사하는 것을 말한다. 부동산공시법상 이의신청이란 표준지공시지가에 대하여 이의가 있는 자가 표준지공시지가의 공시주체인 국토교통부장관에게 이의를 신청하고 국토교통부장관이 이를 심사하도록 하는 제도이다. 이는 이해관계인의 의견을 수렴하여 잘못된 조사·평가사항을 시정하여 적정한 지가공시가 이루어질 수 있도록 하기 위한 제도이며, 국민의 권익을 보호하기 위한 제도이다.

표준지공시지가에 이의가 있는 자는 공시일로부터 30일 이내에 서면으로 국토교통부장관에게 이의신청을 할 수 있고, 국토교통부장관은 이의신청 기간이 만료된 날부터 30일 이내에 심사하여 그 결과를 신청인에게 서면으로 통지하여야 한다. 국토교통부장관은 이의신청 내용이 타당하다고 인정될 때에는 표준지공시지가를 조정하여 다시 공시하여야 한다.

> **부동산 가격공시에 관한 법률 제7조(표준지공시지가에 대한 이의신청)**
> ① 표준지공시지가에 이의가 있는 자는 그 공시일부터 30일 이내에 서면(전자문서를 포함한다. 이하 같다)으로 국토교통부장관에게 이의를 신청할 수 있다.
> ② 국토교통부장관은 제1항에 따른 이의신청 기간이 만료된 날부터 30일 이내에 이의신청을 심사하여 그 결과를 신청인에게 서면으로 통지하여야 한다. 이 경우 국토교통부장관은 이의신청의 내용이 타당하다고 인정될 때에는 제3조에 따라 해당 표준지공시지가를 조정하여 다시 공시하여야 한다.
> ③ 제1항 및 제2항에서 규정한 것 외에 이의신청 및 처리절차 등에 필요한 사항은 대통령령으로 정한다.
>
> **부동산 가격공시에 관한 법률 시행령 제12조(표준지공시지가에 대한 이의신청)**
> 법 제7조 제1항에 따라 표준지공시지가에 대한 이의신청을 하려는 자는 이의신청서에 이의신청 사유를 증명하는 서류를 첨부하여 국토교통부장관에게 제출하여야 한다.

#### (2) 행정심판 제기가능성

부동산공시법상 이의신청을 특별행정심판이 아닌 단순한 의견청취절차에 해당한다고 보는 견해도 있고, 특별행정심판으로 이해하는 견해도 있다. 최근 대법원 판례는 개별공시지가의 이의신청은 강학상 이의신청으로 보고 있다. 또한 최근 중앙행정심판위원회는 재결례를 변경하여 표준지공시지가 이의신청의 경우에는 단순한 행정청 내부의 재심사 절차로 보고 있다. 최근에 행정기본법이 제정되어 동법 제36조 제4항에 따라 이의신청결과를 통지받은 후 90일 이내에 행정심판과 행정소송을 제기할 수 있다고 판단된다.

> **행정기본법 제36조(처분에 대한 이의신청)**
> ① 행정청의 처분(「행정심판법」 제3조에 따라 같은 법에 따른 행정심판의 대상이 되는 처분을 말한다. 이하 이 조에서 같다)에 이의가 있는 당사자는 처분을 받은 날부터 30일 이내에 해당 행정청에 이의신청을 할 수 있다.
> ② 행정청은 제1항에 따른 이의신청을 받으면 그 신청을 받은 날부터 14일 이내에 그 이의신청에 대한 결과를 신청인에게 통지하여야 한다. 다만, 부득이한 사유로 14일 이내에 통지할 수 없는 경우에는 그 기간을 만료일 다음 날부터 기산하여 10일의 범위에서 한 차례 연장할 수 있으며, 연장 사유를 신청인에게 통지하여야 한다.
> ③ 제1항에 따라 이의신청을 한 경우에도 그 이의신청과 관계없이 「행정심판법」에 따른 행정심판 또는 「행정소송법」에 따른 행정소송을 제기할 수 있다.
> ④ 이의신청에 대한 결과를 통지받은 후 행정심판 또는 행정소송을 제기하려는 자는 그 결과를 통지받은 날(제2항에 따른 통지기간 내에 결과를 통지받지 못한 경우에는 같은 항에 따른 통지기간이 만료되는 날의 다음 날을 말한다)부터 90일 이내에 제1항의 처분(이의신청 결과 처분이 변경된 경우에는 변경된 처분으로 한다)에 대하여 행정심판 또는 행정소송을 제기할 수 있다. 〈개정 2025.3.18.〉
>
> 〈이하 생략〉

---

**판례**

[판시사항]
개별공시지가에 대하여 이의가 있는 자가 행정심판을 거쳐 행정소송을 제기하는 경우 제소기간의 기산점

[판결요지]
**부동산 가격공시 및 감정평가에 관한 법률 제12조, 행정소송법 제20조 제1항, 행정심판법 제3조 제1항의 규정 내용 및 취지와 아울러 부동산 가격공시 및 감정평가에 관한 법률에 행정심판의 제기를 배제하는 명시적인 규정이 없고 부동산 가격공시 및 감정평가에 관한 법률에 따른 이의신청과 행정심판은 그 절차 및 담당 기관에 차이가 있는 점을 종합하면, 부동산 가격공시 및 감정평가에 관한 법률이 이의신청에 관하여 규정하고 있다고 하여 이를 행정심판법 제3조 제1항에서 행정심판의 제기를 배제하는 '다른 법률에 특별한 규정이 있는 경우'에 해당한다고 볼 수 없으므로, 개별공시지가에 대하여 이의가 있는 자는 곧바로 행정소송을 제기하거나 부동산 가격공시 및 감정평가에 관한 법률에 따른 이의신청과 행정심판법에 따른 행정심판청구 중 어느 하나만을 거쳐 행정소송을 제기할 수 있을 뿐 아니라, 이의신청을 하여 그 결과 통지를 받은 후 다시 행정심판을 거쳐 행정소송을 제기할 수도 있다고 보아야 하고, 이 경우 행정소송의 제소기간은 그 행정심판 재결서 정본을 송달받은 날부터 기산한다.**
(대법원 2010.1.28. 선고 2008두19987 판결[개별공시지가결정처분취소])

### (3) 행정소송 가능성

#### 1) 개설

위법한 표준지공시지가의 결정·공시에 대해 취소 또는 변경을 구할 또는 효력의 존재 여부를 확인할 이익이 있는 자는 국토교통부장관을 피고로 관할 행정법원에 취소소송 및 무효등확인소송을 제기할 수 있다. 이 경우 부동산공시법에는 명문의 규정이 없으므로 행정소송법 제8조 제1항에 의거 행정소송법에 의한다.

#### 2) 소송요건

##### ① 대상적격

표준지공시지가는 처분성이 인정되므로 항고소송의 대상적격이 인정된다.

##### ② 원고적격

표준지공시지가의 소유자가 항고소송의 원고적격이 있음에 대하여는 의문이 없으나, 인근 주민에게 원고적격이 인정될 수 있는지 문제된다. 부동산공시법 시행령 제11조에서는 표준지공시지가에 대하여 이의신청을 제기할 수 있는 자를 표준지 소유자에 한정하지 않고, 표준지의 이용자, 그 밖에 법률상 이해관계를 가진 자도 포함시키고 있다. 이러한 부동산공시법의 입법취지 및 목적, 표준지공시지가의 영향범위 등을 고려할 때 인근 주민은 표준지공시지가에 대하여 항고소송을 제기할 법률상 이익이 있으므로 원고적격이 인정된다고 하겠다.

##### ③ 제소기간

이의신청을 거친 경우에는 이의신청에 대한 결과를 통지받은 날부터 90일 이내에 제기할 수 있으며, 이의신청을 거치지 않은 경우에는 처분이 있음을 안 날부터 90일 또는 처분이 있은 날부터 1년 이내에 제기할 수 있다. 무효등확인소송의 경우에는 제소기간의 제한을 받지 아니한다.

## 2. 표준지공시지가와 과세처분 간 하자승계 가능여부

### (1) 하자승계의 의의 및 취지

하자승계란 행정행위가 일련의 단계적 절차를 거치는 경우에 선행행위의 위법을 후행행위 단계에서 주장할 수 있는가의 문제이다. 이와 같은 하자의 승계의 취지는 법적 안정성의 요청과 국민의 재판청구권의 조화의 문제이다.

### (2) 하자승계의 전제요건

#### 1) 하자승계 전제요건

① 양 행정작용이 모두 처분에 해당하여야 하고, ② 선행행위에 단순 취소사유의 하자가 있고, ③ 선행행위에 불가쟁력이 발생하여야 하고, ④ 후행 행정작용은 고유한 하자가 없어야 한다.

### 2) 사안의 경우

사안에서 표준지공시지가 결정과 과세처분은 모두 처분이며, 표준지공시지가는 취소정도의 하자가 있으며, 제소기간 경과 및 재결에는 별도의 하자가 없는바, 요건은 충족된 것으로 전제하고 이하 논의한다.

## (3) 하자승계의 가능여부

### 1) 학설의 태도

① 전통적 하자승계론은 선행 행정행위와 후행 행정행위가 하나의 법률효과를 목적으로 하는 경우에는 하자승계를 긍정하고, 서로 다른 법률효과를 목적으로 하는 경우에는 하자의 승계를 부정한다.

② 구속력이론은 불가쟁력이 발생한 선행 행정행위가 후행 행정행위의 구속력을 미친다고 보며, 구속력이 미치는 범위에서는 선행 행정행위의 효과와 다른 주장을 할 수 없다고 본다. 구속력이 미치는 범위를 대인적·사물적·시간적 한계와 예측가능성 및 수인가능성을 고려하고 있다.

### 2) 판례의 태도

판례는 하자승계 인정 여부 판단을 원칙적으로 선·후행행위의 법률효과 동일성 여부로 판단하면서도 예외적으로 법률효과가 서로 다른 경우라도 수인가능성과 예측가능성을 고려하여 판단하고 있다(대판 1994.1.25, 93누8542).

> 판례
>
> [판결요지]
> 2개 이상의 행정처분이 연속적 또는 단계적으로 이루어지는 경우 선행처분과 후행처분이 서로 합하여 1개의 법률효과를 완성하는 때에는 선행처분에 하자가 있으면 그 하자는 후행처분에 승계된다. 이러한 경우에는 선행처분에 불가쟁력이 생겨 그 효력을 다툴 수 없게 되더라도 선행처분의 하자를 이유로 후행처분의 효력을 다툴 수 있다. 그러나 선행처분과 후행처분이 서로 독립하여 별개의 법률효과를 발생시키는 경우에는 선행처분에 불가쟁력이 생겨 그 효력을 다툴 수 없게 되면 선행처분의 하자가 중대하고 명백하여 선행처분이 당연무효인 경우를 제외하고는 특별한 사정이 없는 한 선행처분의 하자를 이유로 후행처분의 효력을 다툴 수 없는 것이 원칙이다. 다만 그 경우에도 선행처분의 불가쟁력이나 구속력이 그로 인하여 불이익을 입게 되는 자에게 수인한도를 넘는 가혹함을 가져오고, 그 결과가 당사자에게 예측가능한 것이 아니라면, 국민의 재판받을 권리를 보장하고 있는 헌법의 이념에 비추어 선행처분의 후행처분에 대한 구속력을 인정할 수 없다.
> (대법원 2019.1.31. 선고 2017두40372 판결[중개사무소의 개설등록취소처분취소])

> **판례**
>
> **[판시사항]**
>
> [1] 표준지로 선정된 토지의 표준지공시지가에 대한 불복방법 및 그러한 절차를 밟지 않은 채 토지 등에 관한 재산세 등 부과처분의 취소를 구하는 소송에서 표준지공시지가결정의 위법성을 다투는 것이 허용되는지 여부(원칙적 소극)
>
> **[판결요지]**
>
> [1] **표준지로 선정된 토지의 표준지공시지가를 다투기 위해서는 처분청인 국토교통부장관에게 이의를 신청하거나 국토교통부장관을 상대로 공시지가결정의 취소를 구하는 행정심판이나 행정소송을 제기해야 한다. 그러한 절차를 밟지 않은 채 토지 등에 관한 재산세 등 부과처분의 취소를 구하는 소송에서 표준지공시지가결정의 위법성을 다투는 것은 원칙적으로 허용되지 않는다.**
>
> (대법원 2022.5.13. 선고 2018두50147 판결[재산세부과처분취소])

### 3) 검토

생각건대, 구속력 이론은 행정행위가 판결과 구조적인 차이가 있음에도 불구하고 기판력과 유사한 효력을 인정하는 점에서 문제가 있고, 이는 선행행위와 후행행위 사이에 하자의 승계를 원칙적으로 인정하지 않는 이론임을 감안할 때 국민의 권리주장의식이 높은 것을 전제로 하여 성립된 구속력이론을 그대로 도입하는 것은 국민의 권리구제라는 관점에서 아직 시기상조라는 점에서 다수설·판례가 타당하다고 생각된다. 다만, 동일·별개의 법적 효과라는 형식적인 기준에 의해 개별적인 사안에 따라 불합리한 결과가 도출될 수도 있으나, 판례가 언급하고 있는 예측가능성·수인한도의 법리를 보충적으로 활용하면 구체적 타당성을 도모할 수 있을 것이다.

### 4) 대법원 판례를 통한 사안의 해결

표준지공시지가와 재산세 부과처분은 서로 다른 법률효과를 목적으로 한다. 부동산공시법상 표준지공시지가에 대한 불복방법으로 이의신청에 대해 규정하고 있어 이를 더 이상 다투지 못하게 한다고 하여 수인한도를 넘는 가혹한 것이거나 예측불가능하다고 볼 수 없으므로, 표준지공시지가의 위법을 재산세 부과처분의 위법사유로 주장할 수 없다고 보아야 한다.

> **판례**
>
> **[판시사항]**
>
> [1] 표준지로 선정된 토지의 공시지가의 위법성을 조세소송에서 다툴 수 있는지 여부(소극)
>
> **[판결요지]**
>
> [1] 표준지로 선정된 토지의 공시지가에 대하여는 지가공시 및 토지 등의 평가에 관한 법률(1995. 12.29. 법률 제5108호로 개정되기 전의 것) 제8조 제1항 소정의 이의절차를 거쳐 처분청을

> 상대로 그 공시지가결정의 위법성을 다툴 수 있을 뿐 그러한 절차를 밟지 아니한 채 조세소송
> 에서 그 공시지가결정의 위법성을 다툴 수는 없다.
> (대법원 1997.4.11. 선고 96누8895 판결[토지초과이득세부과처분취소])

**판례**

[판결요지]
개별토지가격에 대한 불복방법과는 달리 표준지의 공시지가에 대한 불복방법을 지가공시 및
토지의 평가 등에 관한 법률 제8조 제1항 소정의 절차를 거쳐 처분청을 상대로 다툴 수 있을
뿐 그러한 절차를 밟지 아니한 채 조세소송에서 그 공시지가결정의 위법성을 다툴 수 없도록
제한하고 있는 것은 표준지의 공시지가와 개별토지가격은 그 목적·대상·결정기관·결정절
차·금액 등 여러 가지 면에서 서로 다른 성질의 것이라는 점을 고려한 것이므로, 이러한 차이
점에 근거하여 표준지의 공시지가에 대한 불복방법을 개별토지가격에 대한 불복방법과 달리
인정한다고 하여 그것이 헌법상 평등의 원칙, 재판권 보장의 원칙에 위반된다고 볼 수는 없다.
(대판 1997.9.26, 96누7649)

## V 사안의 해결

(물음1) 대법원은 표준지공시지가에 대하여 불복하기 위해서는 소정의 이의절차를 거쳐 처분청
을 상대로 그 공시지가결정의 취소를 구하는 행정소송을 제기하여야 하는 것이라고 하여 표준지
공시지가의 처분성을 인정하고 있다. 대표적인 판례로 대법원 2007두13845 판결에서 표준지공
시지가는 별개의 처분이라고 판시하고 있다.

(물음2) 법규성을 지니는 해당 표준지의 선정 및 관리지침을 위반하여 산정된 표준지공시지가는
위법성을 면치 못할 것이며, 하자의 정도는 중대명백설에 따를 때, 취소사유의 하자로 판단된다.

(물음3) 표준지공시지가에 대한 이의신청과 행정심판을 거치고도 더 이상 소송을 제기하지 않아
불가쟁력이 발생한 경우까지도 수인가능성과 예측가능성이 없다고 보기 어려운바, 표준지공시지
가와 재산세 부과처분 사이의 하자의 승계를 부정하고 있다. 법리적으로도 표준지공시지가와 재
산세 부과처분은 별개의 법률효과를 목적으로 하기 때문에 하자의 승계는 부정된다고 생각된다.

## 5절 | 부동산공시법 제7조(표준지공시지가에 대한 이의신청)

**문제**

부동산 가격공시제도에 대한 다음의 각 질문에 대해 답하시오. 40점

(1) 청주시 상당구 000번지에 대지를 소유하고 있는 甲은 자신의 토지를 대표하는 표준지의 2026년도 공시지가(2026년 2월 1일 공시)가 2025년도보다 300% 상승한 것을 2026년 2월 28일에 알게 되었다. 甲은 2026년도 표준지공시지가가 잘못 산정된 것으로 보고 이를 다투고자 하는데 어떠한 권리구제방법이 있는지 검토하시오.

(2) 청주시 상당구청장 乙은 2026년 표준지공시지가를 근거로 2026년 5월 1일에 甲소유의 토지의 개별공시지가를 1,500,000원/㎡으로 공시하였는바, 이는 2025년보다 300% 상승한 금액이다. 甲은 2026년 6월 1일 동사무소(주민센터 명칭변경)에 비치된 공시지가 장부를 열람하여 이러한 사실을 알게 되었으며 이는 곧 공시지가가 산정절차상의 하자로 인한 것이라고 생각하여 이를 다투고자 한다. 어떠한 권리구제방법이 있는지 검토하시오.

(3) 상당구세무과장은 2026년 5월 1일 공시된 甲소유 토지의 공시지가를 근거로 2026년 7월 1일 토지를 매각한 甲에게 1,000만원의 양도소득세를 부과하였다. 甲은 이 시점에서 해당 세금부과가 잘못된 것이라고 생각하고 이를 다투고자 한다. 어떠한 권리구제방법이 있는지 검토하시오(다만, 현 물건문제는 양도세신고가 실거래가신고나 조세특례법에 따라 개별공시지가로 세금부과를 전제함).

---

Ⅰ. 논점의 정리

Ⅱ. 관련 행정작용의 법적 성질
  1. 표준지공시지가
    (1) 의의
    (2) 법적 성질
  2. 개별공시지가
    (1) 의의
    (2) 법적 성질

Ⅲ. 각 물음에 대한 권리구제방법 검토
  1. 설문 (1)의 경우
  2. 설문 (2)의 경우
  3. 설문 (3)의 경우
    (1) 문제의 소재
    (2) 개별공시지가의 불가쟁력 발생 여부
    (3) 甲의 권리구제방법

Ⅳ. 사례의 해결

---

**판례**

● 대판 2009.12.10, 2007두20140[공시지가확정처분취소]

[판시사항]

[1] 보통우편의 방법으로 우편물을 발송한 경우 그 송달을 추정할 수 있는지 여부(소극) 및 그 송달에 관한 증명책임자

[2] 표준지공시지가의 결정절차와 그 효력

[3] 감정평가법인등의 토지평가액 산정의 적정성을 인정하기 위한 감정평가서의 기재 내용과 정도

[4] 건설교통부장관이 표준지공시지가를 결정·공시하는 절차에서 감정평가서에 토지의 전년도 공시지가와 세평가격 및 인근 표준지의 감정가격만을 참고가격으로 삼고 평가의견을 추상적으로만 기재한 사안에서, 평가요인별 참작 내용과 정도가 평가액 산정의 적정성을 알아볼 수 있을 만큼 객관적으로 설명되어 있다고 보기 어려워, 이를 근거로 한 표준지공시지가 결정은 토지의 적정가격을 반영한 것이라고 인정하기 어려워 위법하다고 한 사례

[판결요지]

[1] 내용증명우편이나 등기우편과는 달리, 보통우편의 방법으로 발송되었다는 사실만으로는 그 우편물이 상당한 기간 내에 도달하였다고 추정할 수 없고, 송달의 효력을 주장하는 측에서 증거에 의하여 이를 입증하여야 한다.

[2] (구)부동산 가격공시 및 감정평가에 관한 법률(2008.2.29. 법률 제8852호로 개정되기 전의 것) 제2조 제5호, 제6호, 제3조 제1항, 제5조, 제10조와 같은 법 시행령(2008.2.29. 대통령령 제20722호로 개정되기 전의 것) 제8조 등을 종합하여 보면, 건설교통부장관은 토지이용상황이나 주변 환경 그 밖의 자연적·사회적 조건이 일반적으로 유사하다고 인정되는 일단의 토지 중에서 표준지를 선정하고, 그에 관하여 매년 공시기준일 현재의 적정가격을 조사·평가한 후 중앙부동산평가위원회의 심의를 거쳐 이를 공시하여야 한다. 표준지의 적정가격을 조사·평가할 때에는 인근 유사토지의 거래가격, 임대료, 해당 토지와 유사한 이용가치를 지닌다고 인정되는 토지의 조성에 필요한 비용추정액 등을 종합적으로 참작하되, 둘 이상의 감정평가법인등에게 이를 의뢰하여 평가한 금액의 산술평균치를 기준으로 하고, 감정평가법인등이 행한 평가액이 관계법령을 위반하거나 부당하게 평가되었다고 인정되는 경우 등에는 해당 감정평가법인등 혹은 다른 감정평가법인등으로 하여금 다시 조사·평가하도록 할 수 있으며, 여기서 '적정가격'이란 해당 토지에 대하여 통상적인 시장에서 정상적인 거래가 이루어지는 경우 성립될 가능성이 가장 높다고 인정되는 가격을 말하고, 한편 이러한 절차를 거쳐 결정·공시된 표준지공시지가는 토지시장의 지가정보를 제공하고 일반적인 토지거래의 지표가 되며, 국가·지방자치단체 등의 기관이 그 업무와 관련하여 지가를 산정하거나 감정평가법인등이 개별적으로 토지를 감정평가하는 경우에 기준이 되는 효력을 갖는다.

[3] 표준지공시지가의 결정절차 및 그 효력과 기능 등에 비추어 보면, 표준지공시지가는 해당 토지뿐 아니라 인근 유사토지의 가격을 결정하는 데에 전제적·표준적 기능을 수행하는 것이어서 특히 그 가격의 적정성이 엄격하게 요구된다. 이를 위해서는 무엇보다도 적정가격 결정의 근거가 되는 감정평가법인등의 평가액 산정이 적정하게 이루어졌음이 담보될 수 있어야 하므로, 그 감정평가서에는 평가원인을 구체적으로 특정하여 명시함과 아울러 각 요인별 참작 내용과 정도가 객관적으로 납득이 갈 수 있을 정도로 설명됨으로써, 그 평가액이 해당 토지의 적정가격을 평가한 것임을 인정할 수 있어야 한다.

[4] 건설교통부장관이 2개의 감정평가법인에 토지의 적정가격에 대한 평가를 의뢰하여 그 평가액을 산술평균한 금액을 그 토지의 적정가격으로 결정·공시하였으나, 감정평가서에 거래선례나 평가선례, 거래사례비교법, 원가법 및 수익환원법 등을 모두 공란으로 둔 채, 그 토지의 전년도 공시지가와 세평가격 및 인근 표준지의 감정가격만을 참고가격으로 삼으면서 그러한 참고가격이 평가액 산정에 어떻게 참작되었는지에 관한 별다른 설명 없이 평가의견을 추상적으로만 기재한 사안에서, 평가요인별 참작 내용과 정도가 평가액 산정의 적정성을 알아볼 수 있을 만큼 객관적으로 설명되어 있다고 보기 어려워, 이러한 감정평가액을 근거로 한 표준지공시지가 결정은 그 토지의 적정가격을 반영한 것이라고 인정하기 어려워 위법하다고 한 사례

## Ⅰ 논점의 정리

부동산 가격공시에 관한 법률상(이하 '부동산공시법')에 의해 규율되어 있는 공시지가는 표준지공시지가와 개별공시지가로 나눌 수 있다. 공시지가는 현실적으로 재산권자인 시민의 권익과 관련이 높아 권리보호의 문제가 제기된다.

설문 (1)은 표준지공시지가의 산정과정상의 하자를 이유로 다투고자 하는 것으로서, 표준지공시지가의 법적 성질 및 권리구제방법이, 설문 (2)의 경우는 개별공시지가의 산정절차상의 하자의 경우로 개별공시지가의 법적 성질과 이에 대한 권리구제방법이, 설문 (3)의 경우 개별공시지가의 불가쟁력 발생 여부에 따라 달라질 수 있으므로 불가쟁력 판단이 선행되어야 할 것이다.

## Ⅱ 관련 행정작용의 법적 성질

### 1. 표준지공시지가

#### (1) 의의

표준지공시지가란 국토교통부장관이 조사·평가하여 공시한 표준지의 단위면적당 가격으로, 일반적인 토지거래의 지표가 되며 국가·지방자치단체 등의 기관이 그 업무와 관련하여 지가를 산정하거나 감정평가법인등이 개별적으로 토지를 감정평가하는 경우에 그 기준이 된다.

### (2) 법적 성질

표준지공시지가의 법적 성질에 대해서는 행정행위설, 비구속적 행정계획설, 행정규칙설 등의 견해 대립이 있으나 효율적인 지가정책을 위해 설정되는 내부적인 활동기준으로 일종의 비구속적인 행정계획으로 볼 수 있으며 내부구속적 계획에 해당된다 할 것이다.

## 2. 개별공시지가

### (1) 의의

시장·군수·구청장이 개별토지에 대해 시·군·구 부동산가격공시위원회의 심의를 거쳐 매년 결정·공시하는 단위면적당 가격을 말한다. 개별공시지가는 당해 토지와 유사한 이용가치를 지닌다고 인정되는 하나 또는 둘 이상의 표준지의 공시지가를 기준으로 시장·군수·구청장이 조사한 개별토지의 특성과 비교표준지의 특성을 비교하여 토지가격비준표상의 토지특성 차이에 따른 가격배율을 산출하고, 이를 표준지공시지가에 곱하여 지가를 산정한 후 감정평가업자의 검증을 받고 토지소유자 등의 의견수렴과 시·군·구 부동산가격공시위원회 심의 등의 절차를 거쳐 결정·공시한다. 개별공시지가는 해당 연도 1월 1일을 기준일로 하여 5월 31일까지 결정·공시하며, 토지관련 국세 및 지방세의 부과기준, 개발부담금 등 각종 부담금의 부과기준에 활용된다.

### (2) 법적 성질

개별공시지가의 법적 성질에 대해서는 행정행위설, 행정규칙설, 사실행위설 등의 견해 대립이 있으나 후속 행정행위인 과세처분에 대해 직접적인 구속력을 가지며 사람이 아닌 개별토지의 성질이나 상태에 대해 규율하므로 물적 행정행위로서 그 행정행위성이 인정될 수 있을 것이다. 대법원 역시 행정청이 행하는 구체적 사실에 관한 법집행으로서의 공권력 행사이므로 항고소송의 대상이 되는 행정처분에 해당한다고 보고 있다.

> **판례**
>
> ● 대판 1998.3.24, 96누6851[개별토지가격결정처분취소]
>
> **[판시사항]**
>
> [1] 법조단지에 위치한 토지의 1993년도 개별토지가격이 인근 토지들의 가격에 비하여 현저히 불합리한 것으로 볼 수 없다고 한 사례
>
> [2] 개별토지 가격결정의 효력을 다투는 소송에서 표준지의 공시지가를 다툴 수 있는지 여부 (소극)
>
> **[판결요지]**
>
> [1] 법조단지에 위치한 토지가 해당 토지와 거리상 가장 가깝고 지목, 용도지역, 위치, 환경 등에 있어서 가장 유사성을 지니고 있으므로 비교표준지로서 적합하고, 해당 토지에 대한 개별토지가격 산정은 지가공시법 및 개별토지가격합동조사지침에서 정한 절차와 방

법에 따라 이루어진 것으로서 비교표준지와의 토지가격비준표에 의한 토지특성 조사·
비교, 가격조정률의 적용 등에 아무런 잘못이 없으며, 해당 토지에 관한 1993년도 개별
토지 가격이 인근 토지들의 가격과 비교하여 현저하게 불합리한 것으로 볼 수 없다고
한 사례

[2] 표준지로 선정된 토지의 공시지가에 불복하기 위하여는 (구)지가공시 및 토지평가에 관
한 법률(1995.12.29. 법률 제5108호로 개정되기 전의 것) 제8조 제1항 소정의 이의절
차를 거쳐 처분청을 상대로 그 공시지가 결정의 취소를 구하는 행정소송을 제기하여야
하는 것이고, 그러한 절차를 밟지 아니한 채 개별토지가격 결정의 효력을 다투는 소송에
서 그 개별토지가격 산정의 기초가 된 표준지공시지가의 위법성을 다툴 수 없다.

● 대판 1998.2.27, 96누13972[개별토지가격결정처분취소]

[판시사항]

[1] 개별토지가격 결정에 대한 불복방법

[2] 위 [1]항의 경우, 개별토지가격 결정에 대한 재조사청구의 기간

[3] 재결의 기속력이 미치는 범위

[4] 개별토지가격에 대한 취소청구의 소가 재조사 및 행정심판기간을 도과하여 제기된 경우,
전심절차를 경유하지 아니하여 부적합하다고 본 사례

[5] 토지 등급가격과 개별토지가격의 현저한 격차가 발생한 시기와 토지 등급 수정시기

[6] 개별토지가격 산정 시 비교표준지의 선택기준 및 비교표준지 선택 시 건설부(현 국
토교통부)의 비교표준지 선택요령상 선택기준의 순서에 기속되는지 여부(소극)

[7] 토지 등급결정이 그 참작사유인 개별공시지가의 위법 등으로 인하여 부당하다고 본 사례

[판결요지]

[1] 행정심판법 제18조 제3항, 개별토지가격합동조사지침 제12조의2의 각 규정 등에 의하
면, 개별토지가격에 대하여 이의가 있는 토지소유자 및 이해관계인은 위 조사지침에 기
한 재조사청구나 행정심판법에 따른 행정심판청구 중 하나만을 거쳐 곧바로 행정소송을
제기하는 것이 가능함은 물론 재조사청구를 하여 그 결과통지를 받은 후에 다시 행정심
판법에 따른 행정심판의 재결을 거쳐 행정소송을 제기하는 것도 가능하다.

[2] 위 [1]항의 경우, 재조사청구는 토지소유자 등이 그 결정처분이 있었음을 안 때에는 위
조사지침 제12조의2 제1항에 따라 안 날부터 60일 이내에, 그 외의 경우에는 정당한
사유가 없는 한 행정심판법 제18조 제3항에 따라 처분이 있은 날부터 180일 이내에 관
할 시장, 군수 또는 구청장에게 청구할 수 있다.

[3] 행정심판법 제37조에서 정하고 있는 행정심판청구에 대한 재결이 행정청과 그 밖의 관
계 행정청을 기속하는 효력은 해당 처분에 관하여 재결주문 및 그 전제가 된 요건사실의
인정과 판단에만 미치고 이와 직접 관계가 없는 다른 처분에 대하여는 미치지 아니한다.

[4] 개별토지가격에 대한 취소청구의 소가 재조사 및 행정심판기간을 도과하여 제기된 경우,
전심절차를 경유하지 아니하여 부적합하다고 본 사례

[5] 등급가격과 개별토지가격의 현저한 격차는 해당 연도의 전년에 발생할 필요는 없고 그 이전에 이미 발생한 격차를 당시의 등급 수정 시 반영하지 아니하였거나 일부만 반영한 경우에 해당 연도에 이를 전부 또는 그 일부를 반영하여 등급을 수정하는 것도 가능하다고 할 것이나, 이 경우에도 인근의 유사한 토지의 등급과 비교하여 적정한 균형을 이루고 있는 때에 한하여서만 적법하다.

[6] 개별토지가격은 기본적으로 해당 토지와 유사한 이용가치를 지닌다고 인정되는 표준지를 선택하여 보다 합리적이고 객관적으로 산정할 수 있는 것이므로 그 비교표준지는 대상토지와 용도지역, 토지이용상황 등 토지특성이 같거나 가장 유사한 표준지를 선택하여야 할 것이고, 위 비교표준지 선택요령에 관한 규정은 상위법령의 범위 안에서 행정의 편의상 통상적인 경우를 규율하기 위한 지침에 불과하므로, 합리적인 이유가 있는 경우에는 반드시 위 비교표준지 선택요령에 정한 선택기준의 번호순서에 기속되는 것은 아니다.

[7] 토지 등급결정이 그 참작사유인 개별공시지가의 위법 등으로 인하여 부당하다고 본 사례

● 대판 1997.9.26, 96누7649[토지초과이득세부과처분취소]

[판시사항]

[1] 표준지의 공시지가와 개별토지가격에 대한 불복방법을 달리 하는 것으로 해석하는 것이 헌법상 평등원칙, 재판권 보장의 원칙에 위반되는지 여부(소극)

[판결요지]

[1] 개별토지가격에 대한 불복방법과는 달리 표준지의 공시지가에 대한 불복방법을 (구)지가공시 및 토지의 평가 등에 관한 법률 제8조 제1항 소정의 절차를 거쳐 처분청을 상대로 다툴 수 있을 뿐 그러한 절차를 밟지 아니한 채 조세소송에서 그 공시지가 결정의 위법성을 다툴 수 없도록 제한하고 있는 것은 표준지의 공시지가와 개별토지가격은 그 목적·대상·결정기관·결정절차·금액 등 여러 가지 면에서 서로 다른 성질의 것이라는 점을 고려한 것이므로, 이러한 차이점에 근거하여 표준지의 공시지가에 대한 불복방법을 개별토지가격에 대한 불복방법과 달리 인정한다고 하여 그것이 헌법상 평등의 원칙, 재판권 보장의 원칙에 위반된다고 볼 수는 없다.

## ▥ 각 물음에 대한 권리구제방법 검토

### 1. 설문 (1)의 경우

표준지공시지가를 비구속적 행정계획으로 볼 경우 행정심판이나 행정소송 등은 제기할 수 없다. 다만, 부동산공시법 제7조에 의해 2월 28일 현재 표준지공시지가의 공시일부터 30일이 경과되지 않았으므로 서면으로 국토교통부장관에게 이의를 신청할 수 있다. 이러한 특별행정심판이 아닌 단순한 의견청취절차에 해당한다고 보는 견해도 있고, 특별행정심판으로 이해하는 견해도 있

다. 다만 비구속적 행정계획으로 보면 단순 의견청취절차로 볼 수 있을 것이다. 최근 대법원 판례는 개별공시지가의 이의신청은 강학상 이의신청으로 보고 있다. 또한 최근 중앙행정심판위원회는 재결례를 변경하여 표준지공시지가 이의신청의 경우에는 단순한 행정청 내부의 재심사 절차로 보고 있다. 최근에 행정기본법이 제정되어 동법 제36조 제4항에 따라 이의신청결과를 통지받은 후 90일 이내에 행정심판과 행정소송을 제기할 수 있다고 판단된다.

> **행정기본법 제36조(처분에 대한 이의신청)**
> ① 행정청의 처분(「행정심판법」 제3조에 따라 같은 법에 따른 행정심판의 대상이 되는 처분을 말한다. 이하 이 조에서 같다)에 이의가 있는 당사자는 처분을 받은 날부터 30일 이내에 해당 행정청에 이의신청을 할 수 있다.
> ② 행정청은 제1항에 따른 이의신청을 받으면 그 신청을 받은 날부터 14일 이내에 그 이의신청에 대한 결과를 신청인에게 통지하여야 한다. 다만, 부득이한 사유로 14일 이내에 통지할 수 없는 경우에는 그 기간을 만료일 다음 날부터 기산하여 10일의 범위에서 한 차례 연장할 수 있으며, 연장 사유를 신청인에게 통지하여야 한다.
> ③ 제1항에 따라 이의신청을 한 경우에도 그 이의신청과 관계없이 「행정심판법」에 따른 행정심판 또는 「행정소송법」에 따른 행정소송을 제기할 수 있다.
> ④ 이의신청에 대한 결과를 통지받은 후 행정심판 또는 행정소송을 제기하려는 자는 그 결과를 통지받은 날(제2항에 따른 통지기간 내에 결과를 통지받지 못한 경우에는 같은 항에 따른 통지기간이 만료되는 날의 다음 날을 말한다)부터 90일 이내에 제1항의 처분(이의신청 결과 처분이 변경된 경우에는 변경된 처분으로 한다)에 대하여 행정심판 또는 행정소송을 제기할 수 있다. 〈개정 2025.3.18.〉
> ⑤ 행정청은 제2항 또는 다른 법률에 따라 이의신청에 대한 결과를 통지할 때에는 대통령령으로 정하는 바에 따라 제4항에 따른 행정심판 또는 행정소송을 제기할 수 있는 기간 등 행정심판 또는 행정소송의 제기에 관한 사항을 함께 안내하여야 한다. 다만, 이의신청에 대한 결과를 통지하기 전에 이미 신청인이 행정심판 또는 행정소송을 제기한 경우에는 안내하지 아니할 수 있다. 〈신설 2025.3.18.〉
> ⑥ 다른 법률에서 이의신청과 이에 준하는 절차에 대하여 정하고 있는 경우에도 그 법률에서 규정하지 아니한 사항에 관하여는 이 조에서 정하는 바에 따른다. 〈개정 2025.3.18.〉
> ⑦ 제1항부터 제6항까지에서 규정한 사항 외에 이의신청의 방법 및 절차 등에 관한 사항은 대통령령으로 정한다. 〈개정 2025.3.18.〉
> — 이하 생략 —

## 2. 설문 (2)의 경우

개별공시지가의 행정행위성을 긍정하므로 부동산공시법 제11조에 의한 이의신청과 행정소송의 제기가 모두 가능할 것이다. 다만, 이의신청의 경우 개별공시지가의 공시일인 5월 1일부터 30일이 지났으므로 현재 제기가능성은 없다. 다만, 상당구청장 乙을 피고로 하는 행정소송을 제기할 수 있을 것이다. 여기서 행정소송은 개별공시지가의 위법성의 정도에 따라 그 형태가 결정될 것이나 본건에서는 산정절차상 하자로 인한 것으로 볼 때 취소사유에 해당한다고 볼 것이므로 취소소송의 제기가 가능하다고 본다.

## 3. 설문 (3)의 경우

### (1) 문제의 소재

甲은 개별공시지가를 대상으로 행정쟁송을 제기하거나 양도소득세 부과처분을 대상으로 행정쟁송을 제기할 수 있다. 다만, 개별공시지가에 불가쟁력 발생 여부에 따라 개별공시지가가 대상이 되는지 양도소득세 부과처분이 대상이 되는지가 달라질 수 있다. 따라서 이하에서는 먼저 개별공시지가의 불가쟁력 발생 여부의 검토가 선행되어야 할 것이다.

### (2) 개별공시지가의 불가쟁력 발생 여부

#### ① 행정심판전치 여부

개별공시지가에 대해 행정소송을 제기하면서 행정심판을 반드시 거쳐야 되는지 여부에 대해서는 먼저 부동산공시법에는 특별한 규정이 없으므로 일반법인 행정소송법 제18조의 행정심판 임의주의에 의거 이를 거치지 아니하고 제기할 수 있다고 볼 것이다. 또한 최근의 대법원 판례는 개별공시지가에 대해서 강학상 이의신청으로 보고 있다. 따라서 불가쟁력의 발생시점은 이의신청 제기기간이 아닌 행정소송 제기기간을 기준으로 검토되어야 한다.

#### ② 불가쟁력 발생 여부

취소소송 제기기간은 처분이 있음을 안 날부터 90일 이내, 처분이 있은 날부터 1년 이내이지만 개별공시지가의 경우 판례는 개별공시지가 공고·공람일을 안날로 본다. 따라서 공고·공람 일인 2026년 5월 1일부터 현재시점은 90일 이내이므로 불가쟁력은 발생하지 않았다고 볼 수 있다.

### (3) 甲의 권리구제방법

상기 살펴본 바와 같이 甲은 양도소득세 부과처분이 아닌 개별공시지가를 대상으로 권리구제방법을 모색해야 할 것이다. 그러나 부동산공시법 제11조에 의한 이의신청은 30일의 제기기간이 경과되어 불가능하며 행정소송만 제기할 수 있다.

(양도세 부과처분은 위법한 개별공시지가에 근거하였으나, 취소사유에 불과한 개별공시지가인바 공정력에 의해 처분의 효력은 유효하다고 할 수 있겠다. 즉 양도세 부과처분은 고유한 하자가 없어 다툴 수 없는 상황에 놓인 것이다. 다만 개별공시지가의 불가쟁력이 발생하였다면 하자의 승계 논의를 구성할 수 있겠다. 즉 고유한 하자가 없는 양도소득세 부과처분을 다투면서 불가쟁력이 발생한 개별공시지가 위법을 주장하는 법리구성을 할 수 있을 것이다.)

### Ⅳ  사례의 해결

설문 (1)에서 甲은 표준지공시지가의 행정행위성을 부정하는 입장에 따르는 한 표준지공시지가를 대상으로 한 행정쟁송은 제기할 수 없게 되며, 단순 의견청취절차인 이의신청을 통한 권리구제가 가능하다고 보인다. 다만, 판례 등에 의하면 표준지공시지가를 처분성을 긍정하여 행정쟁송 제기가 가능하다고 본다. 다만 최근에 행정기본법이 제정되어 동법 제36조 제4항에 따라 이의신청결과를 통지받은 후 90일 이내에 행정심판과 행정소송을 제기할 수 있다고 판단된다.

설문 (2)에서는 개별공시지가에 대한 이의신청 제기기간이 경과하여 이의신청의 제기는 불가능하나 개별공시지가의 행정행위성이 인정되므로 甲은 관악구청장 乙을 피고로 하는 취소소송은 제기할 수 있을 것이다.

설문 (3)에서는 개별공시지가 결정에 불가쟁력이 발생하지 않았으며 이의신청 제기기간이 지났으므로 甲은 개별공시지가 결정을 대상으로 취소소송을 제기할 수 있을 뿐 양도소득세 부과처분을 대상으로 하는 쟁송제기는 불가하다고 보인다.

---

**베타답안**

**문  40점**

### Ⅰ. 논점의 정리

(1) 설문 (1)에서 표준지공시지가에 대한 권리구제방법을 검토하기 위하여 표준지공시지가의 처분성 여부를 검토한다. 처분성을 부정할 경우 부동산공시법 제7조의 이의신청에 대해 검토한다.

(2) 설문 (2)에서 개별공시지가에 대한 권리구제방법을 검토하기 위하여 개별공시지가의 처분성을 검토한다. 공시일부터 30일이 도과한 시점에서 이의신청의 법적 성질에 따라 행정심판청구 가능성, 취소소송 제기가능성을 검토한다.

(3) 설문 (3)에서 양도소득세는 급부하명으로 처분성이 긍정되므로 개별공시지가의 불가쟁력발생 여부에 따라 소대상이 달라지는바 검토한다.

### Ⅱ. 설문 (1) 표준지공시지가에 대한 권리구제방법

#### 1. 표준지공시지가의 처분성 여부

##### (1) 표준지공시지가의 의의

국토교통부장관이 부동산공시법이 정한 절차에 따라 조사·평가한 표준지의 단위면적당 가격이다.

##### (2) 처분성 여부

학설에는 행정행위설, 비구속적 행정행위설, 행정규칙설, 법규명령으로서의 고시설이 있으나 효율적인 지가정책을 위해 설정된 내부적 활동기준으로 일종의 비구속적 행정계획으로 볼 수 있으며 내부구속적 계획에 해당된다 할 것이다.

## 2. 표준지공시지가의 위법 여부와 그 정도

설문상 명확하지 않으나 전년도 대비 300% 상승 이유가 산정상 위법이 있다는 전제하에 위법하고 중대명백설에 따라 취소사유에 해당한다.

## 3. 권리구제방법

표준지공시지가를 비구속적 행정계획으로 볼 경우 행정심판이나 행정소송 제기가 불가능하다. 다만, 부동산공시법 제7조의 이의신청 가능성은 있다. 甲은 표준지 소유자는 아니나 甲토지의 개별공시지가 산정 및 보상액 산정의 기준이 될 수 있으므로 법률상 이익이 있는 자에 해당한다. 따라서 甲은 2월 28일인 현시점이 공시일부터 30일 이내이므로 국토교통부장관에게 이의신청이 가능하다.

# III. 설문 (2) 개별공시지가에 대한 권리구제방법

## 1. 개별공시지가의 처분성 여부

### (1) 개별공시지가의 의의

지방자치단체장이 법령이 정하는 목적을 위한 지가산정에 사용하도록 하기 위하여 부동산가격공시위원회의 심의를 거쳐 결정·고시된 개별토지의 단위면적당 가격을 말한다.

### (2) 처분성 여부

학설에는 행정행위설, 행정규칙설, 사실행위설 등의 견해 대립이 있으나, 후속 행정행위인 과세처분에 대해 직접적인 구속력을 가지며 물적 행정행위로서 그 처분성이 인정될 수 있을 것이다. 대법원 또한 개별공시지가는 국민의 권리, 의무 내지 법률상 이익에 직접적으로 관계된다고 하여 행정소송법상 처분이라고 판시하였다.

## 2. 개별공시지가의 위법 여부 및 그 정도

개별공시지가가 전년 대비 300% 상승한 것이 산정절차상 위법이 있다는 전제하에 중대명백설에 따라 그 위법이 중대하지만 일반인의 입장에서 명백하지 않기 때문에 취소사유에 해당한다.

## 3. 권리구제방법

### (1) 문제점

부동산공시법 제11조의 이의신청은 공시일부터 30일이 경과하여 불가능하다. 개별공시지가가 처분이므로 이의신청의 법적 성질에 따라 행정심판 제기가능성과 취소소송 제기가능성을 검토한다.

### (2) 행정심판법상 취소심판청구 가능성(이의신청의 법적 성질)

이의신청에 대해 특별행정심판설, 강학상 이의신청설이 있으나 최근 판례에서 부동산공시법상 이의신청을 강학상 이의신청으로 보았다. 강학상 이의신청으로 본다면 견해

대립은 있으나 공시일부터 90일 이내에 행정심판청구가 가능하다. 다만 최근에 행정기본법이 제정되어 동법 제36조 제4항에 따라 이의신청결과를 통지받은 후 90일 이내에 행정심판과 행정소송을 제기할 수 있다고 판단된다.

### (3) 취소소송 제기

부동산공시법 제11조에서는 이의신청 임의주의를 취하고 행정심판도 행정소송법 제18조에 의거 행정심판 임의주의를 취한다. 견해의 대립은 있으나 개별공시지가의 경우 결정공시일로부터 90일 이내에 행정소송을 제기할 수 있다고 보는 것이 타당하다고 보인다.

## Ⅳ. 설문 (3) 개별공시지가를 대상으로 다툴 수 있는지

### 1. 문제점

개별공시지가와 양도소득세(급부하명) 모두가 처분이므로 항고쟁송의 대상이 된다. 개별공시지가에 불가쟁력의 발생 여부에 따라 그 대상이 달라지므로 개별공시지가의 불가쟁력 발생 여부를 검토한다.

### 2. 개별공시지가의 불가쟁력 발생 여부

① 처분이 있은 날의 의미에 대해 견해대립은 있으나 공시일로 봄이 타당하다.

② 판례는 처분이 있음을 안 날을 결정·공시일로 보는바 결정·공시일로부터 90일 이내에 취소심판, 취소소송의 제기가 가능하다고 보인다. 사안에서 현 시점은 개별공시지가 공시일인 2026.5.1.부터 90일 이내이므로 불가쟁력이 발생하지 않았다.

### 3. 개별공시지가 대상으로 행정심판 청구

상기 살펴본 바와 같이 부동산공시법의 이의신청을 강학상 이의신청으로 본다면 행정심판법상 행정심판을 제기할 수 있다. 행정심판은 개별공시지가 결정공시일로부터 90일 이내에 취소심판 제기가 가능하다고 보인다.

### 4. 개별공시지가를 대상으로 행정소송 제기

이의신청 임의주의, 행정심판 임의주의이므로 이의신청이나 행정심판 청구 없이 바로 취소소송 제기가 가능하다. 개별공시지가 결정공시일로부터 90일 이내에 바로 행정소송 제기 가능하고, 행정심판을 거친 경우 행정소송법 제20조에 의거 재결서 정본을 받은 날부터 90일 이내에 취소소송 제기가 가능하다.

## Ⅴ. 사안의 해결

(1) 설문 (1)에서 표준지공시지가의 경우 2007두13845 판결에 의하여 처분성을 직접적으로 판시하고 있고, 부동산공시법 제7조에 의하여 결정공시일로부터 30일 이내에 이의신청 제기가 가능하다고 보인다. 최근에 행정기본법이 제정되어 동법 제36조 제4항에 따라 이의신청결과를 통지받은 후 90일 이내에 행정심판과 행정소송을 제기할 수 있다고 판단된다.

(2) 개별공시지가에 대하여 판례는 처분성을 긍정하고 있고, 최근 대법원 판례에서는 개별공시지가 이의신청에 대하여 강학상 이의신청으로 보고 있고, "부동산 가격공시에 관한 법률에 행정심판의 제기를 배제하는 명시적인 규정이 없고 부동산 가격공시에 관한 법률에 따른 이의신청과 행정심판은 그 절차 및 담당 기관에 차이가 있는 점을 종합하면, 부동산 가격공시에 관한 법률이 이의신청에 관하여 규정하고 있다고 하여 이를 행정심판법 제3조 제1항에서 행정심판의 제기를 배제하는 '다른 법률에 특별한 규정이 있는 경우'에 해당한다고 볼 수 없으므로, 개별공시지가에 대하여 이의가 있는 자는 곧바로 행정소송을 제기하거나 부동산 가격공시에 따른 이의신청과 행정심판법에 따른 행정심판청구 중 어느 하나만을 거쳐 행정소송을 제기할 수 있을 뿐 아니라, 이의신청을 하여 그 결과 통지를 받은 후 다시 행정심판을 거쳐 행정소송을 제기할 수도 있다고 보아야 하고, 이 경우 행정소송의 제소기간은 그 행정심판 재결서 정본을 송달받은 날부터 기산한다(대판 2010.1.28, 2008두19987)"라고 판시하고 있어 별도 행정심판과 행정소송을 제기할 수 있겠다.

(3) 양도소득세 부과처분 자체에 대해서는 위법이 없고, 개별공시지가에 대해서 행정쟁송을 제기하면 될 것이다. 해당 사안에서는 불가쟁력이 발생하지 않은바 개별공시지가를 대상으로 다투면 될 것이고, 만약 불가쟁력이 발생하였다면 하자의 승계 논리를 구성해 볼 수 있겠다.

## 6절   부동산공시법 제10조(개별공시지가의 결정·공시 등)

**문제**

서울특별시 관악구청장은 관악구 신림동 일대의 甲소유 토지에 대하여, 2026년도 개별공시지가를 2026년 5월 1일 결정·공시하면서 甲에게 별도의 고지를 하지 아니하였다. 한편 甲은 2026년 5월 5일 구청 지적과에서 장부를 열람하던 중 자신의 토지가 시가와 차이가 있어 적정하게 책정되지 못하였다고 주장하고 있다. 40점

(1) 시가와 차이가 있는 개별공시지가 결정은 위법한지를 검토하시오.

(2) 현시점(2026년 7월 1일)에서의 권리구제수단은 무엇인지를 논하시오.

Ⅰ. 논점의 정리
Ⅱ. 개별공시지가의 법적 성질
  1. 논의의 실익
  2. 학설
  3. 판례
  4. 검토
Ⅲ. 개별공시지가의 위법성 여부
  1. 시가와의 차이가 위법한지 여부
    (1) 문제의 소재
    (2) 학설

    (3) 판례
    (4) 검토
  2. 개별공시지가의 위법성 사유
  3. 사안의 적용(위법성 정도)
Ⅳ. 권리구제수단
  1. 개요(불가쟁력 발생 여부)
  2. 이의신청의 제기가능성
  3. 행정소송
    (1) 이의신청 전치 여부
    (2) 제기요건
Ⅴ. 사례의 해결

## Ⅰ 논점의 정리

사안에서 토지소유자 甲은 구청장에 의해 공시된 개별공시지가가 시가와 차이가 있다는 이유로 위법성을 주장하고 있다. 부동산 가격공시에 관한 법률(이하 '부동산공시법')에 의해 공시되는 개별공시지가는 각종 세금 및 부담금 산정의 기준으로 적용되어 국민의 재산권에 많은 영향을 미친다.

1. 설문 (1)에서는 먼저 개별공시지가의 법적 성질을 검토한 후 시가와 차이나는 개별공시지가의 위법성을 공시지가와 시가와의 관계를 통해 검토해야 한다.

2. 설문 (2)에서는 개별공시지가의 불가쟁력 발생 여부를 통해 이의신청이나 행정소송 등 현 시점에 가능한 권리구제수단을 검토하고자 한다.

## ▣Ⅱ 개별공시지가의 법적 성질

### 1. 논의의 실익

처분이란 행정청이 행하는 구체적 사실에 관한 법집행으로서의 공권력 행사 또는 그 거부와 그 밖에 이에 준하는 행정작용(행정소송법 제2조 제1항 제1호)으로 공시지가의 처분성 여부를 검토하여 이의신청의 성격규명, 공시지가 산정절차상 하자의 위법성 인정 여부 및 행정소송의 제기가능성 여부를 검토함에 논의 실익이 있다.

### 2. 학설

(1) 입법행위설은 개별공시지가 결정은 후속 행정행위인 과세처분 등의 산정기준이 되는 것이므로 여기서 그 기준은 일반적·추상적인 규율을 의미하고 따라서 행정행위의 개념적 징표인 개별성·구체성이 없으므로 입법행위로 보아야 한다는 견해이다.

(2) 행정행위설은 개별공시지가의 결정은 이에 근거한 과세처분 등과 같이 별도의 행정처분이 개입하기는 하나 후속 행정행위는 개별공시지가 결정에 직접적으로 기속을 받는 것이므로 개별공시지가 결정은 이미 그 자체로서 국민의 권리·의무에 영향을 미치게 된다고 본다.

(3) 물적 행정행위설은 개별공시지가는 직접적으로 개별토지의 성질이나 상태에 관한 규율을 내용으로 하나 간접적으로 이와 관련되는 당사자의 권리·의무관계에 영향을 미치는 물적 행정행위로서 일반처분으로 보는 견해이다.

### 3. 판례

대법원은 개별토지가격 결정은 관계법령에 의한 개발부담금의 산정기준이 되어 국민의 권리나 의무 또는 법률상 이익에 직접적으로 관계되는 것으로서 행정소송법 제2조 제1항 제1호 소정의 행정청이 행하는 구체적 사실에 관한 법집행으로서의 공권력 행사이므로 항고소송의 대상이 되는 행정처분에 해당한다고 판시하였다.

### 4. 검토

개별공시지가는 과세관청이 부과하는 토지 관련 세금에 있어서 직접적인 구속력을 가진다는 점을 부인할 수 없으므로 행정행위의 개념적 징표로 요구되는 직접적인 법적 규율성을 갖추게 된다. 또한 개별공시지가는 직접적으로 개별토지에 관한 규율을 행하나 간접적으로 관련 당사자의 권리·의무에 영향을 미치는 물적 행정행위로 인적 범위의 특정성 유무가 의미를 지니지 못하는 것이므로 그 처분성이 인정된다 할 것이다.

## Ⅲ 개별공시지가의 위법성 여부

### 1. 시가와의 차이가 위법한지 여부

#### (1) 문제의 소재

개별공시지가는 각종 조세산정에 직접적으로 영향을 미치는 것인 만큼 시가를 정확하게 반영하는 것이 바람직하나 개별지가는 일정기간마다 간격을 두고 공시된다는 점에서 반드시 시가와 일치되지는 않는다. 이에 시가와 현저히 차이나는 공시지가 결정의 위법성 문제는 공시지가가 시가와 어떠한 관계에 있는지에 대한 논의와 밀접한 관계가 있다.

#### (2) 학설

정책가격설은 부동산공시법의 제정목적이 공시지가의 공시를 통하여 적정한 지가 형성을 도모하는 데 있으므로 공시지가는 현실거래가격이 아니라 투기억제 또는 지가안정이라는 정책적 목적을 위하여 결정, 공시되는 가격이라는 것이다. 시가설은 공시지가는 현실 토지시장에 존재하는 거래가격으로 각종 세금이나 부담금 산정의 기준이 되는 토지가격이므로 현실 시장가격을 반영한 가격이지 이와 괴리된 가격일 수 없다는 것이다.

#### (3) 판례

"개별토지가격의 적법성 여부는 종전 지가공시 및 토지 등의 평가에 관한 법률과 개별토지가격 합동조사지침에 규정된 절차와 방법에 의거하여 이루어진 것인지 여부에 따라 결정될 것이지, 해당 토지의 시가와 직접적인 관련이 있는 것은 아니므로, 단지 개별지가가 시가를 초과한다는 사유만으로 그 가격결정이 위법하다고 단정할 것은 아니다."고 판시하여 공시지가를 정책가격으로 보고 있다.

#### (4) 검토

생각건대, 공시지가가 자유로운 시장에서 형성되는 정상적인 시가를 제대로 반영하는 것이 바람직하나, 실제 공시지가를 산정함에 있어서 시가대로 산정해야 한다면 공시지가제도의 취지가 부합하지 않을 우려가 있으므로 정책가격설이 타당하다고 판단된다.

> **Check Point!**
>
> 시가설로 결론지을 때 구체적 논거
>
> ❖ **공시지가의 산정절차 및 방법의 측면**
>
> 1. 표준지공시지가는 공시기준일 현재의 적정가격이며, 적정가격이란 해당 토지에 대하여 통상적인 시장에서 정상적인 거래가 이루어지는 경우에 성립할 가능성이 가장 높다고 인정되는 가격이라는 점

2. 표준지 적정가격 조사·평가는 인근 유사토지의 거래가격·임료 및 해당 토지와 유사한 이용가치를 지닌다고 인정되는 토지의 조성에 필요한 비용추정액, 인근 지역 및 다른 지역과의 형평성·특수성, 표준지공시지가 변동의 예측 가능성 등 제반사항을 종합적으로 참작하여야 한다는 점

3. 표준지공시지가의 결정은 이상과 같은 방법으로 둘 이상의 감정평가법인등이 평가한 가격을 산술평균하여 결정하도록 하고 있는 점. 따라서 표준지공시지가는 실제거래가격에 터잡은 합리적 시장가격일 수밖에 없다.

4. 개별공시지가는 첫째, 표준지공시지가와 균형을 유지하여야 하는 것이고, 둘째, 토지가격비준표는 감정평가법인등들이 조사·평가한 표준지의 적정가격을 자료로 하여 통계적 방법으로 분석한 표로서 합리성을 가지고 있으며, 주된 가격형성요소를 고려하여 작성되는 것이고, 셋째, 개별공시지가는 전문가의 검증과 소유자 등의 의견청취절차를 거쳐 수정·결정하게 된다. 이러한 검증제도는 토지가격비준표에 반영되지 아니한 그 지역이나 해당 토지의 특수사정 등을 고려하여 가격을 결정하는 것으로 개별공시지가가 시가에 부합되도록 배려하는데 그 취지가 있는 것이다. 이와 같이 개별공시지가 산정절차 및 방법은 개별공시지가가 시가와 부합하도록 담보하고 있다. 그러므로 이론적으로 볼 때 개별공시지가는 표준지공시지가와 마찬가지로 시가 내지 정상거래가격과 부합하여야 할 것이다.

### ❖ 공시지가의 효력 내지 기능의 측면

1. 표준지공시지가는 감정평가법인등의 토지시가 감정의 기준이 되는 바, 현실의 거래가격에서 유리된 시가감정이라 생각할 수 없다. 따라서 표준지공시지가는 시가 그 자체이다.

2. 표준지공시지가는 토지수용 등의 경우에 정당보상가액 산정의 기준이 된다. 따라서 우리 헌법이 취하고 있는 정당보상 내지 완전보상의 원칙에 비추어 토지의 정당보상가격은 시가상당액이어야 한다. 그러므로 표준지공시지가는 시가 그 자체이다.

3. 개별공시지가는 각종 세금과 공과금의 산정기준이 된다. 그런데 개별공시지가가 정책적으로 결정되는 것이라면 조세형평의 원칙에 반할 위험이 있고, 공시지가를 기준으로 하게 되어 있는 각종 제도는 모두 위헌의 소지를 안고 있는 것이다.

4. 특히 양도소득세, 특별부가세, 개별부담금 등은 두 시점 사이의 개별공시지가의 차이에 의하여 부담금액이 결정되는 것이다. 따라서 개별공시지가가 각 시점의 토지의 시가를 제대로 반영하고 있지 못하다면 이들 제도는 존립기반을 상실하게 된다.

### ❖ 권리구제의 측면

공시지가가 시가와 관련이 없는 것이라 할 경우 공시지가의 수준에 대한 사법적 통제가 사실상 불가능하여 국민의 권리구제에 중대한 장애가 있게 된다. 정책가격설에 따르면 공시지가 특히 표준지공시지가의 수준이 시가와 동떨어지게 높거나 낮더라도 이를 사법적으로 통제할 수 없게 되고 공시지가에 대한 불복제도는 단지 절차·방식의 위배만을 다투기 위하여 존재하는 유명무실한 것이 된다.

## 2. 개별공시지가의 위법성 사유

정책가격설에 의할 때 개별공시지가가 시가와 현저히 차이가 난다는 사유만으로 위법성을 주장할 수는 없고, 개별공시지가의 위법성 여부는 부동산공시법에 규정된 절차와 방법에 의하여 이루어진 것인지 여부에 따라 판단되어야 한다. 즉, 甲소유 개별지가를 산정함에 있어 시가와 현저히 차이가 난 사유가 무엇인지에 대한 검토가 요구된다. 위법성 사유가 지가결정의 주요절차를 위반한 경우, 비교표준지의 선정 또는 비준표에 의한 표준지와 해당 토지의 토지특성의 조사, 비교 및 가격조정률의 적용이 잘못된 경우, 기타 틀린 계산, 오기로 인하여 지가산정에 명백한 잘못이 있는 경우에 위법성이 나타나게 된다. 따라서 甲은 단순히 시가와 현저한 차이가 있다는 사유만으로는 위법성을 주장할 수 없고 그 산정절차와 방법상의 위법을 주장하여야 할 것이다.

> **판례**
>
> ● 대판 1996.9.20, 95누11931
>
> 개별토지가격은 해당 토지의 시가나 실제거래가격과 직접적인 관련이 있는 것은 아니므로 단지 그 가격이 시가나 실제거래가격을 초과하거나 미달한다는 사유만으로 그것이 현저하게 불합리한 가격이어서 그 가격결정이 위법하다고 단정할 것은 아니고 해당 토지의 실제 취득 가격이 해당 연도에 이루어진 공매에 의한 가격이라고 해서 달리 볼 것은 아니다.
>
> ● 대판 1996.7.12, 93누13056
>
> 개별토지가격 결정의 적법 여부는 원칙적으로 (구)지가공시 및 토지 등의 평가에 관한 법률과 개별토지가격합동조사지침에 규정된 절차와 방법에 의거하여 이루어진 것인지의 여부에 따라 결정될 것이고, 해당 토지의 시가와 직접적인 관련이 있는 것은 아니므로, 개별토지가격이 시가와 차이가 있다거나 그 변동과 다르게 결정되었다고 하더라도 단지 이러한 사유만으로 그 가격결정이 위법하다고 할 수 없다.
>
> ● 대판 1993.6.11, 92누16706
>
> 개별토지가격 결정과정에 개별토지가격합동조사지침(국무총리훈령 제241호, 제248호)에서 정하는 주요절차를 위반한 하자가 있다거나 비교표준지의 선정 또는 토지가격비준표에 의한 표준지와 해당 토지의 토지특성의 조사 비교, 가격조정률의 적용이 잘못되었다거나 기타 틀린 계산, 오기로 인하여 지가산정에 명백한 잘못이 있는 경우에는 개별토지가격 결정의 위법 여부에 대하여 다툴 수 있고, 한편 표준지의 공시지가에 토지특성조사의 결과에 따른 토지가격비준표상의 가격배율을 적용하여 산출된 산정지가를 처분청이 지방토지평가위원회 등의 심의를 거쳐 감액 또는 증액하여 조정한 결과 결정된 개별토지가격이 현저하게 불합리한 경우에는 개별토지가격 결정의 당부에 대하여도 다툴 수 있으나 해당 토지의 전년도 개별토지가격에 비하여 토지가격비준표상 새로운 평가요소가 추가되거나 기존의 평가요소가 제외됨으로써 가격상승 또는 가격하락이 있게 되었다는 것만으로는 개별토지가격결정이 부당하다고 하여 이를 다툴 수는 없다.

## 3. 사안의 적용(위법성 정도)

사안에서 시가와 괴리되는 개별공시지가 결정은 정책가격설에 의할 때 시가와 차이난다는 이유만으로는 위법성이 인정될 수 없고, 그 이유가 부동산공시법상 산정절차와 방법상 하자에 기인한 것일 경우에 위법성이 인정될 수 있을 것이다. 이러한 경우 다수가 위법성의 정도는 외견상 객관적으로 명백한 하자로 보기 어려워 취소사유에 해당된다고 보인다.

## Ⅳ 권리구제수단

### 1. 개요(불가쟁력 발생 여부)

개별공시지가의 처분성을 인정한다는 전제하에 개별공시지가 자체에 대한 불복수단으로서 원칙적으로 이의신청과 행정쟁송의 제기가 가능할 것이다. 다만, 개별공시지가의 이의신청일은 개별공시지가 결정공시일로부터 30일 이내에 할 수 있도록 부동산 가격공시에 관한 법률 제11조 제1항에서 정하고 있는데, 이의신청기간은 경과하였으나 행정소송에 대한 불가쟁력도 발생하였는지 검토하여 보기로 한다.

### 2. 이의신청의 제기가능성

최근 대법원 판례에서 부동산공시법상 이의신청은 강학상 이의신청이고 특별법상 행정심판이 아니라고 판시하고 있는 바, 개별공시지가의 결정, 공시일부터 30일 이내에 서면으로 시·군·구의 장에게 이의를 신청할 수 있고 이의신청의 결정에 불복하는 경우 행정심판 및 행정소송을 제기할 수 있다. 최근에는 행정기본법이 제정되어 동법 제36조 제4항에 따라 이의신청결과를 통지받은 후 90일 이내에 행정심판과 행정소송을 제기할 수 있다고 판단된다. 대법원 판례가 표준지공시지가와 개별공시지가 이의신청에 대해 별도 특별법상 행정심판으로 보지 않고 있기 때문에 종전 대법원 판례에 따르면 고지절차 위반으로 인해서 180일 이내에 이의신청을 제기할 수 있다고 해석하기보다는, 현행 대법원 판례기준으로 결정공시일로부터 30일 이내에 이의신청은 가능하고, 개별공시지가 결정공시일로부터 90일 이내에 행정소송을 제기할 수 있다고 보아야 하고, 이 기간을 도과하였다면 불가쟁력이 발생했다고 보는 것이 타당하다고 보인다.

### 3. 행정소송

#### (1) 이의신청 전치 여부

공시지가의 성격, 산정작업의 기술성, 오류발생 가능성, 공시지가의 신속한 안정이라는 요건에 비추어 일차적으로 행정청의 판단이 필요하다고 보고 행정심판전치로 이해하는 견해와 행정소송법 제18조 제1항 단서와 관련하여 부동산공시법에서는 명문에 행정심판전치로 하라는 표현이 없으며, 부동산공시법 규정 형식을 고려할 때 행정소송법의 원칙에 따라 행정심판임의주의로 이해하는 견해가 있다. 그러나 최근의 대법원 판례는 개별공시지가 이의신청에 대하여 강학상 이의신청으로 보아 이의신청 여부는 임의주의로 판단하는 것이 타당하다고 보이며, 법치행정원리상 부동산공시법이 명문으로 행정소송법 제18조의 예외를 인정한 규정이 없고 "할 수 있다"라는 규정형식을 고려할 때 임의주의로 보는 것이 국민의 신속한 권리구제 측면에서 유리하다고 판단된다.



## (2) 제기요건

개별공시지가 공시에 처분성이 인정된다고 볼 때, 해당 처분의 위법으로 법률상 이익이 침해된 자는 처분이 있은 날부터 1년, 안 날부터 90일 이내에 시장 등을 피고로 관할 행정법원에 취소소송을 제기할 수 있다. 설문의 경우, 이의신청 임의주의로 해석할 때, 이의신청을 거치지 아니하고 취소소송을 제기하는 경우에는 대법원 판례에 따라 개별공시지가 결정·공시일을 안 날로 보아 결정·공시일을 기준으로 90일 이내에 행정소송을 제기하는 것이 타당하다고 보인 다. 다만, 최근의 대법원 판례에 의하면 이의신청을 거친 경우에는 이의신청 결과를 통지받을 날로부터 90일 이내에 행정심판과 행정소송을 통해 권리구제를 받을 수 있다고 판시하고 있다.

> **판례**
>
> 부동산 가격공시 및 감정평가에 관한 법률 제12조, 행정소송법 제20조 제1항, 행정심판법 제3조 제1항의 규정 내용 및 취지와 아울러 부동산 가격공시 및 감정평가에 관한 법률에 행정심판의 제기를 배제하는 명시적인 규정이 없고 부동산 가격공시 및 감정평가에 관한 법률에 따른 이의 신청과 행정심판은 그 절차 및 담당 기관에 차이가 있는 점을 종합하면, 부동산 가격공시 및 감 정평가에 관한 법률이 이의신청에 관하여 규정하고 있다고 하여 이를 행정심판법 제3조 제1항에 서 행정심판의 제기를 배제하는 '다른 법률에 특별한 규정이 있는 경우'에 해당한다고 볼 수 없으 므로, 개별공시지가에 대하여 이의가 있는 자는 곧바로 행정소송을 제기하거나 부동산 가격공시 및 감정평가에 관한 법률에 따른 이의신청과 행정심판법에 따른 행정심판청구 중 어느 하나만을 거쳐 행정소송을 제기할 수 있을 뿐 아니라, 이의신청을 하여 그 결과 통지를 받은 후 다시 행정 심판을 거쳐 행정소송을 제기할 수도 있다고 보아야 하고, 이 경우 행정소송의 제소기간은 그 행정심판 재결서 정본을 송달받은 날부터 기산한다(대판 2010.1.28, 2008두19987).

## V  사례의 해결

1. 설문에서 개별공시지가 결정은 국민의 권리·의무에 영향을 미치는 처분으로 시가와 차이나는 개별공시지가는 그 이유가 부동산공시법이 정하는 절차와 방법상 하자에 연유한 것인 경우에 위법성이 인정될 것이다.

2. 개별공시지가의 불복에 대해서는 개별공시지가의 결정공시일로부터 30일 이내에 이의신청을 할 수 있고, 이의신청 통보결과를 통지받은 날로부터 90일 이내에 행정소송을 제기할 수 있다. 다만 토지소유자가 개별공시지가결정에 바로 행정소송을 제기하는 경우에는 개별공시지가의 결정공시일로부터 90일 이내에 행정소송을 제기하여 권리구제를 받을 수 있을 것이다.

---

**베타답안**

 **문  40점**

### Ⅰ. 논점의 정리

사안에서 토지소유자 甲은 영등포구청장에 의해 결정·공시된 개별공시지가가 시가와의 차이가 있다는 이유로 위법성을 주장하고 있다.

1. 설문 (1)을 해결하기 위하여 먼저 개별공시지가의 법적 성질을 검토한 후, 시가와 차이나는 개별공시지가의 위법성을 개별공시지가와 시가와의 관계에 관한 판례 등을 통하여 검토한다.

2. 설문 (2)를 해결하기 위하여 개별공시지가의 불가쟁력 발생 여부를 통해 이의신청 및 취소소송 등 가능한 권리구제수단을 검토한다.

### Ⅱ. 개별공시지가의 법적 성질

#### 1. 법적 성질에 대한 학설의 대립

① 개별성·구체성이 없으므로 입법행위로 보아야 한다는 입법행위설, ② 개별공시지가 결정 그 자체로 국민의 권리·의무에 영향을 미치게 된다는 점을 드는 행정행위설, ③ 물적 행정행위로서 일반처분으로 보는 물적 행정행위설 등이 있다.

#### 2. 판례의 태도

대법원은 개별토지가격 결정은 관계법령에 의한 개발부담금 산정의 기준이 되어 국민의 권리나 의무 또는 법률상 이익에 직접적으로 관계되는 것으로서 행정소송법상의 처분에 해당한다고 판시하였다.

#### 3. 검토

개별공시지가가 결정·공시되면 그 법적 효과로 곧바로 국민에게 납세의무가 발생하는 것은 아니지만, 가감조정 없이 그대로 과세에 대한 직접적인 구속력이 있는 점, 법률관계의 조기확정 측면과 국민의 권익구제 측면 등에서 처분성을 인정할 필요가 있다고 여겨진다.

## Ⅲ. 설문 (1) 시가와 차이나는 개별공시지가의 위법성 검토

### 1. 문제점

개별공시지가가 적정시가에 미달하는 것이 위법성을 갖는지 문제되는바, 이하 학설 및 판례의 검토를 통하여 판단하도록 한다.

### 2. 시가와의 차이가 위법한지에 대한 학설

① 정책가격설은 개별공시지가는 현실의 거래가격과는 관련이 없고 정책적인 목적에 따라 결정된다고 본다. ② 시가설은 개별공시지가는 현실의 거래가격을 반영하여야 하며 시가와 부합하지 않은 개별공시지가는 위법하다고 본다.

### 3. 판례의 태도

대법원은 개별토지가격은 해당 토지의 시가나 실제거래가격과 직접적인 관련이 있는 것은 아니므로 단지 그 가격이 시가나 실제거래가격을 초과하거나 미달한다는 사유만으로 그것이 현저하게 불합리한 가격이어서 그 가격결정이 위법하다고 단정할 것은 아니라고 판시하였다.

### 4. 검토 및 사안의 경우

① 실제 개별공시지가를 산정함에 있어서 시가대로 산정해야 한다면 공시지가제도의 취지에 부합하지 않을 우려가 있는 점 등을 볼 때 정책가격설이 타당하다고 판단된다.

② 정책가격설의 입장에 따를 때 사안의 시가와 차이가 있는 개별공시지가 결정은 그 차이의 이유만으로 위법하다 할 수 없다. 다만, 개별공시지가의 위법성에 관하여는 부동산공시법에 규정된 산정절차와 방법에 의하여 이루어진 것인지 여부에 따라 판단될 것이므로, 甲은 그 산정절차와 방법상의 하자 등을 이유로 위법을 주장할 수 있을 것이다.

## Ⅳ. 설문 (2) 현시점에서의 권리구제수단 검토

### 1. 개설(불가쟁력 발생 여부)

개별공시지가의 처분성을 긍정할 때 특별행정심판으로서의 이의신청 및 취소소송 등의 제기가 가능하다. 다만, 개별공시지가 이의신청에 대하여 결정공시일로부터 30일 이내에 이의신청을 제기하도록 하고 있는데 이의신청 기간이 경과하면 별도로 행정소송을 제기할 수 없는지, 있다면 어느 기간 안에 제기해야 하는지가 문제된다.

### 2. 판례를 통한 이의신청 제기가능성의 검토

① 부동산공시법상의 이의신청을 특별행정심판으로 해석하는 경우, 이의신청의 제기 기간은 동법에 의거 개별공시지가의 결정·공시일부터 30일 이내에 제기하여야 한다. 다만, 판례는 개별토지가격 결정에서 별도의 고지절차를 취하지 않은 경우 "처분이 있은 날부터 180일 이내"에 이의신청을 제기할 수 있다고 판시한 바 있다. 그러나 대법원의 판례(대판 2010.1.28, 2008두19987)는 개별공시지가 이의신청에 대하

여 특별법상 행정심판이 아니고 강학상 이의신청에 불과하여 별도 행정심판과 행정소송을 제기할 수 있다고 할 것이다. 최근에 행정기본법이 개정되어 동법 제36조 제4항에 따라 이의신청결과를 통지받은 후 90일 이내에 행정심판과 행정소송을 제기할 수 있다고 판단된다.

② 사안의 경우, 현시점은 이의신청 제기기간이 경과한 시점이나 甲에게 법령상 이의신청기간은 도과하였으나, 행정소송기간을 도과하지 않은 상황으로 행정소송을 통해 권리구제를 받을 수 있을 것으로 보인다.

## 3. 취소소송에 관한 검토

① 개별공시지가에 대한 취소소송을 제기함에 있어서 이의신청을 거쳐야 하는지에 대하여 이의신청 전치주의 입장, 이의신청 임의주의 입장이 대립하고 있으나 부동산공시법상에 전치주의에 관한 명시적인 언급이 없는 점 등을 볼 때 이의신청 임의주의로 보는 것이 국민의 신속한 권리구제 측면에서 유리하다고 판단된다.

② 사안의 경우, 대법원 판례(2008두19987)에서 개별공시지가의 이의신청은 강학상 이의신청에 불과하고, 이의신청을 한 경우에는 이의신청을 통보받은 날로부터 90일 이내에 행정심판과 행정소송을 제기할 수 있다고 보고 있다. 이의신청기간이 경과하였으나 행정심판과 행정소송의 제기기간이 도과하지 않은 경우에는 바로 행정심판 또는 행정소송을 제기하여 권리구제를 받을 수 있을 것으로 판단된다.

## V. 사례의 해결

1. 설문 (1)에서 개별공시지가 결정은 국민의 권리·의무에 영향을 미치는 처분으로서 시가와 차이나는 개별공시지가는 지가와의 차이 그 자체만으로 위법하게 되지 않을 것이므로, 甲은 부동산공시법이 정하는 절차와 방법상 하자 등을 이유로 위법을 주장하여야 할 것이다.

2. 설문 (2)에서 개별공시지가의 이의신청기간은 도과하였지만 행정심판 제기기간과 행정소송의 제소기간이 도과하지 않은 바, 행정심판 또는 행정소송을 제기하여 권리구제를 받을 수 있을 것으로 판단된다.

## 7절 | 부동산공시법 제10조(개별공시지가의 결정·공시 등)

> **문제**
>
> 부동산 가격공시에 관한 법률(이하 '부동산공시법')은 "제10조(개별공시지가의 결정·공시 등) ① 시장·군수 또는 구청장은 국세·지방세 등 각종 세금의 부과, 그 밖의 다른 법령에서 정하는 목적을 위한 지가산정에 사용되도록 하기 위하여 제25조에 따른 시·군·구 부동산가격공시위원회의 심의를 거쳐 매년 공시지가의 공시기준일 현재 관할구역 안의 개별토지의 단위면적당 가격(이하 '개별공시지가'라 한다)을 결정·공시하고, 이를 관계 행정기관 등에 제공하여야 한다."라고 규정하고 있는바, 개별공시지가의 적정성 및 공정성을 담보하기 위한 현행 부동산공시법상의 제도를 설명하시오. 20점
>
> | | |
> |---|---|
> | Ⅰ. 서 | 4. 이의신청제도 |
> | Ⅱ. 구체적 제도의 검토 | 5. 감정평가법인등의 의무강화 및 책임 부여 |
> |   1. 표준지공시지가제도 | 6. 직권정정제도 |
> |   2. 검증제도 | Ⅲ. 결 |
> |   3. 개별공시지가의 결정·공시절차 | |

## Ⅰ 서

개별공시지가란, 시·군·구청장(이하 '시장 등')이 과세기준 기타 행정목적에 활용하기 위해 표준지공시지가를 기준으로 일정한 절차에 따라 결정·공시한 개별토지의 단위면적당 가격을 말한다. 1994년 8월 토지초과이득세가 헌법과 불합치하다는 결정이 나면서 동세의 부과기준인 개별공시지가의 법적 근거와 산정방법상의 적정성이 문제되었다. 이에 종전 지공법(약칭)이 개정되면서 개별토지가격합동조사지침(국무총리 훈령)에 근거한 개별공시지가의 법적 근거를 마련하고 검증제도를 도입했다. 이러한 개별공시지가는 직접적으로 과세 및 각종 부담금의 부과기준이 되는바, 일반국민의 권리·의무에 중대한 영향을 미친다. 따라서 현재 부동산 가격공시에 관한 법률(이하 '부동산공시법')에는 개별공시지가의 적정을 가하기 위한 다양한 방안이 마련되어 있다.

## Ⅱ 구체적 제도의 검토

### 1. 표준지공시지가제도(부동산공시법 제3조)

표준지공시지가란, 국토교통부장관이 조사·평가하여 공시한 표준지의 단위면적당 가격을 말하며, 국토교통부장관이 표준지를 선정하고 조사평가를 의뢰하고 산정한 후 중앙부동산가격공시위원회의 심의를 거쳐 공시하고 열람케 한 뒤 이의신청을 할 수 있으며 타당한 경우 상기의 절차를

거쳐 재공시한다. 공시지가는 ① 토지시장의 지가정보를 제공하고, ② 일반토지거래의 지표가 되며, ③ 국가·지방자치단체 등의 기관이 업무와 관련하여 지가를 산정(개별공시지가 산정, 국·공유지의 취득·처분, 토지보상)하거나 감정평가법인등이 개별적으로 토지를 평가 시 그 기준이 된다.

## 2. 검증제도(부동산공시법 제10조 제5항)

개별공시지가 검증은 지가조사 공무원이 산정한 개별공시지가에 대하여 토지특성조사, 비교표준지 선정, 토지가격비준표의 적용 등을 종합적으로 검토하여 산정지가의 적정성을 판별하고, 표준지공시지가, 전년도 개별공시지가, 인근 지가와의 균형 및 공신력 확보를 위하여 도입된 제도이다.

## 3. 개별공시지가의 결정·공시절차(부동산공시법 제10조 제1항)

시·군·구청장은 해당 토지와 유사한 이용가치가 있다고 인정되는 표준지공시지가를 기준으로 토지가격비준표를 사용하여 개별공시지가를 산정하며, 그 타당성에 대해 감정평가법인등의 검증을 받아 토지소유자의 의견을 청취하고 시·군·구 부동산가격공시위원회의 심의를 거쳐 이를 공시함으로써 결정한다. 이는 지가의 적정성을 위하여 다양한 의사를 반영하고, 공적인 검증을 통하여 그 적정성을 담보하고자 하는 의도로 보아진다.

## 4. 이의신청제도(부동산공시법 제11조)

개별공시지가에 이의가 있는 토지소유자 등은 공시일부터 30일내 시·군·구청장에게 서면으로 제출할 수 있으며 이의신청기간 만료일부터 30일 이내에 심사하여 그 결과를 통지한다. 종전에는 이때의 이의신청은 개별공시지가 결정을 처분으로 파악할 때 특별행정심판으로 부동산공시법이 정하는 외에는 행정심판법을 따르게 된다고 보았으나, 최근 대법원 판례에서는 부동산공시법상 개별공시지가의 이의신청은 강학상 이의신청으로 보아 특별법상 행정심판이 아니다. 그러나 강학상 이의신청제도라 하더라도 본 제도를 통한 공정성과 객관성의 담보는 이루어질 수 있다고 보인다. 최근에 행정기본법이 제정되어 동법 제36조 제4항에 따라 이의신청결과를 통지받은 후 90일 이내에 행정심판과 행정소송을 제기할 수 있다고 판단된다.

## 5. 감정평가법인등의 의무강화 및 책임부여

「감정평가 및 감정평가사에 관한 법률」 제25조에 의한 성실의무를 규정하여 품위유지 및 성실한 평가를 할 것과 이해관계인의 물건평가, 겸업, 실비 外 대가수수, 둘 이상 법인 또는 사무소 소속을 금하고 있으며, 감정평가서의 교부·보관의무와 지도·감독 등에 대한 인용의무를 규정하고 있고 민사상 책임으로서의 손해배상과 영업정지 및 행정벌 등의 행정상 책임과 뇌물수뢰죄 적용 시 공무원으로 의제하는 형사상 책임에 대한 규정 등을 두고 있다.

## 6. 직권정정제도(부동산공시법 제12조, 동법 시행령 제23조)

직권정정제도는 개별공시지가에 틀린 계산, 오기, 표준지 선정의 착오, 그 밖에 대통령령으로 정하는 명백한 오류가 있는 경우에 이를 직권으로 정정할 수 있는 제도로 부동산공시법 제12조에 근거한다. 시장·군수 또는 구청장이 오류정정 시에는 시·군·구 부동산가격공시위원회의 심의를 거쳐 결정·공시하며, 틀린 계산, 오기의 경우에는 심의 없이 직권으로 정정 및 결정·공시할 수 있고, 정정 시에는 국토교통부장관에 이를 통보해야 한다.

## Ⅲ 결

개별공시지가는 자체로서 직접적인 세액결정의 기준이 된다. 따라서 개별공시지가의 적정성은 국민의 권리·의무와 직결되는바, 쟁송법상 처분으로서 쟁송의 대상이 됨은 물론 그 이전에 적정성을 담보할 수 있는 방안의 마련과 지속적인 정비가 요구되는 것인바, 특정조사항목의 조정, 표준지분포의 조정, 비준표의 적정화, 전문적 검증을 위한 대책 등의 마련이 이루어져야 한다.

---

**베타답안**

 **문** 20점

## Ⅰ. 서

「부동산 가격공시에 관한 법률」(이하 '부동산공시법')상 개별공시지가는 시장·군수·구청장이 직접 산정·결정·공시하는 개별토지의 단위면적당 가격을 말하며, 부동산 과세의 기준이 되어 국민의 권리·의무에 직접 영향을 미치게 된다. 따라서 개별공시지가의 적정성과 공정성은 매우 중요한 요체인바, 이하에서는 이를 담보하기 위한 현행법상의 제도에 대하여 살펴보도록 한다.

## Ⅱ. 적정성과 공정성을 위한 현행법상 제도

### 1. 표준지공시지가제도

표준지공시지가는 국토교통부장관이 조사·평가하여 공시한 표준지의 단위면적당 가격으로, 지가정보를 제공하고 토지거래의 지표가 되며, 국가·지방자치단체 등의 지가산정 및 감정평가법인등의 토지평가기준이 된다.

### 2. 개별공시지가의 검증제도

① 지가조사 공무원이 표준지공시지가를 기준으로 토지가격비준표를 활용하여 산정한 개별공시지가에 대하여 토지특성조사, 비교표준지 선정, 비준표의 적용 등을 종합적으로 검토하여 산정지가의 적정성을 판별하고, 적정가격을 제시한다.

② 검증의 유형으로는 ㉠ 산정지가 검증 : 약식검증으로서 전체필지를 대상으로 하고, 도면상 검증이며 지가열람 전 실시하게 된다. ㉡ 의견제출지가 검증 : 정밀검증으로서 토지소유자 등이 의견을 제출한 토지만을 대상으로 하고, 현장조사를 통한 검증

으로서 시장 등의 결정공시가 있기 전에 이루어진다. ⓒ 이의신청지가 검증 : 토지소유자 등이 이의를 신청한 토지만을 대상으로 하고, 현장조사를 통한 검증으로서 시장 등이 결정·공시한 이후에 이루어진다.

### 3. 개별공시지가의 결정·공시절차

개별공시지가의 타당성에 대해 검증을 받아 토지소유자의 의견청취 및 시·군·구 부동산가격공시위원회의 심의를 거쳐야 한다. 이는 다양한 의사반영 등을 통해 지가의 적정성을 담보하기 위함이다.

### 4. 분할·합병 등이 발생한 경우 재결정제도

① 대상토지 : 공간정보의 구축 및 관리 등에 관한 법률상 분할 또는 합병된 토지, 공유수면매립 등으로 신규로 등록된 토지, 토지의 형질변경이나 용도변경으로 지목이 변경된 토지, 국·공유지가 매각 등의 사유로 된 토지로서 개별공시지가가 없는 토지가 이에 해당한다.

② 절차 : 7월 1일을 공시기준일로 하여 10월 31일까지 결정·공시한다.

### 5. 개별공시지가의 정정제도

① 정정사유 : 개별공시지가에 틀린 계산, 오기, 표준지 선정의 착오, 그 밖에 대통령령으로 정하는 명백한 오류가 있을 때이다.

② 정정절차 : 시장 등은 시·군·구 부동산가격공시위원회의 심의를 거쳐 정정사항을 결정·공시한다. 다만, 틀린 계산·오기의 경우 심의 없이 직권으로 할 수 있다.

③ 토지소유자의 정정신청권 존재 여부 : 대법원은 토지소유자 등에게 정정신청권리를 인정하지 않는 것으로 보고, 행정청이 정정신청에 대하여 정정불가결정을 통지한 것은 관념의 통지에 불과할 뿐 항고소송의 대상이 아니라고 하였다.

### 6. 개별공시지가에 대한 불복제도

개별공시지가의 적정성을 확보하기 위해서 부동산공시법에서는 이의신청제도를 마련하고 있으며, 처분성이 인정되는 한 항고소송을 제기할 수 있다.

### 7. 감정평가법인등의 의무강화 및 책임부여

감정평가 및 감정평가사에 관한 법률에서는 감정평가법인등의 성실의무, 민사상 책임으로서의 손해배상, 업무정지 및 행정벌 등 행정상 책임과 벌칙적용의 공무원의제 등 형사상 책임, 과징금 등의 행정상 제재금에 대한 규정을 두고 있다.

## III. 결

개별공시지가는 국민의 권리·의무와 직결되는 바, 처분으로서 쟁송의 대상이 된다. 따라서 그 적정성을 담보할 수 있는 방안의 마련과 그 지속적인 정비가 요구되며, 특정조사항목 및 표준지 분포의 조정, 비준표의 적정화, 전문적 검증을 위한 대책 등의 마련이 이루어져야 한다.

## 8절    부동산공시법 제10조(개별공시지가의 결정·공시 등)

**문제**

경기도 용인시 수지동 200번지(현황:자연림 지목:임야 3,506㎡) 해당 甲토지에 대하여 2016.1.1. 기준 개별공시지가 산정시 적용되었던 토지특성이 그대로 반영되어 이 사건 토지에 대한 2017.1.1. 기준 개별공시지는 ㎡당 900,000원 결정·공시되었고, 이 사건 토지에 대한 2018.1.1. 기준 개별공시지가는 공업용 ㎡당 1,000,000원으로 결정·공시되었는데, 그 과정에서도 토지소유자 등 이해관계인은 아무런 이의를 제기하지 아니하였다. 해당 甲토지에 대하여 상당한 가치가 있다고 믿고 채권자 丙 금융기관은 채무자 丁에게 2,635,609,285원을 대출하여 주었고 해당 토지에 개별공시지가를 토대로 근저당권을 설정하였다. 용인시청 소속 공무원 乙이 2018.1.경 정례적인 토지조사과정에서 이 사건 토지의 토지특성이 "자연림"인데도 불구하고 "공업용"으로 잘못 조사되어 있음을 발견하게 되었는데, 이에 따라 용인시장은 이 사건 토지에 관한 2016.1.1. 기준 및 2017.1.1. 기준 개별공시지가를 재산정한 다음 법정절차를 거친 다음, 2018.2.29. 이 사건 토지에 대한 2016.1.1.자 개별공시지가는 20,600원으로, 2017.1.1. 기준 개별공시지가는 22,000원으로 정정하여 결정·공시하였다. 다음 물음에 답하시오. `20점`

(1) 부동산가격공시에 관한 법률상 개별공시지가의 의의 및 법적 성질, 결정절차를 설명하시오. `5점`

(2) 해당 사례에서 개별공시지가 산정업무 담당공무원 등이 부담하는 직무상 의무의 내용 및 그 담당공무원 등이 직무상 의무에 위반하여 현저하게 불합리한 개별공시지가가 결정되도록 함으로써 국민 개개인의 재산권을 침해한 경우, 그 담당공무원 등이 속한 지방자치단체가 손해배상책임을 지는지 여부를 설명하시오. `5점`

(3) 해당 사례에서 자연림을 공업용으로 잘못 공시한 경우 개별공시지가 산정업무 담당공무원 등이 직무상 의무를 위반한 것인지 설명하시오. `5점`

(4) 해당 사례에서 담보가치가 충분히 있다고 금융기관에서 추가 대출하면서 공업용으로 산정한 개별공시지가를 그대로 근저당권을 경료하였다. ① 해당 개별공시지가가 토지의 거래 또는 담보제공에서 그 실제 거래가액 또는 담보가치를 보장하는 등의 구속력을 갖는지 여부와 ② 개별공시지가를 토대로 근저당권을 설정하고 금융기관에서 대출을 해주었으나 채권을 회수하지 못해 손해가 발생하였는데 이를 해당 용인시 공무원 내지 용인시청 지방자치단체가 손해배상책임을 져야 하는지에 대하여 설명하시오. `5점`

<table>
<tr><td>

Ⅰ. 논점의 정리

Ⅱ. (물음1) 개별공시지가의 개관

  1. 개별공시지가의 의의(부동산공시법 제10조)

  2. 개별공시지가의 법적 성질

    (1) 학설

    (2) 판례

    (3) 검토

  3. 개별공시지가의 결정절차

Ⅲ. (물음2) 손해배상책임여부

  1. 공무원의 직무상 의무의 내용

  2. 손해배상책임을 져야하는지 여부

    (1) 관련 판례의 태도

    (2) 검토

</td><td>

Ⅳ. (물음3) 공무원의 직무상 의무 위반여부

  1. 부동산공시법의 입법취지

  2. 관련 규정의 검토

  3. 사안의 경우

    (1) 관련 판례의 태도

    (2) 검토

Ⅴ. (물음4) 개별공시지가의 구속력여부와 손해배상책임인정 여부(2010다13527 판결)

  1. 개별공시지가가 구속력을 갖는지 여부

    (1) 개별공시지가의 산정목적 범위

    (2) 관련 판례의 태도

    (3) 검토

  2. 지방자치단체의 손해배상 책임

    (1) 관련 판례의 태도

    (2) 검토

Ⅵ. 사안의 해결

</td></tr>
</table>

## Ⅰ 논점의 정리

해당 사안은 부동산 가격 공시에 관한 법률(이하 '부동산공시법')에서 개별공시지가에 관한 쟁점이다. 잘못된 개별공시지가 산정으로 인해 손해를 입은 금융기관이 국가배상청구를 할 수 있는지에 대한 사안에서 개별공시지가의 결정절차 등을 검토한 뒤, 국가배상청구의 요건으로서 위법성 및 손해와의 인과관계가 인정되어 지방자치단체가 손해배상책임이 있는지에 대해서 검토해 보고자 한다.

## Ⅱ (물음1) 개별공시지가의 개관

### 1. 개별공시지가의 의의(부동산공시법 제10조)

개별공시지가란 시장, 군수 또는 구청장이 국세, 지방세 등 각종 세금의 부과, 그 밖의 다른 법령에서 정하는 목적을 위한 지가산정에 사용되도록 하기 위하여 부동산공시법 제25조에 따른 시,군,구 부동산가격공시위원회의 심의를 거쳐 매년 공시지가의 공시기준일 현재 관할구역 안의 개별토지의 단위면적당 가격을 말한다. 개별공시지가는 표준지공시지가를 기준으로 산정되며 그대로 과세기준이 된다. 따라서 개별공시지가의 적정성 여부가 국민의 재산권에 중대한 영향을 미치게 된다.

> **✪ 부동산공시법 제10조(개별공시지가의 결정·공시 등)**
> ① 시장·군수 또는 구청장은 국세·지방세 등 각종 세금의 부과, 그 밖의 다른 법령에서 정하는 목적을 위한 지가산정에 사용되도록 하기 위하여 제25조에 따른 시·군·구부동산가격공시위원회의 심의를 거쳐 매년 공시지가의 공시기준일 현재 관할 구역 안의 개별토지의 단위면적당 가격(이하 "개별공시지가"라 한다)을 결정·공시하고, 이를 관계 행정기관 등에 제공하여야 한다.
> ② 제1항에도 불구하고 표준지로 선정된 토지, 조세 또는 부담금 등의 부과대상이 아닌 토지, 그 밖에 대통령령으로 정하는 토지에 대하여는 개별공시지가를 결정·공시하지 아니할 수 있다. 이 경우 표준지로 선정된 토지에 대하여는 해당 토지의 표준지공시지가를 개별공시지가로 본다.
> ③ 시장·군수 또는 구청장은 공시기준일 이후에 분할·합병 등이 발생한 토지에 대하여는 대통령령으로 정하는 날을 기준으로 하여 개별공시지가를 결정·공시하여야 한다.
> ④ 시장·군수 또는 구청장이 개별공시지가를 결정·공시하는 경우에는 해당 토지와 유사한 이용가치를 지닌다고 인정되는 하나 또는 둘 이상의 표준지의 공시지가를 기준으로 토지가격비준표를 사용하여 지가를 산정하되, 해당 토지의 가격과 표준지공시지가가 균형을 유지하도록 하여야 한다.
> ⑤ 시장·군수 또는 구청장은 개별공시지가를 결정·공시하기 위하여 개별토지의 가격을 산정할 때에는 그 타당성에 대하여 감정평가법인등의 검증을 받고 토지소유자, 그 밖의 이해관계인의 의견을 들어야 한다. 다만, 시장·군수 또는 구청장은 감정평가법인등의 검증이 필요 없다고 인정되는 때에는 지가의 변동상황 등 대통령령으로 정하는 사항을 고려하여 감정평가법인등의 검증을 생략할 수 있다.
> ⑥ 시장·군수 또는 구청장이 제5항에 따른 검증을 받으려는 때에는 해당 지역의 표준지의 공시지가를 조사·평가한 감정평가법인등 또는 대통령령으로 정하는 감정평가실적 등이 우수한 감정평가법인등에 의뢰하여야 한다.
> ⑦ 국토교통부장관은 지가공시 행정의 합리적인 발전을 도모하고 표준지공시지가와 개별공시지가와의 균형유지 등 적정한 지가형성을 위하여 필요하다고 인정하는 경우에는 개별공시지가의 결정·공시 등에 관하여 시장·군수 또는 구청장을 지도·감독할 수 있다.
> ⑧ 제1항부터 제7항까지에서 규정한 것 외에 개별공시지가의 산정, 검증 및 결정, 공시기준일, 공시의 시기, 조사·산정의 기준, 이해관계인의 의견청취, 감정평가법인등의 지정 및 공시절차 등에 필요한 사항은 대통령령으로 정한다.

## 2. 개별공시지가의 법적 성질

### (1) 학설

① 입법행위설은 개별공시지가 결정은 후속 행정행위인 과세처분 등의 산정기준이 되는 것이므로 여기서 그 기준은 일반적, 추상적인 규율을 의미하고 따라서 행정행위의 개념적 징표인 개별성, 구체성이 없으므로 입법행위로 보아야 한다는 견해이다. ② 행정행위설은 개별공시지

가 결정은 이에 근거한 과세처분 등과 같이 별도의 행정처분이 개입하기는 하나 후속 행정행위는 개별공시지가 결정에 직접적으로 기속을 받는 것이므로 개별공시지가 결정은 이미 그 자체로서 국민의 권리 및 의무에 영향을 미치게 된다고 본다. ③ 물적 행정행위설은 개별공시지가는 직접적으로 개별토지의 성질이나 상태에 관한 규율을 내용으로 하나 간접적으로 이와 관련되는 당사자의 권리, 의무 관계에 영향을 미치는 물적 행정행위로서 일반처분으로 보는 견해이다.

### (2) 판례

대법원은 개별토지가격 결정은 관계법령에 의한 개발부담금의 산정기준이 되어 국민의 권리나 의무 또는 법률상 이익에 직접적으로 관계되는 것으로서 행정소송법 제2조 제1항 제1호의 소정의 행정청이 행하는 구체적 사실에 관한 법집행으로서의 공권력 행사이므로 항고소송의 대상이 되는 행정 처분에 해당한다고 판시하였다.

> **판례**
>
> ● 〈개별토지가액결정의 처분성〉
>
> **[판시사항]**
> 지가공시 및 토지 등의 평가에 관한 법률 및 같은법 시행령에 의하여 시장, 군수, 구청장이 한 개별토지가액의 결정이 행정소송의 대상이 되는 행정처분인지 여부(적극)
>
> **[판결요지]**
> 토지초과이득세법, 택지소유상한에 관한 법률, 개발이익환수에 관한 법률 및 각 그 시행령이 각 그 소정의 토지초과이득세, 택지초과소유부담금 또는 개발부담금을 산정함에 있어서 기초가 되는 각 토지의 가액을 시장, 군수, 구청장이 지가공시 및 토지 등의 평가에 관한 법률 및 같은법 시행령에 의하여 정하는 개별공시지가를 기준으로 하여 산정한 금액에 의하도록 규정하고 있고, 시장, 군수, 구청장은 같은 법 제10조 제1항 제6호, 같은법 시행령 제12조 제1, 2호의 규정에 의하여 각개 토지의 지가를 산정할 의무가 있다고 할 것이므로 시장, 군수, 구청장이 산정하여 한 개별토지가액의 결정은 토지초과이득세, 택지초과소유부담금 또는 개발부담금 산정 등의 기준이 되어 국민의 권리, 의무 내지 법률상 이익에 직접적으로 관계된다고 할 것이고, 따라서 이는 행정소송법 제2조 제1항 제1호 소정의 행정청이 행하는 구체적 사실에 관한 법집행으로서의 공권력행사이어서 행정소송의 대상이 되는 행정처분으로 보아야 할 것이다.
>
> (출처 : 대법원 1993.1.15. 선고 92누12407 판결[개별토지가격결정처분취소등])

### (3) 검토

개별공시지가는 세금 등에 있어서 직접적인 구속력을 가지므로 국민의 재산권에 대한 직접적인 법적 규율성을 가진다고 할 수 있고, 개별토지의 성질이나 상태에 대한 규율로서 물적행정행위에 해당하며, 가감조정 없이 조세부과의 기준이 되므로 법률관계를 조기에 확정하여 법적 안정성을 기할 필요가 있다는 점에서 처분성을 인정함이 타당하다고 생각된다.

## 3. 개별공시지가의 결정절차

시, 군, 구청장은 해당 토지와 유사한 이용가치가 있다고 인정되는 표준지공시지가를 기준으로 토지가격비준표를 사용하여 개별공시지가를 산정하며, 그 타당성에 대해 감정평가법인등의 검증을 받아 토지소유자의 의견을 청취하고 시, 군, 구 부동산가격공시위원회의 심의를 거쳐 이를 공시함으로써 결정한다. 이는 지가의 적정성을 위하여 다양한 의사를 반영하고, 공적인 검증을 통하여 그 적정성을 담보하고자 하는 의도로 보여진다.

## **Ⅲ** (물음2) 손해배상책임여부

## 1. 공무원의 직무상 의무의 내용

개별공시지가는 개발부담금의 부과, 토지 관련 조세부과 등 다른 법령이 정하는 목적을 위해 지가를 산정하는 경우에 그 산정기준이 되는 관계로 납세자인 국민 등의 재산상 권리, 의무에 직접적인 영향을 미치게 되므로, 개별공시지가 산정업무를 담당하는 공무원으로서는 해당 토지의 실제 이용상황 등 토지특성을 정확하게 조사하고 해당 토지와 이용상황이 유사한 비교표준지를 선정하여 그 특성을 비교하는 등 법령 및 '개별공시지가의 조사 산정지침'에서 정한 기준과 방법에 의하여 개별공시지가를 산정하고, 산정지가의 검증을 의뢰받은 감정평가법인등이나 시·군·구 부동산가격공시위원회로서는 위 산정지가 또는 검증지가가 위와 같은 기준과 방법에 의하여 제대로 산정된 것인지 여부를 검증 또는 심의함으로써 적정한 개별공시지가가 결정·공시되도록 조치할 직무상의 의무가 있다.

## 2. 손해배상책임을 져야 하는지 여부

### (1) 관련 판례의 태도

> 판례
>
> [판시사항]
> **[1] 공무원의 직무상 의무 위반으로 인해 발생한 손해에 대하여 국가가 손해배상책임을 지기 위한 요건**
> [2] 헌병대 영창에서 탈주한 군인들이 민가에 침입하여 저지른 범죄행위에 대한 국가의 손해배상책임의 존부(적극)
>
> [판결요지]
> **[1] 공무원에게 부과된 직무상 의무의 내용이 단순히 공공 일반의 이익을 위한 것이거나 행정기관 내부의 질서를 규율하기 위한 것이 아니고 전적으로 또는 부수적으로 사회구성원 개**

> 인의 안전과 이익을 보호하기 위하여 설정된 것이라면, 공무원이 그와 같은 직무상 의무를 위반함으로 인하여 피해자가 입은 손해에 대하여는 상당인과관계가 인정되는 범위 내에서 국가가 배상책임을 지는 것이고, 이때 상당인과관계의 유무를 판단함에 있어서는 일반적인 결과 발생의 개연성은 물론 직무상 의무를 부과하는 법령 기타 행동규범의 목적이나 가해행위의 태양 및 피해의 정도 등을 종합적으로 고려하여야 한다.
>
> [2] 군행형법과 군행형법 시행령이 군교도소나 미결수용실(이하 '교도소 등'이라 한다)에 대한 경계 감호를 위하여 관련 공무원에게 각종 직무상의 의무를 부과하고 있는 것은, 일차적으로는 그 수용자들을 격리보호하고 교정교화함으로써 공공 일반의 이익을 도모하고 교도소 등의 내부 질서를 유지하기 위한 것이라 할 것이지만, 부수적으로는 그 수용자들이 탈주한 경우에 그 도주과정에서 일어날 수 있는 2차적 범죄행위로부터 일반 국민의 인명과 재화를 보호하고자 하는 목적도 있다고 할 것이므로, 국가공무원들이 위와 같은 직무상의 의무를 위반한 결과 수용자들이 탈주함으로써 일반 국민에게 손해를 입히는 사건이 발생하였다면, 국가는 그로 인하여 피해자들이 입은 손해를 배상할 책임이 있다.
>
> (출처 : 대법원 2003.2.14. 선고 2002다62678 판결[손해배상(기)] 〉 종합법률정보 판례)

## (2) 검토

생각건대, 국가배상의 취지상 직무상 의무는 단순히 공공 일반의 이익을 위한 것이거나 행정기관 내부의 질서를 규율하기 위한 것이 아니고 전적으로 또는 부수적으로 국민 개개인의 재산권 보장을 목적으로 하여 규정된 것이라고 봄이 상당하다. 따라서 개별공시지가 산정업무 담당 공무원 등이 그 직무상 의무에 위반하여 현저하게 불합리한 개별공시지가가 결정되도록 함으로써 국민 개개인의 재산권을 침해한 경우에는 그 손해에 대하여 상당인과관계가 있는 범위 내에서 그 담당 공무원 등이 소속된 지방자치단체가 배상책임을 지게 된다고 봄이 타당하다.

## Ⅳ (물음3) 공무원의 직무상 의무 위반여부

### 1. 부동산공시법의 입법취지

부동산공시법은 부동산의 적정가격(適正價格) 공시에 관한 기본적인 사항과 부동산 시장·동향의 조사·관리에 필요한 사항을 규정함으로써 부동산의 적정한 가격형성과 각종 조세·부담금 등의 형평성을 도모하고 국민경제의 발전에 이바지함을 목적으로 한다. 따라서 이러한 입법취지에 비추어 볼 때, 자연림을 공업용으로 판단하여 잘못된 개별공시지가를 산정한 것은 부동산의 적정한 가격형성이라고 볼 수 없으므로 직무상 의무를 위반하였다고 판단된다.

## 2. 관련 규정의 검토

> ➲ 부동산공시법 제10조(개별공시지가의 결정·공시 등)
>
> ① 시장·군수 또는 구청장은 국세·지방세 등 각종 세금의 부과, 그 밖의 다른 법령에서 정하는 목적을 위한 지가산정에 사용되도록 하기 위하여 제25조에 따른 시·군·구부동산가격공시위원회의 심의를 거쳐 매년 공시지가의 공시기준일 현재 관할 구역 안의 개별토지의 단위면적당 가격(이하 "개별공시지가"라 한다)을 결정·공시하고, 이를 관계 행정기관 등에 제공하여야 한다.
>
> ② 제1항에도 불구하고 표준지로 선정된 토지, 조세 또는 부담금 등의 부과대상이 아닌 토지, 그 밖에 대통령령으로 정하는 토지에 대하여는 개별공시지가를 결정·공시하지 아니할 수 있다. 이 경우 표준지로 선정된 토지에 대하여는 해당 토지의 표준지공시지가를 개별공시지가로 본다.
>
> ③ 시장·군수 또는 구청장은 공시기준일 이후에 분할·합병 등이 발생한 토지에 대하여는 대통령령으로 정하는 날을 기준으로 하여 개별공시지가를 결정·공시하여야 한다.
>
> ④ 시장·군수 또는 구청장이 개별공시지가를 결정·공시하는 경우에는 해당 토지와 유사한 이용가치를 지닌다고 인정되는 하나 또는 둘 이상의 표준지의 공시지가를 기준으로 토지가격비준표를 사용하여 지가를 산정하되, 해당 토지의 가격과 표준지공시지가가 균형을 유지하도록 하여야 한다.
>
> ⑤ 시장·군수 또는 구청장은 개별공시지가를 결정·공시하기 위하여 개별토지의 가격을 산정할 때에는 그 타당성에 대하여 감정평가법인등의 검증을 받고 토지소유자, 그 밖의 이해관계인의 의견을 들어야 한다. 다만, 시장·군수 또는 구청장은 감정평가법인등의 검증이 필요 없다고 인정되는 때에는 지가의 변동상황 등 대통령령으로 정하는 사항을 고려하여 감정평가법인등의 검증을 생략할 수 있다.
>
> ⑥ 시장·군수 또는 구청장이 제5항에 따른 검증을 받으려는 때에는 해당 지역의 표준지의 공시지가를 조사·평가한 감정평가법인등 또는 대통령령으로 정하는 감정평가실적 등이 우수한 감정평가법인등에 의뢰하여야 한다.
>
> ⑦ 국토교통부장관은 지가공시 행정의 합리적인 발전을 도모하고 표준지공시지가와 개별공시지가와의 균형유지 등 적정한 지가형성을 위하여 필요하다고 인정하는 경우에는 개별공시지가의 결정·공시 등에 관하여 시장·군수 또는 구청장을 지도·감독할 수 있다.
>
> ⑧ 제1항부터 제7항까지에서 규정한 것 외에 개별공시지가의 산정, 검증 및 결정, 공시기준일, 공시의 시기, 조사·산정의 기준, 이해관계인의 의견청취, 감정평가법인등의 지정 및 공시절차 등에 필요한 사항은 대통령령으로 정한다.

## 3. 사안의 경우

### (1) 관련 판례의 태도

판례는 시장이 토지의 이용상황을 실제 이용되고 있는 '자연림'으로 하여 개별공시지가를 산정한 다음 감정평가법인에 검증을 의뢰하였는데, 감정평가법인이 그 토지의 이용상황을 '공업용'으로 잘못 정정하여 검증지가를 산정하고, 부동산가격공시위원회가 검증지가를 심의하면서 그 잘못을 발견하지 못함에 따라, 그 토지의 개별공시지가가 적정가격보다 훨씬 높은 가격으로 결정·공시된 사안에서, 이는 개별공시지가 산정업무 담당공무원 등이 개별공시지가의 산정 및 검증, 심의에 관한 직무상 의무를 위반한 것으로 불법행위에 해당한다고 판시한 바 있다.

### (2) 검토

생각건대, 부동산의 적정한 가격형성을 목적으로 하는 부동산공시법의 입법취지와 검증 및 시, 군, 구 부동산가격공시위원회의 검증을 거치도록 하여 객관적인 개별공시자가가 산정되도록 규정한 부동산공시법 제10조의 취지상 이용상황을 잘못 판단하여 높은 개별공시지가가 산정된 경우에는 담당공무원이 직무상 의무를 위반한 것으로 보는 판례의 태도가 타당하다 판단된다.

## V　(물음4) 개별공시지가의 구속력여부와 손해배상책임인정 여부

## 1. 개별공시지가가 구속력을 갖는지 여부

### (1) 개별공시지가의 산정목적 범위

개별공시지가는 그 산정목적인 개발부담금의 부과, 토지 관련 조세부과 등 다른 법령이 정하는 목적을 위해 지가를 산정하는 경우에 그 산정 기준이 되는 범위 내에서는 납세자인 국민 등의 재산상 권리, 의무에 직접적인 영향을 미칠 수 있다.

### (2) 관련 판례의 태도

판례는 개개 토지에 관한 개별공시지가를 기준으로 거래하거나 담보제공을 받았다가 당해 토지의 실제 거래가액 또는 담보가치가 개별공시지가에 미치지 못함으로 인해 발생할 수 있는 손해에 대해서까지 그 개별공시지가를 결정·공시하는 지방자치단체에 손해배상책임을 부담시키게 된다면, 개개 거래당사자들 사이에 이루어지는 다양한 거래관계와 관련하여 발생한 손해에 대하여 무차별적으로 책임을 추궁당하게 되고, 그 거래관계를 둘러싼 분쟁에 끌려들어가 많은 노력과 비용을 지출하는 결과가 초래되게 된다. 이는 결과발생에 대한 예견가능성의 범위를 넘어서는 것임은 물론이고, 행정기관이 사용하는 지가를 일원화하여 일정한 행정목적을 위한 기준으로 삼음으로써 국토의 효율적인 이용과 국민경제의 발전에 기여하려는 구 부동산 가격공시 및 감정평가에 관한 법률(2008.2.29. 법률 제8852호로 개정되기 전의 것)의 목적과 기능, 그 보호법익의 보호범위를 넘어서는 것이라고 판시한 바 있다.

### (3) 검토

생각건대, 개별공시지가는 대개 실무상으로 금융기관이나 거래 등의 참고가격으로는 활용되고 있다. 그러나 그 목적 자체가 과세목적이라는 점을 감안하면 실거래가와의 격차나 담보가치의 격차 등을 고려할 때 실질적으로 과세목적 이외에는 그 가격 자체가 구속력을 지닌다고 볼 수는 없다고 할 것이다. 물론 과세의 목적으로서는 국민의 권리 및 의무에 직접 영향을 미치기 때문에 이에 대한 각 필지마다의 토지소유자에게는 과세의 구속력은 미친다고 할 수 있으나, 대외적으로 일반적인 토지거래의 지표가 되거나 담보제공의 직접적인 근거로 적용하기에는 목적상의 가격격차로 인하여 실효성이 적기 때문에 대법원 판례의 태도가 타당하다고 볼 수 있다.

## 2. 지방자치단체의 손해배상 책임

### (1) 관련 판례의 태도

판례는 개별공시지가 산정업무 담당공무원 등이 잘못 산정·공시한 개별공시지가를 신뢰한 나머지 토지의 담보가치가 충분하다고 믿고 그 토지에 관하여 근저당권설정등기를 경료한 후 물품을 추가로 공급함으로써 손해를 입었음을 이유로 그 담당공무원이 속한 지방자치단체에 손해배상을 구한 사안에서, 그 담당공무원 등의 개별공시지가 산정에 관한 직무상 위반행위와 위 손해 사이에 상당인과관계가 있다고 보기 어렵다고 하여 손해배상책임을 부정한 바 있다.

### (2) 검토

생각건대, 개별공시지가는 과세 또는 개발부담금의 산정을 위한 것이지, 사실상 사적 거래의 기준으로 활용되기 위해 산정되는 것이라고 보기 어렵다. 따라서 잘못 산정된 개별공시지가를 기초로 대출을 실행하였다 해도, 이는 손해 사이의 인과관계가 인정되기 어려워 지방자치단체의 국가배상책임은 없다고 보는 판례의 태도가 타당하다고 판단된다.

> **판례**
>
> **[판시사항]**
>
> [1] 개별공시지가 산정업무 담당공무원 등이 부담하는 직무상 의무의 내용 및 그 담당공무원 등이 직무상 의무에 위반하여 현저하게 불합리한 개별공시지가가 결정되도록 함으로써 국민 개개인의 재산권을 침해한 경우, 그 담당공무원 등이 속한 지방자치단체가 손해배상책임을 지는지 여부(적극)
>
> [2] 시장(市長)이 토지의 이용상황을 실제 이용되고 있는 '자연림'으로 하여 개별공시지가를 산정한 다음 감정평가법인에 검증을 의뢰하였는데, 감정평가법인이 그 토지의 이용상황을 '공업용'으로 잘못 정정하여 검증지가를 산정하고, 시(市) 부동산평가위원회가 검증지가를 심의하면서 그 잘못을 발견하지 못함에 따라, 그 토지의 개별공시지가가 적정가격보다 훨씬 높은 가격으로 결정·공시된 사안에서, 이는 개별공시지가 산정업무 담당공무원 등이 직무상 의무를 위반한 것으로 불법행위에 해당한다고 한 사례
>
> **[3] 개별공시지가가 토지의 거래 또는 담보제공에서 그 실제 거래가액 또는 담보가치를 보장하는 등의 구속력을 갖는지 여부(소극) 및 개개 토지에 관한 개별공시지가를 기준으로 거래하거나 담보제공을 받았다가 토지의 실제 거래가액 또는 담보가치가 개별공시지가에 미치지 못함으로 인하여 발생한 손해에 대해서도 개별공시지가를 결정·공시한 지방자치단체가 손해배상책임을 부담하는지 여부(소극)**

**[4] 개별공시지가 산정업무 담당공무원 등이 잘못 산정·공시한 개별공시지가를 신뢰한 나머지 토지의 담보가치가 충분하다고 믿고 그 토지에 관하여 근저당권설정등기를 경료한 후 물품을 추가로 공급함으로써 손해를 입었음을 이유로 그 담당공무원이 속한 지방자치단체에 손해배상을 구한 사안에서, 그 담당공무원 등의 개별공시지가 산정에 관한 직무상 위반 행위와 위 손해 사이에 상당인과관계가 있다고 보기 어렵다고 판단한 사례**

[판결요지]

[1] 개별공시지가는 개발부담금의 부과, 토지 관련 조세 부과 등 다른 법령이 정하는 목적을 위해 지가를 산정하는 경우에 그 산정 기준이 되는 관계로 납세자인 국민 등의 재산상 권리·의무에 직접적인 영향을 미치게 되므로, 개별공시지가 산정업무를 담당하는 공무원으로서는 당해 토지의 실제 이용상황 등 토지특성을 정확하게 조사하고 당해 토지와 토지이용상황이 유사한 비교표준지를 선정하여 그 특성을 비교하는 등 법령 및 '개별공시지가의 조사·산정 지침'에서 정한 기준과 방법에 의하여 개별공시지가를 산정하고, 산정지가의 검증을 의뢰받은 감정평가업자나 시·군·구 부동산평가위원회로서는 위 산정지가 또는 검증지가가 위와 같은 기준과 방법에 의하여 제대로 산정된 것인지 여부를 검증, 심의함으로써 적정한 개별공시지가가 결정·공시되도록 조치할 직무상의 의무가 있고, 이러한 직무상 의무는 단순히 공공 일반의 이익을 위한 것이거나 행정기관 내부의 질서를 규율하기 위한 것이 아니고 전적으로 또는 부수적으로 국민 개개인의 재산권 보장을 목적으로 하여 규정된 것이라고 봄이 상당하다. 따라서 개별공시지가 산정업무 담당공무원 등이 그 직무상 의무에 위반하여 현저하게 불합리한 개별공시지가가 결정되도록 함으로써 국민 개개인의 재산권을 침해한 경우에는 그 손해에 대하여 상당인과관계 있는 범위 내에서 그 담당공무원 등이 소속된 지방자치단체가 배상책임을 지게 된다.

[2] 시장(市長)이 토지의 이용상황을 실제 이용되고 있는 '자연림'으로 하여 개별공시지가를 산정한 다음 감정평가법인에 검증을 의뢰하였는데, 감정평가법인이 그 토지의 이용상황을 '공업용'으로 잘못 정정하여 검증지가를 산정하고, 시(市) 부동산평가위원회가 검증지가를 심의하면서 그 잘못을 발견하지 못함에 따라, 그 토지의 개별공시지가가 적정가격보다 훨씬 높은 가격으로 결정·공시된 사안에서, 이는 개별공시지가 산정업무 담당공무원 등이 개별공시지가의 산정 및 검증, 심의에 관한 직무상 의무를 위반한 것으로 불법행위에 해당한다고 한 사례

**[3] 개별공시지가는 그 산정 목적인 개발부담금의 부과, 토지 관련 조세 부과 등 다른 법령이 정하는 목적을 위해 지가를 산정하는 경우에 그 산정 기준이 되는 범위 내에서는 납세자인 국민 등의 재산상 권리·의무에 직접적인 영향을 미칠 수 있지만, 이에 더 나아가 개별공시지가가 당해 토지의 거래 또는 담보제공을 받음에 있어 그 실제 거래가액 또는 담보가치를 보장한다거나 어떠한 구속력을 미친다고 할 수는 없다. 그럼에도 개개 토지에 관한 개별공시지가를 기준으로 거래하거나 담보제공을 받았다가 당해 토지의 실제 거래가액 또는 담보가치가 개별공시지가에 미치지 못함으로 인해 발생할 수 있는 손해에 대해서까지 그 개별공시지가를 결정·공시하는 지방자치단체에 손해배상책임을 부담시키게 된다면, 개개 거래당사자들 사이에 이루어지는 다양한 거래관계와 관련하여 발생한 손해에 대하여**

무차별적으로 책임을 추궁당하게 되고, 그 거래관계를 둘러싼 분쟁에 끌려들어가 많은 노력과 비용을 지출하는 결과가 초래되게 된다. 이는 결과발생에 대한 예견가능성의 범위를 넘어서는 것임은 물론이고, 행정기관이 사용하는 지가를 일원화하여 일정한 행정목적을 위한 기준으로 삼음으로써 국토의 효율적인 이용과 국민경제의 발전에 기여하려는 구 부동산 가격공시 및 감정평가에 관한 법률(2008.2.29. 법률 제8852호로 개정되기 전의 것)의 목적과 기능, 그 보호법익의 보호범위를 넘어서는 것이다.

[4] 개별공시지가 산정업무 담당공무원 등이 잘못 산정·공시한 개별공시지가를 신뢰한 나머지 토지의 담보가치가 충분하다고 믿고 그 토지에 관하여 근저당권설정등기를 경료한 후 물품을 추가로 공급함으로써 손해를 입었음을 이유로 그 담당공무원이 속한 지방자치단체에 손해배상을 구한 사안에서, 그 담당공무원 등의 개별공시지가 산정에 관한 직무상 위반행위와 위 손해 사이에 상당인과관계가 있다고 보기 어렵다고 한 사례

(출처 : 대법원 2010.7.22. 선고 2010다13527 판결[손해배상(기)] 〉 종합법률정보 판례)

## Ⅵ 사안의 해결

개별공시지가는 국민의 권리와 의무에 영향을 미치는 사안이므로, 개별공시지가 산정을 담당하는 공무원이 이를 잘못 산정하였다면 직무상 의무를 위반한 것으로 위법하다고 볼 수 있다. 하지만, 잘못 산정된 개별공시지가를 기초로 대출을 실행하였다 하더라도, 이를 통해 발생한 손해 사이의 인과관계가 있다고 보기는 어려워 금융기관의 손해배상청구 주장은 인용되기 어렵다고 판단된다. 해당 판례는 단순히 개별공시지가를 기반으로 근저당권 등기를 경료하는 것에 대한 경종을 울리고, 감정평가법인등에 의한 전문적인 감정평가액에 기반을 둔 재산권 가치에 대한 법률적 판단이 매우 중요한 의미를 지닌다고 볼 수 있을 것이다.

9절   – 부동산공시법 제11조(개별공시지가에 대한 이의신청)<br>
        – 행정법 쟁점 : 하자의 승계

**문제**

공공재개발이 발표되어 서울특별시 마포구 아현1구역 지역 인근에 토지를 소유한 甲은 자신의 토지에 대하여 전년도 대비 현저히 상승한 2026년도 개별공시지가를 확인하고 향후 부과될 관련 세금의 상승 등을 우려하여 「부동산 가격공시 및 감정평가에 관한 법률」(이하 '부동산공시법') 제22조에 따른 마포구청장에게 이의신청을 하였으나 기각되었다. 이에 토지소유자는 甲은 확정된 개별공시지가에 대하여 다시 행정심판을 제기하였으나 행정심판위원회는 그 청구를 받아들이지 않았으나, 그 후 토지소유자 甲은 자신이 소유한 토지에 대하여 전년도보다 30% 높은 재산세를 부과 받게 되었다. 다음 물음에 대하여 답하시오. 30점

(1) 토지소유자 甲이 부동산공시법상 개별공시지가 이의신청과 개별공시지가에 대한 행정심판을 모두 제기한 것이 타당한 것인지에 대하여 설명하시오. 10점

(2) 토지소유자 甲의 토지는 전년대비 높은 개별공시지가가 확정되었고, 이 개별공시지가에는 단순 취소사유가 있었는데 일정기간이 지나게 되어 불가쟁력이 발생하였다. 이 개별공시지가를 기초로 부과된 재산세에 대한 취소청구소송을 제기할 수 있는지 여부에 대하여 하자의 승계 관점에서 설명하시오. 20점

| (설문 1) | (설문 2) |
|---|---|
| Ⅰ. 논점의 정리 | Ⅰ. 논점의 정리 |
| Ⅱ. 개별공시지가 이의신청의 의의 및 취지 | Ⅱ. 관련 행정작용의 법적 성질 |
| Ⅲ. 개별공시지가 이의신청의 법적 성질 |   1. 개별공시지가 |
|   1. 행정심판과 강학상 이의신청의 구별 실익 |   2. 재산세 부과행위 |
|   2. 행정심판과 강학상 이의신청의 구별 기준 | Ⅲ. 하자의 승계 인정 가능성 |
|   3. 판례의 태도 |   1. 하자승계 의의 및 필요성 |
|   4. 검토 |   2. 하자승계 논의 전제조건 |
| Ⅳ. 사안의 해결 |   3. 하자승계 인정범위 |
| |   4. 소결 |
| | Ⅳ. 사안의 해결 |

## (설문 1)

# I  논점의 정리

개별공시지가에 대하여 이의신청과 행정심판 모두를 제기하는 것이 적법한지 판단은 개별공시지가에 대한 부동산 가격공시에 관한 법률 제11조의 이의신청이 특별행정심판에 해당하는지 여부로 결정된다. 따라서 해당 이의신청의 법적 성질이 문제된다.

# II  개별공시지가 이의신청의 의의 및 취지

부동산공시법 제11조에서는 개별공시지가에 대하여 이의가 있는 자는 개별공시지가의 결정·공시일로부터 30일 이내에 서면으로 시장·군수 또는 구청장에게 이의를 신청할 수 있다고 규정하고 있다. 개별공시지가는 토지 관련 세금 산정의 기초가 되므로 이의신청을 통해 객관성을 확보하려는 취지가 있다.

# III  개별공시지가 이의신청의 법적 성질

## 1. 행정심판과 강학상 이의신청의 구별실익

행정심판법 제51조에서 행정심판 재청구 금지를 규정하고 있으므로, 개별공시지가 이의신청이 행정심판법상의 행정심판이라면 이의신청을 거쳐 다시 행정심판을 제기할 수 없기 때문이다.

## 2. 행정심판과 강학상 이의신청과 구별기준

헌법 제107조 제3항에서는 "행정심판의 절차를 법률로 정하되, 사법절차가 준용되어야 한다."라고 규정되어, 개별법률에서 정하는 이의신청 등이 사법절차가 준용되는 경우에만 행정심판이 될 것이다.

## 3. 판례의 태도

> 판례
>
> ● 대판 2010.1.28, 2008두19987[개별공시지가결정처분취소]
>
> [판결요지]
> 부동산 가격공시 및 감정평가에 관한 법률 제12조, 행정소송법 제20조 제1항, 행정심판법 제3조 제1항의 규정 내용 및 취지와 아울러 부동산 가격공시 및 감정평가에 관한 법률에 행정심판의 제기를 배제하는 명시적인 규정이 없고 부동산 가격공시 및 감정평가에 관한 법률에 따른 이의신청과 행정심판은 그 절차 및 담당 기관에 차이가 있는 점을 종합하면, 부동산 가격공시 및 감정평가에 관한 법률이 이의신청에 관하여 규정하고 있다고 하여 이를 행정심판법 제3조 제1항에서 행정심판의 제기를 배제하는 '다른 법률에 특별한 규정이 있는 경우'에 해당한다고 볼 수 없으므로, 개별공시지가에 대하여 이의가 있는 자는 곧바로 행정소송을 제기하

> 거나 부동산 가격공시 및 감정평가에 관한 법률에 따른 이의신청과 행정심판법에 따른 행정심판청구 중 어느 하나만을 거쳐 행정소송을 제기할 수 있을 뿐 아니라, 이의신청을 하여 그 결과 통지를 받은 후 다시 행정심판을 거쳐 행정소송을 제기할 수도 있다고 보아야 하고, 이 경우 행정소송의 제소기간은 그 행정심판 재결서 정본을 송달받은 날부터 기산한다.

## 4. 검토

부동산공시법에 개별공시지가 이의신청에 대한 사법절차 준용규정이 없다는 점과 대법원이 제시한 부동산공시법상에 행정심판을 배제하는 명시적인 규정이 없다는 점 등에서 개별공시지가 이의신청은 행정심판이 아닌 행정 내부에 재심사절차로서 제기하는 불복절차에 불과하다고 생각된다. 즉, 부동산공시법상 이의신청이란 강학상 이의신청에 불과하여 특별법상 행정심판에 해당되지 않는다고 판단된다. 다만 최근에 행정기본법이 제정되어 동법 제36조 제4항에 따라 이의신청 결과를 통지받은 후 90일 이내에 행정심판과 행정소송을 제기할 수 있다고 판단된다.

## Ⅳ  사안의 해결

부동산공시법상 이의신청은 강학상 이의신청에 해당하기 때문에, 행정심판을 제기하더라도 행정심판법 제51조의 재청구금지의 원칙에 위배되지 않는다. 즉, 이의신청을 거친 이후라도 행정심판법에 따른 행정심판 제기를 통해 권리구제를 받을 수 있다고 판단된다.

## (설문 2)

## Ⅰ  논점의 정리

개별공시지가의 위법을 이유로 그 개별공시지가에 기초한 재산세 부과행위취소를 구하는 취소소송을 제기할 수 있는지 문제된다. 이는 소위 하자승계의 문제로서 하자승계 논의의 전제조건과 하자승계의 인정기준에 대하여 검토가 필요하다.

## Ⅱ  관련 행정작용의 법적 성질

### 1. 개별공시지가

개별공시지가의 법적 성질을 논하는 실익은 항고소송의 대상이 되는 처분인가에 있다. 학설은 국민의 권리의무에 직접영향을 미치는 행정행위라는 견해와 세금 등의 산정기준으로서의 성질을 가지므로 행정규칙이라는 견해가 대립하나, 판례는 항고소송의 대상이 되는 처분으로 보고 있다. 생각건대, 개별공시지가는 가감조정 없이 토지 관련 세금 산정에 직접 적용되므로 국민의 권리·의무에 직접 영향을 미치는 행정처분으로 보는 것이 타당하다.

PART · 02

> 
>
> ● 대판 1993.6.11, 92누16706[개별토지가격결정처분취소]
>
> [판결요지]
> 시장, 군수 또는 구청장의 개별토지가격결정은 관계법령에 의한 토지초과이득세, 택지초과소
> 유부담금 또는 개발부담금 산정의 기준이 되어 국민의 권리나 의무 또는 법률상 이익에 직접
> 적으로 관계되는 것으로서 행정소송법 제2조 제1항 제1호 소정의 행정청이 행하는 구체적
> 사실에 관한 법집행으로서 공권력 행사이므로 항고소송의 대상이 되는 행정처분에 해당한다.

## 2. 재산세 부과행위

재산세 부과행위는 상대방에게 세금납부의 의무를 부과하는 급부하명에 해당한다. 이 역시도 납세자의 권리와 의무에 영향을 미치기 때문에, 항고소송의 대상이 되는 행정쟁송법상 처분으로 보는 것이 타당하다고 판단된다.

## Ⅲ 하자의 승계 인정 가능성

## 1. 하자승계 의의 및 필요성

하자승계란 행정이 여러 단계의 행정행위를 거쳐 행해지는 경우에 선행 행정행위의 위법을 이유로 적법한 후행 행정행위의 위법을 주장할 수 있는 것을 말한다. 행정행위에 불가쟁력이 발생한 경우라도 국민의 권리보호와 재판받을 권리를 보장하기 위하여 하자승계를 인정할 필요성이 있다.

## 2. 하자승계 논의 전제조건

### (1) 전제조건

선·후행 행위가 모두 항고소송의 대상인 처분이어야 하며, 선행행위의 위법이 취소사유에 불과하여야 하고, 선행행위에 대한 불가쟁력이 발생하여야 하며, 후행행위가 적법하여야 한다.

### (2) 사안의 경우

개별공시지가와 재산세 부과행위는 모두 항고소송의 대상인 처분이며, 개별공시지가에는 취소사유의 위법이 있고, 불가쟁력이 발생하였다. 재산세 부과는 별도의 위법사유가 존재하지 않는바, 재산세 부과처분은 적법하다. 따라서 하자승계의 전제조건은 충족한 것으로 판단된다.

## 3. 하자승계 인정범위

### (1) 학설의 태도

#### 1) 전통적 하자승계론

하자승계론은 선행 행정행위와 후행 행정행위가 하나의 법률효과를 목적으로 하는 경우에는 하자승계를 긍정하고, 서로 다른 법률효과를 목적으로 하는 경우에는 하자승계를 부정한다.

### 2) 구속력론

구속력론은 불가쟁력이 발생한 선행 행정행위가 후행 행정행위의 구속력을 미친다고 보며, 구속력이 미치는 범위에서는 선행 행정행위의 효과와 다른 주장을 할 수 없다고 본다. 구속력이 미치는 범위를 대인적·사물적·시간적 한계와 예측가능성 및 수인가능성을 고려하고 있다.

## (2) 판례의 태도

> **판례**
>
> ● 대법원 1994.1.25. 선고 93누8542 판결(개별공시지가 통지하지 않은 경우 과세처분 사이의 하자의 승계 긍정함)
>
> 가. 두 개 이상의 행정처분이 연속적으로 행하여지는 경우 선행처분과 후행처분이 서로 결합하여 1개의 법률효과를 완성하는 때에는 선행처분에 하자가 있으면 그 하자는 후행처분에 승계되므로 선행처분에 불가쟁력이 생겨 그 효력을 다툴 수 없게 된 경우에도 선행처분의 하자를 이유로 후행처분의 효력을 다툴 수 있는 반면 선행처분과 후행처분이 서로 독립하여 별개의 법률효과를 목적으로 하는 때에는 선행처분에 불가쟁력이 생겨 그 효력을 다툴 수 없게 된 경우에는 선행처분의 하자가 중대하고 명백하여 당연무효인 경우를 제외하고는 선행처분의 하자를 이유로 후행처분의 효력을 다툴 수 없는 것이 원칙이나 선행처분과 후행처분이 서로 독립하여 별개의 효과를 목적으로 하는 경우에도 선행처분의 불가쟁력이나 구속력이 그로 인하여 불이익을 입게 되는 자에게 수인한도를 넘는 가혹함을 가져오며, 그 결과가 당사자에게 예측가능한 것이 아닌 경우에는 국민의 재판받을 권리를 보장하고 있는 헌법의 이념에 비추어 선행처분의 후행처분에 대한 구속력은 인정될 수 없다.
>
> 나. 개별공시지가결정은 이를 기초로 한 과세처분 등과는 별개의 독립된 처분으로서 서로 독립하여 별개의 법률효과를 목적으로 하는 것이나, 개별공시지가는 이를 토지소유자나 이해관계인에게 개별적으로 고지하도록 되어 있는 것이 아니어서 토지소유자 등이 개별공시지가결정 내용을 알고 있었다고 전제하기도 곤란할 뿐만 아니라 결정된 개별공시지가가 자신에게 유리하게 작용될 것인지 또는 불이익하게 작용될 것인지 여부를 쉽사리 예견할 수 있는 것도 아니며, 더욱이 장차 어떠한 과세처분 등 구체적인 불이익이 현실적으로 나타나게 되었을 경우에 비로소 권리구제의 길을 찾는 것이 우리 국민의 권리의 식임을 감안하여 볼 때 토지소유자 등으로 하여금 결정된 개별공시지가를 기초로 하여 장차 과세처분 등이 이루어질 것에 대비하여 항상 토지의 가격을 주시하고 개별공시지가 결정이 잘못된 경우 정해진 시정절차를 통하여 이를 시정하도록 요구하는 것은 부당하게 높은 주의의무를 지우는 것이라고 아니할 수 없고, 위법한 개별공시지가결정에 대하여 그 정해진 시정절차를 통하여 시정하도록 요구하지 아니하였다는 이유로 위법한 개별공시지가를 기초로 한 과세처분 등 후행 행정처분에서 개별공시지가결정의 위법을 주장할 수 없도록 하는 것은 수인한도를 넘는 불이익을 강요하는 것으로서 국민의 재산권과 재판받을 권리를 보장한 헌법의 이념에도 부합하는 것이 아니라고 할 것이므로, 개별공시지가결정에 위법이 있는 경우에는 그 자체를 행정소송의 대상이 되는 행정처분으로 보아 그 위법 여부를 다툴 수 있음은 물론 이를 기초로 한 과세처분 등 행정처분의 취소를 구하는 행정소송에서도 선행처분인 개별공시지가결정의 위법을 독립된 위법사유로 주장할 수 있다고 해석함이 타당하다.

● 대법원 2008.8.21. 선고 2007두13845 판결(비교표준지결정의 위법이 수용재결에 하자의 승계 긍정함)

표준지공시지가결정은 이를 기초로 한 수용재결 등과는 별개의 독립된 처분으로서 서로 독립하여 별개의 법률효과를 목적으로 하지만, 표준지공시지가는 이를 인근 토지의 소유자나 기타 이해관계인에게 개별적으로 고지하도록 되어 있는 것이 아니어서 인근 토지의 소유자 등이 표준지공시지가결정 내용을 알고 있었다고 전제하기가 곤란할 뿐만 아니라, 결정된 표준지공시지가가 공시될 당시 보상금 산정의 기준이 되는 표준지의 인근 토지를 함께 공시하는 것이 아니어서 인근 토지 소유자는 보상금 산정의 기준이 되는 표준지가 어느 토지인지를 알 수 없으므로, 인근 토지 소유자가 표준지의 공시지가가 확정되기 전에 이를 다투는 것은 불가능하다. 더욱이 장차 어떠한 수용재결 등 구체적인 불이익이 현실적으로 나타나게 되었을 경우에 비로소 권리구제의 길을 찾는 것이 우리 국민의 권리의식임을 감안하여 볼 때, 인근 토지소유자 등으로 하여금 결정된 표준지공시지가를 기초로 하여 장차 토지보상 등이 이루어질 것에 대비하여 항상 토지의 가격을 주시하고 표준지공시지가결정이 잘못된 경우 정해진 시정절차를 통하여 이를 시정하도록 요구하는 것은 부당하게 높은 주의의무를 지우는 것이고, 위법한 표준지공시지가결정에 대하여 그 정해진 시정절차를 통하여 시정하도록 요구하지 않았다는 이유로 위법한 표준지공시지가를 기초로 한 수용재결 등 후행 행정처분에서 표준지공시지가결정의 위법을 주장할 수 없도록 하는 것은 수인한도를 넘는 불이익을 강요하는 것으로서 국민의 재산권과 재판받을 권리를 보장한 헌법의 이념에도 부합하는 것이 아니다. 따라서 표준지공시지가결정이 위법한 경우에는 그 자체를 행정소송의 대상이 되는 행정처분으로 보아 그 위법 여부를 다툴 수 있음은 물론, 수용보상금의 증액을 구하는 소송에서도 선행처분으로서 그 수용대상 토지 가격 산정의 기초가 된 비교표준지공시지가결정의 위법을 독립한 사유로 주장할 수 있다.

● 대판 2019.1.31, 2017두40372[중개사무소의 개설등록취소처분취소](개업공인중개사의 업무정치처분과 등록취소처분 사이의 하자의 승계 − 별개의 법률효과를 목적으로 하므로 하자의 승계 부정함)

[판결요지]

2개 이상의 행정처분이 연속적 또는 단계적으로 이루어지는 경우 선행처분과 후행처분이 서로 합하여 1개의 법률효과를 완성하는 때에는 선행처분에 하자가 있으면 그 하자는 후행처분에 승계된다. 이러한 경우에는 선행처분에 불가쟁력이 생겨 그 효력을 다툴 수 없게 되더라도 선행처분의 하자를 이유로 후행처분의 효력을 다툴 수 있다. 그러나 선행처분과 후행처분이 서로 독립하여 별개의 법률효과를 발생시키는 경우에는 선행처분에 불가쟁력이 생겨 그 효력을 다툴 수 없게 되면 선행처분의 하자가 중대하고 명백하여 선행처분이 당연무효인 경우를 제외하고는 특별한 사정이 없는 한 선행처분의 하자를 이유로 후행처분의 효력을 다툴 수 없는 것이 원칙이다. 다만 그 경우에도 선행처분의 불가쟁력이나 구속력이 그로 인하여 불이익을 입게 되는 자에게 수인한도를 넘는 가혹함을 가져오고, 그 결과가 당사자에게 예측가능한 것이 아니라면, 국민의 재판받을 권리를 보장하고 있는 헌법의 이념에 비추어 선행처분의 후행처분에 대한 구속력을 인정할 수 없다.

### (3) 검토

하자승계의 인정 여부는 행정법관계의 안정성과 행정의 실효성 보장이라는 요청과 국민의 권리구제의 요청을 조화하는 선에서 결정되어야 할 것이다. 단순히, 선·후행행위의 법률효과 목적만으로 판단하면 개별사안에서 구체적 타당성을 기하기 어려운 바, 추가적으로 예측가능성과 수인가능성을 고려하면 구체적 타당성을 기할 수 있을 것이다.

## 4. 소결

> **판례**
>
> ● 대판 1998.3.13, 96누6059[양도소득세부과처분취소]
>
> [판결요지]
>
> [1] 두 개 이상의 행정처분이 연속적으로 행하여진 경우 선행처분과 후행처분이 서로 독립하여 별개의 법률효과를 목적으로 하는 때에는 선행처분에 불가쟁력이 생겨 그 효력을 다툴 수 없게 되면 선행처분의 하자가 중대하고 명백하여 당연무효인 경우를 제외하고는 선행처분의 하자를 이유로 후행처분을 다툴 수 없는 것이 원칙이나, 이 경우에도 선행처분의 불가쟁력이나 구속력이 그로 인하여 불이익을 입게 되는 자에게 수인한도를 넘는 가혹함을 가져오고 그 결과가 당사자에게 예측가능한 것이 아닌 경우에는 국민의 재판받을 권리를 보장하고 있는 헌법의 이념에 비추어 선행처분의 후행처분에 대한 구속력은 인정될 수 없다고 봄이 타당하므로, 선행처분에 위법이 있는 경우에는 그 자체를 행정소송의 대상으로 삼아 위법 여부를 다툴 수 있음은 물론 이를 기초로 한 후행처분의 취소를 구하는 행정소송에서도 선행처분의 위법을 독립된 위법사유로 주장할 수 있다.
>
> [2] 개별토지가격 결정에 대한 재조사 청구에 따른 감액조정에 대하여 더 이상 불복하지 아니한 경우, 이를 기초로 한 양도소득세 부과처분 취소소송에서 다시 개별토지가격 결정의 위법을 당해 과세처분의 위법사유로 주장할 수 없다고 한 사례

## Ⅳ 사안의 해결

개별공시지가와 과세처분은 별개의 법률효과를 목적으로 하므로 전통적 하자승계론 입장과 대법원 주류적 판례를 보더라도 하자의 승계는 인정되지 않는다고 보는 것이 타당하다고 보인다. 개별공시지가에 대한 이의신청과 행정심판을 거치고도 더 이상 소송을 제기하지 않아 불가쟁력이 발생한 경우까지 수인가능성과 예측가능성이 없다고 보기 어려운바, 결국 개별공시지가와 재산세 부과처분 사이에 하자의 승계는 인정되지 않는다고 판단된다.

# 10절 부동산공시법 제12조(개별공시지가의 정정)

**문제**

부동산 가격공시에 관한 법률(이하 '부동산공시법')상 甲 개별공시지가(1,000,000원/㎡)에 대하여 직권정정을 하게 되었고, 乙 개별공시지가(2,000,000원/㎡)에 대하여는 이의신청을 하게 되었다. 다음 물음에 답하시오. 20점

(1) ① 부동산공시법상 개별공시지가의 직권정정이 무엇이고, ② 직권정정의 법령상 사유에 대하여 설명하시오. 5점

(2) ① 부동산공시법상 甲 개별공시지가 정정신청에 대한 관할 행정청의 정정불가 통지가 항고소송의 대상이 되는지 설명하고, ② 甲 개별공시지가의 직권정정에 대하여 불복하는 경우에 제소기간과 소송의 대상에 대하여 설명하시오. 5점

(3) ① 부동산공시법상 乙 개별공시지가의 이의신청과 행정심판을 모두 제기할 수 있는지 여부와 ② 乙 개별공시지가의 이의신청에 대하여 불복하는 경우에 이의신청 결과 통지서를 받았을 때, 이의신청을 기각하고 원처분(2,000,000원/㎡)을 그대로 한 경우와 이의신청이 합당하다고 보아 이를 받아들여 변경처분(2,200,000원/㎡)을 한 경우, 행정소송의 대상과 제소기간에 대하여 설명하시오. 10점

Ⅰ. (물음1)에 대하여
1. 부동산공시법상 개별공시지가의 직권정정
   (1) 개별공시지가 직권정정의 의미 (부동산공시법 제12조)
   (2) 개별공시지가 정정절차
   (3) 개별공시지가 정정의 효과
2. 직권정정의 법령상 사유(부동산공시법 시행령 제23조)

Ⅱ. (물음2)에 대하여
1. 개별공시지가 정정신청에 대한 관할 행정청의 정정불가통지가 항고소송의 대상이 되는지
   (1) 관련 판례의 태도
   (2) 사안의 경우
2. 개별공시지가의 직권정정에 불복하는 경우 제소기간과 소송의 대상
   (1) 제소기간
      1) 제소기간의 의미

2) 관련 법령의 검토(행정소송법 제20조)
3) 관련 판례의 검토
4) 사안의 경우
   (2) 소송의 대상

Ⅲ. (물음3)에 대하여
1. 개별공시지가의 이의신청과 행정심판을 모두 제기할 수 있는지 여부
   (1) 부동산공시법상 이의신청제도
      1) 개별공시지가 이의신청 의의 및 취지(부동산공시법 제11조)
      2) 개별공시지가 이의신청의 법적 성질
         ① 행정심판과 행정심판이 아닌 이의신청의 구별실익
         ② 행정심관과 행정심판이 아닌 이의신청 등과 구별기준

<table>
<tr><td>

3) 판례의 태도<br>
4) 검토<br>
2. 이의신청 결과 기각결정과 변경된 처분을 한 경우 행정소송의 대상과 제소기간<br>
  (1) 개별공시지가 결정에 대한 이의신청에 대한 기각결정은 원처분이 소송의 대상<br>
    1) 기각결정을 한 경우 소송의 대상

</td><td>

2) 기각결정에 대한 제소기간<br>
  (2) 이의신청을 받아들여 변경된 처분을 한 경우에 소송의 대상과 제소기간<br>
    1) 변경된 처분을 한 경우 소송의 대상<br>
    2) 제소기간의 기산일<br>
3. 소결

</td></tr>
</table>

## Ⅰ  (물음1)에 대하여

### 1. 부동산공시법상 개별공시지가의 직권정정

**(1) 개별공시지가 직권정정의 의미**(부동산공시법 제12조)

부동산 가격공시에 관한 법률(이하 '부동산공시법')상 개별공시지가의 직권정정이란 개별공시지가에 틀린 계산, 오기, 표준지 선정의 착오, 그 밖에 대통령령으로 정하는 명백한 오류가 있는 경우에 이를 직권으로 정정할 수 있는 제도로 부동산공시법 제12조에 근거한다. 시장·군수 또는 구청장이 오류정정 시에는 시·군·구 부동산가격공시위원회의 심의를 거쳐 결정·공시하며, 틀린 계산, 오기의 경우에는 심의 없이 직권으로 정정 및 결정·공시할 수 있고, 정정 시에는 국토교통부장관에 이를 통보해야 한다.

> **↪ 부동산 가격공시에 관한 법률 제12조(개별공시지가의 정정)**
> 시장·군수 또는 구청장은 개별공시지가에 틀린 계산, 오기, 표준지 선정의 착오, 그 밖에 대통령령으로 정하는 명백한 오류가 있음을 발견한 때에는 지체 없이 이를 정정하여야 한다.

**(2) 개별공시지가 정정절차**

시장·군수 또는 구청장이 오류를 정정하고자 하는 때에는 시·군·구 부동산가격공시위원회의 심의를 거쳐 정정사항을 결정·공시하여야 한다. 다만, 계산이 잘못되거나 기재에 오류가 있는 경우에는 시·군·구 부동산가격공시위원회의 심의를 거치지 아니하고 직권으로 정정하여 결정·공시할 수 있다.

**(3) 개별공시지가 정정의 효과**

개별공시지가가 정정된 경우에는 새로이 개별공시지가가 결정·공시된 것으로 본다. 다만, 그 효력발생시기에 대해 판례는 개별토지가격이 지가산정에 명백한 잘못이 있어 경정결정·공고 되었다면 당초에 결정·공고된 개별토지가격은 그 효력을 상실하고 경정결정된 새로운 토지 가격이 공시기준일에 소급하여 그 효력을 발생한다고 한다.

> **판례**
>
> [판시사항]
> 다. 개별토지가격이 경정되면 당초 공시기준일에 소급하여 효력이 발생하는지 여부
>
> [판결요지]
> 다. **개별토지가격이 지가산정에 명백한 잘못이 있어 경정결정·공고되었다면 당초에 결정·공고된 개별토지가격은 그 효력을 상실하고 경정결정된 새로운 개별토지가격이 공시기준일에 소급하여 그 효력을 발생한다.**
> (대법원 1994.10.7. 선고 93누15588 판결[토지초과이득세부과처분취소])

## 2. 직권정정의 법령상 사유(부동산공시법 시행령 제23조)

개별공시지가에 틀린 계산, 오기, 표준지선정의 착오 및 대통령령으로 정하는 명백한 오류가 있음을 발견한 경우 정정할 수 있다. 대통령령으로 정하는 명백한 오류란 ① 토지소유자의 의견청취 또는 공시절차 등을 완전하게 이행하지 아니한 경우, ② 용도지역 등 토지가격에 영향을 미치는 주요요인의 조사를 잘못한 경우, ③ 토지가격비준표의 적용에 오류가 있는 경우 등이 있다.

> ❷ **부동산 가격공시에 관한 법률 시행령 제23조(개별공시지가의 정정사유)**
> ① 법 제12조에서 "대통령령으로 정하는 명백한 오류"란 다음 각 호의 어느 하나에 해당하는 경우를 말한다.
> 　1. 법 제10조에 따른 공시절차를 완전하게 이행하지 아니한 경우
> 　2. 용도지역·용도지구 등 토지가격에 영향을 미치는 주요 요인의 조사를 잘못한 경우
> 　3. 토지가격비준표의 적용에 오류가 있는 경우
> ② 시장·군수 또는 구청장은 법 제12조에 따라 개별공시지가의 오류를 정정하려는 경우에는 시·군·구부동산가격공시위원회의 심의를 거쳐 정정사항을 결정·공시하여야 한다. 다만, 틀린 계산 또는 오기(誤記)의 경우에는 시·군·구부동산가격공시위원회의 심의를 거치지 아니할 수 있다.

## Ⅱ (물음2)에 대하여

### 1. 개별공시지가 정정신청에 대한 관할 행정청의 정정불가통지가 항고소송의 대상이 되는지

#### (1) 관련 판례의 태도

개별공시지가가 정정된 경우에는 새로이 개별공시지가가 결정·공시된 것으로 본다. 다만, 그 효력 발생 시기에 대해 판례는 개별 토지가격이 지가 산정에 명백한 잘못이 있어 정정 결정·공고되었다면 당초에 결정·공고된 개별토지가격은 그 효력을 상실하고 정정 결정된 새로운 토지가격이 공시기준일에 소급하여 그 효력을 발생한다고 한다. 또한 판례는 국민의 정정신청은 행정청의 직권발동을 촉구하는 것에 지나지 않는다고 하여 그 거부가 항고소송의 대상이 되는 처분이 아니라고 판시하였다.

> **판례**
>
> **[판시사항]**
> 개별토지가격합동조사지침 제12조의3 소정의 개별공시지가 경정결정신청에 대한 행정청의 정정불가 결정 통지가 항고소송의 대상이 되는 처분인지 여부(소극)
>
> **[판결요지]**
> 개별토지가격합동조사지침(1991.3.29. 국무총리훈령 제248호로 개정된 것) 제12조의3은 행정청이 개별토지가격결정에 위산·오기 등 명백한 오류가 있음을 발견한 경우 직권으로 이를 경정하도록 한 규정으로서 토지소유자 등 이해관계인이 그 경정결정을 신청할 수 있는 권리를 인정하고 있지 아니하므로, **토지소유자 등의 토지에 대한 개별공시지가 조정신청을 재조사청구가 아닌 경정결정신청으로 본다고 할지라도, 이는 행정청에 대하여 직권발동을 촉구하는 의미밖에 없으므로, 행정청이 위 조정신청에 대하여 정정불가 결정 통지를 한 것은 이른바 관념의 통지에 불과할 뿐 항고소송의 대상이 되는 처분이 아니다.**
> (대법원 2002.2.5. 선고 2000두5043 판결[개별공시지가정정불가처분취소])

#### (2) 사안의 경우

이는 행정청의 거부행위가 항고소송의 대상적격이 되기 위한 공권력 행사로서의 거부일 것, 신청인의 권리·의무에 직접 영향을 미칠 것, 법규상·조리상 신청권이 있을 것을 충족하고 있는지와 관계된다. 특히 신청권의 존부와 관련해서 문제 되는데 판례는 국민의 정정신청은 행정청의 직권발동을 촉구하는 것에 지나지 않는다고 하여 그 거부가 항고소송의 대상이 되는 처분이 아니고 관념의 통지에 불과하다고 판시하고 있다. 따라서 판례에 의할 경우 관념의 통지에 불과할 뿐 항고소송의 대상이 되는 처분이 아니라고 보는 것이 타당하다고 판단된다.

## 2. 개별공시지가의 직권정정에 불복하는 경우 제소기간과 소송의 대상

### (1) 제소기간

#### 1) 제소기간의 의미

제소기간이란 소송을 제기할 수 있는 시간적 간격을 의미하며 제소기간 경과 시 "불가쟁력"이 발생하여 소를 제기할 수 없다. 행정소송법 제20조에서는 처분이 있는 날로부터 1년, 안 날로부터 90일 이내에 소송을 제기해야 한다고 규정하고 있다. 제소기간은 행정의 안정성과 국민의 권리구제를 조화하는 입법정책과 관련된 문제이다.

#### 2) 관련 법령의 검토(행정소송법 제20조)

> ↪ **행정소송법 제20조(제소기간)**
> ① 취소소송은 처분 등이 있음을 안 날부터 90일 이내에 제기하여야 한다. 다만, 제18조 제1항 단서에 규정한 경우와 그 밖에 행정심판청구를 할 수 있는 경우 또는 행정청이 행정심판청구를 할 수 있다고 잘못 알린 경우에 행정심판청구가 있은 때의 기간은 재결서의 정본을 송달받은 날부터 기산한다.
> ② 취소소송은 처분 등이 있은 날부터 1년(第1項 但書의 경우는 裁決이 있은 날부터 1年)을 경과하면 이를 제기하지 못한다. 다만, 정당한 사유가 있는 때에는 그러하지 아니하다.
> ③ 제1항의 규정에 의한 기간은 불변기간으로 한다.

#### 3) 관련 판례의 검토

> **판례**
>
> ● 대판 2010.1.28, 2008두19987[개별공시지가결정처분취소]
>
> **[판시사항]**
> 개별공시지가에 대하여 이의가 있는 자가 행정심판을 거쳐 행정소송을 제기하는 경우 제소기간의 기산점
>
> **[판결요지]**
> 부동산 가격공시 및 감정평가에 관한 법률 제12조, 행정소송법 제20조 제1항, 행정심판법 제3조 제1항의 규정 내용 및 취지와 아울러 부동산 가격공시 및 감정평가에 관한 법률에 행정심판의 제기를 배제하는 명시적인 규정이 없고 부동산 가격공시 및 감정평가에 관한 법률에 따른 이의신청과 행정심판은 그 절차 및 담당 기관에 차이가 있는 점을 종합하면, 부동산 가격공시 및 감정평가에 관한 법률이 이의신청에 관하여 규정하고 있다고 하여 이를 행정심판법 제3조 제1항에서 행정심판의 제기를 배제하는 '다른 법률에 특별한 규정이 있는 경우'에 해당한다고 볼 수 없으므로, 개별공시지가에 대하여 이의가 있는 자는 곧바로 행정소송을 제기하거나 부동산 가격공시 및 감정평가에 관한 법률에 따른 이의신청과 행정심판법에 따른 행정심판청구 중 어느 하나만을 거쳐 행정소송을 제기할 수 있을 뿐 아니라, 이의신청을 하여 그 결과 통지를 받은 후 다시 행정심판을 거쳐 행정소송을 제기할 수도 있다고

> 보아야 하고, 이 경우 행정소송의 제소기간은 그 행정심판 재결서 정본을 송달받은 날부터 기산한다.

#### 4) 사안의 경우

행정소송법 제20조에서는 취소소송은 처분 등이 있음을 안 날로부터 90일 이내, 있은 날로부터 1년으로 제소기간을 규정하고 있다. 정정된 공시지가는 기존 공시된 개별공시지가에 소급하여 효력이 발생하고, 제소 기간은 개별공시지가 직권정정 결정·공시일을 기준으로 90일 내에 제소하면 될 것으로 판단된다.

### (2) 소송의 대상

사안의 경우 최초 개별공시지가 결정·공시 이후 개별공시지가 직권 정정 결정·공시를 하였다면 이는 새로운 처분으로 볼 수 있고, 새로운 직권정정 결정공시일을 제소기간의 기산점으로 삼되, 당초 개별공시지가에 공시기준일에 소급하여 효력이 발생된다. 따라서 개별공시지가 직권 정정 결정공시일을 제소기간의 기산점으로 삼는 것이 타당하다고 판단된다.

## Ⅲ  (물음3)에 대하여

## 1. 개별공시지가의 이의신청과 행정심판을 모두 제기할 수 있는지 여부

### (1) 부동산공시법상 이의신청제도

#### 1) 개별공시지가 이의신청 의의 및 취지(부동산공시법 제11조)

부동산공시법 제11조에서는 개별공시지가에 대하여 이의가 있는 자는 개별공시지가의 결정·공시일로부터 30일 이내에 서면으로 시장·군수 또는 구청장에게 이의를 신청할 수 있다고 규정하고 있다. 개별공시지가는 토지 관련 세금 산정의 기초가 되므로 이의신청을 통해 객관성을 확보하려는 취지가 있다.

> **⊙ 부동산 가격공시에 관한 법률 제11조(개별공시지가에 대한 이의신청)**
> ① 개별공시지가에 이의가 있는 자는 그 결정·공시일부터 30일 이내에 서면으로 시장·군수 또는 구청장에게 이의를 신청할 수 있다.
> ② 시장·군수 또는 구청장은 제1항에 따라 이의신청 기간이 만료된 날부터 30일 이내에 이의신청을 심사하여 그 결과를 신청인에게 서면으로 통지하여야 한다. 이 경우 시장·군수 또는 구청장은 이의신청의 내용이 타당하다고 인정될 때에는 제10조에 따라 해당 개별공시지가를 조정하여 다시 결정·공시하여야 한다.
> ③ 제1항 및 제2항에서 규정한 것 외에 이의신청 및 처리절차 등에 필요한 사항은 대통령령으로 정한다.

**◑ 행정기본법 제36조(처분에 대한 이의신청)**

① 행정청의 처분(「행정심판법」 제3조에 따라 같은 법에 따른 행정심판의 대상이 되는 처분을 말한다. 이하 이 조에서 같다)에 이의가 있는 당사자는 처분을 받은 날부터 30일 이내에 해당 행정청에 이의신청을 할 수 있다.

② 행정청은 제1항에 따른 이의신청을 받으면 그 신청을 받은 날부터 14일 이내에 그 이의신청에 대한 결과를 신청인에게 통지하여야 한다. 다만, 부득이한 사유로 14일 이내에 통지할 수 없는 경우에는 그 기간을 만료일 다음 날부터 기산하여 10일의 범위에서 한 차례 연장할 수 있으며, 연장 사유를 신청인에게 통지하여야 한다.

③ 제1항에 따라 이의신청을 한 경우에도 그 이의신청과 관계없이 「행정심판법」에 따른 행정심판 또는 「행정소송법」에 따른 행정소송을 제기할 수 있다.

④ 이의신청에 대한 결과를 통지받은 후 행정심판 또는 행정소송을 제기하려는 자는 그 결과를 통지받은 날(제2항에 따른 통지기간 내에 결과를 통지받지 못한 경우에는 같은 항에 따른 통지기간이 만료되는 날의 다음 날을 말한다)부터 90일 이내에 제1항의 처분(이의신청 결과 처분이 변경된 경우에는 변경된 처분으로 한다)에 대하여 행정심판 또는 행정소송을 제기할 수 있다. 〈개정 2025.3.18.〉

〈이하 생략〉

## 2) 개별공시지가 이의신청의 법적 성질

### ① 행정심판과 행정심판이 아닌 이의신청의 구별실익

행정심판법 제51조에서 행정심판 재청구 금지를 규정하고 있으므로, 개별공시지가 이의신청이 만약 부동산 가격공시에 관한 법률이 정하고 있는 행정심판법상의 행정심판이라면 이의신청을 거쳐 다시 행정심판을 제기할 수 없기 때문이다.

### ② 행정심판과 행정심판이 아닌 이의신청 등과 구별기준

헌법 제107조 제3항에서는 "행정심판의 절차는 법률로 정하되, 사법절차가 준용되어야 한다."라고 규정되어, 개별법률에서 정하는 이의신청 등이 사법절차가 준용되는 경우에만 행정심판이 될 것이다.

## 3) 판례의 태도

부동산 가격공시 및 감정평가에 관한 법률에 행정심판의 제기를 배제하는 명시적인 규정이 없고 부동산 가격공시 및 감정평가에 관한 법률에 따른 이의신청과 행정심판은 그 절차 및 담당 기관에 차이가 있는 점을 종합하면, 부동산 가격공시 및 감정평가에 관한 법률이 이의신청에 관하여 규정하고 있다고 하여 이를 행정심판법 제3조 제1항에서 행정심판의 제기를 배제하는 '다른 법률에 특별한 규정이 있는 경우'에 해당한다고 볼 수 없으므로, 개별공시지가에 대하여 이의가 있는 자는 곧바로 행정소송을 제기하거나 부동산 가격공시 및 감정평가에 관한 법률에 따른 이의신청과 행정심판법에 따른 행정심판청구 중 어느 하나만을 거쳐 행정소송을 제기할 수 있을 뿐 아니라, 이의신청을 하여 그 결과 통지를 받은 후 다시 행정심판을 거쳐 행정소송을 제기할 수도 있다(대판 2010.1.28, 2008두19987).

> **판례**
>
> **[판시사항]**
>
> 개별공시지가에 대하여 이의가 있는 자가 행정심판을 거쳐 행정소송을 제기하는 경우 제소기간의 기산점
>
> **[판결요지]**
>
> 부동산 가격공시 및 감정평가에 관한 법률 제12조, 행정소송법 제20조 제1항, 행정심판법 제3조 제1항의 규정 내용 및 취지와 아울러 부동산 가격공시 및 감정평가에 관한 법률에 행정심판의 제기를 배제하는 명시적인 규정이 없고 부동산 가격공시 및 감정평가에 관한 법률에 따른 이의신청과 행정심판은 그 절차 및 담당 기관에 차이가 있는 점을 종합하면, 부동산 가격공시 및 감정평가에 관한 법률이 이의신청에 관하여 규정하고 있다고 하여 이를 행정심판법 제3조 제1항에서 행정심판의 제기를 배제하는 '다른 법률에 특별한 규정이 있는 경우'에 해당한다고 볼 수 없으므로, **개별공시지가에 대하여 이의가 있는 자는 곧바로 행정소송을 제기하거나 부동산 가격공시 및 감정평가에 관한 법률에 따른 이의신청과 행정심판법에 따른 행정심판청구 중 어느 하나만을 거쳐 행정소송을 제기할 수 있을 뿐 아니라, 이의신청을 하여 그 결과 통지를 받은 후 다시 행정심판을 거쳐 행정소송을 제기할 수도 있다고 보아야 하고, 이 경우 행정소송의 제소기간은 그 행정심판 재결서 정본을 송달받은 날부터 기산한다.**
>
> (대법원 2010.1.28. 선고 2008두19987 판결[개별공시지가결정처분취소])

### 4) 검토

부동산공시법에 개별공시지가 이의신청에 대한 사법절차 준용규정이 없다는 점과 대법원이 제시한 부동산공시법상에 행정심판을 배제하는 명시적인 규정이 없다는 점 등에서 개별공시지가 이의신청은 행정심판이 아닌 행정 내부에 제기하는 불복절차에 불과하다. 따라서 부동산공시법상 개별공시지가의 이의신청과 행정심판을 모두 제기할 수 있다. 개별공시지가에 대하여 이의신청을 하고, 그 이의신청 결과를 통지 받은 후 다시 행정심판을 제기하고 행정소송을 제기할 수 있고, 이의신청 결과를 가지고 바로 행정소송을 제기할 수 있다. 개별공시지가 결정에 대하여 바로 행정심판을 제기하고, 그 결과를 받은 후 다시 행정소송을 제기할 수도 있고, 바로 개별공시지가 결정에 대하여 행정소송을 제기할 수 있다.

## 2. 이의신청 결과 기각결정과 변경된 처분을 한 경우 행정소송의 대상과 제소기간

### (1) 개별공시지가 결정에 대한 이의신청에 대한 기각결정은 원처분이 소송의 대상

#### 1) 기각결정을 한 경우 소송의 대상

부동산공시법 제11조 이의신청은 개별공시지가결정에 대하여 다시 심사하여 잘못이 있는 경우 스스로 시정하도록 한 절차인 점, 이의신청을 받아들이지 않는 내용의 결정은 종전의 결정 내용을 그대로 유지하는 것에 불과한 점, 이의신청은 원 결정에 대한 행정심판이나 행정소송의 제기에도 영향을 주지 아니하는 점 등을 고려하는 경우 부동산공시법 제11조가 정한 이의신청을 받아들이지 않는 결정은 이의신청인의 권리·의무에 새로운 변동을 주는 공권력의

행사나 이에 준하는 행정작용이라고 할 수 없으므로 원 개별공시지가결정과 별개로 항고소송의 대상이 되지는 않는다고 보고 있다. 소송의 대상은 원래의 처분(원처분)을 소송의 대상으로 해야 한다.

### 2) 기각결정에 대한 제소기간

행정소송법 제20조 규정에 따라 행정심판 청구 후 소송의 제소는 재결서의 정본을 송달받은 날로부터 기산한다. 다만 행정심판을 거치지 않고 이의신청만을 한 경우에는 행정기본법 제36조에 제4항에 따라 이의신청에 대한 결과를 통지받은 날로부터 90일 이내 행정심판 또는 행정소송을 제기할 수 있을 것이다.

## (2) 이의신청을 받아들여 변경된 처분을 한 경우에 소송의 대상과 제소기간

### 1) 변경된 처분을 한 경우 소송의 대상

---

**■ 이의신청 결과 통지 관련 행정쟁송 제기 대상 명확화(제36조 제4항)**

**가. 개정 이유**

○ 처분에 대한 당사자의 이의신청에 대해 행정청이 하는 결과 통지는 처분성이 없어 이에 대해 행정쟁송을 제기할 수 없고, 원처분(原處分)을 대상으로 행정쟁송을 제기해야 하는바, 일반 국민이 이를 잘 알지 못하거나 이에 대한 법적 분쟁이 생기는 경우가 있어 행정쟁송 제기 대상이 원처분임을 명확히 하려는 것임.

**나. 개정 내용**

○ 이의신청에 대한 결과를 통지받은 후 행정심판 또는 행정소송을 제기하려는 자는 이의신청 결과 통지가 아닌 행정청의 원처분(이의신청 결과 처분이 변경된 경우에는 변경된 처분)에 대하여 행정심판 또는 행정소송을 제기할 수 있다는 것을 명확히 규정함.

**다. 입법추진과정에서 논의된 주요내용**

○ 특기할 사항 없음

**라. 입법효과**

○ 이의신청 결과 통지를 받은 후 행정쟁송을 제기하려는 국민들의 혼란과 불편 방지

**■ 처분에 대한 이의신청 결과통지 시 쟁송제기기간 안내규정 도입(제36조 제5항 신설)**

**가. 개정 이유**

○ 「행정기본법」 제36조 제4항에 따라 이의신청인은 이의신청 결과를 통지받은 날부터 90일 이내에 행정심판 또는 행정소송을 제기할 수 있는바, 이의신청인이 행정청으로부터 결과 통지를 받을 때 이 사실을 함께 안내받을 수 있도록 하려는 것임.

**나. 개정 내용**

○ 행정청이 이의신청에 대한 결과를 통지할 때에는 「행정기본법」 제36조 제4항에 따른 행정심판 또는 행정소송의 제기에 관한 사항을 함께 안내하도록 함.

○ 다만, 이의신청 전 또는 이의신청 후 결과를 통지받기 전에 행정심판 또는 행정소송을 제기한

---

> 경우에는 제기기간 등에 대한 안내를 할 필요가 없으므로 이 경우에는 안내 대상에서 제외함
> (* 행정심판 또는 행정소송이 제기된 경우 행정청에 청구서 또는 관련 문서가 송달되므로 행
> 정청이 이의신청인의 행정쟁송 제기 여부를 알 수 있음).
>
> **다. 입법추진과정에서 논의된 주요내용**
> ○ 특기할 사항 없음
>
> **라. 입법효과**
> ○ 국민들이 이의신청 결과 통지에 따른 행정쟁송 제기기간 연장 규정을 알지 못하여 행정쟁송
> 을 제기하지 못하는 사례 방지

최근 행정기본법 제36조 제4항 개정 법률에 따라 이의신청을 하여 이를 받아들인 경우, 즉
이의신청 인용결정을 하여 변경된 처분을 한 경우에는 소송의 대상은 변경된 처분을 소송의
대상으로 하여야 한다.

**2) 제소기간의 기산일**

행정소송법 제20조 규정에 따라 행정심판 청구 후 행정소송의 제소기간은 재결서의 정본을
송달받은 날로부터 기산한다. 다만 해당 사안에서는 행정심판을 거치지 않고, 행정기본법 제
36조 제4항에 따라 바로 강학상 이의신청을 한 경우로 이의신청 결과 통지를 받은날로부터
90일이내에 행정심판 또는 행정소송을 제기할 수 있다.

## 3. 소결

부동산공시법상 이의신청과 행정심판 모두 제기할 수 있고, 이의신청을 거친 경우에는 행정기본
법 제36조 제4항에 따라 이의신청 결과 통지를 받은 후 90일 이내에 행정심판 또는 행정소송을
제기할 수 있다. 개정 행정기본법 제36조에 따라 개별공시지가의 이의신청에 대하여 불복하는
경우 이의신청 결과통지서를 받았는데, 이의신청을 기각하고 원처분을 그대로 한 경우에는 행정
소송의 대상은 원처분을 하고, 제소기간은 이의신청 결과를 통지받은 날로부터 90일 이내에 행
정소송을 제기하면 된다. 만약에 개별공시지가 이의신청을 하였는데 타당하여 이를 변경한 처분
을 한 경우에는 행정소송의 대상은 변경처분으로 하고, 제소기간도 이의신청 결과를 통지받은
날로부터 90일 이내에 행정소송을 제기하면 된다. 그동안 이 부분이 애매하였으나 행정기본법
개정법률안으로 명확하게 정리되었다고 할 수 있어 국민의 권익구제에 한층 도움이 되는 개정법
률안으로 평가된다.

## 11절 부동산공시법 제16조(표준주택가격의 조사·산정 및 공시 등)

> **문제**
>
> 부동산 가격공시에 관한 법률상 제3장 주택가격의 공시와 제4장 비주거용 부동산가격의 공시에 대하여 설명하시오. 10점
>
> | | |
> |---|---|
> | I. 서 | III. 제4장 비주거용 부동산가격 공시제도 |
> | II. 제3장 주택가격 공시제도 |   1. 비주거용 표준부동산가격 |
> |   1. 표준주택 공시가격 |   2. 비주거용 개별부동산가격 |
> |   2. 개별주택 공시가격 |   3. 비주거용 집합부동산가격 |
> |   3. 공동주택 공시가격 | IV. 결 |

## I 서

부동산가격 공시제도는 정부의 조세형평주의의 일환으로 종합부동산세를 부과하기 위한 기준을 마련하기 위해 도입된 제도이다. 종전 지가공시법에는 표준지공시지가와 개별공시지가가 담겨 있었는데, 주택과 비주거용 부동산에 대한 공시가격의 필요성이 나타남에 따라 관련된 내용을 포함하여 새롭게 입법이 되었다.

## II 제3장 주택가격 공시제도

### 1. 표준주택 공시가격

#### (1) 의의 및 법적 성질

국토교통부장관은 전국의 주택 중 표준주택을 선정하고 감정평가법인등이 토지와 건물을 일체로 거래할 수 있는 적정가격을 평가하여 공시한다. 표준주택이라 함은 국토교통부장관이 용도지역, 건물구조 등이 일반적으로 유사하다고 인정되는 일단의 단독주택 중에서 산정하는 당해 일단의 단독주택을 대표할 수 있는 주택을 말한다. 이는 개별공시지가와 유사하게 국민의 권리의무에 직접적 영향을 미치므로 처분성이 있다고 판단된다.

#### (2) 산정절차 및 효과

국토교통부장관은 일단의 단독주택 중에서 당해 일단의 주택을 대표할 수 있는 주택을 선정하여야 하고, 한국부동산원에게 의뢰를 하게 된다. 이후 중앙부동산가격공시위원회의 심의를 거쳐 표준주택가격을 공시하게 된다. 표준주택가격의 공시기준일은 원칙적으로 1월 1일로 한다.

### (3) 권리구제수단

표준주택공시가격에 불복하는 방법에는 표준주택가격 공시과정상 표준지공시지가의 이의신청을 준용하도록 법 제16조 제7항에서 규정하고 있는 바, 표준지공시지가의 이의신청을 준용하여 부동산공시법에서 정한 이의신청절차를 거치게 된다. 이후 표준주택공시가격의 처분성을 인정하게 되면 행정쟁송을 제기할 수 있다.

## 2. 개별주택 공시가격

### (1) 의의 및 법적 성질

지방자치단체의 장은 표준주택 중 비교표준주택을 선정하고 비준율을 곱하여 개별주택의 가격을 산정하게 된다. 개별주택의 가격은 종합부동산세의 과표가 된다. 또한, 개별주택공시가격은 국민의 권리·의무에 직접적인 영향이 있다고 보아야 하므로 처분성이 있다고 판단된다.

### (2) 산정절차 및 효과

① 시·군·구의 장은 국토교통부장관이 제정한 지침에 따라 원칙적으로 전국의 모든 개별주택가격을 조사·산정한다. 산정된 개별주택가격은 한국부동산원의 검증을 받게 된다. 이후 시·군·구 부동산가격공시위원회의 심의를 거쳐서 공시하며, 개별주택가격의 공시기준일은 원칙적으로 1월 1일로 한다.

② 개별주택가격은 주택시장의 가격정보를 제공하고, 국가 및 지방자치단체 등의 기관이 과세 등의 업무와 관련하여 주택의 가격을 산정하는 경우에 그 기준으로 활용될 수 있다.

### (3) 권리구제수단

개별공시가격에 불복하는 방법에는 개별주택가격공시 과정상 개별공시지가 이의신청을 준용하도록 부동산공시법 제17조 제8항에서 규정하고 있는바, 개별공시지가의 이의신청을 준용하여 부동산공시법에서 정한 이의신청절차를 거치게 된다. 이후 개별주택공시가격의 처분성을 인정하게 되면 행정쟁송을 제기할 수 있다.

## 3. 공동주택 공시가격

### (1) 의의 및 법적 성질

국토교통부장관은 공동주택에 대한 부동산세 부과를 위하여 공동주택의 적정가격을 조사한다. 또한, 이는 과세의 기준이 된다는 점에서 국민의 권리의무에 직접적인 영향이 있다고 보아야 하므로 처분성이 있다고 판단된다.

### (2) 산정절차 및 효과

① 국토교통부장관은 원칙적으로 전국의 모든 공동주택에 대하여 매년 공시기준일 현재의 적정가격을 조사 및 산정한다. 이를 위해서 부동산가격의 조사·산정에 관한 전문성이 있는 기관인 부동산원에 의뢰를 한다. 이후 중앙부동산가격공시위원회의 심의를 거쳐 공시하게 된다.

공시기준일은 원칙적으로 1월 1일로 한다. ② 공동주택가격은 주택시장의 가격정보를 제공하고, 국가 및 지방자치단체 등의 기관이 과세 등의 업무와 관련하여 주택의 가격을 산정하는 경우에 그 기준으로 활용될 수 있다.

### (3) 권리구제수단

공동주택공시가격에 불복하는 방법에는 공동주택가격공시과정상 표준지공시지가 이의신청을 준용하도록 법 제17조 제8항에서 규정하고 있는바, 표준지공시지가의 이의신청을 준용하여 부동산공시법에서 정한 이의신청절차를 거치게 된다. 이후 표준주택공시가격의 행정쟁송을 제기할 수 있다.

## Ⅲ 제4장 비주거용 부동산가격공시제도

## 1. 비주거용 표준부동산가격

### (1) 의의 및 법적 성질

국토교통부장관은 용도지역, 이용상황, 건물구조 등이 일반적으로 유사하다고 인정되는 일단의 비주거용 일반부동산 중에서 선정한 비주거용 표준부동산에 대하여 매년 공시기준일 현재의 적정가격을 조사 및 산정하고 법 제24조에 따른 중앙부동산가격공시위원회의 심의를 거쳐 이를 공시할 수 있다. 이 역시 개별공시지가와 유사하게 국민의 권리의무에 직접적인 영향을 미치므로 처분성이 있다고 보인다.

### (2) 산정절차 및 효과

① 국토교통부장관이 비주거용 표준부동산가격을 조사·산정하는 경우에는 인근 유사 비주거용 일반부동산의 거래가격과 임대료 및 해당 비주거용 일반부동산과 유사한 이용가치를 지닌다고 인정되는 비주거용 일반부동산의 건설에 필요한 비용추정액 등을 종합적으로 참작하여야 한다.

② 비주거용 표준부동산가격은 국가·지방자치단체 등이 그 업무와 관련하여 비주거용 개별부동산가격을 산정하는 경우에 그 기준이 된다.

### (3) 권리구제수단

비주거용 표준부동산가격에 불복하는 방법에는 표준지공시지가의 이의신청을 준용하도록 법 제20조 제7항에서 규정하고 있는 바, 표준지공시지가의 이의신청을 준용하여 부동산공시법에서 정한 이의신청절차를 거치게 된다. 이후 비주거용 표준부동산가격의 처분성을 인정하게 되면 행정쟁송을 제기할 수 있다.

## 2. 비주거용 개별부동산가격

### (1) 의의 및 법적 성질

지방자치단체의 장은 비주거용 표준부동산 중 비교표준부동산을 선정하고 비준율을 곱하여 비주거용 개별부동산의 가격을 산정하게 된다. 이는 과세의 기준이 된다는 점에서 국민의 권리의무에 직접적인 영향이 있다고 보아야 하므로 처분성이 있다고 보인다.

### (2) 산정절차 및 효과

① 시·군·구의 장은 국토교통부장관이 제정한 지침에 따라 원칙적으로 전국의 모든 비주거용 개별부동산가격을 조사·산정한다. 산정된 비주거용 개별부동산가격은 감정평가법인등이 검증을 하게 된다. 이후 시·군·구 부동산가격공시위원회의 심의를 거쳐서 공시한다. 비주거용 개별부동산가격은 비주거용 부동산시장에 가격정보를 제공하고, 국가 및 지방자치단체 등이 과세 등의 업무와 관련하여 비주거용 부동산의 가격을 산정하는 경우에 그 기준으로 활용될 수 있다.

### (3) 권리구제수단

비주거용 개별부동산가격에 불복하는 방법에는 비주거용 개별부동산가격공시 과정상 개별공시지가가 이의신청을 준용하도록 법 제21조 제8항에서 규정하고 있는바, 개별공시지가의 이의신청을 준용하여 부동산공시법에서 정한 이의신청절차를 거치게 된다. 이후 비주거용 개별부동산가격의 처분성을 인정하게 되면 행정쟁송을 제기할 수 있다.

## 3. 비주거용 집합부동산가격

### (1) 의의 및 법적 성질

국토교통부장관은 비주거용 집합부동산에 대한 부동산세 부과를 위하여 공동주택의 적정가격을 조사한다. 비주거용 집합부동산가격은 과세의 기준이 된다는 점에서 국민의 권리의무에 직접적인 영향이 있다고 보아야 하므로 처분성이 있다고 보는 것이 타당하다.

### (2) 산정절차 및 효과

① 국토교통부장관은 원칙적으로 전국의 모든 공동주택에 대하여 매년 공시기준일 현재의 적정가격을 조사·산정한다. 이를 위해서 부동산가격의 조사·산정할 때에는 부동산원 및 이에 관한 전문성이 있는 자에게 감정평가의뢰를 한다. 이후 중앙부동산가격공시위원회의 심의를 거쳐 공시하게 된다. 공시기준일은 원칙적으로 1월 1일로 한다.

### (3) 권리구제수단

비주거용 집합부동산가격에 불복하는 방법에는 표준지공시지가 이의신청을 준용하도록 법 제22조 제9항에서 규정하고 있는바, 표준지공시지가의 이의신청을 준용하여 부동산공시법에서 정한 이의신청절차를 거치게 된다. 이후 비주거용 집합부동산가격의 처분성을 인정하게 되면 행정쟁송을 제기할 수 있다.

## Ⅳ 결

2020년 11월 주택과 토지에 대한 공시가격을 중장기적으로 시세의 90% 수준까지 현실화한다는 계획이 수립된 만큼, 부동산 유형 간 형평성 확보를 위해 비주거용 부동산에도 적정 수준의 공시가격 제도를 도입할 필요가 있다. 지난 2016년 부동산공시법 개정으로 비주거용 부동산에도 공시가격을 도입할 수 있는 법적 근거는 마련돼 있으나 국토교통부는 경제사회적 파장을 고려해 지금껏 연구용역 등을 진행하며 시행 시기를 미뤄왔다. 하지만 주택과 토지 등에 대한 공시가격 현실화 로드맵까지 만든 만큼, 오피스 등 비주거용 건물에 대한 공시제 시행은 불가피하다고 보인다. 재산세나 복지수급 등에 미치는 영향을 고려해 공시가격의 적정 수준과 공시가격 조사방법 등에 대해 행정안전부, 보건복지부, 국세청 등 관계부처와 협의해 국토교통부에서 구체적인 방안을 마련 중인 바, 조세의 형평을 위해 법리적으로 조속한 시행이 필요하다고 보인다. 다만 비주거용 부동산에 대해 가격공시제도가 시행되는 경우 납세자의 세부담을 크게 증가시키는 문제가 있다. 최근 새 정부에서는 부동산공시제도 전반에 대한 새로운 체계를 도입하고자 하는바, 국민의 담세능력과 감정평가사라는 전문가에 의한 감정평가를 토대로 과표가 결정되도록 하는 것이 타당하다고 판단된다.

<table><tr><td>**1**절</td><td>**부동산공시법 제3조(표준지공시지가의 조사 · 평가 및 공시 등)**</td></tr></table>

**문제**

소유자 甲과 乙은 함께 서울 중구 ○○동 (지번 1 생략) 대 70.1㎡(이하 이 사건 토지라 하고, 이하 다른 토지들도 동명과 지번으로 토지를 특정하기로 한다)를 공유하고 있다. 국토교통부장관은 부동산 가격공시에 관한 법률(이하 '부동산가격공시법'이라 한다)에 의하여 표준지로 선정하고, 2025.2.28. 이 사건 토지의 2025년도 공시지가(공시기준일 2025.1.1.)를 ㎡당 4,950,000원으로 결정 · 공시하였다(이하 '이 사건 처분'이라 한다). 토지소유자 甲과 乙은 국토교통부장관이 이 사건 표준지공시지가를 평가함에 있어서 표준지 조사 · 평가 기준상의 3가지 평가방식 중 어느 방식도 따르지 아니한 채 이 사건 토지를 평가하였으므로 이 사건 처분은 위법하다고 주장하고 있다. 국토교통부장관은 이 사건 표준지의 2025년도 공시지가를 산정하기 위하여 부동산가격공시법에 따라 A감정평가법인과 B감정평가법인에게 공시지가 감정을 의뢰하여 아래와 같은 각 평가결과를 얻었다. ① A감정평가법인의 감정결과에서 이 사건 토지는 상업용 토지로서 지리적 · 사회적 입지조건과 배후지의 질과 양, 유동인구, 접근성, 교통조건과 면적, 형상, 가로조건 등 개별적 제반 특성 등을 고려하고, 세평가격(㎡당 5,500,000원 수준), 인근 유사 표준지의 지가수준(인근 ○○동 (지번 2 생략) 대 105.8㎡) 등을 종합적으로 참작하여 평가하되, 대상 토지가 나지로서 최유효이용이 기대되는 점을 고려하여 ㎡당 5,000,000원으로 평가하였는데 거래사례비교법, 원가법, 수익환원법의 표준지 평가방식에 해당하는 항목은 공란으로 처리하였다. ② B감정평가법인의 감정결과에서 이 사건 토지는 상업지대 내 나대지로서 상가의 배후지, 업종, 고객의 접근성, 유동인구의 상태, 사회적, 경제적, 지역적 위치 등 입지조건 및 장래성, 효용성 등을 비교분석하고, 인근지역의 지가수준, 세평가격(㎡당 5,500,000원 수준), 인근 유사표준지와의 균형(인근 ○○동 (지번 2 생략) 대 105.8㎡) 등을 고려하여 ㎡당 4,900,000원으로 평가하였는데 A감정평가법인과 같이 표준지 평가방식 해당하는 항목은 공란으로 처리하였다. 국토교통부장관은 위와 같은 각 감정평가결과를 토대로 이 사건 토지의 2025년도 공시지가를 ㎡당 4,950,000원으로 결정하여 공시하였다. 토지소유자 갑과 을은 2025.3.30. 위 공시지가결정에 대하여 이의신청을 하였고, 이에 대하여 국토교통부장관은 C감정평가법인과 D감정평가법인에게 다시 이 사건 토지에 대한 감정을 명하였는데 위 감정평가법인들은 표준지 평가방식에 대한 설명 없이 이 사건 토지의 위치, 주위환경, 이용상황 및 인근 지가수준, 인근 표준지와의 균형과 인근 ○○동 49-3 대 218.9㎡가 2024.2.27. ㎡당 3,570,000원에 담보목적으로 평가된 사례를 참조하여 이 사건 토지의 가격을 산정한 결과 이 사건 처분과 같은 가격이 도출된다고 평가하였다. 다음 물음에 답하시오. 30점 (기출문제 응용) (각 설문은 별개상황임)

(1) 표준지공시지가의 의의 및 법적 성질, 그리고 결정 절차와 효력에 대하여 설명하시오. 10점

(2) 표준지공시지가를 결정·공시함에 있어서는 중앙부동산가격공시위원회가 관여하고, 개별공시지가에 대해서는 각 시·군·구 부동산가격공시위원회가 관여하는바, 부동산가격공시법상 중앙부동산가격공시위원회와 시·군·구 부동산가격공시위원회는 무엇을 하는 위원회인지 설명하시오. 10점

(3) 감정평가법인등의 토지 평가액 산정의 적정성을 인정하기 위한 감정평가서의 기재 내용과 정도와 국토교통부장관이 표준지공시지가를 결정·공시하는 절차에서 감정평가서에 토지의 전년도 공시지가와 세평가격 및 인근 표준지의 감정가격만을 참고가격으로 삼고 평가의견을 추상적으로만 기재한 사안에서, 평가요인별 참작 내용과 정도가 평가액 산정의 적정성을 알아볼 수 있을 만큼 객관적으로 설명되어 있다고 보기 어려워, 이를 근거로 한 표준지공시지가 결정은 토지의 적정가격을 반영한 것이라고 인정하기 어려워 위법하다고 토지소유자들은 주장하는데 이 주장이 타당한지 여부를 설명하시오. 10점

---

Ⅰ. 논점의 정리

Ⅱ. (물음1)에 대하여
  1. 표준지공시지가 의의, 취지
  2. 표준지공시지가의 법적 성질
  3. 표준지공시지가의 결정 절차(부동산공시법 제3조)
    (1) 표준지의 선정
    (2) 조사·평가
      1) 조사·평가의 의뢰 및 조사·평가
      2) 표준지공시지가의 결정 및 재평가
    (3) 중앙부동산가격공시위원회의 심의
    (4) 지가의 공시 및 열람
  4. 표준지공시지가의 효력(부동산공시법 제9조)

Ⅲ. (물음2)에 대하여
  1. 개설
  2. 법적 지위
  3. 부동산가격공시위원회의 구성
    (1) 중앙부동산가격공시위원회
      1) 위원회의 구성
      2) 위원회의 운영
    (2) 시·군·구 부동산가격공시위원회
  4. 부동산가격공시위원회의 권한
    (1) 중앙부동산가격공시위원회
    (2) 시·군·구 부동산가격공시위원회

Ⅳ. (물음3)에 대하여
  1. 개설
  2. 표준지공시지가의 적정성
  3. 표준지조사평가기준
  4. 관련 판례의 검토
  5. 사안의 경우

Ⅴ. 사안의 해결

---

■ 참고규정

**부동산 가격공시에 관한 법률 제3조(표준지공시지가의 조사·평가 및 공시 등)**

① 국토교통부장관은 토지이용상황이나 주변 환경, 그 밖의 자연적·사회적 조건이 일반적으로 유사하다고 인정되는 일단의 토지 중에서 선정한 표준지에 대하여 매년 공시기준일 현재의 단위면적당 적정가격(이하 "표준지공시지가"라 한다)을 조사·평가하고, 제24조에 따른 중앙부동산가격공시위원회의의 심의를 거쳐 이를 공시하여야 한다.

② 국토교통부장관은 표준지공시지가를 공시하기 위하여 표준지의 가격을 조사·평가할 때에는 대통령령으로 정하는 바에 따라 해당 토지 소유자의 의견을 들어야 한다.

③ 제1항에 따른 표준지의 선정, 공시기준일, 공시의 시기, 조사·평가 기준 및 공시절차 등에 필요한 사항은 대통령령으로 정한다.

④ 국토교통부장관이 제1항에 따라 표준지공시지가를 조사·평가하는 경우에는 인근 유사토지의 거래가격·임대료 및 해당 토지와 유사한 이용가치를 지닌다고 인정되는 토지의 조성에 필요한 비용추정액, 인근지역 및 다른 지역과의 형평성·특수성, 표준지공시지가 변동의 예측 가능성 등 제반사항을 종합적으로 참작하여야 한다.

⑤ 국토교통부장관이 제1항에 따라 표준지공시지가를 조사·평가할 때에는 업무실적, 신인도(信認度) 등을 고려하여 둘 이상의 「감정평가 및 감정평가사에 관한 법률」에 따른 감정평가법인등(이하 "감정평가법인등"이라 한다)에게 이를 의뢰하여야 한다. 다만, 지가 변동이 작은 경우 등 대통령령으로 정하는 기준에 해당하는 표준지에 대해서는 하나의 감정평가법인등에 의뢰할 수 있다.

⑥ 국토교통부장관은 제5항에 따라 표준지공시지가 조사·평가를 의뢰받은 감정평가법인등이 공정하고 객관적으로 해당 업무를 수행할 수 있도록 하여야 한다.

⑦ 제5항에 따른 감정평가법인등의 선정기준 및 업무범위는 대통령령으로 정한다.

⑧ 국토교통부장관은 제10조에 따른 개별공시지가의 산정을 위하여 필요하다고 인정하는 경우에는 표준지와 산정대상 개별 토지의 가격형성요인에 관한 표준적인 비교표(이하 "토지가격비준표"라 한다)를 작성하여 시장·군수 또는 구청장에게 제공하여야 한다.

---

# I  논점의 정리

종래 다원화된 지가체계로 인한 혼란과 국민의 불신 및 토지정책의 비효율성 등으로 인한 문제점을 해결하고 토지공개념 관련제도의 실효성을 제고하기 위하여 부동산가격공시에 관한 법률(이하 '부동산공시법')이 제정·개정되었으며, 이에 근거를 둔 공시지가제도는 종전의 다원화된 지가체계를 일원화하여 적정한 가격형성 도모, 국토의 효율적 이용 및 국민경제 발전에 이바지하며, 각종 토지정책의 실효를 거두고 조세형평의 정도를 높이기 위한 제도이다. 이하에서는 표준지공시지가결정의 절차와 효력에 대해 살피고, 토지 평가액 산정의 적정성을 인정하기 위한 감정평가서의 기재 내용과 정도와 토지소유자 주장의 타당성을 관련판례를 통해 검토한다.

## Ⅱ (물음1)에 대하여

### 1. 표준지공시지가 의의, 취지

표준지공시지가라 함은 국토교통부장관이 조사, 평가하여 공시한 표준지의 단위면적당 가격을 말한다. 이는 적정가격을 공시하여 적정한 가격형성을 도모하고, 국토의 효율적 이용 및 국민경제발전과 조세형평성을 향상시키기 위함이다.

### 2. 표준지공시지가의 법적 성질

행정계획설, 행정규칙설, 행정행위설, 법규명령 성질을 갖는 고시설 등이 대립하지만 판례는 행정소송의 대상이 되는 행정처분이라고 판시한 바 있다. 생각건대, 표준지공시지가를 전제로 국민의 권리·의무에 영향을 미치는 향후 처분이 예정되어 있으므로, 법적 안정성 확보, 조속한 법률관계 확정을 도모하기 위해 처분성을 인정함이 타당하다고 판단된다.

### 3. 표준지공시지가의 결정 절차(부동산공시법 제3조)

#### (1) 표준지의 선정

토지이용상황, 환경, 사회적, 자연적 조건이 유사한 일단의 지역 내에서 표준지선정관리지침상 지가의 대표성, 토지특성의 중용성, 용도의 안정성, 구별의 확실성을 충족하는 표준지를 선정한다.

#### (2) 조사·평가

##### 1) 조사·평가의 의뢰 및 조사·평가

국토교통부장관은 업무실적, 신인도 등을 고려하여 둘 이상의 감정평가법인등에게 의뢰한다. 또한, 조사·평가는 인근 유사토지의 거래사례가격, 임대료 및 조성비용을 고려하여 적정가격을 평가한다. 구체적으로 표준지조사·평가 기준에 따른다.

##### 2) 표준지공시지가의 결정 및 재평가

시·군·구청장의 의견청취 보고서를 제출하며 산술평균하여 결정한다. 만일, 표준지공시지가 조사·평가보고서에 대하여 검토한 결과, 부적정하다고 판단되거나 조사·평가액 중 최고평가액이 최저평가액의 1.3배를 초과하는 경우에는 해당 감정평가법인등에게 이를 시정하여 다시 제출하게 할 수 있다. 그러나 표준지공시지가의 조사·평가가 관계법령에 위반하여 수행되었다고 인정되는 경우에는 해당 감정평가법인등에게 그 사유를 통보하고 다른 2명의 감정평가법인등에게 조사·평가를 다시 의뢰할 수 있다.

#### (3) 중앙부동산가격공시위원회의 심의

공시지가의 적정성 확보 및 지역 간 균형 확보를 위해서 심의를 거쳐야 한다.

### (4) 지가의 공시 및 열람

지번, 단위면적당 가격, 면적, 형상, 표준지 및 주위토지의 이용상황, 지목, 용도제한, 도로상황, 그 밖에 지가공시에 관하여 필요한 사항을 공시한다. 또한, 특별시장, 광역시장 또는 도지사를 거쳐 시장·군수 또는 구청장에게 송부하고 일반인으로 하여금 열람하게 한다. 또한, 도서, 도표를 작성하여 관계 행정기관 등에 공급해야 한다.

> ❧ 부동산 가격공시법 제3조(표준지공시지가의 조사·평가 및 공시 등)
> ① 국토교통부장관은 토지이용상황이나 주변 환경, 그 밖의 자연적·사회적 조건이 일반적으로 유사하다고 인정되는 일단의 토지 중에서 선정한 표준지에 대하여 매년 공시기준일 현재의 단위면적당 적정가격(이하 "표준지공시지가"라 한다)을 조사·평가하고, 제24조에 따른 중앙부동산가격공시위원회의 심의를 거쳐 이를 공시하여야 한다.
> ② 국토교통부장관은 표준지공시지가를 공시하기 위하여 표준지의 가격을 조사·평가할 때에는 대통령령으로 정하는 바에 따라 해당 토지 소유자의 의견을 들어야 한다.
> ③ 제1항에 따른 표준지의 선정, 공시기준일, 공시의 시기, 조사·평가 기준 및 공시절차 등에 필요한 사항은 대통령령으로 정한다.
> ④ 국토교통부장관이 제1항에 따라 표준지공시지가를 조사·평가하는 경우에는 인근 유사토지의 거래가격·임대료 및 해당 토지와 유사한 이용가치를 지닌다고 인정되는 토지의 조성에 필요한 비용추정액, 인근지역 및 다른 지역과의 형평성·특수성, 표준지공시지가 변동의 예측 가능성 등 제반사항을 종합적으로 참작하여야 한다.
> ⑤ 국토교통부장관이 제1항에 따라 표준지공시지가를 조사·평가할 때에는 업무실적, 신인도(信認度) 등을 고려하여 둘 이상의 「감정평가 및 감정평가사에 관한 법률」에 따른 감정평가법인등(이하 "감정평가법인등"이라 한다)에게 이를 의뢰하여야 한다. 다만, 지가 변동이 작은 경우 등 대통령령으로 정하는 기준에 해당하는 표준지에 대해서는 하나의 감정평가법인등에 의뢰할 수 있다.
> ⑥ 국토교통부장관은 제5항에 따라 표준지공시지가 조사·평가를 의뢰받은 감정평가업자가 공정하고 객관적으로 해당 업무를 수행할 수 있도록 하여야 한다.
> ⑦ 제5항에 따른 감정평가법인등의 선정기준 및 업무범위는 대통령령으로 정한다.
> ⑧ 국토교통부장관은 제10조에 따른 개별공시지가의 산정을 위하여 필요하다고 인정하는 경우에는 표준지와 산정대상 개별 토지의 가격형성요인에 관한 표준적인 비교표(이하 "토지가격비준표"라 한다)를 작성하여 시장·군수 또는 구청장에게 제공하여야 한다.

## 4. 표준지공시지가의 효력(부동산공시법 제9조)

표준지공시지가는 토지시장에 지가정보를 제공하고 일반적인 토지거래의 지표가 되며, 국가·지방자치단체 등이 그 업무와 관련하여 지가를 산정하거나 감정평가법인등이 개별적으로 토지를 감정평가하는 경우에 기준이 된다.

> **▲ 부동산공시법 제9조(표준지공시지가의 5효력)**
>
> 표준지공시지가는 토지시장에 지가정보를 제공하고 일반적인 토지거래의 지표가 되며, 국가·
> 지방자치단체 등이 그 업무와 관련하여 지가를 산정하거나 감정평가법인등이 개별적으로 토지를
> 감정평가하는 경우에 기준이 된다.

> **판례**
>
> ● 대법원 2009.12.10. 선고 2007두20140 판결[공시지가확정처분취소]
>
> [판시사항]
>
> [2] 표준지공시지가의 결정절차와 그 효력
>
> [판결요지]
>
> [2] 구 부동산 가격공시 및 감정평가에 관한 법률(2008.2.29. 법률 제8852호로 개정되기
> 전의 것) 제2조 제5호, 제6호, 제3조 제1항, 제5조, 제10조와 같은 법 시행령(2008.2.
> 29. 대통령령 제20722호로 개정되기 전의 것) 제8조 등을 종합하여 보면, 건설교통부
> 장관은 토지이용상황이나 주변 환경 그 밖의 자연적·사회적 조건이 일반적으로 유사하
> 다고 인정되는 일단의 토지 중에서 표준지를 선정하고, 그에 관하여 매년 공시기준일
> 현재의 적정가격을 조사·평가한 후 중앙부동산평가위원회의 심의를 거쳐 이를 공시하
> 여야 한다. 표준지의 적정가격을 조사·평가할 때에는 인근 유사토지의 거래가격, 임대
> 료, 당해 토지와 유사한 이용가치를 지닌다고 인정되는 토지의 조성에 필요한 비용추정
> 액 등을 종합적으로 참작하되, 둘 이상의 감정평가업자에게 이를 의뢰하여 평가한 금액
> 의 산술평균치를 기준으로 하고, 감정평가업자가 행한 평가액이 관계 법령을 위반하거
> 나 부당하게 평가되었다고 인정되는 경우 등에는 당해 감정평가업자 혹은 다른 감정평
> 가업자로 하여금 다시 조사·평가하도록 할 수 있으며, 여기서 '적정가격'이란 당해 토
> 지에 대하여 통상적인 시장에서 정상적인 거래가 이루어지는 경우 성립될 가능성이 가
> 장 높다고 인정되는 가격을 말하고, 한편 이러한 절차를 거쳐 결정·공시된 표준지공시
> 지가는 토지시장의 지가정보를 제공하고 일반적인 토지거래의 지표가 되며, 국가·지
> 방자치단체 등의 기관이 그 업무와 관련하여 지가를 산정하거나 감정평가업자가 개별적
> 으로 토지를 감정평가하는 경우에 기준이 되는 효력을 갖는다.



## Ⅲ (물음2)에 대하여

### 1. 개설

부동산가격공시위원회는 부동산 적정가격 형성과 조세 및 부담금의 합리성을 도모하기 위해 부동산
가격공시 관련 사항을 심의하는 기관이다. 부동산가격공시위원회는 국토교통부 소속의 중앙부동산
가격공시위원회와 시장·군수 또는 구청장 소속하에 두는 시·군·구 부동산가격공시위원회가 있
다. 법적 근거로는 부동산공시법 제24조 및 제25조와 동법 시행령 제71조 및 제74조에 근거한다.

## 2. 법적 지위

부동산가격공시위원회는 부동산공시법 제24조 및 제25조의 내용을 심의하기 위하여 설치되는 행정기관으로서 심의기관에 해당한다. 법령에서 반드시 설치하도록 규정하고 있어 필수기관에 해당한다.

## 3. 부동산가격공시위원회의 구성

### (1) 중앙부동산가격공시위원회

#### 1) 위원회의 구성

위원회는 위원장을 포함한 20명 이내의 위원으로 구성하며, 성별을 고려하여야 한다. 위원회의 위원장은 국토교통부 제1차관이 된다. 위원회의 위원은 기획재정부, 행정안전부, 농림축산식품부, 보건복지부 및 국토교통부장관이 지명하는 6명 이내의 공무원과 다음 각 호의 어느 하나에 해당하는 사람 중 국토교통부장관이 위촉하는 사람이 된다. 공무원이 아닌 위원의 임기는 2년으로 하되, 한 차례 연임할 수 있다.

① 「고등교육법」에 따른 대학에서 토지·주택 등에 관한 이론을 가르치는 조교수 이상으로 재직하고 있거나 재직하였던 사람, ② 판사, 검사, 변호사 또는 감정평가사의 자격이 있는 사람, ③ 부동산 가격공시 또는 감정평가 관련 분야에서 10년 이상 연구 또는 실무경험이 있는 사람

#### 2) 위원회의 운영

위원장은 위원회를 대표하고, 위원회의 업무를 총괄한다. 부위원장은 위원회의 위원 중 위원장이 지명하는 사람이 되며, 위원장을 보좌하고 위원장이 부득이한 사유로 직무를 수행할 수 없는 때에 그 직무를 대행한다. 위원장 및 부위원장이 모두 부득이한 사유로 직무를 수행할 수 없는 때에는 위원장이 미리 지명한 위원이 그 직무를 대행한다. 위원회의 회의는 위원장이 이를 소집하고, 개회 3일 전까지 의안을 첨부하여 각 위원에게 개별 통지하여야 한다. 위원회의 회의는 재적위원 과반수의 출석으로 개의하고, 출석위원 과반수의 찬성으로 의결한다. 국토교통부장관은 필요하다고 인정하면 위원회의 심의에 부치기 전에 미리 관계전문가의 의견을 듣거나 조사·연구를 의뢰할 수 있다. 위원회의 운영에 필요한 세부적인 사항은 위원회의 의결을 거쳐 위원장이 정한다.

### (2) 시·군·구 부동산가격공시위원회

시·군·구 부동산가격공시위원회는 위원장 1명을 포함한 10명 이상 15명 이하의 위원으로 구성하며, 성별을 고려하여야 한다. 위원장은 부시장·부군수 또는 부구청장이 되고, 위원은 시장·군수·구청장이 지명하는 6명 이내의 공무원과 부동산 가격공시 또는 감정평가에 관한 학식과 경험이 풍부하고 해당 지역의 사정에 정통한 사람 또는 시민단체(비영리민간단체지원법 제2조에 따른 비영리민간단체를 말한다)에서 추천한 사람 중에서 시장·군수 또는 구청장이 위촉하는 사람이 된다. 시·군·구 부동산가격공시위원회의 구성과 운영에 필요한 사항은 해당 시·군·구의 조례로 정한다.

## 4. 부동산가격공시위원회의 권한

### (1) 중앙부동산가격공시위원회

다음 각 사항을 심의하기 위하여 국토교통부장관의 소속하에 중앙부동산가격공시위원회를 둔다. ① 부동산 가격공시 관계 법령의 제정·개정에 관한 사항 중 국토교통부장관이 심의에 부치는 사항, ② 표준지의 선정 및 관리지침, ③ 조사·평가된 표준지공시지가, ④ 표준지공시지가에 대한 이의신청에 관한 사항, ⑤ 표준주택의 선정 및 관리지침, ⑥ 조사·산정된 표준주택가격, ⑦ 표준주택가격에 대한 이의신청에 관한 사항, ⑧ 공동주택의 조사 및 산정지침, ⑨ 조사·산정된 공동주택가격, ⑩ 공동주택가격에 대한 이의신청에 관한 사항, ⑪ 비주거용 표준부동산의 선정 및 관리지침, ⑫ 조사·산정된 비주거용 표준부동산가격, ⑬ 비주거용 표준부동산가격에 대한 이의신청에 관한 사항, ⑭ 비주거용 집합부동산의 조사 및 산정지침, ⑮ 조사·산정된 비주거용 집합부동산가격, ⑯ 비주거용 집합부동산가격에 대한 이의신청에 관한 사항, ⑰ 적정가격 반영을 위한 계획수립에 관한 사항, ⑱ 그 밖에 부동산정책에 관한 사항 등 국토교통부장관이 심의에 부치는 사항

### (2) 시·군·구 부동산가격공시위원회

다음 각 호의 사항을 심의하기 위하여 시장·군수 또는 구청장 소속하에 시·군·구 부동산가격공시위원회를 둔다. ① 개별공시지가의 결정에 관한 사항, ② 개별공시지가에 대한 이의신청에 관한 사항, ③ 개별주택가격의 결정에 관한 사항, ④ 개별주택가격에 대한 이의신청에 관한 사항, ⑤ 비주거용 개별부동산가격의 결정에 관한 사항, ⑥ 비주거용 개별부동산가격에 대한 이의신청에 관한 사항, ⑦ 그 밖에 시장·군수 또는 구청장이 심의에 부치는 사항

## Ⅳ (물음3)에 대하여

## 1. 개설

토지소유자는 자신의 토지에 결정 및 공시된 표준지공시지가가 부적정한 것이라고 주장하고 있다. 토지소유자의 주장대로 거래사례비교법, 원가법 및 수익환원법 등의 가격이 공란으로 되어 있고 가격의 적정성이 구체적으로 설명되지 않았으므로, 표준지공시지가 결정이 취소되어야 하는지를 대법원 판례의 요지를 살펴본 후 타당성을 검토해보고자 한다.

## 2. 표준지공시지가의 적정성

표준지공시지가는 해당 토지뿐 아니라 인근 유사토지의 가격을 결정하는 데에 전체적·표준적 기능을 수행하는 것이어서 특히 그 가격의 적정성이 엄격하게 요구된다.

## 3. 표준지조사평가기준

부동산가격공시법 및 그 시행령에 따라 표준지의 적정가격의 조사·평가에 관하여 세부적인 기준과 절차 등을 정하고 있는 표준지조사·평가기준 제21조에 의하면, 표준지의 평가는 거래사례비교법, 원가법 또는 수익환원법의 3방식 중에서 당해 표준지의 특성에 가장 적합한 평가방식 하나를 선택하여 행하되, 다른 평가방식에 의하여 산정한 가격과 비교하여 그 적정 여부를 검토한 후 평가가격을 결정하도록 되어있다.

## 4. 관련 판례의 검토

감정평가서에서는 거래선례나 평가선례, 거래사례비교법, 원가법 및 수익환원법 등을 모두 공란으로 둔 채 그 토지의 전년도 공시지가와 세평가격 및 인근 표준지의 감정가격만을 참고가격으로 삼으면서 그러한 참고가격이 평가액 산정에 어떻게 참작되었는지에 관한 별다른 설명 없이 평가의견을 추상적으로만 기재함으로써 평가요인별 참작 내용과 정도가 평가액 산정의 적정성을 알아볼 수 있을 만큼 객관적으로 설명되어 있다고 보기 어려우므로 이러한 감정평가액을 근거로 한 표준지공시지가 결정은 토지의 적정가격으로 한 것이라고 인정하기 어려워 위법하다고 판시하였다.

> **판례**
>
> ● 대법원 2009.12.10. 선고 2007두20140 판결[공시지가확정처분취소]
>
> [판시사항]
> [4] 건설교통부장관이 표준지공시지가를 결정·공시하는 절차에서 감정평가서에 토지의 전년도 공시지가와 세평가격 및 인근 표준지의 감정가격만을 참고가격으로 삼고 평가의견을 추상적으로만 기재한 사안에서, 평가요인별 참작 내용과 정도가 평가액 산정의 적정성을 알아볼 수 있을 만큼 객관적으로 설명되어 있다고 보기 어려워, 이를 근거로 한 표준지공시지가 결정은 토지의 적정가격을 반영한 것이라고 인정하기 어려워 위법하다고 한 사례
>
> [판결요지]
> [4] 건설교통부장관이 2개의 감정평가법인에 토지의 적정가격에 대한 평가를 의뢰하여 그 평가액을 산술평균한 금액을 그 토지의 적정가격으로 결정·공시하였으나, 감정평가서에 거래선례나 평가선례, 거래사례비교법, 원가법 및 수익환원법 등을 모두 공란으로 둔 채, 그 토지의 전년도 공시지가와 세평가격 및 인근 표준지의 감정가격만을 참고가격으로 삼으면서 그러한 참고가격이 평가액 산정에 어떻게 참작되었는지에 관한 별다른 설명 없이 평가의견을 추상적으로만 기재한 사안에서, 평가요인별 참작 내용과 정도가 평가액 산정의 적정성을 알아볼 수 있을 만큼 객관적으로 설명되어 있다고 보기 어려워, 이러한 감정평가액을 근거로 한 표준지공시지가 결정은 그 토지의 적정가격을 반영한 것이라고 인정하기 어려워 위법하다고 한 사례

## 5. 사안의 경우

표준지조사·평가기준에 따를 때 감정평가 3방식 중 당해 표준지의 특성에 가장 적합한 평가방식 하나를 선택하여 행하되, 다른 평가방식에 의하여 산정한 가격과 비교하여 그 적정 여부를 검토한 후 평가가격을 결정하여야 한다. 사안의 경우, 평가방식을 적용하지 않고 단순히 세평가격만을 참작하였고 객관적으로 납득이 갈 수 있을 정도로 설명되지도 않고 추상적으로 기재하였으므로 이러한 표준지공시지가결정은 토지의 적정가격을 반영한 것이라 인정하기 어려워 위법하다고 판단된다.

## Ⅴ 사안의 해결

표준지공시지가는 국민의 권리·의무에 직접적인 영향을 미치는 것으로써 감정평가법인등의 토지평가의 기준이 되고, 거래의 지표가 된다는 점에서 중요한 효력을 지녔고, 표준지의 평가원인에 대해 구체적으로 특정하고 요인별 참작 내용과 그 내용에 대해서 객관적으로 설명되어야 타당하다고 보인다. 이는 표준지공시지가가 국민에게 미치는 영향이 지대한바, 해당 감정평가법인등은 신중에 신중을 기해야 할 것이다.

> **판례**
>
> ● 해당 문제 판례 전문 : 대법원 2009.12.10. 선고 2007두20140 판결[공시지가확정처분취소]
>
> **[판시사항]**
>
> [1] 보통우편의 방법으로 우편물을 발송한 경우 그 송달을 추정할 수 있는지 여부(소극) 및 그 송달에 관한 증명책임자
>
> [2] 표준지공시지가의 결정절차와 그 효력
>
> [3] 감정평가업자의 토지 평가액 산정의 적정성을 인정하기 위한 감정평가서의 기재 내용과 정도
>
> [4] 건설교통부장관이 표준지공시지가를 결정·공시하는 절차에서 감정평가서에 토지의 전년도 공시지가와 세평가격 및 인근 표준지의 감정가격만을 참고가격으로 삼고 평가의견을 추상적으로만 기재한 사안에서, 평가요인별 참작 내용과 정도가 평가액 산정의 적정성을 알아볼 수 있을 만큼 객관적으로 설명되어 있다고 보기 어려워, 이를 근거로 한 표준지공시지가 결정은 토지의 적정가격을 반영한 것이라고 인정하기 어려워 위법하다고 한 사례
>
> **[판결요지]**
>
> [1] 내용증명우편이나 등기우편과는 달리, 보통우편의 방법으로 발송되었다는 사실만으로는 그 우편물이 상당한 기간 내에 도달하였다고 추정할 수 없고, 송달의 효력을 주장하는 측에서 증거에 의하여 이를 입증하여야 한다.
>
> [2] 구 부동산 가격공시 및 감정평가에 관한 법률(2008.2.29. 법률 제8852호로 개정되기 전의 것) 제2조 제5호, 제6호, 제3조 제1항, 제5조, 제10조와 같은 법 시행령(2008.2.

29. 대통령령 제20722호로 개정되기 전의 것) 제8조 등을 종합하여 보면, 건설교통부 장관은 토지이용상황이나 주변 환경 그 밖의 자연적·사회적 조건이 일반적으로 유사하다고 인정되는 일단의 토지 중에서 표준지를 선정하고, 그에 관하여 매년 공시기준일 현재의 적정가격을 조사·평가한 후 중앙부동산평가위원회의 심의를 거쳐 이를 공시하여야 한다. 표준지의 적정가격을 조사·평가할 때에는 인근 유사토지의 거래가격, 임대료, 당해 토지와 유사한 이용가치를 지닌다고 인정되는 토지의 조성에 필요한 비용추정액 등을 종합적으로 참작하되, 둘 이상의 감정평가업자에게 이를 의뢰하여 평가한 금액의 산술평균치를 기준으로 하고, 감정평가업자가 행한 평가액이 관계 법령을 위반하거나 부당하게 평가되었다고 인정되는 경우 등에는 당해 감정평가업자 혹은 다른 감정평가업자로 하여금 다시 조사·평가하도록 할 수 있으며, 여기서 '적정가격'이란 당해 토지에 대하여 통상적인 시장에서 정상적인 거래가 이루어지는 경우 성립될 가능성이 가장 높다고 인정되는 가격을 말하고, 한편 이러한 절차를 거쳐 결정·공시된 표준지공시지가는 토지시장의 지가정보를 제공하고 일반적인 토지거래의 지표가 되며, 국가·지방자치단체 등의 기관이 그 업무와 관련하여 지가를 산정하거나 감정평가업자가 개별적으로 토지를 감정평가하는 경우에 기준이 되는 효력을 갖는다.

[3] 표준지공시지가의 결정절차 및 그 효력과 기능 등에 비추어 보면, 표준지공시지가는 당해 토지뿐 아니라 인근 유사토지의 가격을 결정하는 데에 전제적·표준적 기능을 수행하는 것이어서 특히 그 가격의 적정성이 엄격하게 요구된다. 이를 위해서는 무엇보다도 적정가격 결정의 근거가 되는 감정평가업자의 평가액 산정이 적정하게 이루어졌음이 담보될 수 있어야 하므로, 그 감정평가서에는 평가원인을 구체적으로 특정하여 명시함과 아울러 각 요인별 참작 내용과 정도가 객관적으로 납득이 갈 수 있을 정도로 설명됨으로써, 그 평가액이 당해 토지의 적정가격을 평가한 것임을 인정할 수 있어야 한다.

[4] 건설교통부장관이 2개의 감정평가법인에 토지의 적정가격에 대한 평가를 의뢰하여 그 평가액을 산술평균한 금액을 그 토지의 적정가격으로 결정·공시하였으나, 감정평가서에 거래선례나 평가선례, 거래사례비교법, 원가법 및 수익환원법 등을 모두 공란으로 둔 채, 그 토지의 전년도 공시지가와 세평가격 및 인근 표준지의 감정가격만을 참고가격으로 삼으면서 그러한 참고가격이 평가액 산정에 어떻게 참작되었는지에 관한 별다른 설명 없이 평가의견을 추상적으로만 기재한 사안에서, 평가요인별 참작 내용과 정도가 평가액 산정의 적정성을 알아볼 수 있을 만큼 객관적으로 설명되어 있다고 보기 어려워, 이러한 감정평가액을 근거로 한 표준지공시지가 결정은 그 토지의 적정가격을 반영한 것이라고 인정하기 어려워 위법하다고 한 사례

## 2절 – 부동산공시법 제3조(표준지공시지가의 조사·평가 및 공시 등)
## – 행정법 쟁점 : 하자의 승계, 원처분주의 논의, 피고적격

### 문제

甲은 A시의 시외로 나가는 일반도로에 접한 자신 소유의 X토지에 교통로를 개설하고 대형 음식점을 운영하고 있다. A시에서는 X토지와 이에 접하여 연결된 Y·W토지의 소유권을 취득하여 혼잡한 교통량을 분산할 목적으로 「국토의 계획 및 이용에 관한 법률」에 의거하여 우회도로를 설치한다는 방침을 결정하고, A시의 시장은 X·Y·W토지의 개별공시지가 및 이 개별공시지가 산정의 기초가 된 P토지의 표준지공시지가와 생산자물가상승률 등을 반영하여 산정한 보상기준가격을 내부적으로 결정하고 예산확보를 위해 중앙부처와 협의 중이다. 다음 물음에 답하시오. 30점

(1) 甲은 보상이 있을 것을 예상하여 더 많은 보상금을 받기 위해 「부동산 가격공시 및 감정평가에 관한 법률」에 의거하여 감정평가사를 통해 산정된 P토지의 표준지공시지가에 불복하여 취소소송을 제기하려고 한다. 그런데 표준지공시지가의 불가쟁력이 발생하였다. 따라서 甲은 공익사업을 위한 토지 등의 취득 및 보상에 관한 법률상 수용재결을 다투면서 표준지공시지가 결정의 위법을 다투고자 한다. 어떠한 법리로 다툴 수 있는지 검토하시오. 20점

(2) 만약 정상적인 관할 토지수용위원회의 수용재결이 있었고, 중앙토지수용위원회의 이의 재결이 행해졌다. 그런데 피수용자인 토지소유자 甲은 본인 소유 토지는 수용재결안에 편입되는 것이 타당하지 않다고 주장하면서 불복을 하고자 한다. 피수용자인 토지소유자 甲이 수용재결과 이의재결 중 무엇을 소송의 대상으로 삼아야 하는 것인지, 피고는 누구로 해야 하는지에 대하여 대법원 2008두1504 판결을 중심으로 검토하시오. 10점

---

(물음 1)에 대하여

Ⅰ. 논점의 정리

Ⅱ. 관련 행정작용의 개관
  1. 표준지공시지가의 의의 및 법적 성질
  2. 수용재결의 의의 및 법적 성질

Ⅲ. 표준지공시지가의 하자승계 인정 여부
  1. 하자승계의 의의 및 취지
  2. 하자승계의 전제요건
    (1) 하자승계의 전제요건
    (2) 사안의 경우
  3. 하자승계의 판단기준
    (1) 학설
    (2) 판례
    (3) 검토

  4. 대법원 판례를 통한 사안의 해결

Ⅳ. 사안의 해결

(물음 2)에 대하여

Ⅰ. 논점의 정리

Ⅱ. 소송의 대상
  1. 원처분주의와 재결주의의 의의
  2. 현행 규정과 판례의 태도
    (1) 종전 토지수용법제하에서 재결 주의 판례
      1) 종전 토지수용법 제75조의2 규정
      2) 종전 규정에 의한 대법원 판례

   (2) 현행 규정과 원처분주의 판례  
    1) 현행 행정소송법 제19조  
    2) 현행 토지보상법 제85조  
    3) 현행 규정에 의한 원처분  
     주의 대법원 판례  
  3. 재결 자체의 고유한 위법의 의미  
  4. 소결

**Ⅲ. 피고의 대상**  
 1. 피고적격의 의의 및 관련 규정의 검토  
 2. 사안의 경우  

**Ⅳ. 사안의 해결**

## (물음 1에 대하여)

### Ⅰ 논점의 정리

사안은 표준지공시지가와 수용재결 사이에 하자승계가 되는지 여부에 관한 쟁점이다. 하자승계의 판단기준과 관련하여 표준지공시지가와 수용재결 사이에 하자승계가 인정될 수 있는지를 대법원 판례를 통하여 검토해보고자 한다.

### Ⅱ 관련 행정작용의 개관

#### 1. 표준지공시지가의 의의 및 법적 성질

표준지공시지가란 부동산공시법의 규정에 의한 절차에 따라 국토교통부장관이 조사·평가하여 공시한 공시기준일의 표준지의 단위면적당 적정가격을 말한다. 판례는 수용보상금의 증액을 구하는 소송에서 보상금 산정의 기초가 된 표준지공시지가를 행정처분으로 보아 그 위법을 독립된 사유로 주장할 수 있다고 보아 처분으로 보았다. 국민의 권리의무에 직접적인 영향을 미치는바, 표준지공시지가의 처분성을 인정하는 것이 타당하다.

#### 2. 수용재결의 의의 및 법적 성질

재결이란 사업인정의 고시가 있은 후 협의불성립 또는 불능의 경우에 사업시행자의 선정에 의해 관할 토지수용위원회가 행하는 공용수용의 종국적인 절차를 의미한다. 재결은 합의제 행정관청인 토지수용위원회가 행하는 구체적 사실에 관한 법집행으로서의 권력적 단독행위인 공법행위로 행정행위이며, 쟁송법상 처분에 해당한다.

## Ⅲ  표준지공시지가의 하자승계 인정여부

### 1. 하자승계의 의의 및 취지

하자승계란 행정행위가 일련의 단계적 절차를 거치는 경우에 선행행위의 위법을 후행행위 단계에서 주장할 수 있는가의 문제이다. 이와 같은 하자승계의 문제는 법적안정성의 요청과 행정의 법률적합성의 요청의 조화의 문제이다.

### 2. 하자승계의 전제요건

#### (1) 하자승계의 전제요건

양 행정작용이 모두 처분에 해당하여야 하고, 선행행위에 취소사유의 하자가 있고, 선행행위에 불가쟁력이 발생하여야 한다. 후행 행정작용은 고유한 하자가 없어야 한다.

#### (2) 사안의 경우

사안에서 표준지공시지가 결정과 재결은 모두 처분이며, 표준지공시지가의 결정의 위법 여부는 구체적으로 명시되어 있지 않으나, 논의의 전개를 위해 표준지공시지가에 취소정도의 하자가 있다고 판단한다. 또한 선행행위에 불가쟁력이 발생하였으며, 후행 행정작용인 수용재결에는 별도의 하자가 없는 바, 하자승계 요건은 모두 충족된 것으로 판단된다.

### 3. 하자승계의 판단기준

#### (1) 학설

① 전통적 하자승계론은 선행 행정행위와 후행 행정행위가 하나의 법률효과를 목적으로 하는 경우에는 하자승계를 긍정하고, 서로 다른 법률효과를 목적으로 하는 경우에는 하자승계를 부정한다. 반면, ② 구속력론은 불가쟁력이 발생한 선행 행정행위가 후행 행정행위의 구속력을 미친다고 보며, 구속력이 미치는 범위에서는 선행 행정행위의 효과와 다른 주장을 할 수 없다고 본다. 구속력이 미치는 범위를 대인적·사물적·시간적 한계와 예측가능성 및 수인가능성을 고려하고 있다.

#### (2) 판례

> **판례**
>
> ● 대판 2019.1.31, 2017두40372[중개사무소의 개설등록취소처분취소]
>
> **[판결요지]**
> 2개 이상의 행정처분이 연속적 또는 단계적으로 이루어지는 경우 선행처분과 후행처분이 서로 합하여 1개의 법률효과를 완성하는 때에는 선행처분에 하자가 있으면 그 하자는 후행처분에 승계된다. 이러한 경우에는 선행처분에 불가쟁력이 생겨 그 효력을 다툴 수 없게 되더라도 선행처분의 하자를 이유로 후행처분의 효력을 다툴 수 있다. 그러나 선행처분과 후행처분

이 서로 독립하여 별개의 법률효과를 발생시키는 경우에는 선행처분에 불가쟁력이 생겨 그 효력을 다툴 수 없게 되면 선행처분의 하자가 중대하고 명백하여 선행처분이 당연무효인 경우를 제외하고는 특별한 사정이 없는 한 선행처분의 하자를 이유로 후행처분의 효력을 다툴 수 없는 것이 원칙이다. 다만 그 경우에도 선행처분의 불가쟁력이나 구속력이 그로 인하여 불이익을 입게 되는 자에게 수인한도를 넘는 가혹함을 가져오고, 그 결과가 당사자에게 예측가능한 것이 아니라면, 국민의 재판받을 권리를 보장하고 있는 헌법의 이념에 비추어 선행처분의 후행처분에 대한 구속력을 인정할 수 없다.

## (3) 검토

생각건대, 구속력 이론은 행정행위가 판결과 구조적인 차이가 있음에도 불구하고 기판력과 유사한 효력을 인정하는 점에서 문제가 있고, 이는 선행행위와 후행행위 사이에 하자의 승계를 원칙적으로 인정하지 않는 이론임을 감안할 때 국민의 권리주장의식이 높은 것을 전제로 하여 성립된 구속력이론을 그대로 도입하는 것은 국민의 권리구제라는 관점에서 아직 시기상조라는 점에서 다수설·판례가 타당하다. 다만, 동일·별개의 법적 효과라는 형식적인 기준에 의해 개별적인 사안에 따라 불합리한 결과가 도출될 수도 있으나, 판례가 언급하고 있는 예측가능성·수인한도의 법리를 보충적으로 활용하면 구체적 타당성을 도모할 수 있을 것이다.

## 4. 대법원 판례를 통한 사안의 해결

판례

● 대판 2008.8.21, 2007두13845[토지보상금]

[판결요지]

표준지공시지가결정은 이를 기초로 한 수용재결 등과는 별개의 독립된 처분으로서 서로 독립하여 별개의 법률효과를 목적으로 하지만, 표준지공시지가는 이를 인근 토지의 소유자나 기타 이해관계인에게 개별적으로 고지하도록 되어 있는 것이 아니어서 인근 토지의 소유자 등이 표준지공시지가결정 내용을 알고 있었다고 전제하기가 곤란할 뿐만 아니라, 결정된 표준지공시지가가 공시될 당시 보상금 산정의 기준이 되는 표준지의 인근 토지를 함께 공시하는 것이 아니어서 인근 토지소유자는 보상금 산정의 기준이 되는 표준지가 어느 토지인지를 알 수 없으므로, 인근 토지소유자가 표준지의 공시지가가 확정되기 전에 이를 다투는 것은 불가능하다. 더욱이 장차 어떠한 수용재결 등 구체적인 불이익이 현실적으로 나타나게 되었을 경우에 비로소 권리구제의 길을 찾는 것이 우리 국민의 권리의식임을 감안하여 볼 때, 인근 토지소유자 등으로 하여금 결정된 표준지공시지가를 기초로 하여 장차 토지보상 등이 이루어질 것에 대비하여 항상 토지의 가격을 주시하고 표준지공시지가결정이 잘못된 경우 정해진 시정절차를 통하여 이를 시정하도록 요구하는 것은 부당하게 높은 주의의무를 지우는 것이고, 위법한 표준지공시지가결정에 대하여 그 정해진 시정절차를 통하여 시정하도록 요구하지 않았다는 이유로 위법한 표준지공시지가를 기초로 한 수용재결 등 후행 행정처분에서 표준지공시지가결정의 위법을 주장할 수 없도록 하는 것은 수인한도를 넘는 불이익을 강요하는 것으로서 국민의 재산권과 재판받을 권리를 보장한 헌법의 이념에도 부합하는 것이 아니다. 따라서 표준지공시지가결정이 위법한 경우에는 그 자체를 행정소송의 대상이 되는 행정처분으로 보아 그 위법 여부를 다툴 수 있음은 물론, 수용보상금의 증액을 구하는 소송에서도 선행처분으로서 그 수용대상 토지 가격 산정의 기초가 된 비교표준지공시지가결정의 위법을 독립한 사유로 주장할 수 있다.

## Ⅳ 사안의 해결

표준지공시지가의 효력과 수용재결의 효력은 서로 상이한바 원칙적으로 법률적합성의 원칙에 근거하여 하자의 승계는 인정되지 않는 것이 타당하다. 그러나 보상금이 산정되는 법률적·제도적 현실을 고려할 때 공용수용 절차가 시작되어야 비로소 피수용자는 자기의 보상액 산정의 기준이 되는 비교표준지를 알 수 있고, 권리 침해가 발생해야 비로소 권리를 주장하는 우리나라 국민의 정서도 함께 고려할 때, 수용보상금 증액을 다투는 소송에서 표준지공시지가의 위법을 주장할 수 없게 하는 것은 그 결과의 예측가능성이 결여되고 수인한도를 넘는 것으로 인정되어 하자의 승계를 인정하는 것이 타당하다.


**(물음 2에 대하여)**

## Ⅰ 논점의 정리

사안의 경우 원처분주의에 입각할 때 과연 소송의 대상은 무엇이며, 피고는 누구인지가 문제된다. 이에 대하여 2008두1504 판결을 중심으로 검토하도록 한다.

## Ⅱ 소송의 대상

### 1. 원처분주의와 재결주의의 의의

원처분주의란 원처분과 재결에 다 같이 소를 제기할 수 있으나, 원처분의 위법은 원처분에 대한 항고소송에서만 주장할 수 있고, 재결에 대한 항고소송에서는 재결 자체의 고유한 하자에 대해서만 주장할 수 있도록 하는 제도이다. 재결주의란 재결에 대한 취소소송 또는 무효등확인소송에서 재결 자체의 위법뿐만 아니라 원처분의 위법사유도 아울러 주장할 수 있도록 하는 제도를 말한다.

## 2. 현행 규정과 판례의 태도

### (1) 종전 토지수용법제하에서 재결주의 판례

#### 1) 종전 토지수용법 제75조의2 규정

> ↪ **(구)토지수용법 제75조의2(이의신청에 대한 재결의 효력)**
> ① 이의신청의 재결에 대하여 불복이 있을 때에는 재결서가 송달된 날로부터 1월 이내에 행정소송을 제기할 수 있다. 다만, 기업자는 행정소송을 제기하기 전에 제75조 제1항의 규정에 의하여 이의신청에 대한 재결에서 정한 보상금을 공탁하여야 한다. 이 경우, 토지소유자등은 공탁된 보상금을 소송 종결 시까지 수령할 수 없다.
> ② 제1항의 규정에 의하여 제기하고자 하는 행정소송이 보상금의 증감에 관한 소송인 때에는, 당해 소송을 제기하는 자가 토지소유자 또는 관계인인 경우에는 재결청 외에 기업자를, 기업자인 경우에는 재결청 외에 토지소유자 또는 관계인을 각각 피고로 한다.
> ③ 제1항의 기간 내에 소송이 제기되지 아니하거나 기타 사유로 제75조의 규정에 의한 이의신청에 대한 재결이 확정되었을 때에는 민사소송법상의 확정판결이 있은 것으로 보며 재결정본은 집행력 있는 판결정본과 동일한 효력을 가진다.
> ④ 이의신청에 대한 재결이 확정된 때에는 토지소유자·관계인 또는 기업자는 관할 토지수용위원회에 대하여 재결확정증명서를 청구할 수 있다.

#### 2) 종전 규정에 의한 대법원 판례

> **판례**
>
> ● 대판 2001.5.8, 2001두1468[토지수용이의재결처분취소등]
>
> **[판시사항]**
> 토지수용법상의 토지수용에 관한 취소소송에 행정소송법 제18조가 적용되는지 여부(소극) 및 그 취소소송의 대상(=중앙토지수용위원회의 이의재결)
>
> **[판결요지]**
> 토지수용법과 같이 재결전치주의를 정하면서 원처분인 수용재결에 대한 취소소송을 인정하지 아니하고 재결인 이의재결에 대한 취소소송만을 인정하고 있는 경우에는 재결을 거치지 아니하고 원처분인 수용재결취소의 소를 제기할 수 없는 것이며 행정소송법 제18조는 적용되지 아니하고, 따라서 수용재결처분이 무효인 경우에는 재결 그 자체에 대한 무효확인을 소구할 수 있지만, 토지수용에 관한 취소소송은 중앙토지수용위원회의 이의재결에 대하여 불복이 있을 때에 제기할 수 있고 수용재결은 취소소송의 대상으로 삼을 수 없으며, 이의재결에 대한 행정소송에서는 이의재결 자체의 고유한 위법사유뿐 아니라 이의신청사유로 삼지 않은 수용재결의 하자도 주장할 수 있다.

## (2) 현행 규정과 원처분주의 판례

### 1) 현행 행정소송법 제19조

행정소송법 제19조에서는 원처분과 재결 모두에 대해 항고소송을 제기할 수 있지만, 재결에 대한 소송은 재결 자체의 고유한 위법이 있는 경우에 한한다고 규정하여 원처분주의를 채택하고 있다. 그러나 개별법상 재결주의가 채택되어 있는 경우도 존재한다.

> **행정소송법 제19조(취소소송의 대상)**
> 취소소송은 처분등을 대상으로 한다. 다만, 재결취소소송의 경우에는 재결 자체에 고유한 위법이 있음을 이유로 하는 경우에 한한다.

### 2) 현행 토지보상법 제85조

종전의 토지보상법 개정으로, 재결청이 삭제되어 토지보상법 역시 원처분주의의 입장을 명확히 하였다.

> **토지보상법 제85조(행정소송의 제기)**
> ① 사업시행자, 토지소유자 또는 관계인은 제34조에 따른 재결에 불복할 때에는 재결서를 받은 날부터 90일 이내에, 이의신청을 거쳤을 때에는 이의신청에 대한 재결서를 받은 날부터 60일 이내에 각각 행정소송을 제기할 수 있다. 이 경우 사업시행자는 행정소송을 제기하기 전에 제84조에 따라 늘어난 보상금을 공탁하여야 하며, 보상금을 받을 자는 공탁된 보상금을 소송이 종결될 때까지 수령할 수 없다.
> ② 제1항에 따라 제기하려는 행정소송이 보상금의 증감(增減)에 관한 소송인 경우 그 소송을 제기하는 자가 토지소유자 또는 관계인일 때에는 사업시행자를, 사업시행자일 때에는 토지소유자 또는 관계인을 각각 피고로 한다.

### 3) 현행 규정에 의한 원처분주의 대법원 판례

> **판례**
>
> ● 대판 2010.1.28, 2008두1504[수용재결취소등]
>
> [판시사항]
> 토지소유자 등이 수용재결에 불복하여 이의신청을 거친 후 취소소송을 제기하는 경우 피고적격(=수용재결을 한 토지수용위원회) 및 소송대상(=수용재결)
>
> [판결요지]
> 공익사업을 위한 토지 등의 취득 및 보상에 관한 법률 제85조 제1항 전문의 문언 내용과 같은 법 제83조, 제85조가 중앙토지수용위원회에 대한 이의신청을 임의적 절차로 규정하고 있는 점, 행정소송법 제19조 단서가 행정심판에 대한 재결은 재결 자체에 고유한 위법이 있음을 이유로 하는 경우에 한하여 취소소송의 대상으로 삼을 수 있도록 규정하고 있

> 는 점 등을 종합하여 보면, 수용재결에 불복하여 취소소송을 제기하는 때에는 이의신청을 거친 경우에도 수용재결을 한 중앙토지수용위원회 또는 지방토지수용위원회를 피고로 하여 수용재결의 취소를 구하여야 하고, 다만 이의신청에 대한 재결 자체에 고유한 위법이 있음을 이유로 하는 경우에는 그 이의재결을 한 중앙토지수용위원회를 피고로 하여 이의재결의 취소를 구할 수 있다고 보아야 한다.

## 3. 재결 자체의 고유한 위법의 의미

① 주체상 하자로는 권한 없는 기관의 재결, ② 절차상 하자로는 심판절차를 준수하지 않은 경우 등이 있다. 단, 행정심판법 제34조 재결기간은 훈시규정으로 해석되므로 재결기간을 넘긴 것만으로는 절차의 위법이 있다고 볼 수 없다. ③ 형식상 하자로는 서면으로 하지 않거나, 중요 기재사항을 누락한 경우, ④ 내용상 하자의 경우 견해대립이 있으나 판례는 '재결청의 권한 또는 구성의 위법, 재결의 절차나 형식의 위법, 내용의 위법은 위법 부당하게 이용재결을 한 경우에 해당한다'고 판시한바 내용상 하자를 재결고유의 하자로 인정하고 있다.

## 4. 소결

현행 토지보상법이 원처분주의를 채택하고 있으므로, 원칙적으로 소의 대상은 원처분인 수용재결이 된다고 할 것이다. 다만, 재결 자체에 주체, 절차, 형식 또는 내용상의 하자가 있다면 재결자체의 고유한 위법이 인정되어 이의재결을 대상으로 소를 제기할 수 있다고 판단된다.

# Ⅲ 피고의 대상

## 1. 피고적격의 의의 및 관련 규정의 검토

행정소송법은 항고소송의 피고를 행정주체로 하지 않고 '처분 등을 행한 행정청'으로 하고 있다. 이렇게 한 것은 처분을 실제로 한 행정청을 피고로 하는 것이 효율적이고, 행정통제기능을 달성하는 데 보다 실효적이기 때문이다. 피고인 행정청은 그가 속한 행정주체를 대표하여 소송수행을 하는 것이며 판결의 효력인 기속력은 피고인 행정청이 속한 법주체인 행정주체에게 미치게 된다.

> ❱ 행정소송법 제13조(피고적격)
> ① 취소소송은 다른 법률에 특별한 규정이 없는 한 그 처분등을 행한 행정청을 피고로 한다. 다만, 처분등이 있은 뒤에 그 처분등에 관계되는 권한이 다른 행정청에 승계된 때에는 이를 승계한 행정청을 피고로 한다.
> ② 제1항의 규정에 의한 행정청이 없게 된 때에는 그 처분등에 관한 사무가 귀속되는 국가 또는 공공단체를 피고로 한다.

## 2. 사안의 경우

행정소송법 제13조에 따르면, 소의 대상이 되는 처분을 행한 행정청이 피고적격에 해당한다. 따라서 수용재결이 소의 대상이 되는 경우는 수용재결을 한 관할 토지수용위원회가 피고가 될 것이며, 이의재결이 소의 대상이 된 경우에는 이의재결을 한 중앙토지수용위원회가 피고가 될 것이다.

## Ⅳ 사안의 해결

수용재결에 불복하여 중앙토지수용위원회의 이의재결을 거친 경우 수용재결 자체의 취소를 구하는 항고소송은 이의재결을 한 중앙토지수용위원회만이 피고적격이 있다는 이유로 수용재결을 한 피고 중앙토지수용위원회를 상대로 수용재결의 취소를 구하는 부분의 소를 각하한 원심의 판단에는 수용재결에 불복하여 취소소송을 제기하는 경우의 소송대상 및 피고적격에 관한 법리를 오해하여 판결 결과에 영향을 미친 위법이 있고 이 점을 지적하는 상고 취지는 이유 있다고 판시하고 있다. 따라서 행정소송의 대상은 원 행정작용인 수용재결을 대상으로 하여야 하며 피고는 원 행정작용을 한 관할 토지수용위원회라고 할 것이다.

<table><tr><td>**3**절</td><td>– 부동산공시법 제3조(표준지공시지가의 조사·평가 및 공시 등)<br>– 행정법 쟁점 : 하자의 치유</td></tr></table>

**문제**

표준지공시지가 및 개별공시지가와 관련하여 다음 물음에 답하시오. 40점

(1) 국토교통부장관 甲은 X광역시 Y구 내 표준지에 대하여 「부동산 가격공시에 관한 법률」에 의거 2026.1.1.기준 표준지공시지가를 2026.2.28.에 결정·공시하였다. 그러나 Y구 내 표준지 소유자 乙은 이에 대해 불복하여 5.1. 취소소송을 제기하면서, "해당 감정평가법인등이 작성한 표준지조사평가보고서상에 거래사례나 평가선례, 3방식 산출방법 등을 모두 공란으로 둔 채, 단지 해당 토지의 전년도 공시지가와 세평가격 및 인근 표준지의 감정가격만을 참고로 삼으면서 평가액 산출과정에 대한 별다른 설명 없이 추상적으로만 평가의견을 기재하였으므로, 평가액 산정의 적정성을 담보할 수 없는바 위법하다."고 주장하였다. 그러나 이에 대해 피고인 국토교통부장관 甲은 "담당 감정평가사가 단지 조사평가보고서상에 기재하지 않았을 뿐 해당 표준지공시지가는 인근 거래사례를 선정하여 거래사례비교법으로 산출된 것으로서 그 가격 자체는 적정한 가격이며, 소송 중에 그 구체적 산출근거를 제시하였으므로 적법하다."고 주장하고 있다. 대법원 2007두20140 판결을 논거로 하여 이에 대해 법원은 어떠한 판결을 내려야 하는지 논하시오. 25점

(2) X광역시 Y구의 구청장 丙은 국토교통부장관이 결정·공시한 표준지공시지가를 기준으로 개별공시지가를 산정하여 2026.5.31. 결정·공시하면서, 토지소유자 丁에게 이를 통지하였다. 그러나 Y구 담당 공무원이 뒤늦게 丁소유 토지의 개별공시지가의 산정과정에서 토지가격비준표 적용상 오류가 있었음을 발견하고, 이를 정정하여 8.14. 구청장 丙이 정정된 개별공시지가를 결정·공시하였다. 그러나 丁은 개별공시지가가 너무 높다고 주장하면서 9.4. 개별공시지가 결정에 대하여 취소소송을 제기하였다. 이에 대해 소송의 적법성과 관련하여 법원은 어떠한 판결을 내려야 하는지 논하시오. 15점

---

Ⅰ. 논점의 정리

Ⅱ. 관련 행정작용의 검토
  1. 표준지공시지가 결정
    (1) 의의 및 효력
    (2) 법적 성질
  2. 개별공시지가 결정
    (1) 의의 및 효력
    (2) 법적 성질

Ⅲ. 설문 (1)에 대한 법원의 판결
  1. 개설
  2. 소송요건 충족 여부
    (1) 소송요건
    (2) 사안의 적용
  3. 본안의 위법성 판단
    (1) 대법원 2007두20140 판결을
      통한 평가서 기재내용과 정도
      에 대한 기준

## I　논점의 정리

사안은 표준지와 개별토지의 소유자들이 취소소송으로 각 공시지가에 대한 권리구제를 다툴 경우 각각 법원이 어떠한 판결을 내려야 하는지를 묻고 있다.

1. 먼저 표준지공시지가와 개별공시지가 결정의 법적 성질을 논하고,

2. 설문(1)과 관련하여 대법원 2007두20140 판결을 논거로 표준지공시지가 평가서 기재내용과 정도에 대한 기준을 살펴보고 해당 표준지공시지가가 평가원인을 구체적으로 특정하였는지, 그리고 요인별 참작내용과 정도가 객관적으로 설명되었는지 여부를 고찰하여 위법성을 판단하고자 하며, 하자의 치유가능성에 대하여 살펴보고 이를 통한 법원의 판단을 검토해 보기로 한다.

3. 설문 (2)와 관련하여 개별공시지가 정정의 요건과 효과를 살펴 정정이 가능한 경우인지 판단하고 정정처분의 효과발생시기를 관련 판례와 함께 판단한다. 이에 따라 개별공시지가에 대한 丁의 취소소송 제기요건과 관련하여 제소기간이 경과되었는지를 중점적으로 검토하여 법원이 각하판결을 내려야 하는지 판단한다.

## Ⅱ 관련 행정작용의 검토

### 1. 표준지공시지가 결정

#### (1) 의의 및 효력

표준지공시지가란 국토교통부장관이 결정·공시한 표준지의 공시기준일 현재 단위면적당 가격을 말한다. 이는 일반토지거래의 지표가 되며, 개별공시지가 등의 산정 및 감정평가 시 지가산정의 기준이 된다.

#### (2) 법적 성질

내부적 효력만 지닌다는 행정계획설, 일반적·추상적 기준이라는 행정규칙설, 보상액·개발부담금 산정기준이 되어 국민권익에 직접 영향을 미친다는 행정행위설이 있으며, 판례는 표준지공시지가에 직접 행정소송을 제기하여야 한다고 하여 처분성을 인정하면서, 개별공시지가에의 하자승계는 부정한다. 생각건대, 표준지공시지가는 손실보상액 산정의 기준이 되고, 표준지의 경우 표준지공시지가가 바로 개별공시지가가 되어 과세처분의 기준이 되는 등 국민의 권리·이익에 직접적인 효과를 가져오므로, 처분성이 있다고 여겨진다.

### 2. 개별공시지가 결정

#### (1) 의의 및 효력

시·군·구청장이 표준지공시지가를 기준으로 일정절차에 따라 결정·공시하는 개별토지의 단위면적당 가격으로 양도소득세 등의 과세표준이 된다.

#### (2) 법적 성질

개별공시지가가 이에 근거한 후속 처분에 대해 구속력을 발생하므로 행정행위로 보는 행정행위설, 후행 행정행위의 산정기준이 되나 개별 및 구체성이 결여되어 일반추상적 규율에 불과하다는 행정규칙설 등이 있으며 판례는 개별·구체적 처분으로 본다. 생각건대, 개별공시지가는 과세표준으로 직접 적용되며, 개별토지의 성질이나 상태에 대한 규율의 성질을 지니는 물적 행정행위로 볼 수 있는바, 처분성을 긍정함이 타당하다고 여겨진다.

## Ⅲ 설문 (1)에 대한 법원의 판결

### 1. 개설

설문에서 乙이 표준지공시지가 결정을 대상으로 제기한 취소소송에서 법원의 판결을 묻고 있는바, 먼저 소송요건이 충족되었는지 살펴 각하판결 여부를 판단한 후, 충족된 경우 본안의 위법성을 판단한다.

## 2. 소송요건 충족 여부

### (1) 소송요건

행정소송법상 취소소송의 소송요건은 원고적격(법 제12조), 피고적격(법 제13조), 대상적격(법 제19조), 제소기간(법 제20조) 등이 있으며, 소송법상 처분을 대상으로 법률상 이익의 침해를 받은 자가 처분의 상대방을 피고로 취소소송을 제기하여야 하며, 표준지공시지가의 경우 공시를 통하여 그 효력이 불특정 다수인에게 일률적으로 적용되는 것이므로, 판례의 태도와 같이 공시일을 안 날로 보아 90일 이내에 소송을 제기하여야 한다.

### (2) 사안의 적용

사안의 경우 乙은 표준지의 소유자인바, 그 공시지가 결정으로 법률상 이익의 침해가 인정되며, 국토교통부장관이 결정·공시하였는바 피고적격이 인정되며, 표준지공시지가 결정은 처분으로서 대상적격도 인정된다. 또한 현재 5.1.로서 공시일인 2.28.부터 90일 이내인바, 제소기간도 충족되어 소송요건이 충족된다. 따라서 법원은 각하판결을 할 수 없으며 본안에서 위법성을 판단해야 한다.

## 3. 본안의 위법성 판단

### (1) 대법원 2007두20140 판결을 통한 평가서 기재내용과 정도에 대한 기준

#### 1) 표준지공시지가의 적정성

표준지공시지가는 해당 토지뿐 아니라 인근 유사토지의 가격을 결정하는 데에 전체적, 표준적 기능을 수행하는 것이어서 특히 그 가격의 적정성이 엄격하게 요구된다.

#### 2) 감정평가서에서 평가원인의 기재의 정도

① 감정평가서에는 평가원인을 구체적으로 특정하여 명시함과 아울러 각 요인별 참작 내용과 정도가 객관적으로 납득이 갈 수 있을 정도로 설명됨으로써, 그 평가액이 해당 토지의 적정가격을 평가한 것임을 인정할 수 있어야 한다.

② 감정평가서에서는 거래선례나 평가선례, 거래사례비교법, 원가법 및 수익환원법 등을 모두 공란으로 둔 채 그 토지의 전년도 공시지가와 세평가격 및 인근 표준지의 감정가격만을 참고가격으로 삼으면서 그러한 참고가격이 평가액 산정에 어떻게 참작되었는지와 관련하여 별다른 설명 없이 평가의견을 추상적으로만 기재함으로써, 평가요인별 참작 내용과 정도가 평가액산정의 적정성을 알아볼 수 있을 만큼 객관적으로 설명되어 있다고 보기 어려우므로 이러한 감정평가액을 근거로 한 표준지공시지가 결정은 토지의 적정가격을 반영한 것이라고 인정하기 어려워 위법하다고 하지 않을 수 없다.

### (2) 표준지소유자 乙 주장의 타당성

#### 1) 평가원인의 구체적 특정성 여부

乙 소유 표준지의 표준지공시지가의 감정평가서는 거래선례나 평가선례를 수집하지 못해서 거래사례비교법, 원가법 및 수익환원법 등을 구체적으로 적용하지 못하였다. 또한 乙 소유 표준지의 감정평가서는 평가원인을 구체적으로 특정하지 못하였다.

#### 2) 요인별 참작 내용과 정도가 객관적으로 설명되었는지 여부

2026년 표준지공시지가에는 거래사례비교법, 원가법 및 수익환원법 등의 가격란은 공란으로 되어 있고, 전년도의 공시지가와 세평가격만이 참고가격으로 적시되어 있는 등 별다른 요인별 참작 내용은 없었으므로 이는 객관적으로 설명되었다고 보기 어렵다고 판단된다. 또한 국토교통부장관은 담당 평가사가 단지 조사평가보고서상 기재하지 않았을 뿐 해당 표준지공시지가는 인근 거래사례를 선정하여 거래사례비교법으로 산출된 것으로서 그 가격 자체는 적정한 가격이라고 주장하나, 설문의 내용을 보아서는 국토교통부장관의 주장의 논거가 빈약하며, 대법원 판례에서 제시하는 근거와 내용을 충족하지 못하고 있다.

#### 3) 표준지 소유자 乙 주장의 타당성

乙 소유 표준지 감정평가보고서를 기초로 공시된 2026년 표준지공시지가는 평가원인을 구체적으로 특정하여 명시함과 아울러 각 요인별 참작 내용과 정도가 객관적으로 납득이 갈 수 있을 정도로 설명되었다고 보기 어렵다. 표준지공시지가는 해당 토지뿐 아니라 인근 유사토지의 가격을 결정하는 데에 전체적·표준적 기능을 수행하는 것이어서 특히 그 가격의 적정성이 엄격하게 요구된다는 점에 비추어 乙 소유 표준지에 대한 표준지공시지가 결정은 적정성이 인정되지 않는다고 판단된다. 따라서 행정법원은 해당 표준지공시지가결정에 대한 취소판결을 하고, 국토교통부장관으로 하여금 해당 표준지를 재공시하도록 판시하여야 한다.

## 4. 하자의 치유 가능성에 대한 판단

### ① 하자치유의 의의

하자의 치유란 행정행위 성립 당시에는 하자가 있어 위법하지만, 사후에 추완 또는 보완을 통하여 해당 행위를 적법한 행위로 취급하는 것을 말한다. 이는 행정경제와 개인의 권리구제의 조화문제라 할 것이다.

### ② 하자의 치유가능성 및 치유의 시기

하자의 치유는 절차적 하자의 경우에 치유가 가능하고, 내용상 하자의 경우에는 치유가 인정되지 않는다. 절차의 하자로 전제한다면 하자가 치유될 수 있는지에 대해 긍정설과 부정설, 일정한 시간적 한계 내에서 예외적으로 치유가능성을 인정하는 제한적 긍정설이 있으며, 판례도 제한적 긍정설의 입장에 있으며, 그 치유시기는 처분에 대한 불복신청에 편의를 줄 수 있는 상당한 기간 내에 하여야 한다고 판시한 바 있다. 행정쟁송에 편의를 제공한다는 이유제시의 기능을 고려할 때, 판례와 같이 행정쟁송의 제기 여부를 결정하는 데 편의를 줄 수 있는 기간, 즉 행정쟁송 제기 전까지 하여야 함이 타당하다 여겨진다.

### ③ 사안의 경우

사안의 경우를 절차의 하자라고 전제한다면 국토교통부장관은 사후에 구체적 산출근거를 제
시하여 하자의 치유를 주장하고 있으나, 이미 소송이 제기된 후에 산출근거를 제시한바, 하자
치유를 인정하기는 어렵다고 판단된다. 또한 해당 표준지에 대한 구체적인 산출근거 제시에
대한 부분이 내용상 하자에 해당된다면 하자의 치유는 인정되지 않고, 그 자체로 위법한 표준
지공시지가 결정으로 취소판결되어야 한다.

## 5. 소결

표준지공시지가는 해당 토지뿐 아니라 인근 유사토지의 가격을 결정하는 데에 전체적·표준적
기능을 수행하는 것이어서 특히 그 가격의 적정성이 엄격하게 요구된다는 점에 비추어 乙 소유
표준지에 대한 표준지공시지가 결정은 적정성이 인정되지 않는다고 판단된다. 따라서 행정법원
은 공시지가 확정을 취소하고 국토교통부장관으로 하여금 적정한 공시지가를 재공시하도록 판시
하여야 한다고 생각한다. 해당 대법원 2007두20140 판결 이후에 이러한 엉터리 표준지공시지가
결정 공시문제를 해결하기 위하여 전산작업을 하여 지금은 전산화 작업이 이루어져서 과거에 비
하여 정교한 표준지공시지가 결정이 이루어진다고 할 것이다.

## Ⅳ 설문 (2)에 대한 법원의 판결

## 1. 개설

사안에서 법원의 판결을 검토하려면 우선 취소소송의 소송요건이 충족되는지 살펴야 한다. 소송
요건 중 제소기간과 관련하여, 개별공시지가 정정으로 인해 정정공시일부터 새롭게 처분의 효과가
발생하는지를 살펴야 하며, 제소기간을 충족하지 못하면 각하판결을 받을 수 있는바 이하 검토한다.

## 2. 개별공시지가 정정의 요건 및 효과

### (1) 정정의 의의 및 근거

직권정정제도란 개별공시지가에 틀린 계산, 오기 등 명백한 오류가 있는 경우 이를 직권으로
정정할 수 있는 제도로 부동산 가격공시에 관한 법률 제12조에 근거하며, 개별공시지가의 적
정성을 담보하기 위한 수단이다.

### (2) 정정의 요건

틀린 계산·오기, 표준지 선정의 착오 및 대통령령으로 정하는 명백한 오류 발생 시 개별공시
지가를 정정할 수 있다. 대통령령이 정하는 명백한 오류란 ① 토지소유자의 의견청취절차를
거치지 않는 경우, ② 용도지역 등 토지가격에 영향을 미치는 주요요인의 조사를 잘못한 경우,
③ 토지가격비준표 적용에 오류가 있는 경우 등이 있다.

### (3) 정정의 효과

개별공시지가가 정정된 경우에는 새로이 개별공시지가가 결정·공시된 것으로 본다. 다만, 그 효력발생시기에 대해 판례는 개별토지가격이 지가산정에 명백한 잘못이 있어 정정결정·공고되었다면 당초에 결정·공고된 개별토지가격은 그 효력을 상실하고 정정결정된 새로운 토지가격이 공시기준일에 소급하여 그 효력을 발생한다고 한다. 또한 판례는 국민의 정정신청은 행정청의 직권발동을 촉구하는 것에 지나지 않는다고 하여 그 거부가 항고소송의 대상이 되는 처분이 아니라고 판시하여 정정결정을 별도의 처분으로 보지 않고 있다.

### (4) 사안의 경우

사안의 경우에는 토지가격비준표 적용상 오류가 있었던바, 정정사유에 해당하여 구청장 丙이 직권정정할 수 있다. 다만 개별공시지가를 직권정정한 경우에는 그 개별공시지가를 공시기준일에 소급하여 효력이 발생하고, 그 직권정정 결정공시일에 새로운 처분으로 보아 제소기간이 기산된다고 판단된다.

## 3. 소송요건 충족 여부

### (1) 소송요건

처분인 개별공시지가를 대상으로 법률상 이익의 침해를 받은 자가 처분의 상대방을 피고로 취소소송을 제기하여야 하며, 제소기간은 개별공시지가의 경우 개별통지가 가능한바, 개별통지 한 경우 이를 안 날로 보아 90일 이내, 개별통지를 하지 않은 경우 공시일부터 1년 이내가 된다.

### (2) 제소기간 충족여부

사안의 경우 최초 개별공시지가 결정공시일 이후에 새로이 8월 14일 개별공시지가를 직권정정한 경우에는 공시기준일(1월 1일)로 소급하여 효력이 발생한다. 다만 8월 14일 개별공시지가 직권정정한 경우는 새로운 처분으로 보아 개별통지를 하지 않은 경우에는 개별공시지가 직권정정 결정공시일을 제소기간으로 기산하되, 취소소송을 제기한 9월 4일을 기준으로 했을 때는 안 날로부터 90일이 경과하지 않았으므로 취소소송은 적법한 것으로 판단된다.

## 4. 사안의 적용

따라서 丁이 제기한 취소소송은 개별공시지가의 직권정정 결정공시일로부터 90일이 경과하지 않았으므로 丁의 취소소송은 적법한 것으로 판단되며 법원은 적법한 취소소송에 대하여 심리 판단하면 될 것으로 판단된다.

**V** **사례의 해결**

1. 표준지공시지가와 개별공시지가는 모두 국민의 권리·이익에 직접 영향을 미치는 것으로서 소송법상 처분에 해당한다.

2. 설문(1)에서 대법원 2007두20140 판결을 논거로 표준지공시지가는 해당 토지뿐 아니라 인근 유사토지의 가격을 결정하는데에 전체적·표준적 기능을 수행하는 것이어서 특히 그 가격의 적정성이 엄격하게 요구된다는 점에 비추어 乙 소유 표준지에 대한 표준지공시지가 결정은 적정성이 인정되지 않는다고 판단된다. 따라서 행정법원은 공시지가 확정을 취소하고 국토교통부장관으로 하여금 적정한 공시지가를 재공시하도록 판시하여야 한다고 생각한다. 해당 사건 이후 평가사들이 공시지가를 조사·평가함에 있어 모든 필지에 평가 3방식 등 구체적 산출근거를 기재하도록 하는 계기가 되었다.

3. 설문(2)는 개별공시지가를 직권정정한 경우에는 해당 개별공시지가의 공시기준일(1월 1일)에 소급하여 효력이 발생한다고 판례는 판시하고 있는바, 판례의 태도가 타당하다고 판단된다. 또한 개별공시지가 직권정정 결정에 대하여 당사자에게 통지하지 않았다면 개별공시지가 직권정정 결정공시일을 안날로 보아 90일 이내에 취소소송을 제기한다면 적법한 취소소송으로 판단된다. 따라서 丁은 개별공시지가의 직권정정 결정공시일로부터 90일 이내에 취소소송을 제기한바, 丁의 취소소송은 적법한 것으로 판단된다.

## 4절
**– 부동산공시법 제3조(표준지공시지가의 조사·평가 및 공시 등)**
**– 행정법 쟁점 : 법령보충적 행정규칙**

**문제**

국토교통부장관은 표준지로 선정된 A토지의 2026.1.1. 기준 공시지가를 1㎡당 1,000만원으로 결정·공시하였다. 국토교통부장관은 A토지의 표준지공시지가를 산정함에 있어 부동산 가격공시에 관한 법률 및 같은 법 시행령이 정하는 '토지의 일반적인 조사사항' 이외에 국토교통부 훈령인 표준지공시지가 조사·평가 기준상 상업·업무용지 평가의 고려사항인 '배후지의 상태 및 고객의 질과 양', '영업의 종류 및 경쟁의 상태' 등을 추가적으로 고려하여 평가하였다. 甲은 X시에 상업용지인 B토지를 소유하고 있다. X시장은 A토지를 비교표준지로 선정하여 B토지에 대한 개별공시지가를 1㎡당 1,541만원으로 결정·공시 후 이를 甲에게 통지하였다. 甲은 국토교통부장관이 A토지의 표준지공시지가를 단순히 행정청 내부에서만 효력을 가지는 국토교통부 훈령 형식의 표준지공시지가 조사·평가 기준이 정하는 바에 따라 평가함으로써 결과적으로 부동산 가격공시에 관한 법령이 직접 규정하지 않는 사항을 표준지공시지가 평가의 고려사항으로 삼은 것은 위법하다고 주장하고 있다. 다음 물음에 답하시오. 30점 (기출 제33회 2번 출제됨)

(1) 표준지공시지가 조사·평가 기준의 법적 성질에 비추어 甲 주장의 타당성 여부를 설명하시오. 20점

(2) 甲은 부동산 가격공시에 관한 법률 제11조에 따라 X시장에게 B토지의 개별공시지가에 대한 이의를 신청하였으나 기각되었다. 이 경우 甲이 기각결정에 불복하여 권리구제를 받고자 한다. 행정기본법과 행정쟁송법의 구체적인 규정을 중심으로 설명하시오. 10점

Ⅰ. 논점의 정리

Ⅱ. (물음 1)
  1. 표준지공시지가평가기준의 의의 및 법적 성질
  2. 법령보충적 행정규칙 인정여부
    (1) 학설
    (2) 대법원 판례
    (3) 소결
  3. 甲주장의 타당성
    (1) 표준지조사평가기준의 법규성이 인정되는 경우
    (2) 표준지조사평가기준의 법규성이 인정되지 않는 경우
    (3) 사안의 경우

Ⅲ. (물음 2)
  1. 개별공시지가의 의의 및 개별공시지가의 이의신청
    (1) 개별공시지가 의의
    (2) 개별공시지가의 이의신청
  2. 개별공시지가의 이의신청에 대해 행정심판을 제기할 수 있는지 여부
    (1) 학설
    (2) 대법원 판례
    (3) 행정기본법 제36조 제4항
  3. 사안의 경우

Ⅳ. 사안의 해결

## I  논점의 정리

사안의 경우 부동산 가격공시에 관한 법률(이하 '부동산공시법')상 표준지공시지가를 평가함에 있어 국토교통부 훈령인 표준지조사평가기준에서 직접 규정하지 않은 사항을 표준지공시지가 평가에 고려하였음을 이유로 위법함을 주장하고 있다. 따라서 표준지조사평가기준의 법적 성질과 甲 주장의 타당성을 검토해 보기로 한다. 또한, 부동산공시법 제11조에 따라 X시장에게 B토지의 개별공시지가에 대한 이의를 신청하였으나 기각되었는바, 이 기각결정에 대하여 행정심판법상 행정심판을 제기할 수 있는지 관련 규정을 통해 검토한다.

## II  (물음 1)

### 1. 표준지공시지가평가기준의 의의 및 법적 성질

표준지조사평가기준은 「부동산 가격공시에 관한 법률」 제3조에서 규정하고 있는 표준지공시지가의 공시를 위하여 같은 법 제3조 제4항 및 같은 법 시행령 제6조 제3항에 따라 표준지의 적정가격 조사·평가에 필요한 세부기준이다. 이 규정은 국토교통부 훈령으로 형식은 훈령이지만 실질적인 내용은 대외적 구속력이 인정되는지 여부가 쟁점이다. 이하에서 법령보충적 행정규칙으로 표준지조사평가기준의 법적 성질을 논의해 보기로 한다.

### 2. 법령보충적 행정규칙 인정 여부

#### (1) 학설

① **행정규칙설(형식설)**

행정입법은 국회입법원칙의 예외, 헌법이 규정한 법규명령의 형식은 한정되어 있다는 점에서 이러한 법규명령의 형식이 아닌 훈령, 고시 등의 형식을 취하는 이상 행정규칙으로 보아야 한다는 견해. 행정규칙으로 보면서 대외적 구속력을 가진다고 보는 견해도 있다.

② **법규명령설(실질설)**

해당 규칙이 법규와 같은 효력을 가지므로 법규명령으로 보아야 한다는 견해이다. 법령의 구체적 개별적 위임이 있고, 그 내용도 법규적 사항으로 법규를 보충하는 기능을 가져 대외적 효력을 가진다는 점, 헌법이 인정하는 법규명령은 예시적이라는 점, 명령규칙심사로 통제 가능한 점 등을 근거로 상위법령과 결합하여 전체로서 대외적 효력을 가지는 법규명령의 성질을 가진다.

③ **규범구체화 행정규칙설**

독일에서 논의되는 규범구체화 행정규칙을 인정하여 통상적인 행정규칙과 달리 그 자체로서 국민에 대한 구속력을 인정하는 견해이다.

④ 위헌무효설

행정규칙설과 마찬가지로 법규명령의 형식이 헌법상 한정되어 있다는 전제하에 행정규칙 형식의 법규명령은 허용될 수 없으므로 위헌, 무효라는 견해이다.

⑤ 법규명령이 효력을 갖는 행정규칙설

법령보충적 행정규칙에 법규와 같은 효력(구속력)을 인정하더라도 행정규칙의 형식으로 제정되었으므로 법적 성질은 행정규칙으로 보는 견해이다.

⑥ 수권여부기준설

법규명령사항을 행정규칙의 형식으로 정하는 경우 그 성질은 법령에 근거가 있는 경우와 없는 경우로 구분하여 검토하여야 한다고 보는 견해이다.

## (2) 대법원 판례

상급행정기관이 하급행정기관에 대하여 업무처리지침이나 법령의 해석적용에 관한 기준을 정하여서 발하는 이른바 행정규칙은 일반적으로 행정조직 내부에서만 효력을 가질 뿐 대외적인 구속력을 갖는 것은 아니지만, 법령의 규정이 특정행정기관에게 그 법령내용의 구체적 사항을 정할 수 있는 권한을 부여하면서 그 권한행사의 절차나 방법을 특정하고 있지 아니한 관계로 수임행정기관이 행정규칙의 형식으로 그 법령의 내용이 될 사항을 구체적으로 정하고 있다면 그와 같은 행정규칙, 규정은 행정규칙이 갖는 일반적 효력으로서가 아니라, 행정기관에 법령의 구체적 내용을 보충할 권한을 부여한 법령규정의 효력에 의하여 그 내용을 보충하는 기능을 갖게 된다 할 것이므로 이와 같은 행정규칙, 규정은 당해 법령의 위임한계를 벗어나지 아니하는 한, 그것들과 결합하여 대외적인 구속력이 있는 법규명령으로서의 효력을 갖게 된다고 판시한 바 있다.

## (3) 소결

판례에서와 같이 표준지조사평가기준은 상위법령인 부동산공시법과 결합하여 대외적 구속력이 있는 법령보충적 행정규칙으로 법규성이 있다고 판단된다. 다만 이하에서 법규성이 있는 경우와 법규성이 없는 경우를 나누어 검토해 보기로 한다.

## 3. 甲주장의 타당성

### (1) 표준지조사평가기준의 법규성이 인정되는 경우

사안에서 상업 업무용지는 토지의 일반적인 조사사항 이외에 배후지의 상태 및 고객의 질과 양, 영업의 종류 및 경쟁의 상태 등을 고려하여 인근지역 또는 동일수급권 안의 유사지역에 있는 토지의 거래사례 등 가격자료를 활용하여 거래사례비교법으로 평가하도록 규정하고 있는데, 해당 사안을 보면 표준지조사평가기준은 상위법령과 결합하여 대외적 구속력이 인정되는 법령보충적 행정규칙으로서 적법한 평가로 판단된다.

### (2) 표준지조사평가기준의 법규성이 인정되지 않는 경우

표준지조사평가기준이 법규성이 인정되지 않는 경우에는 단순히 행정규칙으로 행정청 내부만의 효력이 있기 때문에 법령이 규정하지 않은 사항을 표준지공시지가 평가 시에 고려하였다면 위법한 표준지공시지가 평가가 될 것으로 판단된다.

### (3) 사안의 경우

표준지조사·평가기준이 비록 행정규칙의 형식이지만 그 법령의 내용이 될 사항을 구체적으로 정하고 있다면 행정기관에 법령의 구체적 내용을 보충할 권한을 부여한 법령규정의 효력에 의하여 그 내용을 보충하는 기능을 갖게 된다 할 것이므로 표준지조사평가기준은 해당 법령의 위임한계를 벗어나지 아니하는 한, 상위법령인 부동산공시법령과 결합하여 대외적인 구속력이 있는 법규명령으로서의 효력을 갖는다고 생각된다. 따라서 표준지조사평가기준을 법규성을 인정한다면 이에 따른 표준지공시지가 평가는 적법하다고 판단된다. 甲의 주장은 타당하지 않다고 생각된다.

## Ⅲ (물음 2)

## 1. 개별공시지가의 의의 및 개별공시지가의 이의신청

### (1) 개별공시지가의 의의(부동산공시법 제10조)

개별공시지가란 시장·군수 또는 구청장이 공시하는 국세·지방에 등 각종 세금의 부과, 그 밖의 다른 법령에서 정하는 목적을 위한 지가의 산정에 사용하도록 하기 위하여 시·군·구 부동산가격공시위원회의 심의를 거쳐 매년 공시지가의 공시기준일 현재 관할구역 안의 개별토지에 대하여 결정·공시하는 단위면적당 적정가격을 말한다.

### (2) 개별공시지가의 이의신청(부동산공시법 제11조)

개별공시지가에 대하여 이의가 있는 자가 시·군·구청장에게 이의를 신청하고 시·군·구청장이 이를 심사하는 제도로서 이는 공시지가의 객관성을 확보하여 공신력을 높여주는 제도적 취지가 인정된다. 개별공시지가의 이의신청은 공시일로부터 30일 이내에 서면으로 시·군·구청장에게 이의신청을 하고 시·군·구청장은 기간만료일부터 30일 이내에 심사하고 그 결과를 신청인에게 통지해야 한다. 이의가 타당한 경우 개별공시지가를 조정하여 재공시해야 한다.

## 2. 개별공시지가의 이의신청에 대해 행정심판을 제기할 수 있는지 여부

### (1) 학설

처분청인 지방자치단체에 대하여 제기한다는 점 등을 논거로 본래의 강학상 이의신청이라는 견해와 개별공시지가의 목적 등을 고려할 때 전문성과 특수성이 요구되며 행정심판법 제4조의 규정취지를 감안할 때 특별법상 행정심판으로 보아야 한다는 견해가 있다.

### (2) 대법원 판례

최근 개별공시지가와 관련된 판례는 이의신청을 제기한 이후에도 별도로 행정심판을 제기할 수 있다고 판시한 바 있다. 부동산 가격공시에 관한 법률에 행정심판의 제기를 배제하는 명시적 규정이 없고 이의신청과 행정심판은 그 절차 및 담당 기관에 차이가 있는 점을 종합하면, 행정심판법 제3조 제1항에서 행정심판의 제기를 배제하는 "다른 법률에 특별한 규정이 있는 경우"에 해당한다고 볼 수 없으므로 곧바로 행정소송을 제기하거나, 이의신청과 행정심판 청구 중 어느 하나만을 거쳐 행정소송을 제기할 수 있을 뿐 아니라, 이의신청을 하고 행정심판을 거쳐 행정소송을 제기할 수 있다고 보아야 한다. 이 경우 제소기간은 재결서 정본을 받은 날부터 기산한다고 판시한 바 있다.

> **판례**
>
> ● 대판 2010.1.28, 2008두19987[개별공시지가결정처분취소]
>
> **[판시사항]**
> 개별공시지가에 대하여 이의가 있는 자가 행정심판을 거쳐 행정소송을 제기하는 경우 제소기간의 기산점
>
> **[판결요지]**
> 부동산 가격공시 및 감정평가에 관한 법률 제12조, 행정소송법 제20조 제1항, 행정심판법 제3조 제1항의 규정 내용 및 취지와 아울러 부동산 가격공시 및 감정평가에 관한 법률에 행정심판의 제기를 배제하는 명시적인 규정이 없고 부동산 가격공시 및 감정평가에 관한 법률에 따른 이의신청과 행정심판은 그 절차 및 담당 기관에 차이가 있는 점을 종합하면, 부동산 가격공시 및 감정평가에 관한 법률이 이의신청에 관하여 규정하고 있다고 하여 이를 행정심판법 제3조 제1항에서 행정심판의 제기를 배제하는 '다른 법률에 특별한 규정이 있는 경우'에 해당한다고 볼 수 없으므로, 개별공시지가에 대하여 이의가 있는 자는 곧바로 행정소송을 제기하거나 부동산 가격공시 및 감정평가에 관한 법률에 따른 이의신청과 행정심판법에 따른 행정심판청구 중 어느 하나만을 거쳐 행정소송을 제기할 수 있을 뿐 아니라, 이의신청을 하여 그 결과 통지를 받은 후 다시 행정심판을 거쳐 행정소송을 제기할 수도 있다고 보아야 하고, 이 경우 행정소송의 제소기간은 그 행정심판 재결서 정본을 송달받은 날부터 기산한다.

### (3) 행정기본법 제36조 제4항

행정기본법 제36조 제4항에서는 이의신청에 대한 결과를 통지받은 후 행정심판 또는 행정소송을 제기하려는 자는 그 결과를 통지받은 날(제2항에 따른 통지기간 내에 결과를 통지받지 못한 경우에는 같은 항에 따른 통지기간이 만료되는 날의 다음 날을 말한다)부터 90일 이내에 행정심판 또는 행정소송을 제기할 수 있다고 규정하고 있다.

## 3. 사안의 경우

부동산공시법상의 이의신청은 처분청인 시·군·구청장에게 제기한다는 점과 국민의 권리구제를 위해 본래의 강학상 이의신청이라 봄이 타당하다고 판단된다. 따라서 개별공시지가의 이의신청 기각결정에 대하여 행정심판을 거쳐 행정소송을 제기할 수 있을 것이다. 이때의 제소기간은 행정심판 재결서 정본을 송달받은 날부터 기산한다.

## Ⅳ 사안의 해결

(물음 1) 표준지조사평가기준이 비록 행정규칙의 형식이나, 법령의 내용이 될 사항을 구체적으로 정하고 있어 법령을 보충하는 기능을 갖게 된다고 볼 것이므로 표준지조사평가기준은 해당 법령의 위임의 한계를 벗어나지 않는 한 상위법령인 부동산공시법령과 결합하여 대외적 구속력을 갖게 된다. 따라서 표준지공시지가평가기준의 법규성을 인정할 때 이에 따른 표준지공시지가 평가는 적법하며, 甲의 주장은 타당하지 않다.

(물음 2) 개별공시지가 이의신청은 강학상 이의신청으로 행정심판법 제51조에 따른 행정심판 재청구금지의 적용을 받지 않는바, 행정심판 청구가 가능하고, 행정심판법상 행정심판 청구 기간인 처분이 있음을 안 날로부터 90일, 처분이 있은 날로부터 180일 이내에 제기할 수 있다. 또한 최근 제정된 행정기본법 제36조 제4항에 따라 이의신청 결과를 통지받은 날로부터 90일 이내에 행정심판을 제기할 수 있다고 판단된다.

## 5절 부동산공시법 제9조(표준지공시지가의 효력)

**문제**

다음 표준지공시지가와 개별공시지가 사례에 대한 물음에 답하시오(각 설문은 별개의 상황임). 30점

(1) 표준지공시지가를 평가함에 있어 국토교통부장관은 2개의 감정평가법인에 토지의 적정가격에 대한 평가를 의뢰하여 그 평가액을 산술평균한 금액을 그 토지의 적정가격으로 결정·공시하였으나, 감정평가서에 거래선례나 평가선례, 거래사례비교법, 원가법 및 수익환원법 등을 모두 공란으로 둔 채, 그 토지의 전년도 공시지가와 세평가격 및 인근 표준지의 감정가격만을 참고가격으로 삼으면서 그러한 참고가격이 평가액 산정에 어떻게 참작되었는지에 관한 별다른 설명 없이 평가의견을 추상적으로만 기재하였다. 또한 표준지공시지가 평가요인별 참작 내용과 정도가 평가액 산정의 적정성을 알아볼 수 있을 만큼 객관적으로 설명되어 있다고 보기 어려워, 이러한 감정평가액을 근거로 한 표준지공시지가 결정은 그 토지의 적정가격을 반영한 것이라고 인정하기 어려워 위법하다고 토지소유자 甲은 주장하고 있다. 감정평가법인등의 토지 평가액 산정의 적정성을 인정하기 위한 감정평가서의 기재 내용과 정도는 어떠해야 하는지, 그리고 그 토지소유자 甲의 위법성 주장은 타당한지 설명하시오. 15점

(2) 경기도 광주시에 갑은 임야 30,000㎡를 소유하고 있다. 광주시장은 甲 소유의 토지에 대하여 토지의 이용 상황을 실제 이용되고 있는 산지관리법상 '보전산지'로 하여 개별공시지가를 산정한 다음 A감정평가법인에 검증을 의뢰하였는데, A감정평가법인이 그 토지의 이용 상황을 '준보전산지'로 잘못 정정하여 검증지가를 산정하고, 시(市) 부동산가격공시위원회가 검증지가를 심의하면서 그 잘못을 발견하지 못하였다. 이에 따라 甲 소유 토지의 개별공시지가가 적정가격보다 훨씬 높은 가격(10배 높은 토지가격으로 산정함)으로 결정·공시되었다. 골드바의 원석을 생산하는 LS금속 주식회사는 광주시의 공시지가를 신뢰하고, 골드바 생산업자 토지소유자 甲에게 50억원을 대출하였는데, 코로나 경기 침체로 甲이 파산함에 따라 채권회수에 실패하였다. LS금속 주식회사는 경기도 광주시를 대상으로 국가배상을 청구하였다. ① 경기도 광주시의 개별공시지가 결정행위가 국가배상법 제2조상의 위법행위에 해당하는가에 관하여 설명하고, ② 이에 광주시장은 개별공시지가제도의 입법목적을 이유로 광주시 담당공무원들의 개별공시지가 산정에 관한 직무상 행위와 LS금속 주식회사의 손해 사이에 상당인과관계가 없다고 항변하고 있는데 광주시장의 항변의 타당성에 관하여 설명하시오. 15점

**(물음1)에 대하여**

**Ⅰ. 논점의 정리**

**Ⅱ. 표준지공시지가 개관**
  1. 표준지공시지가의 의의 및 취지(부동산공시법 제3조)
  2. 표준지공시지가의 결정절차
    (1) 표준지의 선정(부동산공시법 제3조 제1항)
    (2) 조사·평가
      1) 조사·평가의 의뢰 및 조사·평가(부동산공시법 제3조 제4항, 제5항)
      2) 표준지공시지가의 결정 및 재평가(부동산공시법 시행령 제8조)
    (3) 중앙부동산가격공시위원회의 심의(부동산공시법 제3조 제1항)
    (4) 지가의 공시 및 열람(부동산공시법 제6조)
    (5) 이의신청(부동산공시법 제7조)
  3. 표준지공시지가의 효력(부동산공시법 제9조)

**Ⅲ. 감정평가서의 평가원인의 기재의 정도**
  1. 관련 판례의 태도(2007두20140)
  2. 대법원 2007두20140 판결 판례의 요지
    (1) 표준지공시지가의 적정성
    (2) 감정평가서에서 평가원인의 기재의 정도

**Ⅳ. 해당 표준지공시지가의 위법성**
  1. 감정평가서의 기재 내용과 정도

  2. 평가요인별 참작 내용과 정도의 적정성
  3. 토지소유자들의 주장의 타당성

**Ⅴ. 사안의 해결**

**(물음2)에 대하여**

**Ⅰ. 논점의 정리**

**Ⅱ. 개별공시지가의 개관**
  1. 개별공시지가의 의의 및 취지(부동산공시법 제10조)
  2. 개별공시지가의 법적 성질

**Ⅲ. 공무원의 위법행위로 인한 국가배상책임 요건(국가배상법 제2조)**
  1. 개념
  2. 국가배상청구요건(국가배상법 제2조)
  3. 관련 판례의 태도(2010다13527)
    (1) 담당 공무원의 직무상 의무
    (2) 지방자치단체의 손해배상책임
    (3) 사안의 경우

**Ⅳ. 개별공시지가의 산정목적 범위 및 상당인과관계 인정 여부**
  1. 개별공시지가의 산정목적 범위 등
    (1) 개별공시지가의 산정목적 범위 등
    (2) 개별공시지가가 사적 부동산거래에 있어서 구속력을 갖는지 여부
  2. 상당인과관계 인정 여부
    (1) 상당인과관계 판단기준
    (2) 상당인과관계 인정여부

**Ⅴ. 사안의 해결**

■ **참조 조문**
**부동산 가격공시에 관한 법률**

### 제3조(표준지공시지가의 조사·평가 및 공시 등)

① 국토교통부장관은 토지이용상황이나 주변 환경, 그 밖의 자연적·사회적 조건이 일반적으로 유사하다고 인정되는 일단의 토지 중에서 선정한 표준지에 대하여 매년 공시기준일 현재의 단위면적당 적정가격(이하 "표준지공시지가"라 한다)을 조사·평가하고, 제24조에 따른 중앙부동산가격공시위원회의의 심의를 거쳐 이를 공시하여야 한다.

② 국토교통부장관은 표준지공시지가를 공시하기 위하여 표준지의 가격을 조사·평가할 때에는 대통령령으로 정하는 바에 따라 해당 토지 소유자의 의견을 들어야 한다.

③ 제1항에 따른 표준지의 선정, 공시기준일, 공시의 시기, 조사·평가 기준 및 공시절차 등에 필요한 사항은 대통령령으로 정한다.

④ 국토교통부장관이 제1항에 따라 표준지공시지가를 조사·평가하는 경우에는 인근 유사토지의 거래가격·임대료 및 해당 토지와 유사한 이용가치를 지닌다고 인정되는 토지의 조성에 필요한 비용추정액, 인근지역 및 다른 지역과의 형평성·특수성, 표준지공시지가 변동의 예측 가능성 등 제반사항을 종합적으로 참작하여야 한다.

-이하 생략-

### 제10조(개별공시지가의 결정·공시 등)

① 시장·군수 또는 구청장은 국세·지방세 등 각종 세금의 부과, 그 밖의 다른 법령에서 정하는 목적을 위한 지가산정에 사용되도록 하기 위하여 제25조에 따른 시·군·구부동산가격공시위원회의 심의를 거쳐 매년 공시지가의 공시기준일 현재 관할 구역 안의 개별토지의 단위면적당 가격(이하 "개별공시지가"라 한다)을 결정·공시하고, 이를 관계 행정기관 등에 제공하여야 한다.

② 제1항에도 불구하고 표준지로 선정된 토지, 조세 또는 부담금 등의 부과대상이 아닌 토지, 그 밖에 대통령령으로 정하는 토지에 대하여는 개별공시지가를 결정·공시하지 아니할 수 있다. 이 경우 표준지로 선정된 토지에 대하여는 해당 토지의 표준지공시지가를 개별공시지가로 본다.

③ 시장·군수 또는 구청장은 공시기준일 이후에 분할·합병 등이 발생한 토지에 대하여는 대통령령으로 정하는 날을 기준으로 하여 개별공시지가를 결정·공시하여야 한다.

④ 시장·군수 또는 구청장이 개별공시지가를 결정·공시하는 경우에는 해당 토지와 유사한 이용가치를 지닌다고 인정되는 하나 또는 둘 이상의 표준지의 공시지가를 기준으로 토지가격비준표를 사용하여 지가를 산정하되, 해당 토지의 가격과 표준지공시지가가 균형을 유지하도록 하여야 한다.

⑤ 시장·군수 또는 구청장은 개별공시지가를 결정·공시하기 위하여 개별토지의 가격을 산정할 때에는 그 타당성에 대하여 감정평가법인등의 검증을 받고 토지소유자, 그 밖의 이해관계인의 의견을 들어야 한다. 다만, 시장·군수 또는 구청장은 감정평가법인등의 검증이 필요 없다고 인정되는 때에는 지가의 변동상황 등 대통령령으로 정하는 사항을 고려하여 감정평가법인등의 검증을 생략할 수 있다.

-이하 생략-

## (물음1)에 대하여

### Ⅰ  논점의 정리

부동산 가격공시에 관한 법률(이하 '부동산공시법')상 토지소유자는 자신의 토지에 결정 및 공시된 표준지공시지가가 부적정한 것이라고 주장하고 있다. 토지소유자의 주장대로 거래사례비교법, 원가법 및 수익환원법 등의 가격이 공란으로 되어 있고 가격의 적정성이 구체적으로 설명되지 않았으므로, 감정평가서에서 평가원인의 기재의 정도를 살펴 표준지공시지가결정이 취소되어야 하는지 검토하고자 한다.

### Ⅱ  표준지공시지가 개관

### 1. 표준지공시지가의 의의 및 취지(부동산공시법 제3조)

표준지공시지가라 함은 국토교통부장관이 조사, 평가하여 공시한 표준지의 단위면적당 가격을 말한다. 이는 적정가격을 공시하여 적정한 가격형성을 도모하고, 국토의 효율적 이용 및 국민경제발전과 조세형평성을 향상시키기 위함이다.

> **부동산공시법 제3조(표준지공시지가의 조사·평가 및 공시 등)**
> ① 국토교통부장관은 토지이용상황이나 주변 환경, 그 밖의 자연적·사회적 조건이 일반적으로 유사하다고 인정되는 일단의 토지 중에서 선정한 표준지에 대하여 매년 공시기준일 현재의 단위면적당 적정가격(이하 "표준지공시지가"라 한다)을 조사·평가하고, 제24조에 따른 중앙부동산가격공시위원회의 심의를 거쳐 이를 공시하여야 한다.
> ② 국토교통부장관은 표준지공시지가를 공시하기 위하여 표준지의 가격을 조사·평가할 때에는 대통령령으로 정하는 바에 따라 해당 토지 소유자의 의견을 들어야 한다.
> ③ 제1항에 따른 표준지의 선정, 공시기준일, 공시의 시기, 조사·평가 기준 및 공시절차 등에 필요한 사항은 대통령령으로 정한다.
> ④ 국토교통부장관이 제1항에 따라 표준지공시지가를 조사·평가하는 경우에는 인근 유사토지의 거래가격·임대료 및 해당 토지와 유사한 이용가치를 지닌다고 인정되는 토지의 조성에 필요한 비용추정액, 인근지역 및 다른 지역과의 형평성·특수성, 표준지공시지가 변동의 예측 가능성 등 제반사항을 종합적으로 참작하여야 한다.
> ⑤ 국토교통부장관이 제1항에 따라 표준지공시지가를 조사·평가할 때에는 업무실적, 신인도(信認度) 등을 고려하여 둘 이상의 「감정평가 및 감정평가사에 관한 법률」에 따른 감정평가법인등(이하 "감정평가법인등"이라 한다)에게 이를 의뢰하여야 한다. 다만, 지가 변동이 작은 경우 등 대통령령으로 정하는 기준에 해당하는 표준지에 대해서는 하나의 감정평가법인등에 의뢰할 수 있다.
> ⑥ 국토교통부장관은 제5항에 따라 표준지공시지가 조사·평가를 의뢰받은 감정평가업자가 공정하고 객관적으로 해당 업무를 수행할 수 있도록 하여야 한다.

⑦ 제5항에 따른 감정평가법인등의 선정기준 및 업무범위는 대통령령으로 정한다.
⑧ 국토교통부장관은 제10조에 따른 개별공시지가의 산정을 위하여 필요하다고 인정하는 경우에는 표준지와 산정대상 개별 토지의 가격형성요인에 관한 표준적인 비교표(이하 "토지가격비준표"라 한다)를 작성하여 시장·군수 또는 구청장에게 제공하여야 한다.

## 2. 표준지공시지가의 결정절차

### (1) 표준지의 선정(부동산공시법 제3조 제1항)

토지이용상황, 환경, 사회적, 자연적 조건이 유사한 일단의 지역 내에서 표준지선정관리지침상 지가의 대표성, 토지특성의 중용성, 용도의 안정성, 구별의 확실성을 충족하는 표준지를 선정한다.

### (2) 조사·평가

**1) 조사·평가의 의뢰 및 조사·평가**(부동산공시법 제3조 제4항, 제5항)

국토교통부장관은 업무실적, 신인도 등을 고려하여 둘 이상의 감정평가법인등에게 의뢰한다. 또한, 조사·평가는 인근 유사토지의 거래사례가격, 임대료 및 조성비용을 고려하여 적정가격을 평가한다. 구체적으로 표준지조사·평가 기준에 따른다.

**2) 표준지공시지가의 결정 및 재평가**(부동산공시법 시행령 제8조)

시·군·구청장의 의견청취 보고서를 제출하며 산술평균하여 결정한다. 만일, 표준지공시지가 조사·평가보고서에 대하여 검토한 결과, 부적정하다고 판단되거나 조사·평가액 중 최고평가액이 최저평가액의 1.3배를 초과하는 경우에는 해당 감정평가법인등에게 이를 시정하여 다시 제출하게 할 수 있다. 그러나 표준지공시지가의 조사·평가가 관계법령에 위반하여 수행되었다고 인정되는 경우에는 해당 감정평가법인등에게 그 사유를 통보하고 다른 2명의 감정평가법인등에게 조사·평가를 다시 의뢰할 수 있다.

### (3) 중앙부동산가격공시위원회의 심의(부동산공시법 제3조 제1항)

조사·평가된 표준지공시지가는 중앙부동산가격공시위원회의 심의를 거쳐야 한다. 이는 공시지가에 대한 공신력을 제고하고 지가의 균형을 확보하기 위함이다.

### (4) 지가의 공시 및 열람(부동산공시법 제6조)

국토교통부장관은 공시기준일을 1월 1일로 하여 표준지공시지가를 공시하여야 한다. 국토교통부장관은 지가를 공시한 때에는 그 내용을 특별시장·광역시장 또는 도지사를 거쳐 시장·군수 또는 구청장(지방자치단체인 구의 구청장에 한한다)에게 송부하여 일반인이 열람할 수 있게 하고, 이를 도서·도표 등으로 작성하여 관계 행정기관 등에 공급하여야 한다.

(5) **이의신청**(부동산공시법 제7조)

표준지공시지가에 대하여 이의가 있는 자는 표준지공시지가의 공시일부터 30일 이내에 서면으로 국토교통부장관에게 이의를 신청할 수 있다. 국토교통부장관은 이의신청기간이 만료된 날부터 30일 이내에 이의신청을 심사하여 그 결과를 신청인에게 서면으로 통지하여야 한다. 이 경우 국토교통부장관은 이의신청의 내용이 타당하다고 인정될 때에는 해당 표준지공시지가를 조정하여 다시 공시하여야 한다.

## 3. 표준지공시지가의 효력(부동산공시법 제9조)

표준지공시지가는 토지시장에 지가정보를 제공하고 일반적인 토지거래의 지표가 되며, 국가·지방자치단체 등이 그 업무와 관련하여 지가를 산정하거나 감정평가법인등이 개별적으로 토지를 감정평가하는 경우에 기준이 된다.

> **➲ 부동산공시법 제9조(표준지공시지가의 효력)**
> 표준지공시지가는 토지시장에 지가정보를 제공하고 일반적인 토지거래의 지표가 되며, 국가·지방자치단체 등이 그 업무와 관련하여 지가를 산정하거나 감정평가법인등이 개별적으로 토지를 감정평가하는 경우에 기준이 된다.

## Ⅲ. 감정평가서의 평가원인의 기재의 정도

### 1. 관련 판례의 태도(2007두20140 판결)

> **판례**
>
> ● **대법원 2009.12.10. 선고 2007두20140 판결[공시지가확정처분취소]**
>
> **[판시사항]**
> [3] 감정평가업자의 토지 평가액 산정의 적정성을 인정하기 위한 감정평가서의 기재 내용과 정도
> [4] 건설교통부장관이 표준지공시지가를 결정·공시하는 절차에서 감정평가서에 토지의 전년도 공시지가와 세평가격 및 인근 표준지의 감정가격만을 참고가격으로 삼고 평가의견을 추상적으로만 기재한 사안에서, 평가요인별 참작 내용과 정도가 평가액 산정의 적정성을 알아볼 수 있을 만큼 객관적으로 설명되어 있다고 보기 어려워, 이를 근거로 한 표준지공시지가 결정은 토지의 적정가격을 반영한 것이라고 인정하기 어려워 위법하다고 한 사례
>
> **[판결요지]**
> [3] <u>표준지공시지가의 결정절차 및 그 효력과 기능 등에 비추어 보면, 표준지공시지가는 당해 토지뿐 아니라 인근 유사토지의 가격을 결정하는 데에 전제적·표준적 기능을 수행</u>

> 하는 것이어서 특히 그 가격의 적정성이 엄격하게 요구된다. 이를 위해서는 무엇보다도 적정가격 결정의 근거가 되는 감정평가업자의 평가액 산정이 적정하게 이루어졌음이 담보될 수 있어야 하므로, 그 감정평가서에는 평가원인을 구체적으로 특정하여 명시함과 아울러 각 요인별 참작 내용과 정도가 객관적으로 납득이 갈 수 있을 정도로 설명됨으로써, 그 평가액이 당해 토지의 적정가격을 평가한 것임을 인정할 수 있어야 한다.
>
> [4] 건설교통부장관이 2개의 감정평가법인에 토지의 적정가격에 대한 평가를 의뢰하여 그 평가액을 산술평균한 금액을 그 토지의 적정가격으로 결정·공시하였으나, 감정평가서에 거래선례나 평가선례, 거래사례비교법, 원가법 및 수익환원법 등을 모두 공란으로 둔 채, 그 토지의 전년도 공시지가와 세평가격 및 인근 표준지의 감정가격만을 참고가격으로 삼으면서 그러한 참고가격이 평가액 산정에 어떻게 참작되었는지에 관한 별다른 설명 없이 평가의견을 추상적으로만 기재한 사안에서, 평가요인별 참작 내용과 정도가 평가액 산정의 적정성을 알아볼 수 있을 만큼 객관적으로 설명되어 있다고 보기 어려워, 이러한 감정평가액을 근거로 한 표준지공시지가 결정은 그 토지의 적정가격을 반영한 것이라고 인정하기 어려워 위법하다고 한 사례

## 2. 대법원 2007두20140 판결 판례의 요지

### (1) 표준지공시지가의 적정성

표준지공시지가는 해당 토지뿐 아니라 인근 유사토지의 가격을 결정하는 데에 전체적, 표준적 기능을 수행하는 것이어서 특히 그 가격의 적정성이 엄격하게 요구된다.

### (2) 감정평가서에서 평가원인의 기재의 정도

감정평가서에는 평가원인을 구체적으로 특정하여 명시함과 아울러 각 요인별 참작 내용과 정도가 객관적으로 납득이 갈 수 있을 정도로 설명됨으로써, 그 평가액이 해당 토지의 적정가격을 평가한 것임을 인정할 수 있어야 한다. 감정평가서에는 거래선례나 평가선례, 거래사례비교법, 원가법 및 수익환원법 등을 모두 공란으로 둔 채 그 토지의 전년도 공시지가와 세평가격 및 인근 표준지의 감정가격만을 참고가격으로 삼으면서 그러한 참고가격이 평가액 산정에 어떻게 참작되었는지와 관련하여 별다른 설명 없이 평가의견을 추상적으로만 기재함으로써, 평가요인별 참작 내용과 정도가 평가액 산정의 적정성을 알아볼 수 있을 만큼 객관적으로 설명되어 있다고 보기 어려우므로 이러한 감정평가액을 근거로 한 표준지공시지가 결정은 토지의 적정가격을 반영한 것이라고 인정하기 어려워 위법하다고 하지 않을 수 없다.

## Ⅳ  해당 표준지공시지가의 위법성

### 1. 감정평가서의 기재 내용과 정도

토지소유자들의 표준지공시지가 감정평가서는 거래사례나 평가선례를 수집하지 못해서 거래사례비교법, 원가법 및 수익환원법 등을 구체적으로 적용하지 못했다. 또한, 감정평가서에서 평가원인을 구체적으로 특정하지 못하였다.

### 2. 평가요인별 참작 내용과 정도의 적정성

사안의 표준지공시지가에는 거래사례비교법, 원가법 및 수익환원법 등의 가격란은 공란으로 되어 있고, 전년도의 공시지가와 세평가격 및 인근 표준지의 감정가격만이 참고가격으로 적시되어 있는 등 별다른 요인별 참작 내용을 없었으므로 이는 객관적으로 설명되었다고 보기 어렵다고 판단된다.

### 3. 토지소유자들의 주장의 타당성

토지소유자들의 감정평가보고서를 기초로 공시된 표준지공시지가는 평가원인을 구체적으로 특정하여 명시함과 아울러 각 요인별 참작 내용과 정도가 객관적으로 납득이 갈 수 있을 정도로 설명되었다고 보기 어렵다. 표준지공시지가는 해당토지뿐 아니라 인근 유사토지의 가격을 결정하는데에 전체적·표준적 기능을 수행하는 것이어서 특히 그 가격의 적정성이 엄격하게 요구된다는 점에 비추어 토지소유자들의 표준지공시지가 결정은 적정성이 인정되지 않는다고 판단된다. 따라서 국토교통부장관은 공시지가 확정을 취소하고 적정한 공시지가를 재공시해야 할 것이다.

## Ⅴ  사안의 해결

표준지공시지가는 보상금 산정 등 행정 및 개별토지가격 결정의 표준이 되는바, 국민의 권리의무에 직접적인 영향을 미친다. 국민 경제에 미치는 영향을 고려했을 때 표준지공시지가를 조사평가하는 과정이 객관이고 논리적으로 입증되어야 함이 마땅하다. 국토교통부장관과 감정평가법인등은 적정가격의 평가 의무를 신의성실로 이행할 수 있게 노력해야 할 것이며, 공시가격에 대한 관련 법령을 정비하여 국민의 신뢰를 두텁게 보호해야 할 것이라 생각된다.

**(물음2)에 대하여**

## Ⅰ  논점의 정리

부동산 가격공시에 관한 법률(이하 '부동산공시법')상 경기도 광주시는 사안의 토지의 이용상황을 '보전산지'로 개별공시지가를 산정한 후 A감정평가법인에 검증의뢰를 하여고, A감정평가법인은

'준보전산지'로 잘못 정정하여 검증지가를 산정하였으나, 시(市) 부동산가격공시위원회가 검증지가를 심의하면서 그 잘못을 발견하지 못하였다. 이에 개별공시지가가 적정가격보다 10배 높은 가격으로 공시되었고 LS금속 주식회사는 광주시의 공시지가를 신뢰하고 골드바 생산업자 토지소유자 甲에게 50억원을 대출하였고, 甲이 파산함에 따라 채권회수에 실패하였다. 사안에서는 경기도 광주시의 개별공시지가 결정행위가 국가배상법 제2조상의 위법행위에 해당하는지, 광주시 공무원의 직무상의 행위와 LS금속 주식회사의 손해 간 상당인과관계가 있는지 관련 판례 및 부동산공시법 입법목적을 살펴 사안을 해결한다.

## Ⅱ 개별공시지가의 개관

### 1. 개별공시지가의 의의 및 취지(부동산공시법 제10조)

부동산공시법상 개별공시지가란 시·군·구청장이 공시지가를 기준으로 산정한 개별토지의 단위당 가격을 말한다. 이는 조세 및 개발부담금 산정의 기준이 되어 행정의 효율성제고를 도모함에 제도적 취지가 인정된다.

### 2. 개별공시지가의 법적 성질

판례는 "개별토지가격결정은 관계 법령에 의한 토지초과이득세 또는 개발부담금 산정의 기준이 되어 국민의 권리나 의무 또는 법률상 이익에 직접적으로 관계되는 것으로서 항고소송의 대상이 되는 행정처분에 해당한다(대판 1994.2.8, 93누111)."고 하여 처분성을 인정하고 있다.

## Ⅲ 공무원의 위법행위로 인한 국가배상책임 요건(국가배상법 제2조)

### 1. 개념

공무원의 위법한 직무집행으로 인한 국가배상책임은 국민이 공무원의 직무상 불법행위로 손해를 입었을 때, 국가 또는 지방자치단체가 그 손해를 배상할 책임을 지는 제도이다. 이는 국민의 권리 보호와 행정의 적법성 확보를 위한 헌법상 기본권 보장 및 행정구제수단으로서 중요한 의미를 가지며, 국가배상법 제2조에 근거 규정을 두고 있다.

### 2. 국가배상청구요건(국가배상법 제2조)(공/직/고/위/인/손)

국가배상법 제2조에 의한 국가배상책임이 성립하기 위하여는 ① 공무원이 직무를 집행하면서 타인에게 손해를 가하였을 것, ② 공무원의 가해행위는 고의 또는 과실로 법령에 위반하여 행하여졌을 것, ③ 손해가 발생하였고, 공무원의 불법한 가해행위와 손해 사이에 인과관계(상당 인과관계)가 있을 것이 요구된다.

> **국가배상법 제2조(배상책임)**
> ① 국가나 지방자치단체는 공무원 또는 공무를 위탁받은 사인(이하 "공무원"이라 한다)이 직무를 집행하면서 고의 또는 과실로 법령을 위반하여 타인에게 손해를 입히거나, 「자동차손해배상보장법」에 따라 손해배상의 책임이 있을 때에는 이 법에 따라 그 손해를 배상하여야 한다. 다만, 군인·군무원·경찰공무원 또는 예비군대원이 전투·훈련 등 직무 집행과 관련하여 전사(戰死)·순직(殉職)하거나 공상(公傷)을 입은 경우에 본인이나 그 유족이 다른 법령에 따라 재해보상금·유족연금·상이연금 등의 보상을 지급받을 수 있을 때에는 이 법 및 「민법」에 따른 손해배상을 청구할 수 없다.
> ② 제1항 본문의 경우에 공무원에게 고의 또는 중대한 과실이 있으면 국가나 지방자치단체는 그 공무원에게 구상(求償)할 수 있다.
> ③ 제1항 단서에도 불구하고 전사하거나 순직한 군인·군무원·경찰공무원 또는 예비군대원의 유족은 자신의 정신적 고통에 대한 위자료를 청구할 수 있다. 〈신설 2025.1.7.〉

① **공무원이 직무를 집행하면서(직무관련성)**

　㉠ 국가배상법 제2조상의 '공무원'은 국가공무원법 또는 지방공무원법상의 공무원뿐만 아니라 널리 공무를 위탁(광의의 위탁)받아 실질적으로 공무에 종사하는 자(공무수탁사인)를 말한다. 달리 말하면 국가배상법 제2조 소정의 공무원은 실질적으로 공무를 수행하는 자, 즉 기능적 공무원을 말한다. 또한 그것은 최광의의 공무원 개념에 해당한다.

　㉡ **직무행위**

　국가배상법 제2조가 적용되는 직무행위에 관하여 판례 및 다수설은 공권력 행사 외에 비권력적 공행정작용을 포함하는 모든 공행정작용을 의미한다고 본다. 또한 '직무행위'에는 입법작용과 사법작용도 포함된다.

　㉢ **직무를 집행하면서(직무관련성)**

　공무원의 불법행위에 의한 국가의 배상책임은 공무원의 가해행위가 직무집행행위인 경우뿐만 아니라 그 자체는 직무집행행위가 아니더라도 직무와 일정한 관련이 있는 경우, 즉 '직무를 집행하면서' 행하여진 경우에 인정된다.

② **법령 위반(위법)/고의 또는 과실/위법과 과실의 관계**

　㉠ **법령 위반(위법)**

　학설은 일반적으로 국가배상법상의 '법령 위반'이 위법 일반을 의미하는 것으로 보고 있고 판례도 그러하다(대판 1973.1.30, 72다2062).

　㉡ **고의 또는 과실**

　주관설은 과실을 해당 직무를 담당하는 평균적 공무원이 통상 갖추어야 할 주의의무를 해태한 것으로 본다. 과실이 인정되기 위하여는 위험 및 손해발생에 대한 예측가능성과 회피가능성(손해방지가능성)이 있어야 한다. 이 견해가 다수설과 판례의 입장이다.

    © 위법과 과실의 관계

위법과 과실은 개념상 상호 구별되어야 한다. 행위위법설에 의할 때 위법은 '행위'가 판단대상이 되며 가해행위의 법에의 위반을 의미하는 것이며, 과실은 '행위의 태양이 직접적 판단대상이 되며 판례의 입장인 주관설에 의하면 주의의무 위반(객관설에 의하면 국가작용의 흠)을 의미한다.

③ 손해 및 인과관계

공무원의 불법행위가 있더라도 손해가 발생하지 않으면 국가배상책임이 인정되지 않는다. 국가배상책임으로서의 '손해'는 민법상 불법행위책임에 있어서의 그것과 다르지 않다. 또한 공무원의 불법행위와 손해 사이에 인과관계가 있어야 한다. 국가배상에서의 인과관계는 민법상 불법행위책임에서의 그것과 동일하게 상당인과관계가 요구된다.

## 3. 관련 판례의 태도(2010다13527 판결)

### (1) 담당 공무원의 직무상 의무

개별공시지가는 개발부담금의 부과, 토지 관련 조세부과 등 다른 법령이 정하는 목적을 위해 지가를 산정하는 경우에 그 산정기준이 되는 관계로 납세자인 국민 등의 재산상 권리·의무에 직접적인 영향을 미치게 되므로, 개별공시지가 산정업무를 담당하는 공무원으로서는 해당 토지의 실제이용상황 등 토지특성을 정확하게 조사하고 해당 토지와 토지이용상황이 유사한 비교표준지를 선정하여 그 특성을 비교하는 등 법령 및 '개별공시지가의 조사·산정지침'에서 정한 기준과 방법에 의하여 개별공시지가를 산정하고, 산정지가의 검증을 의뢰받은 감정평가법인등이나 시·군·구 부동산가격공시위원회로서는 위 산정지가 또는 검증지가가 위와 같은 기준과 방법에 의하여 제대로 산정된 것인지 여부를 검증, 심의함으로써 적정한 개별공시지가가 결정·공시되도록 조치할 직무상의 의무가 있다.

---

판례

**[판시사항]**

[1] 개별공시지가 산정업무 담당공무원 등이 부담하는 직무상 의무의 내용 및 그 담당공무원 등이 직무상 의무에 위반하여 현저하게 불합리한 개별공시지가가 결정되도록 함으로써 국민 개개인의 재산권을 침해한 경우, 그 담당공무원 등이 속한 지방자치단체가 손해배상책임을 지는지 여부(적극)

[2] 시장(市長)이 토지의 이용상황을 실제 이용되고 있는 '자연림'으로 하여 개별공시지가를 산정한 다음 감정평가법인에 검증을 의뢰하였는데, 감정평가법인이 그 토지의 이용상황을 '공업용'으로 잘못 정정하여 검증지가를 산정하고, 시(市) 부동산평가위원회가 검증지가를 심의하면서 그 잘못을 발견하지 못함에 따라, 그 토지의 개별공시지가가 적정가격보다 훨씬 높은 가격으로 결정·공시된 사안에서, 이는 개별공시지가 산정업무 담당공무원 등이 직무상 의무를 위반한 것으로 불법행위에 해당한다고 한 사례

[3] 개별공시지가가 토지의 거래 또는 담보제공에서 그 실제 거래가액 또는 담보가치를 보장하는 등의 구속력을 갖는지 여부(소극) 및 개개 토지에 관한 개별공시지가를 기준으로 거래하거나 담보제공을 받았다가 토지의 실제 거래가액 또는 담보가치가 개별공시지가에 미치지 못함으로 인하여 발생한 손해에 대해서도 개별공시지가를 결정·공시한 지방자치단체가 손해배상책임을 부담하는지 여부(소극)

[판결요지]

[1] 개별공시지가는 개발부담금의 부과, 토지 관련 조세 부과 등 다른 법령이 정하는 목적을 위해 지가를 산정하는 경우에 그 산정 기준이 되는 관계로 납세자인 국민 등의 재산상 권리·의무에 직접적인 영향을 미치게 되므로, 개별공시지가 산정업무를 담당하는 공무원으로서는 당해 토지의 실제 이용상황 등 토지특성을 정확하게 조사하고 당해 토지와 토지이용상황이 유사한 비교표준지를 선정하여 그 특성을 비교하는 등 법령 및 '개별공시지가의 조사·산정 지침'에서 정한 기준과 방법에 의하여 개별공시지가를 산정하고, 산정지가의 검증을 의뢰받은 감정평가업자나 시·군·구 부동산평가위원회로서는 위 산정지가 또는 검증지가가 위와 같은 기준과 방법에 의하여 제대로 산정된 것인지 여부를 검증, 심의함으로써 적정한 개별공시지가가 결정·공시되도록 조치할 직무상의 의무가 있고, 이러한 직무상 의무는 단순히 공공 일반의 이익을 위한 것이거나 행정기관 내부의 질서를 규율하기 위한 것이 아니고 전적으로 또는 부수적으로 국민 개개인의 재산권 보장을 목적으로 하여 규정된 것이라고 봄이 상당하다. 따라서 **개별공시지가 산정업무 담당공무원 등이 그 직무상 의무에 위반하여 현저하게 불합리한 개별공시지가가 결정되도록 함으로써 국민 개개인의 재산권을 침해한 경우에는 그 손해에 대하여 상당인과관계 있는 범위 내에서 그 담당공무원 등이 소속된 지방자치단체가 배상책임을 지게 된다.**

[2] **시장(市長)이 토지의 이용상황을 실제 이용되고 있는 '자연림'으로 하여 개별공시지가를 산정한 다음 감정평가법인에 검증을 의뢰하였는데, 감정평가법인이 그 토지의 이용상황을 '공업용'으로 잘못 정정하여 검증지가를 산정하고, 시(市) 부동산평가위원회가 검증지가를 심의하면서 그 잘못을 발견하지 못함에 따라, 그 토지의 개별공시지가가 적정가격보다 훨씬 높은 가격으로 결정·공시된 사안에서, 이는 개별공시지가 산정업무 담당공무원 등이 개별공시지가의 산정 및 검증, 심의에 관한 직무상 의무를 위반한 것으로 불법행위에 해당한다고 한 사례**

[3] **개별공시지가는 그 산정 목적인 개발부담금의 부과, 토지 관련 조세 부과 등 다른 법령이 정하는 목적을 위해 지가를 산정하는 경우에 그 산정 기준이 되는 범위 내에서는 납세자인 국민 등의 재산상 권리·의무에 직접적인 영향을 미칠 수 있지만, 이에 더 나아가 개별공시지가가 당해 토지의 거래 또는 담보제공을 받음에 있어 그 실제 거래가액 또는 담보가치를 보장한다거나 어떠한 구속력을 미친다고 할 수는 없다.** 그럼에도 개개 토지에 관한 개별공시지가를 기준으로 거래하거나 담보제공을 받았다가 당해 토지의 실제 거래가액 또는 담보가치가 개별공시지가에 미치지 못함으로 인해 발생할 수 있는 손해에 대해서까지 그 개별공시지가를 결정·공시하는 지방자치단체에 손해배상책임을 부담시키게 된다면, **개개 거래당사자들 사이에 이루어지는 다양한 거래관계와 관련하여 발생한 손해에 대하여 무차**

> 별적으로 책임을 추궁당하게 되고, 그 거래관계를 둘러싼 분쟁에 끌려들어가 많은 노력과
> 비용을 지출하는 결과가 초래되게 된다. 이는 결과발생에 대한 예견가능성의 범위를 넘어
> 서는 것임은 물론이고, 행정기관이 사용하는 지가를 일원화하여 일정한 행정목적을 위한
> 기준으로 삼음으로써 국토의 효율적인 이용과 국민경제의 발전에 기여하려는 구 부동산 가
> 격공시 및 감정평가에 관한 법률(2008.2.29. 법률 제8852호로 개정되기 전의 것)의 목적
> 과 기능, 그 보호법익의 보호범위를 넘어서는 것이다.
> (대법원 2010.7.22. 선고 2010다13527 판결[손해배상(기)])

### (2) 지방자치단체의 손해배상책임

직무상 의무는 단순히 공공일반의 이익을 위한 것이거나 행정기관 내부의 질서를 규율하기 위한 것이 아니고 전적으로 또는 부수적으로 국민 개개인의 재산권 보장을 목적으로 하여 규정된 것이라고 봄이 상당하다. 따라서 개별공시지가 산정업무 담당 공무원 등이 그 직무상 의무에 위반하여 현저하게 불합리한 개별공시지가가 결정되도록 함으로써 국민 개개인의 재산권을 침해한 경우에는 그 손해에 대하여 상당인과관계 있는 범위 내에서 그 담당 공무원 등이 소속된 지방자치단체가 배상책임을 지게 된다.

### (3) 사안의 경우

토지의 이용 상황을 실제 이용되고 있는 산지관리법상 '보전산지'로 하여 개별공시지가를 산정한 다음 감정평가법인에 검증을 의뢰하였는데, 감정평가법인이 그 토지의 이용상황을 '준보전산지'로 잘못 정정하여 검증지가를 산정하고, 시(市) 부동산가격공시위원회가 검증지가를 심의하면서 그 잘못을 발견하지 못함에 따라 그 토지의 개별공시지가가 적정가격보다 훨씬 높은 가격(10배 높은 토지가격)으로 결정·공시된 사안에서, 이는 개별공시지가 산정업무 담당공무원 등이 개별공시지가의 산정 및 검증, 심의에 관한 직무상 의무를 위반한 것으로 불법행위에 해당한다.

## Ⅳ  개별공시지가의 산정목적 범위 및 상당인과관계 인정 여부

## 1. 개별공시지가의 산정목적 범위 등

### (1) 개별공시지가의 산정목적 범위 등

개별공시지가는 그 산정목적인 개발부담금의 부과, 토지 관련 조세부과 등 다른 법령이 정하는 목적을 위해 지가를 산정하는 경우에 그 산정 기준이 되는 범위 내에서는 납세자인 국민 등의 재산상 권리·의무에 직접적인 영향을 미칠 수 있다.

## (2) 개별공시지가가 사적 부동산거래에 있어서 구속력을 갖는지 여부

부동산 가격공시에 관한 법률 제1조에서 "부동산의 적정가격(適正價格) 공시에 관한 기본적인 사항과 부동산 시장·동향의 조사·관리에 필요한 사항을 규정함으로써 부동산의 적정한 가격형성과 각종 조세·부담금 등의 형평성을 도모하고 국민경제의 발전에 이바지함을 목적으로 한다."라고 규정하고 있고, 동법 제9조에서 표준지공시지가가 토지시장의 지가정보를 제공하고 일반적인 토지거래의 지표가 된다고 규정하고 있는 취지는, 일반 국민에 대한 관계에서 토지에 관하여 합리적으로 평가한 적정가치를 제시함으로써 토지를 거래하는 당사자의 합리적인 의사결정의 지표가 될 만한 지가정보를 제공한다는 의미에 불과할 뿐 표준지공시지가 또는 그에 기초한 개별공시지가를 지표로 거래해야 한다는 법적 구속력을 부여하는 의미라고 보기 어렵다. 따라서 개별공시지가는 그 산정 목적인 개발부담금의 부과, 토지 관련 조세부과 등 다른 법령이 정하는 목적을 위해 지가를 산정하는 경우에 그 산정기준이 되는 범위 내에서는 납세자인 국민 등의 재산상 권리·의무에 직접적인 영향을 미칠 수 있지만, 이에 더 나아가 개별공시지가가 해당 토지의 거래 또는 담보제공을 받음에 있어 그 실제 거래가액 또는 담보가치를 보장한다거나 어떠한 구속력을 미친다고 할 수는 없다(대판 2010.7.22, 2010다13527).

## 2. 상당인과관계 인정 여부

### (1) 상당인과관계 판단기준

최근 대법원 판례에서는 "공무원에게 부과된 직무상 의무의 내용이 단순히 공공 일반의 이익을 위한 것이거나 행정기관 내부의 질서를 규율하기 위한 것이 아니고 전적으로 또는 부수적으로 사회구성원 개인의 안전과 이익을 보호하기 위하여 설정된 것이라면, 공무원이 그와 같은 직무상 의무를 위반함으로 인하여 피해자가 입은 손해에 대하여는 상당인과관계가 인정되는 범위 내에서 국가가 배상책임을 지는 것이고, 이때 상당인과관계의 유무를 판단함에 있어서는 일반적인 결과발생의 개연성은 물론 직무상 의무를 부과하는 법령 기타 행동규범의 목적, 그 수행하는 직무의 목적 내지 기능으로부터 예견가능한 행위 후의 사정, 가해행위의 태양 및 피해의 정도 등을 종합적으로 고려하여야 한다."고 판시하였다.

---

**판례**

**[판시사항]**

[1] 공무원의 직무상 의무 위반으로 국가가 배상책임을 지는 경우의 직무상 의무의 내용 및 상당인과관계 유무의 판단 기준

**[판결요지]**

[1] 공무원에게 부과된 직무상 의무의 내용이 단순히 공공 일반의 이익을 위한 것이거나 행정기관 내부의 질서를 규율하기 위한 것이 아니고 전적으로 또는 부수적으로 사회구성원 개인의 안전과 이익을 보호하기 위하여 설정된 것이라면, 공무원이 그와 같은 직무상 의무를

> 위반함으로 인하여 피해자가 입은 손해에 대하여는 상당인과관계가 인정되는 범위 내에서 국가가 배상책임을 지는 것이고, <u>이때 상당인과관계의 유무를 판단함에 있어서는 일반적인 결과 발생의 개연성은 물론 직무상 의무를 부과하는 법령 기타 행동규범의 목적, 그 수행하는 직무의 목적 내지 기능으로부터 예견가능한 행위 후의 사정, 가해행위의 태양 및 피해의 정도 등을 종합적으로 고려하여야 한다.</u>
> (대법원 2007.12.27. 선고 2005다62747 판결[손해배상(기)])

## (2) 상당인과관계 인정여부

개별공시지가 산정업무 담당공무원 등이 잘못 산정·공시한 개별공시지가를 신뢰한 나머지 토지의 담보가치가 충분하다고 믿고 그 토지에 관하여 근저당권설정등기를 경료한 후 물품을 추가로 공급함으로써 손해를 입었음을 이유로 그 담당공무원이 속한 지방자치단체에 손해배상을 구한 사안에서, 그 담당공무원 등의 개별공시지가 산정에 관한 직무상 위반행위와 위 손해 사이에 상당인과관계가 있다고 보기 어렵다고 판시한 바 있다.

┌ 판례

**[판결요지]**

[1] 개별공시지가는 개발부담금의 부과, 토지 관련 조세부과 등 다른 법령이 정하는 목적을 위해 지가를 산정하는 경우에 그 산정기준이 되는 관계로 납세자인 국민 등의 재산상 권리·의무에 직접적인 영향을 미치게 되므로, 개별공시지가 산정업무를 담당하는 공무원으로서는 해당 토지의 실제 이용상황 등 토지특성을 정확하게 조사하고 해당 토지와 토지이용상황이 유사한 비교표준지를 선정하여 그 특성을 비교하는 등 법령 및 '개별공시지가의 조사·산정지침'에서 정한 기준과 방법에 의하여 개별공시지가를 산정하고, 산정지가의 검증을 의뢰받은 감정평가법인등나 시·군·구 부동산평가위원회로서는 위 산정지가 또는 검증지가가 위와 같은 기준과 방법에 의하여 제대로 산정된 것인지 여부를 검증, 심의함으로써 적정한 개별공시지가가 결정·공시되도록 조치할 직무상의 의무가 있고, 이러한 직무상 의무는 단순히 공공 일반의 이익을 위한 것이거나 행정기관 내부의 질서를 규율하기 위한 것이 아니고 전적으로 또는 부수적으로 국민 개개인의 재산권 보장을 목적으로 하여 규정된 것이라고 봄이 상당하다. 따라서 개별공시지가 산정업무 담당 공무원 등이 그 직무상 의무에 위반하여 현저하게 불합리한 개별공시지가가 결정되도록 함으로써 국민 개개인의 재산권을 침해한 경우에는 그 손해에 대하여 상당인과관계가 있는 범위 내에서 그 담당 공무원 등이 소속된 지방자치단체가 배상책임을 지게 된다.

[2] 시장이 토지의 이용상황을 실제 이용되고 있는 '자연림'으로 하여 개별공시지가를 산정한 다음 감정평가법인에 검증을 의뢰하였는데, 감정평가법인이 그 토지의 이용상황을 '공업용'으로 잘못 정정하여 검증지가를 산정하고, 시 부동산평가위원회가 검증지가를 심의하면서 그 잘못을 발견하지 못함에 따라, 그 토지의 개별공시지가가 적정가격보다 훨씬 높은 가격으로 결정·공시된 사안에서, 이는 개별공시지가 산정업무 담당 공무원 등이 개별공시지가의 산정 및 검증, 심의에 관한 직무상 의무를 위반한 것으로 불법행위에 해당한다고 한 사례

[3] 개별공시지가는 그 산정 목적인 개발부담금의 부과, 토지 관련 조세부과 등 다른 법령이 정하는 목적을 위해 지가를 산정하는 경우에 그 산정기준이 되는 범위 내에서는 납세자인 국민 등의 재산상 권리·의무에 직접적인 영향을 미칠 수 있지만, 이에 더 나아가 개별공시지가가 해당 토지의 거래 또는 담보제공을 받음에 있어 그 실제거래가액 또는 담보가치를 보장한다거나 어떠한 구속력을 미친다고 할 수는 없다. 그럼에도 개개 토지에 관한 개별공시지가를 기준으로 거래하거나 담보제공을 받았다가 해당 토지의 실제거래가액 또는 담보가치가 개별공시지가에 미치지 못함으로 인해 발생할 수 있는 손해에 대해서까지 그 개별공시지가를 결정·공시하는 지방자치단체에 손해배상책임을 부담시키게 된다면, 개개 거래당사자들 사이에 이루어지는 다양한 거래관계와 관련하여 발생한 손해에 대하여 무차별적으로 책임을 추궁당하게 되고, 그 거래관계를 둘러싼 분쟁에 끌려들어가 많은 노력과 비용을 지출하는 결과가 초래되게 된다. 이는 결과발생에 대한 예견가능성의 범위를 넘어서는 것임은 물론이고, 행정기관이 사용하는 지가를 일원화하여 일정한 행정목적을 위한 기준으로 삼음으로써 국토의 효율적인 이용과 국민경제의 발전에 기여하려는 (구)부동산 가격공시 및 감정평가에 관한 법률(2008.2.29. 법률 제8852호로 개정되기 전의 것)의 목적과 기능, 그 보호법익의 보호범위를 넘어서는 것이다.

[4] 개별공시지가 산정업무 담당 공무원 등이 잘못 산정·공시한 개별공시지가를 신뢰한 나머지 토지의 담보가치가 충분하다고 믿고 그 토지에 관하여 근저당권 설정등기를 경료한 후 물품을 추가로 공급함으로써 손해를 입었음을 이유로 그 담당 공무원이 속한 지방자치단체에 손해배상을 구한 사안에서, 그 담당 공무원 등의 개별공시지가 산정에 관한 직무상 위반행위와 위 손해 사이에 상당인과관계가 있다고 보기 어렵다고 한 사례

(출처 : 대법원 2010.7.22. 선고 2010다13527 판결)

## V 사안의 해결

관련 판례의 태도에 따르면 광주시의 개별공시지가 결정행위는 직무상 위반으로 위법행위에 해당한다고 판단된다. 이에 따라 상당인과관계가 있는 범위 내에서 지방자치단체가 배상책임을 지게 된다. 공시지가는 행정기관이 사용하는 지가를 일원화하여 일정한 행정목적을 위한 기준으로 삼음으로써 국토의 효율적인 이용과 국민경제의 발전에 기여하려는 목적과 기능이 있으므로, 개별공시지가가 해당 토지의 거래 또는 담보제공을 받음에 있어 그 실제 거래가액 또는 담보가치를 보장한다거나 어떠한 구속력을 미친다고 할 수는 없으므로, 담당 공무원 등의 개별공시지가 산정에 관한 직무상 위반행위와 위 손해 사이에 상당인과관계가 있다고 보기 어려울 것으로 보인다. 따라서 광주시장의 항변의 타당성이 인정된다고 생각된다.

## 6절 – 부동산공시법 제10조(개별공시지가의 결정·공시 등)
## – 행정법 쟁점 : 하자의 승계

**문제**

경기도 A시에 거주하는 甲은 정년퇴임 당시 수령한 퇴직금의 투자처를 찾아보던 와중 전통적인 투자 상품이 아닌 대체투자안 중 하나인 부동산에 투자하기로 결정하였다. 이에 따라 甲은 토지를 취득하였다가 양도하였는데 A시장은 이 토지의 양도 당시 기준시가를 이 토지의 개별공시지가로 결정하여 공고하였다. 그런데 A시장이 이 토지에 대한 개별공시지가를 결정함에 있어서 공부상 지목이 전(田)인 토지 중 일부에 주택이 건립되어 있으나 나머지 부분은 사실상 전(田)으로 이용되고 있는 부분에 대하여도 지목이 대지인 표준지를 선정하여 개별공시지가를 결정하였다. 그러나 甲은 이 개별공시지가 결정에 대하여 「부동산 가격공시에 관한 법률」상 소정의 불복절차를 밟지 않았고, 행정쟁송 제기기간은 도과하였다. 이후 A시장은 이 토지에 대한 개별공시지가를 기초로 소득세법에 의거 甲에 대해 양도소득세 부과처분을 하였다. 이에 甲은 개별공시지가 결정에 하자가 있다는 이유로 양도소득세 부과처분이 위법하다고 주장하면서 양도소득세 부과처분 취소소송을 제기하였다. 甲의 청구는 인용될 수 있는지를 설명하시오. 단, 甲이 개별공시지가에 대해 개별통지를 받지 못한 경우와 받은 경우를 각각 상정해 설명하시오. <u>40점</u>

<table>
<tr><td valign="top">

Ⅰ. 논점의 정리

Ⅱ. 개별공시지가 결정의 법적 성질
  1. 개별공시지가의 의의 및 처분성 논의
  2. 학설
  3. 판례의 태도
  4. 검토
    (1) 개별적·구체적 규율성의 문제
    (2) 소결

Ⅲ. 甲의 양도소득세 부과처분 취소소송 제기 적법성

Ⅳ. 양 행정행위의 위법성과 그 정도
  1. 개별공시지가 결정의 위법성
    (1) 위법성 사유
      ① 산정기준
      ② 판례의 태도
      ③ 사안의 경우
    (2) 위법성 정도

</td><td valign="top">

  2. 양도소득세 부과처분의 위법성
    (1) 문제의 소재
    (2) 사안의 경우

Ⅴ. 개별공시지가 결정의 하자가 과세처분에 승계되는지 여부
  1. 문제소재
  2. 하자승계
    (1) 하자승계의 의의 및 논의의 배경
    (2) 하자승계 논의 전제요건
    (3) 해결논의
    (4) 판례의 태도
    (5) 소결
  3. 구체적 적용
    (1) 개별공시지가에 대해 상대방이 개별적으로 통지를 받지 못한 경우
    (2) 개별공시지가의 개별통지를 받은 경우

Ⅵ. 사례의 해결

</td></tr>
</table>

## I    논점의 정리

1. 甲의 양도소득세 부과처분 취소소송의 인용가능성은 하자승계와 관련된 논의이다. 따라서 부동산 가격공시에 관한 법률(이하 '부동산공시법')상 개별공시지가 결정과 양도소득세 부과처분의 법적 성질 및 소제기 적법성을 살피고, 각 행위의 위법성 여부와 정도를 검토한다.
2. 甲의 청구가 인용되기 위해서는 하자의 승계를 논의하고 甲이 개별공시지가에 대해 개별통지를 받은 경우와 받지 못한 경우에 있어서 '수인가능성과 예측가능성'이 인정되는가를 검토하여 인용가능성을 검토하겠다.

## II    개별공시지가 결정의 법적 성질

### 1. 개별공시지가의 의의 및 처분성 논의

개별공시지가는 매년 공시기준일 현재 시·군·구청장이 단위면적당 가격을 결정·공시하는 것을 말한다. 처분성이 인정되기 위해서는 행정소송법 제2조 제1항 제1호 「처분」이란 행정청이 행하는 구체적 사실에 관한 법집행으로서 공권력의 행사 및 그 밖에 이에 준하는 행정작용이어야 한다. 개별공시지가 결정이 처분에 해당하는지와 관련하여 학설과 판례의 논의가 있다.

### 2. 학설

(1) 입법행위설은 개별공시지가는 후속 행정행위인 과세처분 등의 산정기준이 되는 것이므로 일반적·추상적인 규율이라고 본다.

(2) 사실행위설은 개별공시지가는 현실적으로 존재하는 정상지가를 조사하여 공시함으로써 지가정보를 제공하는 의사작용을 요소로 하는 사실행위라고 본다.

(3) 행정행위설은 후속 행정행위는 개별공시지가 결정에 직접적으로 기속을 받는 것이므로, 개별공시지가 결정은 이미 그 자체로서 국민의 권리·의무에 영향을 미치게 된다고 보는 것이다.

### 3. 판례의 태도

시·군·구청장의 개별토지가격의 결정은 개발부담금 등 산정의 기준이 되어 국민의 권리나 의무 또는 법률상 이익에 직접적으로 관계되는 것으로서 행정청이 행하는 구체적 사실에 관한 법집행으로 공권력의 행사이므로, 항고소송의 대상이 되는 행정처분에 해당한다고 판시했다.

### 4. 검토

#### (1) 개별적·구체적 규율성의 문제

개별공시지가의 결정은 사람을 대상으로 하는 것이 아니라 개별토지의 성질이나 상태에 대한 규율의 성질을 띠므로, 이때는 인적 범위의 특정성은 의미를 지니지 못한다. 개별공시지가는 토지 관련 세금에 있어 구속력을 가지고 적용된다는 점에서 국민의 권리·의무에 영향을 미치는 법적 규율성이 인정된다고 보아야 할 것이다.

## (2) 소결

위와 같이 검토한 결과 개별공시지가는 국민의 권리·의무에 영향을 미치는 행위로서 물건의 성질이나 상태에 관한 규율을 하여 이것이 당사자의 권리·의무에 영향을 미치는 행위로서 물적 행정행위인 바, 처분성이 인정된다 할 것이다.

## Ⅲ 甲의 양도소득세 부과처분 취소소송 제기 적법성

양도소득세 부과는 甲의 권리와 의무에 구체적이고 직접적인 영향을 미치는바, 행정소송법상 처분으로 강학상 '하명'에 해당한다(대법원 판례). 기타 취소소송 제기요건으로 원고적격, 협의의 소익, 제소기간 준수 등이 있지만 해당 사안에서는 특별한 언급이 없으므로 소송요건은 충족했다고 보겠다.

## Ⅳ 양 행정행위의 위법성과 그 정도

## 1. 개별공시지가 결정의 위법성

### (1) 위법성 사유

#### ① 산정기준

부동산 가격공시에 관한 법률 제10조 제4항은 시장·군수 또는 구청장이 개별공시지가를 결정·공시하는 경우에는 해당 토지와 유사한 이용가치를 지닌다고 인정되는 하나 또는 둘 이상의 표준지의 공시지가를 기준으로 토지가격비준표를 사용하여 지가를 산정하되, 해당 토지의 가격과 표준지공시지가가 균형을 유지하도록 하여야 한다고 규정하고 있다.

#### ② 판례의 태도

개별토지가격은 기본적으로 대상토지와 같은 가격권 안에 있는 표준지 중에서 지가형성요인이 가장 유사한 표준지를 선택하여야 보다 합리적이고 객관적으로 산정할 수 있는 것이므로 그 비교표준지는 대상토지와 용도지역, 토지이용상황, 기타 자연적·사회적 조건 등 토지특성이 같거나 가장 유사한 표준지 중에서 선택하여야 할 것이다. 토지특성이 유사한 비교표준지를 선정하지 아니하고 결정한 개별공시지가 결정은 위법하다고 본다(대판 2000.6.9, 99두5542).

#### ③ 사안의 경우

부동산공시법은 개별공시지가를 결정함에 있어 유사한 이용가치를 지닌다고 인정되는 표준지공시지가를 기준으로 개별공시지가를 결정하도록 되어 있음에도 불구하고, A시장은 개별공시지가를 결정함에 있어 공부상 지목이 전(田)인 토지 중 일부에 주택이 건립되어 있을 뿐 나머지 부분은 전(田)으로 이용되고 있음에도 불구하고 토지 전체가 대지로 이용되고 있다고 보아 지목이 대지인 표준지를 선정하여 개별공시지가를 결정하였으므로 이는 부동산공시법 제10조 제4항을 위반한 위법이 있다.

### (2) 위법성 정도

무효의 위법사유가 있는 경우 하자승계가 문제되지 않는다는 점에서 위법성의 정도가 취소사유에 해당하는지 무효사유에 해당하는지 그 실익이 있다. 무효와 취소의 구별기준은 통설과 판례의 태도인 중대명백설에 의해 법 위반이 중대하고 외견상 명백한 경우 무효로 본다. 사안에서는 개별공시지가 결정의 하자는 부동산공시법의 중요사항을 위반한 것이므로 중대한 하자에 해당하지만 일반 제3자의 시각에서 관찰할 때 명백한 하자로 평가하기는 어려우므로 취소사유에 해당한다고 보아야 할 것이다.

## 2. 양도소득세 부과처분의 위법성

### (1) 문제의 소재

양도소득세 부과처분의 근거가 되는 개별공시지가가 위법한바, 소득세 부과처분의 독립적 위법사유가 있는가의 검토가 요구된다.

### (2) 사안의 경우

개별공시지가가 위법하다 하더라도 그 정도가 취소사유인바, 공정력으로 인해 유효하므로 이에 근거한 소득세 부과처분도 유효하다. 또한 주체, 형식, 절차, 내용상의 독자적 위법사유가 발견되지 않으므로 양도소득세 부과처분은 적법한 행정행위이다.

## Ⅴ 개별공시지가 결정의 하자가 과세처분에 승계되는지 여부

## 1. 문제소재

甲이 개별공시지가 결정단계에서 행정쟁송을 제기하지 않아 불가쟁력이 발생한바, 선행처분의 하자를 이유로 양도소득세 부과처분을 다투어서 이에 대한 취소소송의 승소가 가능한지 검토한다.

## 2. 하자승계

### (1) 하자승계의 의의 및 논의의 배경

하자승계란 선행 행정행위의 위법을 불가쟁력이 발생함을 이유로 후행 행정행위의 단계에서 다툼이 가능한가의 논의이다. 이는 불가쟁력에 따른 행정의 법적안정성과 행정의 법률적합성에 의한 국민의 권리구제의 조화의 문제이다. 개별공시지가가 위법함에도 불가쟁력이 발생한 경우 후행 과세·부담금 처분단계에서 다툼이 가능한가의 논의이다.

### (2) 하자승계 논의 전제요건

① 양 행정작용이 행정행위일 것, ② 선행 행정행위에 취소 정도의 위법성이 있을 것, ③ 후행 행위에 독자적 위법성이 없을 것, ④ 선행 행정행위에 불가쟁력이 발생하였어야 하자승계를 논의할 전제가 된다. 사안에서는 앞에서 보았듯이 ①, ②, ③ 요건은 충족하였고, 설문에서 개별공시지가 결정에 대해 행정쟁송 제기기간이 도과하였다고 서술하고 있는바, 모든 전제는 충족되었다.

### (3) 해결논의

① 전통적인 견해는 양 행정행위가 목적하는 법적 효과가 동일한가 여부로 판단한다.

② 새로운 견해(구속력이론)는 선행처분에 불가쟁력이 발생하여 그 효력이나 법적 상태는 일정한 한계(대물적 한계, 대인적 한계, 시간적 한계, 예측가능성과 수인한도성의 추가적 한계) 내에서 후행처분을 구속하므로 후행 행정행위의 단계에서는 다른 주장은 할 수 없다는 견해이다.

### (4) 판례의 태도

판례의 주류적 태도는 전통적 견해의 입장에서 하자승계 여부를 판단한다. 그러나 개별공시지가와 양도소득세 부과처분에서는 법률효과가 다르더라도 국민의 예측가능성과 수인가능성, 국민의 재판받을 권리 등을 근거로 하자승계를 인정한 바 있다.

### (5) 소결

전통적 견해는 동일한 법적 효과라는 형식적 기준으로만 하자의 승계 여부를 판단하므로 국민의 권익을 소홀히 할 수 있다는 비판이 있다. 구속력이론은 법원의 기판력을 차용했으며, 독일에서의 다단계 행정결정에 사용되는 개념을 하자의 승계 논의에 사용하는 것은 적절하지 않다는 비판이 있다. 따라서 판례의 입장에 따르면 기본적으로 통설의 입장에 따르되 구체적 타당성을 위해 수인가능성과 예측가능성을 고려하는 것이 법적안정성과 국민의 재판청구권이라는 양자의 조화를 이루는 방법이다.

## 3. 구체적 적용

### (1) 개별공시지가에 대해 상대방이 개별적으로 통지를 받지 못한 경우

#### ① 전통적 견해에 따르면

전통적 견해인 하자승계론에 따르면 개별공시지가와 양도소득세 부과처분은 각각 별개의 법적 효과를 목적으로 하기 때문에 甲이 개별공시지가 결정·공시가 있었음을 전혀 알지 못하는 경우에도 하자승계는 인정할 수 없을 것이다.

#### ② 구속력이론에 따르면

'수인성의 원칙'이란 입법자나 행정기관의 작용은 그 효과가 사인이 수인할 수 있는 것이어야 한다는 원칙이다(판례). 구속력이론에 따르면 甲이 통지를 받지 못했기 때문에 위법한 개별공시지가를 다투지 못하고 불가쟁력이 발생한바, 이는 수인가능성이 있었다고 볼 수 없다. 따라서 하자의 승계는 인정된다.

③ 판례

판례는 선행처분이 무효가 아닌 한 후행처분단계서의 하자승계는 인정하지 않으나, 예외적으로 선행처분의 불가쟁력이나 구속력이 그로 인하여 불이익을 입게 되는 자에게 수인한도를 넘는 가혹함을 가져오고 그 결과가 당사자에게 예측가능한 것이 아닌 경우에는 국민의 재판받을 권리를 보장하고 있는 헌법의 이념에 비추어 하자승계가 가능하다고 본다. 따라서 甲은 개별공시지가 결정을 사전에 알고 그에 대해 취소소송을 제기해야 한다고 하는 것은 수인가능성을 넘는 것이 된다. 甲의 하자승계는 인정된다.

④ 사안의 경우

甲이 개별공시지가에 대해 알 수 없는 경우에도 하자의 승계를 인정하지 않으면 甲의 권익보호와 재판청구권을 과도하게 침해하는바, 하자의 승계를 인정하여 법원은 승소판결을 내리는 것이 바람직하다.

## (2) 개별공시지가의 개별통지를 받은 경우

① 전통적 견해에 따를 경우

전통적 견해는 양 행정행위의 법적 효과가 동일할 경우에만 하자승계가 인정된다고 보는바, 개별통지를 받고 개별공시지가 결정단계에서 쟁송을 제기하지 않은 경우에는 하자승계는 인정되지 않는다.

② 구속력이론에 따를 경우

각 행정행위는 다른 법적 효과라 하여 구속력이 미치지 않는 것처럼 보이지만 甲이 개별공시지가 결정을 안 경우 수인가능성과 예측가능성이 있으므로 이 견해에 따르더라도 하자의 승계는 인정되지 않는다.

③ 판례의 태도

판례는 원고가 이 사건 토지를 매도한 이후에 그 양도소득세 산정의 기초가 되는 개별공시지가 결정에 대하여 한 재조사청구에 따른 감액조정결정을 통지 받고서도 더 이상 다투지 아니한 경우에 대해 선행처분인 개별공시지가 결정의 불가쟁력이나 구속력이 수인한도를 넘는 가혹한 것이거나 예측불가능하다고 볼 수 없어, 위 개별공시지가 결정의 위법을 이 사건 과세처분의 위법사유로 주장할 수 없다(대판 1998.3.13, 96누6059)고 판시하였다. 개별적으로 통지를 받은 경우에도 수인한도 및 예측가능성을 침해한 것이 아니고, 선행개별공시지가 결정과 후행 과세처분은 별개의 효과발생을 목적으로 하므로 하자는 승계되지 않는다. 따라서 과세처분에 대한 취소소송에서 甲의 청구는 기각될 것이다.

④ 사안의 경우

사안의 경우 통설, 구속력이론, 판례의 태도를 모두 검토하여도 甲이 개별공시지가 결정의 위법성을 알 수 있었다면 불가쟁력이 발생한 후 하자승계를 주장할 수 없다.

## Ⅵ 사례의 해결

1. 개별공시지가 결정은 판례와 행정행위성을 긍정하는 견해에 따를 경우 물적 행정행위로서 개별성은 없으나 구체적 규율성이 인정된다고 보아 처분성의 징표에 해당되고, 양도소득세 부과처분 역시 국민에게 과세부담을 지운다는 점에서 처분성이 인정된다.

2. 개별공시지가 결정은 대상 토지와 가격형성 측면에서 유사한 공시지가를 기준으로 하여야 한다는 것이 부동산공시법과 판례의 태도인바, A시장은 대상 부동산과 유사한 이용상황의 공시지가를 기준으로 개별공시지가를 결정하지 않은 취소사유에 해당하는 위법이 있다. 그러나 양도소득세 부과처분에는 독립적 위법사유가 없으며 선행처분을 다툴 쟁송제기기간은 도과하였으므로 하자승계 논의를 위한 전제요건은 충족된다.

3. 甲이 양도소득세 결정을 알 수 없었다면, 판례의 입장에 따라 원칙적으로 전통적 견해의 입장에서 예측가능성과 수인가능성 여부로 하자승계를 결정함이 타당할 것이다. 따라서 甲은 수인가능성을 넘은 것으로 하자의 승계를 인정하여 법원은 원고 승소판결을 내려야 한다.

4. 甲이 양도소득세 결정을 알 수 있었다면 전통적 견해는 양 행정행위의 법적 효과가 다름을 이유로, 구속력이론과 판례는 수인한도성과 예측가능성이 있다는 이유로 하자승계는 부정되고, 법원은 기각판결을 내려야 한다.

---

**베타답안**

 **문** 40점

## Ⅰ. 논점의 정리

사안은 양도소득세 부과처분에 따른 토지소유자 甲의 권리구제로서 하자승계의 문제인바, 사안의 해결을 위해,

1. 먼저 해당 행정작용으로서 개별공시지가 결정 및 양도소득세 부과처분의 법적 성질을 살펴보고,
2. 甲이 제기한 취소소송이 적법한지, 적법하다면 행정작용의 위법으로서 개별공시지가 결정의 위법 여부와 그에 따른 양도소득세 부과처분의 적법성을 검토하고,
3. 선행행위인 개별공시지가 결정의 위법이 인정된다면 후행행위인 양도소득세 부과처분에서 이를 주장할 수 있는지 하자승계의 인정 여부를 개별공시지가 결정의 통지가 있는 경우와 없는 경우로 나누어 살펴 사례를 해결토록 한다.

## Ⅱ. 관련 행정작용의 법적 성질

### 1. 개별공시지가의 법적 성질

#### (1) 개별공시지가의 의의

개별공시지가는 시장 등이 법령에 정한 목적을 위해 산정된 관할구역 내의 개별토지의 단위면적당 가격으로서 "처분성" 여부가 문제된다.

### (2) 견해의 대립

과세처분 등의 행정행위가 개별공시지가에 구속을 받는바, 국민의 권리・의무에 영향을 미치는 것으로 보는 행정행위설, 개별공시지가는 세금 등의 산정기준으로서 성질만을 갖는다는 행정규칙설, 법령에 근거하여 결정되며 처분의 기준이 되는 것인바, 법규명령의 성질을 갖는 고시에 준하는 성질을 갖는다는 견해가 있다.

### (3) 판례의 태도

판례는 개별공시지가가 국민의 권리・의무 또는 법률상 이익에 직접 관계되는 것으로 "처분"에 해당된다고 판시한 바 있다.

### (4) 검토

개별공시지가가 과세처분 등에 있어 직접 기준이 되는 것으로 국민권익에 직접 영향을 미치므로 조기 권리구제를 위해 "처분성"을 긍정함이 타당하다 본다.

## 2. 양도소득세 부과의 법적 성질

양도소득세 부과행위는 대국민적 급부의무를 부과하는 것으로 개별적, 직접적, 구체적으로 행해지는바, 강학상 '하명'으로서 쟁송의 대상인 "처분"으로 본다.

# Ⅲ. 甲 취소소송의 적법성

## 1. 취소소송의 적법요건

취소소송은 정당한 원고적격을 가진 자가 소정의 피고를 상대로 행정소송사항에 관하여 소정의 절차와 형식을 갖추어 제소기간 내 관할권이 있는 법원에 제기하여야 한다.

## 2. 사안의 경우

상기 살펴본 바 양도세부과의 "처분성"이 인정되고 甲은 해당 처분의 직접 상대방으로서 원고적격을 갖는다. 따라서 다른 요건의 문제도 보이지 않으므로 취소소송은 적법하게 제기되었다고 본다.

# Ⅳ. 행정작용의 위법성 검토

## 1. 개별공시지가 결정의 위법성

### (1) 개별공시지가의 위법사유

판례는 개별공시지가의 위법사유로서 ① 지가결정의 주요절차를 위반한 경우, ② 비교표준지 선정이 잘못된 경우, ③ 토지가격비준표에 의한 토지의 특성조사・비교 및 가격조정률이 잘못된 경우, ④ 결정된 토지가격이 현저히 불합리한 경우 등을 인정하고 있다.

### (2) 사안의 경우

개별공시지가를 결정함에 있어 유사한 이용가치를 지닌다고 인정되는 표준지를 기준으로 토지가격비준표를 활용・결정하여야 하나 사안의 경우 공부상 지목이 "전(田)"

인 대상토지의 일부에 주택이 건립되어 있어 일부 "대(垈)"로 이용 중임에도 A시장은 전체 토지를 대지로 보아 지목이 "대"인 표준지를 선정하여 개별공시지가를 결정한 것으로 이는 표준지 선정상의 잘못이 있는 경우로서 그 위법이 인정된다.

### (3) 위법의 정도

해당 표준지 선정상의 하자는 그 결정절차상 중대한 위법사유에 해당하나 그 하자 있음이 일견 명백하다 보기는 어려워 통설·판례의 중대명백설에 의할 때 "취소" 정도의 위법이 있다고 여겨진다.

## 2. 양도소득세 부과처분의 위법 여부

설문상 그 처분결정에 있어 주체, 절차, 형식상의 하자는 보이지 않는다. 또한 그 내용에 있어서도 개별공시지가 결정의 하자가 "취소" 사유에 불과한바, 공정력에 의해 유효성을 지니므로 이를 기준으로 한 해당 부과처분의 위법이 있다고 볼 수 없다 여겨진다.

# V. 취소소송의 인용가능성(하자승계의 인정 여부)

## 1. 하자승계의 의의 및 논의배경

행정이 여러 단계의 행정행위를 거쳐 행해지는 경우 선행 행정행위의 위법을 이유로 적법한 후행 행정행위의 위법을 주장할 수 있는 것을 말하며, 이는 행정의 법적안정성과 국민의 재판받을 청구권과의 조화문제이다.

## 2. 하자승계의 전제요건 충족 여부

### (1) 하자승계의 전제 요건

① 선·후행행위가 모두 처분으로 ② 선행행위에 취소사유의 위법이 있으며, ③ 후행행위는 적법하고, ④ 선행행위에 불가쟁력이 발생하였어야 한다.

### (2) 사안의 경우

앞서 살핀 바와 같이 ①, ②, ③의 요건은 모두 충족하고 있으며, 설문상 이미 개별공시지가의 불복제기기간이 경과한바, 상기 전제요건을 모두 충족하고 있다.

## 3. 하자승계의 인정기준

### (1) 견해의 대립

동일한 법적 효과를 목적으로 하는지를 기준으로 검토하는 전통적 하자승계론, 선행행위의 불가쟁력이 후행행위를 구속하는 경우 부정된다고 보는 구속력이론의 대립이 있다.

### (2) 판례의 태도

원칙적으로 전통적 하자승계론의 입장이나 예외적으로 개별공시지가와 과세처분 간의 판례에서 개별통지가 없는 경우 예측가능성과 수인한도성을 적용하여 하자승계를 인정한 바 있다.

### (3) 검토

생각건대 하자의 승계문제는 국민의 재판받을 권리와 법적안정성의 조화문제로서 양
자의 조화를 위해 판례와 같이 전통적 하자승계론의 입장에서 예측가능성과 수인한도
성을 함께 검토함이 타당하다고 본다.

## 4. 취소소송의 인용가능성

### (1) 개별통지가 있는 경우

개별공시지가와 양도소득세 부과처분은 각각 별개의 법적 효과를 목적으로 하는바,
원칙적으로 하자승계가 부정된다고 보며, 예외적 한도를 적용하더라도 개별통지에 의
한 불복가능성을 알았는바, 예측가능성이 없거나 수인한도를 넘는 가혹함이 있다고
볼 수 없는바, 하자승계는 부정된다고 본다. 따라서 甲의 취소소송은 기각될 것이다.

### (2) 개별통지가 없는 경우

이 경우에도 원칙적으로 하자승계는 부정될 것이나 甲에게 개별통지가 없었던 점에
비추어 볼 때 예측가능성이 없었고 이 경우 선행행위의 불가쟁력을 이유로 해당 처분
을 다투지 못하게 함은 수인한도를 넘는 가혹함이 인정되므로 하자승계가 예외적으로
인정된다고 본다. 따라서 甲의 취소소송은 인용이 가능하다고 본다.

## VI. 사례의 해결

1. 개별공시지가 결정은 판례와 행정행위성을 긍정하는 견해에 따를 경우 물적 행정행
   위로서 개별성은 없으나 구체적 규율성이 인정된다고 보아 처분성의 징표에 해당되
   고, 양도소득세 부과처분 역시 국민에게 과세부담을 지운다는 점에서 처분성이 인
   정된다.
2. 개별공시지가 결정은 대상토지와 가격형성 측면에서 유사한 공시지가를 기준으로
   하여야 한다는 것이 부동산공시법과 판례의 태도인바, A시장은 대상 부동산과 유사
   한 이용상황의 공시지가를 기준으로 개별공시지가를 결정하지 않은 취소사유에 해
   당하는 위법이 있다. 그러나 양도소득세 부과처분에는 독립적 위법사유가 없으며
   선행처분을 다툴 쟁송제기기간은 도과하였으므로 하자승계 논의를 위한 전제요건은
   충족된다.
3. 甲이 양도소득세 결정을 알 수 없었다면, 판례의 입장에 따라 원칙적으로 전통적
   견해의 입장에서 예측가능성과 수인가능성 여부로 하자승계를 결정함이 타당할 것이
   다. 따라서 甲은 수인가능성을 넘은 것으로 하자의 승계를 인정하여 법원은 원고
   승소판결을 내려야 한다.
4. 甲이 양도소득세 결정을 알 수 있었다면 전통적 견해는 양 행정행위의 법적 효과가
   다름을 이유로, 구속력이론과 판례는 수인한도성과 예측가능성이 있다는 이유로 하
   자승계는 부정되고, 법원은 기각판결을 내려야 한다.

| **7절** | **부동산공시법 제10조(개별공시지가의 결정·공시 등)** |

**문제**

다음 부동산 가격공시에 관한 법률(부동산가격공시법)상 개별공시지가 사례에 대하여 구체적으로 설명하시오. 30점

(1) 서울 관악구 봉천동에 지적공부상 지목이 田인 甲 소유의 토지('이 사건 토지'라 함)는 면적이 5,000㎡(2개의 용도지역에 걸쳐있고 실제 지목은 대와 전임)이고, 이 중 660㎡ 토지에 주택(실제 지목은 대, 용도지역은 제1종 일반주거지역에 위치함)이 건축되어 있고 나머지 부분(실제 지목은 전, 용도지역은 계획관리지역에 위치함)은 4,340㎡ 밭으로 사용되고 있다. 그럼에도 불구하고 서울특별시 관악구청장은 지목이 대인 1개의 표준지의 공시지가를 기준으로 토지가격비준표를 사용하여 2025.4.30. 이 사건 토지에 대하여 개별공시지가를 결정·공시하였다. 관악구청장은 이 사건 토지에 대한 개별공시지가와 이의신청 절차를 甲에게 통지하였다. ① 甲은 관악구청장의 개별공시지가결정이 위법·부당하다는 이유로 부동산가격공시법령에 따른 이의신청을 거치지 않고 행정심판법에 따른 취소심판을 제기할 수 있는지 여부와 ② 이 사건 토지에 대한 개별공시지가결정의 위법성에 관하여 설명하시오. 15점

(2) A씨는 서울 서초구 내곡동 토지 3,058㎡ 중 공유지분인 330.67㎡ 면적을 사용하면서 지상에 면적 94.98㎡인 주택 1개를 지어 소유하고 있었다. A씨와 이 토지를 공유하고 있던 B씨와 C씨는 전체 토지면적 중 2,727.33㎡를 사용하며 면적이 146.88㎡인 축사 2개를 소유하고 나머지 부분은 전·답으로 사용했다. 그러던 중 서초구청은 이들의 토지를 조사하며 용도를 주거용(주거기타)으로 구분했고, 개별공시지가를 ㎡당 253만8000원으로 산정했다. 이에 B씨는 서초구청에 "내 지분의 상당 부분은 '전'으로 사용 중이므로 토지 전체를 주거용으로 봐 개별공시지가를 결정한 것은 부당하다"며 이의신청 민원을 제기했다. 서초구청은 2025년 4월 해당 감정평가사에게 이 토지가 둘 이상의 용도로 이용되고 있음을 반영해 산정지가 검증을 요구했고, 해당 감정평가사는 산정지가를 토지 특성 등에 대한 변동이 없음에도 구체적 계산 근거 없이 수작업으로 조정해 ㎡당 144만7000원으로 검증지가를 산정했다. 이후 서초구청은 부동산가격공시위원회 등의 심의를 거쳐 2025년 5월 25일 이 토지의 2025년 1월 1일 기준 개별공시지가를 ㎡당 144만7000원으로 결정·고시하자, A씨는 토지 특성 등에 대한 변동이 없음에도 구체적 계산 근거 없이 수작업 조정으로 이뤄진 개별공시지가 결정은 위법하다며 취소소송을 제기하였는바, A씨 주장의 타당성을 설명하시오. 15점

**(물음1)에 대하여**

1. 논점의 정리
2. 개별공시지가(부동산공시법 제10조)
   (1) 개별공시지가의 의의 및 취지
   (2) 개별공시지가의 법적 성질
3. 개별공시지가 이의신청의 법적 성질
   (1) 개별공시지가 이의신청(부동산공시법 제11조)
   (2) 행정심판과 강학상 이의신청의 구별실익
   (3) 검토
4. 행정기본법 제36조 제4항
5. 甲이 이의신청을 거치지 않고 행정심판법에 따른 취소심판을 제기할 수 있는지 여부
   (1) 관련 판례의 태도
   (2) 사안의 경우

6. 이 사건 토지에 대한 개별공시지가결정의 위법성
   (1) 표준지 선정에 있어서 위법
      1) 표준지공시지가 선정기준(부동산공시법 제10조 제4항)
      2) 검토
   (2) 토지가격비준표 적용상의 위법
   (3) 개별공시지가결정의 위법성 검토

**(물음2)에 대하여**

1. 논점의 정리
2. 개별공시지가의 산정절차
3. 개별공시지가 검증제도(부동산공시법 제10조 제5항, 제6항)
4. 개별공시지가 조사·산정지침
5. 관련 판례
6. 사안의 경우

---

■ 참조 조문

〈부동산 가격공시에 관한 법률〉

제10조(개별공시지가의 결정·공시 등)

① 시장·군수 또는 구청장은 국세·지방세 등 각종 세금의 부과, 그 밖의 다른 법령에서 정하는 목적을 위한 지가산정에 사용되도록 하기 위하여 제25조에 따른 시·군·구부동산가격공시위원회의 심의를 거쳐 매년 공시지가의 공시기준일 현재 관할 구역 안의 개별토지의 단위면적당 가격(이하 "개별공시지가"라 한다)을 결정·공시하고, 이를 관계 행정기관 등에 제공하여야 한다.

② 제1항에도 불구하고 표준지로 선정된 토지, 조세 또는 부담금 등의 부과대상이 아닌 토지, 그 밖에 대통령령으로 정하는 토지에 대하여는 개별공시지가를 결정·공시하지 아니할 수 있다. 이 경우 표준지로 선정된 토지에 대하여는 해당 토지의 표준지공시지가를 개별공시지가로 본다.

〈생략〉

④ 시장·군수 또는 구청장이 개별공시지가를 결정·공시하는 경우에는 해당 토지와 유사한 이용가치를 지닌다고 인정되는 하나 또는 둘 이상의 표준지의 공시지가를 기준으로 토지가격비준표를 사용하여 지가를 산정하되, 해당 토지의 가격과 표준지공시지가가 균형을 유지하도록 하여야 한다.

⑤ 시장·군수 또는 구청장은 개별공시지가를 결정·공시하기 위하여 개별토지의 가격을 산정할 때에는 그 타당성에 대하여 감정평가법인등의 검증을 받고 토지소유자, 그 밖의 이해관계인의

의견을 들어야 한다. 다만, 시장·군수 또는 구청장은 감정평가법인등의 검증이 필요 없다고 인정되는 때에는 지가의 변동상황 등 대통령령으로 정하는 사항을 고려하여 감정평가법인등의 검증을 생략할 수 있다.

**제11조(개별공시지가에 대한 이의신청)**
① 개별공시지가에 이의가 있는 자는 그 결정·공시일부터 30일 이내에 서면으로 시장·군수 또는 구청장에게 이의를 신청할 수 있다.
② 시장·군수 또는 구청장은 제1항에 따라 이의신청 기간이 만료된 날부터 30일 이내에 이의신청을 심사하여 그 결과를 신청인에게 서면으로 통지하여야 한다. 이 경우 시장·군수 또는 구청장은 이의신청의 내용이 타당하다고 인정될 때에는 제10조에 따라 해당 개별공시지가를 조정하여 다시 결정·공시하여야 한다.
③ 제1항 및 제2항에서 규정한 것 외에 이의신청 및 처리절차 등에 필요한 사항은 대통령령으로 정한다.


## (물음1) 에 대하여

### 1. 논점의 정리

부동산 가격공시에 관한 법률(이하 '부동산공시법')상 이의신청이 있음에도 이를 거치지 않고 행정심판법상 취소심판을 제기할 수 있는지 대법원 2008두19987 판결을 중심으로 검토한다. 甲 소유토지 5,000㎡ 중 660㎡는 주택부지로 이용하고, 4,340㎡은 현황 밭인 '전'임에도 불구하고 지목이 垈인 표준지공시지가를 선정하여 개별공시지가를 결정한 경우 그 결정의 위법성에 대해 검토한다.

### 2. 개별공시지가(부동산공시법 제10조)

#### (1) 개별공시지가의 의의 및 취지

부동산공시법상 개별공시지가란 시장·군수·구청장이 세금 및 부담금의 부과 등 일정한 행정 목적에 활용하기 위하여 공시기준일 현재 개별토지의 단위면적당 적정가격을 공시한 것을 의미하며, 이는 과세부담의 효율성과 적정성 취지에서 인정된다.

#### (2) 개별공시지가의 법적 성질

개별공시지가의 처분성 여부에 따라 행정쟁송의 적용 여부가 달라진다. 개별공시지가의 법적 성질에 대하여 행정행위설, 행정규칙설, 사실행위설 등이 대립하나, 판례는 "과세의 기준이 되어 국민의 권리·의무 등법률상 이익에 직접적으로 영향을 주어 행정소송법상 처분"이라고 판시하였다. 생각건대, 과세·부담금의 근거가 되는 행정목적을 고려하여 처분성을 인정하고, 이에 따라 행정소송법에 따른 권리구제가 가능하게 하는 것이 국민권익보호상 타당하다 보인다.

## 3. 개별공시지가 이의신청의 법적 성질

### (1) 개별공시지가 이의신청(부동산공시법 제11조)

부동산공시법 제11조에서는 개별공시지가에 이의가 있을 시 결정·공시일로부터 30일 이내에 이의를 신청할 것을 규정하고 있다. 이는 세금·부담금 산정에 앞서 이에 기초가 되는 개별공시지가에 대한 타당성과 적정성을 담보하기 위한 취지에서 인정된다.

### (2) 행정심판과 강학상 이의신청의 구별실익

행정심판법 제51조에서 행정심판 재청구 금지를 규정하고 있으므로, 개별공시지가 이의신청이 행정심판법상의 행정심판이라면 이의신청을 거쳐 다시 행정심판을 제기할 수 없기 때문이다.

> ☑ 행정심판법 제51조(행정심판 재청구의 금지)
> 심판청구에 대한 재결이 있으면 그 재결 및 같은 처분 또는 부작위에 대하여 다시 행정심판을 청구할 수 없다.

### (3) 검토

부동산공시법에 개별공시지가 이의신청에 대한 사법절차 준용규정이 없다는 점과 대법원이 제시한 부동산공시법상에 행정심판을 배제하는 명시적인 규정이 없다는 점 등에서 개별공시지가 이의신청은 행정심판이 아닌 행정 내부에 재심사절차로서 제기하는 불복절차에 불과하다고 생각된다. 즉, 부동산가격공시법상 이의신청이란 강학상 이의신청에 불과하여 특별법상 행정심판에 해당되지 않는다고 판단된다.

## 4. 행정기본법 제36조 제4항(처분에 대한 이의신청)

> ☑ 행정기본법 제36조(처분에 대한 이의신청)
> ① 행정청의 처분(「행정심판법」 제3조에 따라 같은 법에 따른 행정심판의 대상이 되는 처분을 말한다. 이하 이 조에서 같다)에 이의가 있는 당사자는 처분을 받은 날부터 30일 이내에 해당 행정청에 이의신청을 할 수 있다.
> ② 행정청은 제1항에 따른 이의신청을 받으면 그 신청을 받은 날부터 14일 이내에 그 이의신청에 대한 결과를 신청인에게 통지하여야 한다. 다만, 부득이한 사유로 14일 이내에 통지할 수 없는 경우에는 그 기간을 만료일 다음 날부터 기산하여 10일의 범위에서 한 차례 연장할 수 있으며, 연장 사유를 신청인에게 통지하여야 한다.
> ③ 제1항에 따라 이의신청을 한 경우에도 그 이의신청과 관계없이 「행정심판법」에 따른 행정심판 또는 「행정소송법」에 따른 행정소송을 제기할 수 있다.
> ④ **이의신청에 대한 결과를 통지받은 후 행정심판 또는 행정소송을 제기하려는 자는 그 결과를 통지받은 날(제2항에 따른 통지기간 내에 결과를 통지받지 못한 경우에는 같은 항에 따른 통지기간이 만료되는 날의 다음 날을 말한다)부터 90일 이내에 제1항의 처분(이의신청 결과 처분이 변경된 경우에는 변경된 처분으로 한다)에 대하여 행정심판 또는 행정소송을 제기할**

<u>수 있다. 〈개정 2025.3.18.〉</u>

⑤ 행정청은 제2항 또는 다른 법률에 따라 이의신청에 대한 결과를 통지할 때에는 대통령령으로 정하는 바에 따라 제4항에 따른 행정심판 또는 행정소송을 제기할 수 있는 기간 등 행정심판 또는 행정소송의 제기에 관한 사항을 함께 안내하여야 한다. 다만, 이의신청에 대한 결과를 통지하기 전에 이미 신청인이 행정심판 또는 행정소송을 제기한 경우에는 안내하지 아니할 수 있다. 〈신설 2025.3.18.〉

⑥ 다른 법률에서 이의신청과 이에 준하는 절차에 대하여 정하고 있는 경우에도 그 법률에서 규정하지 아니한 사항에 관하여는 이 조에서 정하는 바에 따른다. 〈개정 2025.3.18.〉

⑦ 제1항부터 제6항까지에서 규정한 사항 외에 이의신청의 방법 및 절차 등에 관한 사항은 대통령령으로 정한다. 〈개정 2025.3.18.〉

⑧ 다음 각 호의 어느 하나에 해당하는 사항에 관하여는 이 조를 적용하지 아니한다. 〈개정 2025.3.18.〉

1. 공무원 인사 관계 법령에 따른 징계 등 처분에 관한 사항
2. 「국가인권위원회법」 제30조에 따른 진정에 대한 국가인권위원회의 결정
3. 「노동위원회법」 제2조의2에 따라 노동위원회의 의결을 거쳐 행하는 사항
4. 형사, 행형 및 보안처분 관계 법령에 따라 행하는 사항
5. 외국인의 출입국·난민인정·귀화·국적회복에 관한 사항
6. 과태료 부과 및 징수에 관한 사항

[시행일: 2025.9.19.] 제36조 제5항

## 5. 甲이 이의신청을 거치지 않고 행정심판법에 따른 취소심판을 제기할 수 있는지 여부

### (1) 관련 판례의 태도

판례

[판결요지]
부동산 가격공시 및 감정평가에 관한 법률 제12조, 행정소송법 제20조 제1항, 행정심판법 제3조 제1항의 규정 내용 및 취지와 아울러 부동산 가격공시 및 감정평가에 관한 법률에 <u>행정심판의 제기를 배제하는 명시적인 규정이 없고 부동산 가격공시 및 감정평가에 관한 법률에 따른 이의신청과 행정심판은 그 절차 및 담당 기관에 차이가 있는 점을 종합하면,</u> 부동산 가격공시 및 감정평가에 관한 법률이 이의신청에 관하여 규정하고 있다고 하여 이를 행정심판법 <u>제3조 제1항에서 행정심판의 제기를 배제하는 '다른 법률에 특별한 규정이 있는 경우'에 해당한다고 볼 수 없으므로,</u> 개별공시지가에 대하여 이의가 있는 자는 곧바로 행정소송을 제기하거나 부동산 가격공시 및 감정평가에 관한 법률에 따른 이의신청과 행정심판법에 따른 행정심판청구 중 어느 하나만을 거쳐 행정소송을 제기할 수 있을 뿐 아니라, 이의신청을 하여 그 결과 통지를 받은 후 다시 행정심판을 거쳐 행정소송을 제기할 수도 있다고 보아야 하고, 이 경우 행정소송의 제소기간은 그 행정심판 재결서 정본을 송달받은 날부터 기산한다.

(출처 : 대법원 2010.1.28. 선고 2008두19987 판결[개별공시지가결정처분취소])

**(2) 사안의 경우**

부동산공시법상 이의신청은 행정심판이 아닌 강학상 이의신청에 해당하기 때문에 이의신청을 거쳐 행정심판을 거친 후 행정소송을 제기하여도 되고, 이의신청을 거치지 않고 행정심판을 거쳐 행정소송을 거치는 것도 가능할 것이다. 행정기본법 제36조 제4항을 적용하면 이의신청 결과를 통지받은 날로부터 90일 이내에 행정심판과 행정소송을 통하여 권리구제를 받을 수 있을 것으로 생각된다.

## 6. 이 사건 토지에 대한 개별공시지가결정의 위법성

### (1) 표준지 선정에 있어서 위법

#### 1) 표준지공시지가 선정기준(부동산공시법 제10조 제4항)

개별공시지가를 결정·공시하는 경우 해당 토지와 유사한 이용가치를 지닌다고 인정되는 하나 또는 둘 이상의 표준지 공시지가를 기준으로 토지가격비준표를 사용하여 지가를 산정하여야 한다. 또한 [대법원 99두5542] 판례는 개별토지가격은 기본적으로 대상 토지와 같은 가격권 안에 있는 표준지 중에서 지가형성요인이 가장 유사한 표준지를 비교표준지로 선택하여야 보다 합리적이고 객관적으로 산정할 수 있는 것이므로 그 비교표준지는 대상 토지와 용도지역, 토지이용상황 기타 자연적·사회적 조건 등 토지특성이 같거나 가장 유사한 표준지 중에서 선택하여야 한다고 판시하였다.

#### 2) 검토

전체 5,000㎡ 중에서 4,340㎡는 현황 밭임에도 해당 개별공시지가결정에 있어서 '대'인 표준지 1개를 선정하였다면 부동산공시법 제10조에 따라 유사한 이용가치를 지닌다고 인정되는 표준지를 선정해야 한다는 절차 규정을 위반한 것이며, 이는 동법 시행령 제23조에 따라 개별공시지가의 명백한 오류에 해당하는 점을 고려할 때 〈절차상 하자〉가 있다고 봄이 타당하다고 생각된다.

### (2) 토지가격비준표 적용상의 위법

토지가격비준표는 표준지와 개별 토지의 가격형성요인에 대한 표준적인 비교표이다. 토지가격비준표의 하자 중 〈작성상의 하자〉는 별도의 법적 효과가 발생하지 않으나, 토지가격비준표 적용상 하자는 위법하다고 판례는 보고 있는데, 일부만 대지인데 전체 대지로 보고 토지가격비준표의 토지 특성을 반영하여 적용하지 않은 것은 위법하다고 판단된다.

### (3) 개별공시지가결정의 위법성 검토

사안의 경우 5,000㎡ 중 660㎡만 주택부지로 대지이고 나머지는 전이나 전체를 대지로 보아 비교표준지를 대로 선정 적용하여 개별공시지가를 산정한 것은 위법하며, 해당 표준지를 기준으로 토지가격비준표를 적용하였다면 적용상의 하자로 위법하다고 생각된다. 개별공시지가결정의 위법은 통설과 판례에 따라 중대명백설 관점에서 내용상 중대한 하자이나 일반인의 관

점에서는 명백한 하자로 보기 어려워 취소사유로 판단한다. 다만 해당 사안에서 토지가격비준
표에 대한 자체 오류 설문은 없어 내용상 하자는 아니라고 전제하고 단순 취소사유로 전제하
고 논의하였다.


## (물음2)에 대하여

### 1. 논점의 정리

토지가 둘 이상의 용도로 이용되고 있음을 반영해 산정지가 검증을 요구하였으나, 해당 감정평가
사는 산정지가를 토지 특성 등에 대한 변동이 없음에도 구체적 계산 근거 없이 수작업으로 조정
하여 검증지가를 산정했다. 토지 특성 등에 대한 변동이 없음에도 구체적 계산 근거 없이 수작업
조정으로 이뤄진 개별공시지가 결정은 부적법한 것인지 관련 판례를 통해 개별공시지가 결정의
위법성을 검토한다.

### 2. 개별공시지가의 산정절차

개별공시지가를 산정하여 결정·공시함에 있어 시장·군수 또는 구청장은 해당 토지와 유사한
이용가치를 지닌다고 인정되는 하나 또는 둘 이상의 표준지의 공시지가를 기준으로 토지가격비
준표를 사용하여 지가를 산정하되, 해당 토지의 가격과 표준지공시지가가 균형을 유지하도록 하
여야 하고(부동산공시법 제10조 제4항), 산정한 개별토지가격의 타당성에 대하여 원칙적으로 감
정평가법인등의 검증을 받고 토지소유자 그 밖의 이해관계인의 의견을 들어야 하며(부동산공시
법 제10조 제5항), 시·군·구 부동산가격공시위원회의 심의를 거쳐야 한다(부동산공시법 제10
조 제1항).

### 3. 개별공시지가 검증제도(부동산공시법 제10조 제5항, 제6항)

개별공시지가 검증이란, 감정평가법인등이 시장·군수·구청장이 산정한 개별토지가격의 타당
성에 대하여 전문가적 입장에서 검토하는 것을 말하며, 개별공시지가의 객관성, 신뢰성 확보에
취지가 있다. 시장·군수 또는 구청장이 검증을 받으려는 때에는 해당 지역의 표준지의 공시지가
를 조사·평가한 감정평가법인등 또는 감정평가실적 등이 우수한 감정평가법인등에게 의뢰하여
야 한다.

### 4. 개별공시지가 조사·산정지침

개별공시지가의 조사 및 산정에 관한 지침은 대한민국 국토교통부가 매년 수립하여 지방자치단
체에 통보하며, 토지의 지목, 용도지역, 도로 접근성 등 조사기준, 공시지가 산정에 필요한 산정
방법과 절차 등에 대해 규정되어 있다. 개별공시지가의 일관성과 신뢰성을 확보하고, 토지소유자
와 이해관계자의 권리를 보호하기 위해 마련된다.

**판례**

- **대판 2013.5.9, 2011두30496[개발부담금부과처분취소]**

   부동산공시법 제9조 제2항은 '국토해양부장관은 지가산정을 위하여 필요하다고 인정하는 경우에는 표준지와 지가산정 대상 토지의 지가형성요인에 관한 표준적인 비교표를 작성하여 관계 행정기관 등에 제공하여야 하고, 관계 행정기관 등은 이를 사용하여 지가를 산정하여야 한다'고 규정하고 있으므로, 국토해양부장관이 위 규정에 따라 작성하여 제공하는 <u>토지가격비준표는 부동산공시법 시행령 제16조 제1항에 따라 국토해양부장관이 정하는 '개별공시지가의 조사·산정지침'과 더불어 법률보충적인 역할을 하는 법규적 성질을 가진다고 할 것이다.</u>

## 5. 관련 판례

토지가격비준표에 따른 산정지가의 수작업 조정에 관한 구체적 계산근거를 제시하지 못하는 사정 등을 고려할 때, 공시지가를 정하는 과정에서 고려해야 할 요소들을 객관적·합리적으로 반영했다고 보기 어렵다며 토지에 대한 개별공시지가 결정은 적법하다고 하기 어렵다고 판시했다.

- **서울행정법원 2021.7.22. 선고 2020구합70830 판결[개별공시지가결정취소]**

   **이 사건 결정의 적법 여부**

   앞서 본 사실 및 증거들, 을 제6, 10호증(가지번호 포함)의 각 기재에 변론 전체의 취지를 종합하여 인정하거나 알 수 있는 다음 각 사실 및 사정에 따르면, 피고는 2015년경부터 이 사건 토지가 둘 이상의 용도로 이용되는 것을 알았고, 구 부동산 가격공시에 관한 법률(2020.4.7. 법률 제17219호로 개정되기 전의 것, 다음부터는 '법'이라고만 한다)에 따라 감정평가업자의 검증 등을 거쳐 이 사건 결정을 한 사정을 고려하더라도, 달리 이 사건 토지 특성에 변동이 있었다고 볼 자료가 없고 토지가격비준표에 따른 이 사건 산정지가의 수작업 조정에 관한 구체적인 계산근거를 제시하지 못 하는 사정 등을 고려할 때 이 사건 공시지가를 정하는 과정에서 고려하여야 할 요소들을 객관적이고 합리적으로 반영하였다고 보기 어려우므로 이 사건 결정은 적법하다고 하기 어렵다.

   가. 피고는 개별공시지가 산정대상 토지와 유사한 이용가치를 지닌다고 인정되는 비교표준지의 공시지가를 기준으로 토지가격비준표를 사용하여 산정대상 토지의 가격과 비교표준지 공시지가가 균형을 유지하도록 개별공시지가를 산정하여야 한다(법 제10조 제4항). 법 제10조 제4항, 제8항, 법 시행령 제17조 제1항에 따라 <u>국토교통부장관이 2019.10.경 정한 2020년 개별공시지가 조사·산정지침(다음부터는 '이 사건 지침'이라 한다)은 비교표준지의 토지특성 항목별(지목, 토지면적, 공적규제, 농지 구분, 토지이용상황 등) 가격배율을 추출하고 비교표준지 공시지가에 가격배율을 곱하여 개별공시지가를 산정하도록 정하고 있다.</u>

   나. 원고는 2015.4.29.에도 피고에게 원고의 주택 및 지분 330㎡와 관계없이 이 사건 토지 중 자신이 소유하는 부분을 답으로 이용 중임을 이유로 개별공시지가를 조정하여 달라는 의견을 제출하였고, 피고는 토지가격비준표를 사용하여 산정한 이 사건 토지의 지가 1,098,000원/㎡을 감정인의 검증을 거쳐 조정하여 2015.1.1. 기준 개별공시지가를 위 지가의 약 78.05%인 857,000원/㎡으로 결정하였으며, 2016.1.1. 기준 개별공시지가를 전년도 대비

표준지 상승률만큼 상향한 927,200원/㎡으로 조정·결정하였다.

현재도 이 사건 토지를 각자의 공유지분에 상당하는 면적으로 나누어 다른 용도로 사용 중이다. 이 사건 지침에 따르면 피고는 각종 공부 및 필요한 경우 현장확인 등을 통해 토지특성을 정확하게 조사하여야 하는데, 이 사건 토지의 특성이 이전과 다르게 조사되었다고 볼 자료는 없다.

다. 개별공시지가업무 감독기관인 국토교통부장관은 수작업으로 지가를 조정하여 검증지가를 산정하지 않도록 권고하고 있다. 이 사건 토지의 2017년, 2018년, 2019년 개별공시지가에 관하여는 2015년, 2016년과 같이 토지공유자의 의견을 반영하여 수작업으로 지가를 조정하지는 않았다. 피고는 2020.1.1. 기준 개별공시지가 산정과 관련하여 토지공유자의 의견을 반영하여 이 사건 토지가 둘 이상의 용도로 사용되고 있는 사정을 이유로 이 사건 감정인에게 이 사건 산정지가의 조정을 요구하였고, 이 사건 감정인은 수작업으로 이 사건 산정지가를 조정하여 산정지가의 약 54.6%인 1,447,000원/㎡으로 검증지가를 산정하였다.

법 제10조 제5항, 법 시행령 제18조에 따른 개별공시지가의 검증업무 처리지침(2019.10.23. 국토교통부훈령 제1230호)에 따르면, 감정평가업자는 산정지가를 검증할 때 비교표준지 공시지가 및 전년도 지가와의 균형유지에 관한 사항 등을 충실히 검토·확인하여야 하고(제11조 제1항), 요청이 있을 경우 부동산가격공시위원회에 출석하여 산정지가에 대한 검증결과를 설명하여야 한다(제13조 제1항). 이 사건 감정인은 이 사건 산정지가를 1,447,000원/㎡으로 조정한 근거에 관하여 '전문지식과 합리적인 판단에 따른 임의 배율로 조정하였다'고 회신할 뿐 구체적인 요소별 가격배율 등을 제시하지는 않고 있고, 위 54.6%가 어떻게 도출되었는지도 설명하지 아니한다. 아울러 2015년에는 산정지가 1,098,000원/㎡의 78.05%인 857,000원/㎡으로 개별공시지가가 결정되었는데, 2020년에는 왜 54.6%가 적용되었는지에 대한 설명도 없다.

라. 피고가 이 사건 지가 산정 과정에서 비교표준지를 2019년과 다른 토지로 교체하였으나, 2019년 및 2020년 비교표준지의 이용현황(주거용)과 공시지가(2,650,000원/㎡)에 차이가 없다. 이 사건 산정지가가 2019.1.1. 기준 개별공시지가와 같은 금액인 사정을 더하여 보면, 이 사건 공시지가를 이 사건 산정지가와 다르게 정한 것을 비교표준지 교체에 따른 것이라고 보기도 어렵다.

## 6. 사안의 경우

개별공시지가 조사·산정지침은 비교표준지의 토지특성 항목별(지목, 토지면적, 공적규제, 농지구분, 토지이용상황 등) 가격배율을 추출하고 비교표준지 공시지가에 가격배율을 곱하여 개별공시지가를 산정하도록 정하고 있다. 또한, 부동산공시법 제10조 제5항, 동법 시행령 제18조에 따른 개별공시지가의 검증업무 처리지침에 따르면, 감정평가업자는 산정지가를 검증할 때 비교표준지 공시지가 및 전년도 지가와의 균형유지에 관한 사항 등을 충실히 검토·확인하여야 하고(제11조 제1항), 요청이 있을 경우 부동산가격공시위원회에 출석하여 산정지가에 대한 검증결과를 설명하여야 한다(제13조 제1항)고 규정하고 있는바 수작업 조정에 관한 구체적 계산 근거를 제시하지 못하는 사정 등을 고려할 때, 공시지가를 정하는 과정에서 고려해야 할 요소들을 객관적·합리적으로 반영했다고 보기 어려워 개별공시지가 결정은 위법하다고 판단된다.

## 8절 - 부동산공시법 제11조(개별공시지가에 대한 이의신청)
## - 행정법 쟁점 : 취소소송의 적법성 판단, 하자의 치유

**문제**

토지에 대한 개별공시지가결정을 다투려고 하는 경우 다음 각각의 사안에 대하여 설명하시오. (각 물음은 별개의 상황임) **30점**

(1) 경기도 과천에 5,000㎡를 소유하고 있는 甲은 경기도 과천시장이 자신의 소유 토지에 대한 개별공시지가를 결정함에 있어서 부동산 가격공시에 관한 법률 제10조 제4항에 의하여 국토교통부장관이 작성한 토지가격비준표를 고려하지 않았다고 주장한다. 이에 과천시장은 토지가격비준표를 고려하지 않은 것은 사실이나, 같은 법 제10조 제5항의 규정에 따른 산정지가 검증이 적정하게 행해졌으므로, 甲 소유의 토지에 대한 개별공시지가결정은 적법하다고 주장한다. A시장 주장의 타당성을 설명하시오. **15점**

(2) 경기도 과천에 3,000㎡를 소유한 乙은 과천시장이 자신의 소유 토지에 대한 개별공시지가를 결정함에 있어서 부동산 가격공시에 관한 법률 제10조 제5항에 의하여 받아야 하는 산정지가 검증을 거치지 않았다는 이유로 개별공시지가 결정이 위법하다고 주장하였다. 과천시장은 토지소유자 乙의 주장이 있자 산정지가 검증을 보완하였다. 토지소유자 乙이 검증절차의 위법을 이유로 개별공시지가 결정을 다투는 소송을 제기하려는 경우 그 방법 및 인용가능성을 설명하시오. **15점**

---

Ⅰ. 논점의 정리

Ⅱ. (물음1)에 대하여

  1. 관련 규정의 검토 (부동산공시법 제10조 제4항)

  2. 개별공시지가의 절차상 하자와 내용상 하자
    1) 절차상 하자
    2) 내용상 하자

  3. 토지가격비준표의 법적성질
    (1) 토지가격비준표의 의의 및 취지
    (2) 법령보충적 행정규칙의 법적 성질
      1) 개설
      2) 학설
      3) 판례
      4) 검토

  4. 토지가격비준표의 작성 및 활용

  5. 산정지가검증을 통한 개별공시지가 하자의 치유가능성

  6. A시장 주장의 타당성

Ⅲ. (물음2)에 대하여

  1. 개별공시지가 의의 및 취지

  2. 개별공시지가의 법적 성질
    (1) 학설
    (2) 판례
    (3) 검토

  3. 개별공시지가 결정의 위법을 다투는 소송의 방법

  4. 취소소송의 인용가능성
    (1) 소 제기의 적법성
    (2) 산정지가검증을 거치지 않은 개별공시지가의 위법성 여부
      1) 절차하자 존재 여부

<table>
<tr><td>

2) 절차하자의 독자적 위법성
   여부<br>
3) 하자의 정도<br>
(3) 산정지가검증의 사후보완을 통<br>
   한 하자의 치유가능성<br>
    1) 절차하자의 치유가능성

</td><td>

2) 절차하자의 치유시기<br>
3) 사안의 경우<br>
(4) 취소소송의 인용가능성<br>
5. 무효확인소송의 인용가능성<br>
**Ⅳ. 사안의 해결**

</td></tr>
</table>

---

**■ 참고조문**

**〈부동산 가격공시에 관한 법률〉**

**제10조(개별공시지가의 결정·공시 등)**

① 시장·군수 또는 구청장은 국세·지방세 등 각종 세금의 부과, 그 밖의 다른 법령에서 정하는 목적을 위한 지가산정에 사용되도록 하기 위하여 제25조에 따른 시·군·구부동산가격공시위원회의 심의를 거쳐 매년 공시지가의 공시기준일 현재 관할 구역 안의 개별토지의 단위면적당 가격(이하 "개별공시지가"라 한다)을 결정·공시하고, 이를 관계 행정기관 등에 제공하여야 한다.

② 제1항에도 불구하고 표준지로 선정된 토지, 조세 또는 부담금 등의 부과대상이 아닌 토지, 그 밖에 대통령령으로 정하는 토지에 대하여는 개별공시지가를 결정·공시하지 아니할 수 있다. 이 경우 표준지로 선정된 토지에 대하여는 해당 토지의 표준지공시지가를 개별공시지가로 본다.

③ 시장·군수 또는 구청장은 공시기준일 이후에 분할·합병 등이 발생한 토지에 대하여는 대통령령으로 정하는 날을 기준으로 하여 개별공시지가를 결정·공시하여야 한다.

④ 시장·군수 또는 구청장이 개별공시지가를 결정·공시하는 경우에는 해당 토지와 유사한 이용가치를 지닌다고 인정되는 하나 또는 둘 이상의 표준지의 공시지가를 기준으로 토지가격비준표를 사용하여 지가를 산정하되, 해당 토지의 가격과 표준지공시지가가 균형을 유지하도록 하여야 한다.

⑤ 시장·군수 또는 구청장은 개별공시지가를 결정·공시하기 위하여 개별토지의 가격을 산정할 때에는 그 타당성에 대하여 감정평가법인등의 검증을 받고 토지소유자, 그 밖의 이해관계인의 의견을 들어야 한다. 다만, 시장·군수 또는 구청장은 감정평가법인등의 검증이 필요 없다고 인정되는 때에는 지가의 변동상황 등 대통령령으로 정하는 사항을 고려하여 감정평가법인등의 검증을 생략할 수 있다.

—이하 생략—

# Ⅰ    논점의 정리

국토교통부 훈령인 개별공시지가의 검증업무 처리지침은 「부동산 가격공시에 관한 법률」(이하 '부동산공시법') 제10조 제5항, 같은 법 시행령 제18조 및 같은 법 시행규칙 제6조에 따른 검증업무의 시행에 필요한 세부사항을 정함으로써 개별공시지가의 적정성 제고를 도모함을 목적으로 하고 있다. (물음1)에서는 A시장 주장의 타당성을 검토하기 위하여 먼저 부동산공시법상 토지가격비준표를 고려하지 않고 산정한 개별공시지가가 위법한지와 위법성 정도를 검토하고, 산정지가검증을 통해 하자가 치유되었는지 검토하고자 한다.

(물음2)에서는 개별공시지가 결정의 위법을 다투는 소송의 방법이 문제되는데, 이는 개별공시지가 결정의 법적 성질(처분성)을 검토하여야 하며, 소송의 인용가능성이 문제되는데 산정지가검증의 누락이 개별공시지가의 절차하자를 이루는지와 절차하자의 독자적 위법성, 하자의 정도를 검토하고, 최종적으로 관악구청장의 주장과 같이 산정지가검증의 사후보완을 통해 하자가 치유되었는지를 검토하여 인용 여부를 고찰하고자 한다.

## Ⅱ (물음1)에 대하여

### 1. 관련 규정의 검토(부동산공시법 제10조 제4항)

> 🔖 **부동산 가격공시에 관한 법률 제10조(개별공시지가의 결정·공시 등)**
> ① 시장·군수 또는 구청장은 국세·지방세 등 각종 세금의 부과, 그 밖의 다른 법령에서 정하는 목적을 위한 지가산정에 사용되도록 하기 위하여 제25조에 따른 시·군·구부동산가격공시위원회의 심의를 거쳐 매년 공시지가의 공시기준일 현재 관할 구역 안의 개별토지의 단위면적당 가격(이하 "개별공시지가"라 한다)을 결정·공시하고, 이를 관계 행정기관 등에 제공하여야 한다.
> ② 제1항에도 불구하고 표준지로 선정된 토지, 조세 또는 부담금 등의 부과대상이 아닌 토지, 그 밖에 대통령령으로 정하는 토지에 대하여는 개별공시지가를 결정·공시하지 아니할 수 있다. 이 경우 표준지로 선정된 토지에 대하여는 해당 토지의 표준지공시지가를 개별공시지가로 본다.
> ③ 시장·군수 또는 구청장은 공시기준일 이후에 분할·합병 등이 발생한 토지에 대하여는 대통령령으로 정하는 날을 기준으로 하여 개별공시지가를 결정·공시하여야 한다.
> ④ <u>시장·군수 또는 구청장이 개별공시지가를 결정·공시하는 경우에는 해당 토지와 유사한 이용가치를 지닌다고 인정되는 하나 또는 둘 이상의 표준지의 공시지가를 기준으로 토지가격비준표를 사용하여 지가를 산정하되, 해당 토지의 가격과 표준지공시지가가 균형을 유지하도록 하여야 한다.</u>
> 〈이하 생략〉

### 2. 개별공시지가의 절차상 하자와 내용상 하자

#### (1) 절차상 하자

개별공시지가의 절차는 부동산 가격공시에 관한 법률(이하 '부동산공시법') 제10조 제5항에서 지가의 산정-감정평가법인등의 검증-토지소유자 그 밖의 이해관계인의 의견청취-시·군·구 부동산공시위원회의 심의-결정·공시로 이루어진다. 따라서 ① 감정평가법인등의 검증을 누락하거나(부동산공시법 제10조 제5항에서 검증을 생략할 수 있는 경우 제외), ② 토지소유자 그 밖의 이해관계인의 의견청취를 하지 않은 경우, ③ 부동산가격공시위원회의 심의를 거치지 않은 경우 등은 개별공시지가의 절차상 하자를 이루게 된다.

### (2) 내용상 하자

① 비교표준지를 잘못 선정한 경우, ② 토지가격비준표에 의한 표준지와 해당 토지의 토지특성의 조사 비교가 잘못된 경우, ③ 가격조정률의 적용이 잘못된 경우, ④ 토지가격비준표를 적용하지 않고 지가를 산정한 경우, ⑤ 기타 틀린 계산, 오기로 인하여 지가산정에 명백한 잘못이 있는 경우 등은 개별공시지가의 내용상 하자에 해당한다.

## 3. 토지가격비준표의 법적 성질 - 법령보충적 행정규칙

### (1) 토지가격비준표의 의의 및 취지

토지가격비준표란 국토교통부장관이 행정목적상 지가산정을 위해 필요하다고 인정하는 경우에 작성하여 관계 행정기관에 제공하는 표준지와 개별토지의 지가형성요인에 관한 표준적 비교표를 말한다. 이는 표준지를 기준으로 개별토지의 대량평가를 위하여 작성된 객관적인 지가산정표이며, 평가전문가가 아니더라도 누구나 신속하게 지가를 산정할 수 있는 계량화된 평가잣대이다. 부동산공시법 제3조 제8항을 위임의 근거로 볼 수 있다. 이는 전국의 모든 토지를 평가하기 위하여 고안된 것이기 때문에 정밀평가를 하기 위한 자료와는 엄격히 구별된다. 그러나 이는 대량의 토지에 대한 지가산정시 결여되기 쉬운 지가산정의 객관성과 합리성을 일정 수준 이상으로 끌어올릴 수 있고, 신속히 지가를 산정할 수 있는 장점을 지닌다.

> **↪ 부동산 가격공시에 관한 법률 제3조(표준지공시지가의 조사·평가 및 공시 등)**
> ① 국토교통부장관은 토지이용상황이나 주변 환경, 그 밖의 자연적·사회적 조건이 일반적으로 유사하다고 인정되는 일단의 토지 중에서 선정한 표준지에 대하여 매년 공시기준일 현재의 단위면적당 적정가격(이하 "표준지공시지가"라 한다)을 조사·평가하고, 제24조에 따른 중앙부동산가격공시위원회의의 심의를 거쳐 이를 공시하여야 한다.
> ② 국토교통부장관은 표준지공시지가를 공시하기 위하여 표준지의 가격을 조사·평가할 때에는 대통령령으로 정하는 바에 따라 해당 토지 소유자의 의견을 들어야 한다.
> ③ 제1항에 따른 표준지의 선정, 공시기준일, 공시의 시기, 조사·평가 기준 및 공시절차 등에 필요한 사항은 대통령령으로 정한다.
> ④ 국토교통부장관이 제1항에 따라 표준지공시지가를 조사·평가하는 경우에는 인근 유사토지의 거래가격·임대료 및 해당 토지와 유사한 이용가치를 지닌다고 인정되는 토지의 조성에 필요한 비용추정액, 인근지역 및 다른 지역과의 형평성·특수성, 표준지공시지가 변동의 예측 가능성 등 제반사항을 종합적으로 참작하여야 한다.
> ⑤ 국토교통부장관이 제1항에 따라 표준지공시지가를 조사·평가할 때에는 업무실적, 신인도(信認度) 등을 고려하여 둘 이상의 「감정평가 및 감정평가사에 관한 법률」에 따른 감정평가법인등(이하 "감정평가법인등"이라 한다)에게 이를 의뢰하여야 한다. 다만, 지가 변동이

작은 경우 등 대통령령으로 정하는 기준에 해당하는 표준지에 대해서는 하나의 감정평가법인등에 의뢰할 수 있다.
⑥ 국토교통부장관은 제5항에 따라 표준지공시지가 조사·평가를 의뢰받은 감정평가업자가 공정하고 객관적으로 해당 업무를 수행할 수 있도록 하여야 한다.
⑦ 제5항에 따른 감정평가법인등의 선정기준 및 업무범위는 대통령령으로 정한다.
⑧ 국토교통부장관은 제10조에 따른 개별공시지가의 산정을 위하여 필요하다고 인정하는 경우에는 표준지와 산정대상 개별 토지의 가격형성요인에 관한 표준적인 비교표(이하 "토지가격비준표"라 한다)를 작성하여 시장·군수 또는 구청장에게 제공하여야 한다.

## (2) 법령보충적 행정규칙의 법적 성질

### 1) 개설

부동산공시법 제8조에서 국토교통부장관에게 토지가격비준표 작성 권한을 부여하고, 그 권한 행사의 절차나 방법을 특정하지 않은 관계로, 국토교통부장관은 "토지가격비준표"를 작성하고 훈령의 형식으로 "토지가격비준표활용지침"을 제정하여 법률의 내용을 구체화하고 있다. 이를 법령보충적 행정규칙이라 하며, 법규성을 가지는지에 대하여 견해의 대립이 있다.

### 2) 학설

#### ① 행정규칙설(형식설)

행정입법은 국회입법원칙의 예외, 헌법이 규정한 법규명령의 형식은 한정되어 있다는 점에서 이러한 법규명령의 형식이 아닌 훈령, 고시 등의 형식을 취하는 이상 행정규칙으로 보아야 한다는 견해. 행정규칙으로 보면서 대외적 구속력을 가진다고 보는 견해도 있다.

#### ② 법규명령설(실질설)

해당 규칙이 법규와 같은 효력을 가지므로 법규명령으로 보아야 한다는 견해이다. 법령의 구체적 개별적 위임이 있고, 그 내용도 법규적 사항으로 법규를 보충하는 기능을 가져 대외적 효력을 가진다는 점, 헌법이 인정하는 법규명령은 예시적이라는 점, 명령규칙심사로 통제 가능한 점 등을 근거로 상위법령과 결합하여 전체로서 대외적 효력을 가지는 법규명령의 성질을 가진다.

#### ③ 규범구체화 행정규칙설

독일에서 논의되는 규범구체화 행정규칙을 인정하여 통상적인 행정규칙과 달리 그 자체로서 국민에 대한 구속력을 인정하는 견해이다.

#### ④ 위헌무효설

행정규칙설과 마찬가지로 법규명령의 형식이 헌법상 한정되어 있다는 전제하에 행정규칙 형식의 법규명령은 허용될 수 없으므로 위헌, 무효라는 견해이다.

#### ⑤ 법규명령이 효력을 갖는 행정규칙설

법령보충적 행정규칙에 법규와 같은 효력(구속력)을 인정하더라도 행정규칙의 형식으로 제정되었으므로 법적 성질은 행정규칙으로 보는 견해이다.

### 3) 판례

> **판례**
>
> ● 관련판례(대판 1998.5.26, 96누17103)
>
> 대법원은 국세청 훈령인 재산제세 사무처리규정에 대해 소득세법 시행령과 결합하여 대외적 효력을 갖는다고 하여 법규성을 인정한 바 있으며, 토지가격비준표는 동법 제10조의 시행을 위한 집행명령인 개별토지가격합동조사지침과 더불어 법령보충적인 구실을 하는 법규적 성질을 가지고 있는 것으로 보아야 한다.

> **판례**
>
> ● 관련판례(대판 1998.5.26, 96누17103) [개발부담금부과처분취소]
>
> (구)지가공시 및 토지 등의 평가에 관한 법률(1995.12.29. 법률 제5108호로 개정되기 전의 것) 제10조 제2항에 근거하여 건설부장관이 표준지와 지가산정대상 토지의 지가형성요인에 관한 표준적인 비교표로서 매년 관계 행정기관에 제공하는 **토지가격비준표는 같은 법 제10조의 시행을 위한 집행명령인 개별토지가격합동조사지침과 더불어 법률보충적인 구실을 하는 법규적 성질을 가지고 있는 것으로 보아야 할 것인바**, 개발이익 환수에 관한 법률(1993.6.11. 법률 제4563호로 개정된 것) 제10조 제1항에 의하면 개발부담금의 부과기준으로서 부과종료시점의 지가는 (구)지가공시 및 토지 등의 평가에 관한 법률(1995.12.29. 법률 제5108호로 개정되기 전의 것) 제10조 제2항의 규정에 의한 비교표에 의하여 산정하도록 규정하고 있으므로, 토지가격비준표에 의하여 부과종료시점의 지가를 산정한 것은 정당하고, 조세법률주의나 재산권 보장의 원칙을 위반한 잘못 등이 없다.

> **판례**
>
> ● 관련판례(대판 2013.11.14, 2012두15364) [개발부담금부과처분취소]
>
> 부동산 가격공시 및 감정평가에 관한 법률 제11조, 부동산 가격공시 및 감정평가에 관한 법률 시행령 제17조 제2항의 취지와 문언에 비추어 보면, 시장·군수 또는 구청장은 표준지공시지가에 토지가격비준표를 사용하여 산정된 지가와 감정평가업자의 검증의견 및 토지소유자 등의 의견을 종합하여 해당 토지에 대하여 표준지공시지가와 균형을 유지한 개별공시지가를 결정할 수 있고, 그와 같이 결정된 개별공시지가가 표준지공시지가와 균형을 유지하지 못할 정도로 현저히 불합리하다는 등의 특별한 사정이 없는 한, 결과적으로 토지가격비준표를 사용하여 산정한 지가와 달리 결정되었거나 감정평가사의 검증의견에 따라 결정되었다는 이유만으로 그 개별공시지가 결정이 위법하다고 볼 수는 없다.

> **판례**
>
> - **관련판례(대판 2014.4.10, 2013두25702)**
>
>   소득세법 시행령 제164조 제1항은 개별공시지가가 없는 토지의 가액을 그와 지목·이용상황 등 지가형성요인이 유사한 인근토지를 표준지로 보고 부동산 가격공시 및 감정평가에 관한 법률 제9조 제2항에 따른 비교표(이하 '토지가격비준표'라 한다)에 따라 평가하도록 규정함으로써, 납세의무자가 표준지 선정과 토지가격비준표 적용의 적정 여부, 평가된 가액이 인근 유사토지의 개별공시지가와 균형을 유지하고 있는지 여부 등을 확인할 수 있도록 하고 있으므로, 표준지를 특정하여 선정하지 않거나 토지가격비준표에 의하지 아니한 채 개별공시지가가 없는 토지의 가액을 평가하고 기준시가를 정하는 것은 위법하다.

### 4) 검토

법령을 보충하여 대외적 효력이 인정되는 이상 그 보충규정의 내용이 위임법령의 위임한계를 벗어났다는 등 특별한 사정이 없는 한 법규명령으로 보아 재판규범으로 효력을 인정하는 것이 당사자의 권리구제 측면에서 타당하다고 본다. 판례에 의하면 국토교통부장관이 위 규정에 따라 작성하여 제공하는 토지가격비준표는 부동산공시법 시행령 제16조 제1항에 따라 국토교통부장관이 정하는 '개별공시지가의 조사·산정지침'과 더불어 법률보충적인 역할을 하는 법규적 성질을 가진다고 할 것이라고 판시하고 있다.

## 4. 토지가격비준표의 작성 및 활용

### (1) 작성

토지가격비준표는 전국 시·군·구를 대상으로 하여 대도시·중소도시 등 도시지역은 용도지역별로, 군지역은 도시지역과 비도시지역으로 구분하여 작성하며, 공통비준표와 지역비준표로 구분된다. 토지가격비준표는 토지특성 정보를 토대로 이 가운데 토지의 가격형성요인에 중요한 영향을 미친다고 분석되는 항목을 설정하여 다중회귀분석법에 의해 산출된 기준으로 작성된다.

### (2) 활용

부동산공시법 제8조 공적목적을 위한 지가의 산정 및 개별공시지가의 산정 시 토지가격비준표를 활용하여 지가를 산정하게 된다.

## 5. 산정지가검증을 통한 개별공시지가 하자의 치유가능성

### (1) 견해의 대립 및 판례

내용상 하자도 치유가능하다는 견해가 있으나 내용상 하자의 치유를 긍정하면 법률적합성과의 조화가 깨질 수 있어 부정하는 견해가 일반적이다. 판례는 사업계획변경인가처분의 내용상 하자에 대해 사후적 치유를 부정하였다.

### (2) 검토

내용상 하자의 치유는 법률적합성과 행정능률의 조화를 위하여 부정설이 타당하다고 판단된다. 즉 내용상 하자는 치유되지 않는다.

## 6. A시장 주장의 타당성

부동산공시법 제10조 제4항에서 개별공시지가는 비교표준지의 공시지가를 기준으로 토지가격비준표를 사용하여 지가를 산정하라고 규정하고 있고, 토지가격비준표도 대외적 구속력이 있는바, 토지가격비준표를 고려하지 않고 산정한 개별공시지가는 위법성을 면하기 어려우며, 이는 지가 산정 방법상의 문제로 내용상 하자에 해당한다. 하자 정도는 중대명백설에 의할 때 법의 위반이라는 중대성은 인정되나 일반인의 시각에서 하자의 명백성은 인정하기 어려우므로 취소사유에 해당한다고 판단되며, 개별공시지가의 내용상 하자는 사후에 산정지가검증을 통해 치유될 수 없다. 즉 개별공시지가의 내용상 하자가 산정지가검증을 통해 치유되었다는 A시장의 주장은 타당하지 못하다고 판단된다.

## Ⅲ (물음2)에 대하여

## 1. 개별공시지가 의의(부동산공시법 제10조)

부동산공시법상 개별공시지가는 시장·군수 또는 구청장이 개발부담금의 부과 그 밖에 다른 법령이 정하는 목적을 위한 지가 산정에 사용되도록 하기 위하여 매년 공시지가의 공시기준일 현재를 기준으로 결정·공시한 관할구역 안의 개별토지의 단위면적당 가격을 말한다.

## 2. 개별공시지가의 법적 성질

### (1) 학설

개별토지가격을 기초로 과세처분 등이 이루어지는 경우 해당 처분청은 개별공시지가에 구속을 받으므로 개별공시지가만으로 국민의 권리의무에 직접 영향을 미치는 것으로 보아 행정행위라고 보는 견해와 개별공시지가는 세금 등의 산정기준에 불과하므로 행정규칙이라는 견해가 대립한다.

### (2) 판례

개별토지가격결정은 관계법령에 의한 토지초과이득세, 택지초과소유부담금 또는 개발부담금 산정의 기준이 되어 국민의 권리나 의무 또는 법률상 이익에 직접적으로 관계되는 것으로서 행정소송법 제2조 제1항 제1호 소정의 행정청이 행하는 구체적 사실에 관한 법집행으로서 공권력 행사이므로 항고소송의 대상이 되는 행정처분에 해당한다(대판 1993.6.11, 92누16706).

### (3) 검토

개별공시지가가 국민의 권리의무에 직접 영향을 미치므로 권리구제를 위하여 항고소송의 대상이 되는 것으로 보는 것이 타당하다.

## 3. 개별공시지가 결정의 위법을 다투는 소송의 방법

개별공시지가 결정이 처분성이 인정되고, 사안은 개별공시지가 결정의 부작위가 존재하지 아니한 바 개별공시지가 결정의 위법을 다투는 소송의 형태는 항고소송 중 취소소송과 무효등확인소송이 될 것이다.

## 4. 취소소송의 인용가능성

### (1) 소 제기의 적법성

개별공시지가 결정의 처분성이 인정되고, 乙은 개별토지의 소유자로 본인 소유토지의 개별공시지가의 위법을 다툴 법적 이익이 존재한다. 다른 소송요건의 구체적 판단 근거는 제시되지 않았으나 계속적 논의를 위해 소송요건이 충족된 것으로 본다.

### (2) 산정지가검증을 거치지 않은 개별공시지가의 위법성 여부

#### 1) 절차하자 존재 여부

부동산공시법 제10조 제5항에서는 개별토지가격의 산정 후 그 타당성에 대해 감정평가법인 등의 검증을 받도록 규정하고 있고, 검증이 필요 없다고 인정되는 경우에만 예외적으로 생략할 수 있으므로 검증절차는 원칙적으로 필수적 절차로 볼 수 있다. 따라서 검증을 거치지 않은 개별공시지가 결정은 절차의 하자를 갖게 된다.

#### 2) 절차하자의 독자적 위법성 여부

학설은 행정상 및 소송상 경제를 위해 부정하는 견해와 절차적 중요성을 고려해 긍정하는 견해, 재량행위에서만 긍정하는 견해 등이 대립한다. 판례는 기속행위와 재량행위 구별 없이 절차하자의 독자적 위법성을 인정한다. 생각건대, 행정소송법 제30조 제3항에서 절차의 위법을 이유로 한 취소판결을 인정하고 있고, 행정절차의 중요성에 인식하여 긍정설이 타당하다.

#### 3) 하자의 정도

중대명백설에 따를 때 부동산공시법 제10조 제5항의 검증절차를 누락한 하자는 중대하나, 일반인의 시각에서 명백한 하자라고 판단하기는 어려우므로 취소정도의 하자로 본다.

### (3) 산정지가검증의 사후보완을 통한 하자의 치유가능성

#### 1) 절차하자의 치유가능성

학설은 행정절차의 목적상 절차하자의 치유를 부정하는 견해, 절차의 사후보완을 통해 하자치유를 긍정하는 견해, 국민의 권익을 침해하지 않는 범위 내에서 하자치유를 긍정하는 견해 등이 대립한다. 판례는 행정청이 청문서 도달기간을 다소 어겼다 하더라도 영업자가 이에 대하여 이의하지 아니한 채 스스로 청문일에 출석하여 그 의견을 진술하고 변명하는 등 방어기회를 충분히 가졌다면 청문서 도달기간을 준수하지 아니한 하자는 치유되었다고 봄이 상당하다고 보았다. 행정의 능률성과 국민의 권익보호를 조화하는 차원에서 당사자의 권익구제에 지장을 주지 않는 범위 내에서 절차하자의 치유를 인정하는 것이 타당하다.

### 2) 절차하자의 치유시기

행정쟁송 제기 이전시설, 행정소송 제기 이전시설, 쟁송종결 전까지 가능하다는 견해 등이 대립한다. 판례는 '과세처분의 하자의 치유를 허용하려면 늦어도 과세처분에 대한 불복여부의 결정 및 불복신청에 편의를 줄 수 있는 상당한 기간 내에 하여야 한다고 할 것'이라 하여 행정쟁송 제기 이전시설 입장에 있는 것으로 보인다. 우리나라의 행정심판은 준사법적 성격이 강하므로 행정쟁송 제기 전까지 하자치유가 되어야 하는 것으로 보는 것이 타당하다.

### 3) 사안의 경우

산정지가검증의 결여는 개별공시지가 결정의 절차상 하자를 이루며, 하자정도는 취소 정도에 해당하고, 관악구청장은 행정쟁송 제기 이전에 산정지가검증을 보완하였으므로 해당 절차하자는 치유되었다고 보는 것이 타당하다고 판단된다.

## (4) 취소소송의 인용가능성

절차하자가 치유되었으므로 결국 법원은 개별공시지가 결정의 취소소송에서 기각판결을 내릴 것으로 판단된다.

# 5. 무효확인소송의 인용가능성

개별공시지가 결정의 위법을 다투는 소송의 형태는 항고소송 중 취소소송과 무효등확인소송이 될 것이며, 취소소송은 하자가 치유되어 취소판결이 어렵고, 무효등확인소송에서도 하자가 치유됨으로써 무효등확인판결도 기각될 것인바, 소송의 인용가능성은 없다고 판단된다.

# Ⅳ 사안의 해결

(물음1) 토지가격비준표를 고려하지 않고 산정한 개별공시지가는 내용상 하자에 해당하며, 개별공시지가의 내용상 하자는 사후에 산정지가검증을 통해 치유될 수 없다. 즉 개별공시지가의 내용상 하자가 산정지가검증을 통해 치유되었다는 A시장의 주장은 타당하지 못하다고 생각된다.

(물음2)에서는 행정쟁송 제기 이전에 산정지가검증을 보완하였으므로 해당 절차하자는 치유되었다고 보는 것이 타당하다. 개별공시지가는 처분성이 있으므로 토지소유자 乙은 검증절차의 위법을 이유로 항고소송 중 취소소송과 무효등확인소송을 제기할 수 있을 것이나, 절차하자가 치유되었으므로 결국 법원은 개별공시지가 결정의 취소소송에서 기각판결을 내릴 것이라 판단된다.

| **9**절 | **– 부동산공시법 제11조(개별공시지가에 대한 불복)**<br>**– 행정법 쟁점 : 행정소송법 제20조(제소기간), 하자의 승계** |
| --- | --- |

**문제**

甲은 A시에 토지를 소유하고 있다. A시장은 갑의 토지 등의 비교표준지로 A시 소재 일정 토지(2026.1.1. 기준공시지가는 1㎡당 1,000만원이다)를 선정하고, 갑의 토지 등과 비교표준지의 토지가격비준표상 총 가격배율 1.00으로 조사함에 따라 갑의 토지의 가격을 1㎡당 1,000만원으로 산정하였다. A시장으로부터 산정된 가격의 검증을 의뢰받은 감정평가사 을은 갑의 토지가 비교표준지와 비교하여 환경조건, 획지조건, 및 기타 조건에 열세에 있고, 특히 기타조건과 관련하여 비교표준지는 개발을 위한 거래가 이어지고 있으나, 갑의 토지 등은 개발 움직임이 없다는 점을 '장래의 동향'으로 반영하여 91%의 비율로 열세에 있다고 보아, 비교표준지의 공시지가를 약 83.9%의 비율로 감액한 1㎡당 839만원을 개별공시지가로 정함이 적정하다는 검증의견을 제시하였다. A시장은 A시 부동산가격공시위원회의 심의를 거쳐 이 검증의견을 그대로 받아들여 2026.5.20. 갑의 토지의 개별공시지가를 1㎡당 839만원으로 결정·공시하고, 갑에게 개별통지하였다. 갑은 토지가격비준표에 제시된 토지특성에 기초한 가격배율을 무시하고, 을이 감정평가방식에 따라 독자적으로 지가를 산정하여 제시한 검증의견을 그대로 반영하여 개별공시지가를 결정한 것은 위법하다고 보아, 「부동산 가격공시에 관한 법률」 제11조에 따라 2026.6.15. 이의신청을 제기하였고, 2026.7.10. 이의를 기각하는 내용의 이의신청결과가 갑에게 통지되었다. 다음 물음에 답하시오(아래의 물음은 각 별개의 상황임). 30점

(1) 甲은 2026.9.10. 개별공시지가결정에 대해 취소소송을 제기하였다. 甲이 제기한 취소소송은 제소기간을 준수하였는가? 10점

(2) 甲이 개별공시지가결정에 대해 다투지 않은 채 제소기간이 도과하였고, 이후 甲의 토지에 대해 수용재결이 있었다. 甲이 보상금의 증액을 구하는 소송에서 개별공시지가결정의 위법을 주장하는 경우, 甲의 주장은 인용될 수 있는가? 20점 (해당 기출 문제는 출제 오류이지만, 개별공시지가를 표준지공시지가로 전제로 하여 풀면 정상적으로 풀 수 있음)

---

참조 조문

〈부동산 가격공시에 관한 법률〉 제11조(개별공시지가에 대한 이의신청)

① 개별공시지가에 이의가 있는 자는 그 결정·공시일부터 30일 이내에 서면으로 시장·군수 또는 구청장에게 이의를 신청할 수 있다.

② 시장·군수 또는 구청장은 제1항에 따라 이의신청 기간이 만료된 날부터 30일 이내에 이의신청을 심사하여 그 결과를 신청인에게 서면으로 통지하여야 한다. 이 경우 시장·군수 또는 구청장은 이의신청의 내용이 타당하다고 인정될 때에는 제10조에 따라 해당 개별공시지가를 조정하여 다시 결정·공시하여야 한다.

〈부동산 가격공시에 관한 법률 시행령〉 제18조(개별공시지가의 검증)

① 〈생략〉

② 법 제10조 제5항 본문에 따라 검증을 의뢰받은 감정평가법인등은 다음 각 호의 사항을 검토·확인하고 의견을 제시해야 한다.

1. 비교표준지 선정의 적정성에 관한 사항
2. 개별토지 가격 산정의 적정성에 관한 사항
3. 산정한 개별토지가격과 표준지공시지가의 균형 유지에 관한 사항
4. 산정한 개별토지가격과 인근토지의 지가와의 균형 유지에 관한 사항
5. 표준주택가격, 개별주택가격, 비주거용 표준부동산가격 및 비주거용 개별부동산가격 산정 시 고려된 토지 특성과 일치하는지 여부
6. 개별토지가격 산정 시 적용된 용도지역, 토지이용상황 등 주요 특성이 공부(公簿)와 일치하는지 여부
7. 그 밖에 시장·군수 또는 구청장이 검토를 의뢰한 사항

〈행정심판법〉 제3조(행정심판의 대상)

① 행정청의 처분 또는 부작위에 대하여는 다른 법률에 특별한 규정이 있는 경우 외에는 이 법에 따라 행정심판을 청구할 수 있다.

---

**(물음 1)**

**Ⅰ. 논점의 정리**

**Ⅱ. 개별공시지가의 의의 및 법적 성질**
  1. 개별공시지가의 의의 및 취지
  2. 개별공시지가의 법적 성질

**Ⅲ. 개별공시지가 이의신청이 강학상 이의신청인지**
  1. 개별공시지가 이의신청과 행정심판의 구별실익
  2. 개별공시지가 이의신청과 행정심판의 구별기준
  3. 판례의 태도
  4. 검토

**Ⅳ. 취소소송의 제소기간**
  1. 제소기간의 의미
  2. 취소소송의 제소기간
    (1) 관련 규정의 검토
    (2) 사안의 경우

**Ⅴ. 결**

**(물음 2)**

**Ⅰ. 논점의 정리**

**Ⅱ. 하자승계 요건 해당 여부**
  1. 수용재결의 의의 및 법적 성질
  2. 하자승계의 의의 및 취지
  3. 하자승계의 요건
    (1) 하자승계의 요건
    (2) 사안의 경우

**Ⅲ. 하자승계가 인정되는지 여부**
  1. 학설의 견해
  2. 판례 및 검토
  3. 사안의 경우

**Ⅳ. 결**

> **Tip 강박사의 TIP(최근 기출문제)**
> 1. 이의신청을 거치지 않고 취소심판의 제기 가능성 및 개별공시지가결정의 위법성(제34회 문제2)
> 2. 이의신청 기각 결정에 불복하여 행정심판을 제기할 수 있는지 여부(제33회 문제2)
> 3. 개별공시지가결정에 대한 취소소송의 제소기간 준수 여부(제32회 문제2)
> 4. 이의신청과 행정심판을 모두 제기한 것에 대한 적법성(제21회 문제2)

## [물음 1]에 대하여

## I 논점의 정리

개별공시지가 이의신청이 특별법상 행정심판인지, 강학상 이의신청인지 여부 및 취소소송의 제소기간에 대한 검토를 통해 사안의 물음을 해결하도록 한다.

## II 개별공시지가의 의의 및 법적 성질

### 1. 개별공시지가의 의의 및 취지

개별공시지가는 시장, 군수, 구청장이 세금 및 부담금의 부과 등 일정한 행정목적에 활용하기 위하여 공시지가를 기준으로 일정한 절차에 따라 결정 및 공시한 개별토지의 단위면적당 적정가격을 의미한다. 이는 합리적인 과세부담 및 적정가격 형성의 취지에서 인정된다.

### 2. 개별공시지가의 법적 성질

개별공시지가의 법적 성질에 대해서는 ① 향후 과세처분의 기준이 되어 국민의 권리 및 의무에 직접적인 영향을 미치므로 행정행위성을 갖고, 미리 다투어 법률관계의 조기 확정을 통한 법적 안정성의 확보를 위해 그 처분성을 인정하여야 한다는 '행정행위설' ② 개별공시지가는 국민 재산권에 직접적인 영향이 없고 후행 행정처분의 부과기준으로서 역할을 하는 일반적이며 추상적인 규율에 불과하다는 '행정규칙설' ③ 이외에도 사실행위설, 법규명령을 갖는 고시설 등이 대립한다. 판례는 개별공시지가는 과세의 기준이 되어 국민의 권리 및 의무 내지 법률상 이익에 직접적으로 관계된다 하여 행정소송법상 처분으로 보았고, 판례의 태도는 타당하다고 생각된다.

## III 개별공시지가 이의신청이 강학상 이의신청인지

### 1. 개별공시지가 이의신청과 행정심판의 구별실익

행정심판법 제51조에서 행정심판 재청구 금지를 규정하고 있으므로, 개별공시지가 이의신청이 행정심판법상의 행정심판이라면 이의신청을 거쳐 다시 행정심판을 제기할 수 없기 때문이다.

> **↩ 행정심판법 제51조(행정심판 재청구의 금지)**
> 심판청구에 대한 재결이 있으면 그 재결 및 같은 처분 또는 부작위에 대하여 다시 행정심판을 청구할 수 없다.

## 2. 개별공시지가 이의신청과 행정심판의 구별기준

헌법 제107조 제3항에서는 "행정심판의 절차를 법률로 정하되, 사법절차가 준용되어야 한다."라고 규정되어, 개별법률에서 정하는 이의신청 등이 사법절차가 준용되는 경우에만 행정심판이 될 것이다.

> **↩ 대한민국 헌법 제107조**
> ① 법률이 헌법에 위반되는 여부가 재판의 전제가 된 경우에는 법원은 헌법재판소에 제청하여 그 심판에 의하여 재판한다.
> ② 명령·규칙 또는 처분이 헌법이나 법률에 위반되는 여부가 재판의 전제가 된 경우에는 대법원은 이를 최종적으로 심사할 권한을 가진다.
> ③ 재판의 전심절차로서 행정심판을 할 수 있다. 행정심판의 절차는 법률로 정하되, 사법절차가 준용되어야 한다.

## 3. 판례의 태도

> **판례**
>
> [판결요지]
> 부동산 가격공시 및 감정평가에 관한 법률 제12조, 행정소송법 제20조 제1항, 행정심판법 제3조 제1항의 규정 내용 및 취지와 아울러 부동산 가격공시 및 감정평가에 관한 법률에 행정심판의 제기를 배제하는 명시적인 규정이 없고 부동산 가격공시 및 감정평가에 관한 법률에 따른 이의신청과 행정심판은 그 절차 및 담당 기관에 차이가 있는 점을 종합하면, 부동산 가격공시 및 감정평가에 관한 법률이 이의신청에 관하여 규정하고 있다고 하여 이를 행정심판법 제3조 제1항에서 행정심판의 제기를 배제하는 '다른 법률에 특별한 규정이 있는 경우'에 해당한다고 볼 수 없으므로, 개별공시지가에 대하여 이의가 있는 자는 곧바로 행정소송을 제기하거나 부동산 가격공시 및 감정평가에 관한 법률에 따른 이의신청과 행정심판법에 따른 행정심판청구 중 어느 하나만을 거쳐 행정소송을 제기할 수 있을 뿐 아니라, 이의신청을 하여 그 결과 통지를 받은 후 다시 행정심판을 거쳐 행정소송을 제기할 수도 있다고 보아야 하고, 이 경우 행정소송의 제소기간은 그 행정심판 재결서 정본을 송달받은 날부터 기산한다.
> (출처 : 대판 2010.1.28, 2008두19987[개별공시지가결정처분취소])

## 4. 검토

부동산공시법에 개별공시지가 이의신청에 대한 사법절차 준용규정이 없다는 점과 대법원이 제시한 부동산공시법상에 행정심판을 배제하는 명시적인 규정이 없다는 점 등에서 개별공시지가 이의신청은 행정심판이 아닌 행정 내부에 재심사절차로서 제기하는 불복절차에 불과하다고 생각된다. 즉, 부동산공시법상 이의신청이란 강학상 이의신청에 불과하여 특별법상 행정심판에 해당되지 않는다고 판단된다.

## Ⅳ 취소소송의 제소기간

## 1. 제소기간의 의미

제소기간이란 소송을 제기할 수 있는 시간적 간격을 의미하며 제소기간 경과 시 "불가쟁력"이 발생하여 소를 제기할 수 없다. 행정소송법 제20조에서는 처분이 있은 날로부터 1년, 안 날로부터 90일 이내에 소송을 제기해야 한다고 규정하고 있다. 제소기간은 행정의 안정성과 국민의 권리구제를 조화하는 입법정책과 관련된 문제이다.

## 2. 취소소송의 제소기간

### (1) 관련 규정의 검토(행정소송법 제20조)

> ↪ 행정소송법 제20조(제소기간)
> ① 취소소송은 처분 등이 있음을 안 날부터 90일 이내에 제기하여야 한다. 다만, 제18조 제1항 단서에 규정한 경우와 그 밖에 행정심판청구를 할 수 있는 경우 또는 행정청이 행정심판청구를 할 수 있다고 잘못 알린 경우에 행정심판청구가 있은 때의 기간은 재결서의 정본을 송달받은 날부터 기산한다.
> ② 취소소송은 처분 등이 있은 날부터 1년(第1項 但書의 경우는 裁決이 있은 날부터 1年)을 경과하면 이를 제기하지 못한다. 다만, 정당한 사유가 있는 때에는 그러하지 아니하다.
> ③ 제1항의 규정에 의한 기간은 불변기간으로 한다.

### (2) 사안의 경우

사안의 경우 이의신청이 기각되어 원래의 개별공시지가 결정·공시일인 5월 20일을 기준으로 할 시, 9월 10일 현재 처분이 있음을 안 날로부터 90일이 경과되어 제소기간을 도과하였다고 볼 수 있다. 그러나 이의신청의 결과를 통지받은 날인 7월 10일을 기준으로 할 시, 9월 10일 현재 제소기간을 도과하지 않아 적법한 취소소송의 제기가 된다고 볼 수 있다.

> ❥ 행정기본법 제36조(처분에 대한 이의신청)
> ① 행정청의 처분(「행정심판법」 제3조에 따라 같은 법에 따른 행정심판의 대상이 되는 처분을 말한다. 이하 이 조에서 같다)에 이의가 있는 당사자는 처분을 받은 날부터 30일 이내에 해당 행정청에 이의신청을 할 수 있다.
> ② 행정청은 제1항에 따른 이의신청을 받으면 그 신청을 받은 날부터 14일 이내에 그 이의신청에 대한 결과를 신청인에게 통지하여야 한다. 다만, 부득이한 사유로 14일 이내에 통지할 수 없는 경우에는 그 기간을 만료일 다음 날부터 기산하여 10일의 범위에서 한 차례 연장할 수 있으며, 연장 사유를 신청인에게 통지하여야 한다.
> ③ 제1항에 따라 이의신청을 한 경우에도 그 이의신청과 관계없이 「행정심판법」에 따른 행정심판 또는 「행정소송법」에 따른 행정소송을 제기할 수 있다.
> ④ 이의신청에 대한 결과를 통지받은 후 행정심판 또는 행정소송을 제기하려는 자는 그 결과를 통지받은 날(제2항에 따른 통지기간 내에 결과를 통지받지 못한 경우에는 같은 항에 따른 통지기간이 만료되는 날의 다음 날을 말한다)부터 90일 이내에 제1항의 처분(이의신청 결과 처분이 변경된 경우에는 변경된 처분으로 한다)에 대하여 행정심판 또는 행정소송을 제기할 수 있다. 〈개정 2025.3.18.〉

## V 결

사안의 경우 처분이 있음을 안 날로부터 90일이 경과되어 취소소송의 제소기간을 준수하였다고 볼 수 없다. 그러나 최근 개정된 행정기본법에 의하면 이의신청의 결과를 통지 받은 날이 제소기간의 기산점이 되는 바, 취소소송의 제소기간을 준수하였다고 볼 수 있다.

## [물음 2]에 대하여

## I 논점의 정리

개별공시지가 결정에 불가쟁력이 생겨 이를 다툴 수 없는 경우 보상금의 증액을 구하는 소송에서 개별공시지가의 위법을 다툴 수 있는지, 즉 하자승계와 관련된 문제로서, 해당 사안이 하자승계의 요건을 충족하는지 여부의 검토를 통해 문제를 해결한다.

## Ⅱ  하자승계 요건 해당 여부

### 1. 수용재결의 의의 및 법적 성질

수용재결이란 사업인정고시 이후에 협의가 불성립된 경우 사업시행자의 신청에 의해 관할 토지수용위원회가 행하는 공용수용의 종국적인 절차를 의미한다(토지보상법 제34조). 수용재결은 행정청인 관할 토지수용위원회가 행하는 구체적인 수용절차에 관한 법집행으로 사업시행자 및 피수용자의 권리의무에 영향을 미치는 바, 처분에 해당한다(행정소송법 제2조 제1호). 사업시행자에게 수익적이나, 피수용자에게 침익적인바, 제3자효 행정행위에 해당하며, 토지보상법 제50조에 따라 증액재결을 할 수 있으므로 재량행위에 해당한다.

### 2. 하자승계의 의의 및 취지

하자승계란 행정행위가 일련의 단계적 절차를 거치는 경우에 선행행위의 위법을 후행행위 단계에서 주장할 수 있는가의 문제이다. 이와 같은 하자승계의 문제는 법적 안정성의 요청과 행정의 법률적합성의 요청의 조화의 문제이다.

### 3. 하자승계의 요건

#### (1) 하자승계의 요건

하자승계의 전제요건으로 ① 선행행정행위와 후행행정행위가 모두 처분이어야 하고 ② 선행행정행위는 무효사유가 아닌(무효사유가 있는 경우는 당연히 승계됨) 취소사유에 해당하는 하자가 존재하여야 하며 ③ 후행 행정행위 자체에는 고유한 하자가 없어야 하고 ④ 선행 행정행위에 불가쟁력이 발생하고 있을 것이 요구된다.

#### (2) 사안의 경우

① 개별공시지가와 수용재결 모두 처분에 해당하며, ② 개별공시지가의 제소기간이 도과하여 불가쟁력이 발생하였다. ③ 토지가격비준표를 무시하고 검증되었다고 하여 바로 위법이라고 볼 수는 없겠으나, 논의의 전개를 위해 개별공시지가 선행 처분은 취소사유로 전제하며, ④ 후행 수용재결에 대한 위법 내용은 별도로 적시됨이 없으나 위법이 없는 것으로 전제하여 하자승계의 요건을 충족한 것으로 보고 논의를 전개하도록 한다.

## Ⅲ  하자승계가 인정되는지 여부

### 1. 학설의 견해

선행처분과 후행처분이 결합하여 하나의 법효과를 완성하는 경우에 하자가 승계된다고 보는 전통적 하자승계론과 둘 이상의 행정행위가 동일한 법적 효과를 추구하고 있는 경우에는 선행행위는 일정한 조건하에서 판결의 기속력에 준하는 효력을 가지므로 후행행위에 대하여 구속력을 가

지게 된다고 한다. 그리고 이러한 구속력이 미치는 한도 내에서는 후행행위에 대하여 선행행위의
효과와 다른 주장을 할 수 없다고 보는 견해이다.

## 2. 판례 및 검토

> **판례**
>
> **[판결요지]**
> 2개 이상의 행정처분이 연속적 또는 단계적으로 이루어지는 경우 선행처분과 후행처분이 서로 합
> 하여 1개의 법률효과를 완성하는 때에는 선행처분에 하자가 있으면 그 하자는 후행처분에 승계된
> 다. 이러한 경우에는 선행처분에 불가쟁력이 생겨 그 효력을 다툴 수 없게 되더라도 선행처분의
> 하자를 이유로 후행처분의 효력을 다툴 수 있다. 그러나 선행처분과 후행처분이 서로 독립하여
> 별개의 법률효과를 발생시키는 경우에는 선행처분에 불가쟁력이 생겨 그 효력을 다툴 수 없게 되
> 면 선행처분의 하자가 중대하고 명백하여 선행처분이 당연무효인 경우를 제외하고는 특별한 사정
> 이 없는 한 선행처분의 하자를 이유로 후행처분의 효력을 다툴 수 없는 것이 원칙이다. 다만 그
> 경우에도 선행처분의 불가쟁력이나 구속력이 그로 인하여 불이익을 입게 되는 자에게 수인한도를
> 넘는 가혹함을 가져오고, 그 결과가 당사자에게 예측가능한 것이 아니라면, 국민의 재판받을 권리
> 를 보장하고 있는 헌법의 이념에 비추어 선행처분의 후행처분에 대한 구속력을 인정할 수 없다.
> (출처 : 대판 2019.1.31, 2017두40372[중개사무소의 개설등록취소처분취소])

생각건대, 구속력 이론은 행정행위가 판결과 구조적인 차이가 있음에도 불구하고 기판력과 유사
한 효력을 인정하는 점에서 문제가 있고, 이는 선행행위와 후행행위 사이에 하자의 승계를 원칙
적으로 인정하지 않는 이론임을 감안할 때 국민의 권리주장의식이 높은 것을 전제로 하여 성립된
구속력이론을 그대로 도입하는 것은 국민의 권리구제라는 관점에서 아직 시기상조라는 점에서
다수설·판례가 타당하다. 다만, 동일·별개의 법적 효과라는 형식적인 기준에 의해 개별적인
사안에 따라 불합리한 결과가 도출될 수도 있으나, 판례가 언급하고 있는 예측가능성·수인한도
의 법리를 보충적으로 활용하면 구체적 타당성을 도모할 수 있을 것이다.

## 3. 사안의 경우

① 개별공시지가와 수용재결은 별개의 법률효과를 목적으로 하며, ② 개별공시지가에 대한 결정
·공시가 있었던 점 등으로 미루어 보아 수인가능성과 예측가능성 여부 또한 문제되지 않는다고
판단된다. 따라서 사안의 경우 하자승계의 요건을 충족하지 못한다.

> **판례**
>
> **[판결요지]**
> 표준지공시지가결정은 이를 기초로 한 수용재결 등과는 별개의 독립된 처분으로서 서로 독립하여
> 별개의 법률효과를 목적으로 하지만, 표준지공시지가는 이를 인근 토지의 소유자나 기타 이해관계
> 인에게 개별적으로 고지하도록 되어 있는 것이 아니어서 인근 토지의 소유자 등이 표준지공시지가

결정 내용을 알고 있었다고 전제하기가 곤란할 뿐만 아니라, 결정된 표준지공시지가가 공시될 당시 보상금 산정의 기준이 되는 표준지의 인근 토지를 함께 공시하는 것이 아니어서 인근 토지소유자는 보상금 산정의 기준이 되는 표준지가 어느 토지인지를 알 수 없으므로, 인근 토지소유자가 표준지의 공시지가가 확정되기 전에 이를 다투는 것은 불가능하다. 더욱이 장차 어떠한 수용재결 등 구체적인 불이익이 현실적으로 나타나게 되었을 경우에 비로소 권리구제의 길을 찾는 것이 우리 국민의 권리의식임을 감안하여 볼 때, 인근 토지소유자 등으로 하여금 결정된 표준지공시지가를 기초로 하여 장차 토지보상 등이 이루어질 것에 대비하여 항상 토지의 가격을 주시하고 표준지공시지가결정이 잘못된 경우 정해진 시정절차를 통하여 이를 시정하도록 요구하는 것은 부당하게 높은 주의의무를 지우는 것이고, 위법한 표준지공시지가결정에 대하여 그 정해진 시정절차를 통하여 시정하도록 요구하지 않았다는 이유로 위법한 표준지공시지가를 기초로 한 수용재결 등 후행 행정처분에서 표준지공시지가결정의 위법을 주장할 수 없도록 하는 것은 수인한도를 넘는 불이익을 강요하는 것으로서 국민의 재산권과 재판받을 권리를 보장한 헌법의 이념에도 부합하는 것이 아니다. 따라서 표준지공시지가결정이 위법한 경우에는 그 자체를 행정소송의 대상이 되는 행정처분으로 보아 그 위법 여부를 다툴 수 있음은 물론, 수용보상금의 증액을 구하는 소송에서도 선행처분으로서 그 수용대상 토지 가격 산정의 기초가 된 비교표준지공시지가결정의 위법을 독립한 사유로 주장할 수 있다.
(출처 : 대판 2008.8.21, 2007두13845[토지보상금])

## Ⅳ 결

사안의 경우 하자승계의 요건을 충족하지 못하는 바, 보상금의 증액을 구하는 소송에서 개별공시지가결정의 위법을 주장하는 甲의 주장은 인용될 수 없다고 판단된다.
(본 문제는 32회 기출문제이지만 표준지공시지가와 수용재결에 대한 하자의 승계 법리 구성이 원안 판례인데 개별공시지가와 수용재결의 하자 승계 문제를 내면서 수험가에서는 많은 논란이 있었지만 법리구성이 맞는다면 좋은 점수를 득할 수 있겠다.)

## 10절 − 부동산공시법 제12조(개별공시지가의 정정)
− 행정법 쟁점 : 원고적격

**문제**

甲은 A시에 토지를 소유하고 있다. A시장(이하 관할행정청)은 甲의 토지 등의 비교표준지로 A시 소재 일정 토지(2025.1.1. 기준 공시지가는 1㎡당 2,000,000원이다)를 선정하고, 甲의 토지 등과 비교표준지의 토지가격비준표상 총 가격배율 1.00으로 조사함에 따라 甲의 토지의 가격을 1㎡당 2,000,000원으로 산정하였다. A시장으로부터 산정된 가격의 검증을 의뢰받은 감정평가사 乙은 甲의 토지가 비교표준지와 비교하여 환경조건, 획지조건, 및 기타 조건에 열세에 있고, 특히 기타조건과 관련하여 비교표준지는 개발을 위한 거래가 이어지고 있으나, 甲의 토지 등은 개발 움직임이 없다는 점을 '장래의 동향'으로 반영하여 91%의 비율로 열세에 있다고 보아, 비교표준지의 공시지가를 약 83.9%의 비율로 감액한 1㎡당 1,678,000원을 개별공시지가로 정함이 적정하다는 검증의견을 제시하였다. A시장은 A시 부동산가격공시위원회의 심의를 거쳐 이 검증의견을 그대로 받아들여 2025.4.30. 甲의 토지의 개별공시지가를 1㎡당 1,678,000원으로 결정·공시하고, 甲에게 개별통지하였다. 甲은 토지가격비준표에 제시된 토지특성에 기초한 가격배율을 무시하고, 감정평가사 乙이 감정평가방식에 따라 독자적으로 지가를 산정하여 제시한 검증의견을 그대로 반영하여 개별공시지가를 결정한 것은 위법하다고 주장하고 있다. 다음 물음에 답하시오. 30점 (기출문제 응용) (각 설문은 별개의 상황임)

(1) ① 부동산 가격공시에 관한 법률상 감정평가사 乙의 개별공시지가의 검증에 대하여 설명하고, ② 개별공시지가가 잘못되었다고 주장하며 甲은 관할행정청에 개별공시지가 정정신청을 하였는데, 관할행정청은 개별공시지가 정정불가 통지를 하였고, 토지소유자 甲은 개별공시지가 정정불가통지에 대하여 행정소송을 제기할 수 있는지에 대하여 설명하시오. 15점

(2) 만약 관할행정청에서 결정·공시된 개별공시지가(2025.04.30.)가 ㎡당 1,678,000원이였는데 토지소유자 甲은 해당 개별공시지가에 대하여 이의신청하였고, 이의신청에 대하여 해당 관할행정청은 ㎡당 2,000,000원으로 증액결정하고 당사자에 2025. 6. 30일 개별공시지가 이의신청 결정 통지를 하였고, 당일 토지소유자는 해당 이의신청 결정통지문을 수령하였다. 토지소유자 甲의 행정소송을 제기하고자 하는데, 행정소송의 제소기간과 소송의 대상에 대하여 설명하시오. 15점

Ⅰ. 논점의 정리

Ⅱ. (물음1)에 대하여

1. 개별공시지가 의의 및 법적 성질
   (부동산공시법 제10조)

2. 개별공시지가 검증
   (1) 의의 및 취지
   (2) 법적 성질
   (3) 검증의 내용
       1) 주체 및 책임
       2) 검증의 종류
       3) 검증의 실시 및 생략

3. 개별공시지가 정정불가 통지를 대상
   으로 취소소송을 제기할 수 있는지
   여부
   (1) 개별공시지가 정정 (부동산공
       시법 제12조)
   (2) 개별공시지가의 정정 불가 통

지의 처분성
   1) 행정소송법 제19조
   2) 개별공시지가 정정 불가
      통지
   3) 소결

Ⅲ. (물음2)에 대하여

1. 개별공시지가에 대한 이의신청
   (부동산공시법 제11조)
   (1) 의의, 취지
   (2) 이의신청의 성격
   (3) 행정기본법 제36조 제4항 개정
       규정

2. 관련 판례의 태도 (2008두19987
   판결)

3. 사안의 경우(취소소송을 제기할 경우
   소송의 대상과 제소기간)

Ⅳ. 사례의 해결

---

■ 참고 규정

부동산 가격공시에 관한 법률

제11조(개별공시지가에 대한 이의신청)

① 개별공시지가에 이의가 있는 자는 그 결정·공시일부터 30일 이내에 서면으로 시장·군수 또는
구청장에게 이의를 신청할 수 있다.

② 시장·군수 또는 구청장은 제1항에 따라 이의신청 기간이 만료된 날부터 30일 이내에 이의신청
을 심사하여 그 결과를 신청인에게 서면으로 통지하여야 한다. 이 경우 시장·군수 또는 구청장
은 이의신청의 내용이 타당하다고 인정될 때에는 제10조에 따라 해당 개별공시지가를 조정하여
다시 결정·공시하여야 한다.

③ 제1항 및 제2항에서 규정한 것 외에 이의신청 및 처리절차 등에 필요한 사항은 대통령령으로
정한다.

제12조(개별공시지가의 정정)

시장·군수 또는 구청장은 개별공시지가에 틀린 계산, 오기, 표준지 선정의 착오, 그 밖에 대통령령
으로 정하는 명백한 오류가 있음을 발견한 때에는 지체 없이 이를 정정하여야 한다.

## I  논점의 정리

(물음1) 취소소송으로 적법하게 제기하기 위해서는 취소소송의 요건으로 대상적격, 원고적격, 협의의 소익, 제소기간, 관할, 피고적격 등이 있다. 개별공시지가 검증에 대해 살피고, 사안에서 甲이 乙의 정정불가 결정 통지를 대상으로 취소소송을 제기할 수 있는지 여부에 대하여 취소소송의 대상적격이 문제되는바, 이하에서 관련 규정과 판례에 따라 설명하고자 한다. (물음2)에서는 개별공시지가 이의신청 결정 통지문을 받은 후 취소소송을 제기할 경우 소송의 대상과 제소기간에 대하여 관련판례 및 규정을 통해 사안을 해결한다.

## II  (물음1)에 대하여

### 1. 개별공시지가 의의 및 법적 성질(부동산공시법 제10조)

부동산 가격공시에 관한 법률(이하 '부동산공시법')상 개별공시지가란 시장·군수·구청장이 개별토지에 대해 시·군·구 부동산가격공시위원회의 심의를 거쳐 매년 결정·공시하는 단위면적당 가격을 말한다. 개별공시지가는 조세 및 부담금 산정의 기준이 되어 행정의 효율성 제고하기 위한 정책적인 가격의 성격을 가진다. 대법원 판례는 개별공시지가가 각종 조세부담의 기준이 됨으로 국민들의 권리와 의무에 직접적인 영향을 미치는 처분으로 보고 있다.

### 2. 개별공시지가 검증

#### (1) 의의 및 취지(부동산공시법 제10조 제5항 및 제6항)

개별공시지가 검증이란, 개별토지가격에 대하여 검증을 의뢰받은 감정평가법인등이 토지특성조사, 비교표준지선정, 토지가격비준표의 적용등을 종합적으로 검토하여 지가의 적정성을 판단하는 과정이다. 이는 담당공무원의 비전문성을 보완하고 개별공시지가의 객관성, 신뢰성을 확보하는 데에 취지가 있다.

#### (2) 법적 성질

개별공시지가의 검증은 검증자체로는 법률효과의 발생이 없으며, 개별공시지가 산정에 대한 적정성을 단순히 확인하고 의견을 제시하는 것이므로 사실행위로 볼 수 있다.

#### (3) 검증의 내용

##### 1) 주체 및 책임

개별공시지가 검증의 주체는 감정평가법인등이다. 시군구청장은 해당지역의 표준지공시지가를 조사평가한 감정평가법인등 또는 감정평가실적 등이 우수한 감정평가법인등에게 검증을 의뢰해야 한다.

### 2) 검증의 종류

#### ① 산정지가검증(부동산공시법 제10조 제5항 및 시행령 제18조)

시·군·구청장이 산정한 지가에 대하여 지가 현황도면 및 지가조사 자료를 기준으로 실시하는 검증을 말한다. 이는 전체필지를 대상으로 하는 필수절차로 도면상 검증이고, 지가열람 전에 실시하는 검증이다.

#### ② 의견제출 지가검증

시·군·구청장이 산정한 지가에 대하여 토지소유자 및 기타 이해관계인이 지가열람 및 의견제출기간 중에 의견을 제출한 경우 실시한 검증을 말한다.

#### ③ 이의신청 지가검증

시·군·구청장이 개별공시지가를 결정공시한 후 토지소유자등이 이의신청을 제기한 경우에 실시하는 검증을 말한다.

### 3) 검증의 실시 및 생략

시·군·구청장은 감정평가법인등의 검증이 필요 없다고 인정하는 경우 검증을 생략 할 수 있으며, 감정평가법인등의 검증을 생략하고자 하는 때에는 해당토지가 소재하는 시·군·구 연평균 지가변동률의 차이가 작은 순으로 대상토지를 선정하여 검증을 생략한다. 다만, 개발사업이 시행되거나 용도지역, 지구가 변경되는 등의 사유가 발생한 토지에 대해서는 검증을 실시해야한다.

## 3. 개별공시지가 정정불가 통지를 대상으로 취소소송을 제기할 수 있는지 여부

### (1) 개별공시지가 정정(부동산공시법 제12조)

개별공시지가의 정정이란 개별공시지가에 위산·오기 등 명백한 오류가 있는 경우 이를 직권으로 정정할 수 있는 제도로서 개별공시지가의 적정성을 담보하기 위함에 취지가 있다.

### (2) 개별공시지가의 정정 불가 통지의 처분성

### 1) 행정소송법 제19조

취소소송이란 관할 토지수용위원회의 위법한 수용재결의 취소나 변경을 구하는 소송을 말하며, 행정소송법 제19조에서는 취소소송은 처분 등을 대상으로 한다고 규정하고 있다. 여기서 "처분 등"이라고 함은 행정소송법 제2조에서 "행정청이 행하는 구체적 사실에 관한 법집행으로서의 공권력의 행사 또는 그 거부와 그 밖에 이에 준하는 행정작용 및 행정심판에 대한 재결"을 말한다고 규정하고 있다.

> 🔖 행정소송법 제19조(취소소송의 대상)
> 취소소송은 처분 등을 대상으로 한다. 다만, 재결취소소송의 경우에는 재결 자체에 고유한 위법이 있음을 이유로 하는 경우에 한한다.

## 2) 개별공시지가 정정 불가 통지

> **판례**
>
> **[판시사항]**
> 개별토지가격합동조사지침 제12조의3 소정의 개별공시지가 경정결정신청에 대한 행정청의 정정불가 결정 통지가 항고소송의 대상이 되는 처분인지 여부(소극)
>
> **[판결요지]**
> 개별토지가격합동조사지침(1991.3.29. 국무총리훈령 제248호로 개정된 것) 제12조의3은 행정청이 개별토지가격결정에 위산·오기 등 명백한 오류가 있음을 발견한 경우 직권으로 이를 경정하도록 한 규정으로서 **토지소유자 등 이해관계인이 그 경정결정을 신청할 수 있는 권리를 인정하고 있지 아니하므로, 토지소유자 등의 토지에 대한 개별공시지가 조정신청을 재조사청구가 아닌 경정결정신청으로 본다고 할지라도, 이는 행정청에 대하여 직권발동을 촉구하는 의미밖에 없으므로, 행정청이 위 조정신청에 대하여 정정불가 결정 통지를 한 것은 이른바 관념의 통지에 불과할 뿐 항고소송의 대상이 되는 처분이 아니다.**
> (출처: 대판 2002.2.5, 2000두5043[개별공시지가정정불가처분취소])

## 3) 소결

관련 판례의 태도에 따르면 개별공시지가 정정신청에 대한 정정불가 결정 통지는 관념의 통지에 불과하여 항고소송의 대상이 되는 처분이 아니므로, 취소소송의 대상에 해당하지 못하는바 요건 불비로 취소소송을 제기할 수 없다고 판단된다. 사안의 경우 개별공시지가 정정불가 결정 통지는 판례의 태도에 따라 관념의 통지로서 처분에 해당하지 않고 사실행위에 불과하므로 甲은 취소소송을 제기할 수 없다고 판단된다.

# Ⅲ (물음2)에 대하여

## 1. 개별공시지가에 대한 이의신청(부동산공시법 제11조)

### (1) 의의, 취지

부동산공시법 제11조에서는 개별공시지가에 이의가 있을 시 결정·공시일로부터 30일 이내에 이의를 신청할 것을 규정하고 있다. 이는 세금·부담금 산정에 앞서 이에 기초가 되는 개별공시지가에 대한 타당성과 적정성을 담보하기 위한 취지에서 인정된다.

> ↪ **부동산공시법 제11조(개별공시지가에 대한 이의신청)**
> ① 개별공시지가에 이의가 있는 자는 그 결정·공시일부터 30일 이내에 서면으로 시장·군수 또는 구청장에게 이의를 신청할 수 있다.

② 시장·군수 또는 구청장은 제1항에 따라 이의신청 기간이 만료된 날부터 30일 이내에 이의신청을 심사하여 그 결과를 신청인에게 서면으로 통지하여야 한다. 이 경우 시장·군수 또는 구청장은 이의신청의 내용이 타당하다고 인정될 때에는 제10조에 따라 해당 개별공시지가를 조정하여 다시 결정·공시하여야 한다.

③ 제1항 및 제2항에서 규정한 것 외에 이의신청 및 처리절차 등에 필요한 사항은 대통령령으로 정한다.

## (2) 이의신청의 성격

① 이의신청 실질적 내용에 비추어 특별행정심판 성격을 갖는다고 보는 견해, ② 이의신청은은 공시지가가 처분임을 전제하는 것은 아니므로 국민의 권리구제 확립을 위해 강학상 이의신청으로 보는 견해가 있다. ③ 최근 개별공시지가 이의신청에 대하여 강학상 이의신청으로 본 판례가 등장하였다. 이의신청은 부동산공시법 규정에 의해 인정되는 제도이고, 국민의 권리구제 확립을 위하여 강학상 이의신청으로 봄이 타당하다.

## (3) 행정기본법 제36조 제4항 개정 규정

▶ 행정기본법 제36조(처분에 대한 이의신청)

① 행정청의 처분(「행정심판법」 제3조에 따라 같은 법에 따른 행정심판의 대상이 되는 처분을 말한다. 이하 이 조에서 같다)에 이의가 있는 당사자는 처분을 받은 날부터 30일 이내에 해당 행정청에 이의신청을 할 수 있다.

② 행정청은 제1항에 따른 이의신청을 받으면 그 신청을 받은 날부터 14일 이내에 그 이의신청에 대한 결과를 신청인에게 통지하여야 한다. 다만, 부득이한 사유로 14일 이내에 통지할 수 없는 경우에는 그 기간을 만료일 다음 날부터 기산하여 10일의 범위에서 한 차례 연장할 수 있으며, 연장 사유를 신청인에게 통지하여야 한다.

③ 제1항에 따라 이의신청을 한 경우에도 그 이의신청과 관계없이 「행정심판법」에 따른 행정심판 또는 「행정소송법」에 따른 행정소송을 제기할 수 있다.

**④ 이의신청에 대한 결과를 통지받은 후 행정심판 또는 행정소송을 제기하려는 자는 그 결과를 통지받은 날(제2항에 따른 통지기간 내에 결과를 통지받지 못한 경우에는 같은 항에 따른 통지기간이 만료되는 날의 다음 날을 말한다)부터 90일 이내에 제1항의 처분(이의신청 결과 처분이 변경된 경우에는 변경된 처분으로 한다)에 대하여 행정심판 또는 행정소송을 제기할 수 있다. 〈개정 2025.3.18.〉**

⑤ 행정청은 제2항 또는 다른 법률에 따라 이의신청에 대한 결과를 통지할 때에는 대통령령으로 정하는 바에 따라 제4항에 따른 행정심판 또는 행정소송을 제기할 수 있는 기간 등 행정심판 또는 행정소송의 제기에 관한 사항을 함께 안내하여야 한다. 다만, 이의신청에 대한 결과를 통지하기 전에 이미 신청인이 행정심판 또는 행정소송을 제기한 경우에는 안내하지 아니할 수 있다. 〈신설 2025.3.18.〉

－이하 생략－

> **● 행정기본법 제36조 제4항, 제5항에 대한 개정 국토검토보고서**
>
> 이의신청에 대한 행정청의 결정에 대해 불복하는 경우 원처분과 이의신청에 대한 결정 중 어느 것을 대상으로 행정쟁송을 제기할 것인가에 대해서는 학계의 의견이 대립되는 부분이 존재함. 이의신청의 인용결정은 이의신청인의 권리의무에 변동을 가져오고 원처분을 대체하는 새로운 처분이므로 당연히 대상적격을 가진다는 것이 통설의 입장이다.
>
> 그러나 이의신청에 대한 기각 또는 각하결정에 대해서는 기존의 원처분의 결론을 그대로 유지하는 것이고 이의신청인의 권리·의무에 새로운 변동을 가져오는 공권력의 행사나 이에 준하는 행정작용으로 볼 수 없다는 점에서 기각 또는 각하결정의 통지는 단순한 사실행위로 대상적격을 부정하는 것이 다수설과 판례(대법원 2012.11.15. 선고 2010두8676 판결)의 입장임. 반면, 대상적격을 인정하는 견해는 이의신청 결정은 별도의 절차에서 인정된 행정작용으로 이를 독립된 대상적격으로 인정하지 못할 바는 없다는 것을 근거로 하고 있다.
>
> 이처럼 학계에서도 의견이 나뉘는 바 일반국민이 행정쟁송의 대상적격에 대해 알기 어렵다는 점에서 행정기본법 제36조 제4항 개정법률은 다수설 및 판례의 입장과 같이 **처분에 대한 이의신청 결과를 통지받고 행정심판 또는 행정소송을 제기하는 경우에는 '제1항의 원처분'이 대상이고, 예외적으로 처분이 변경된 경우에 한하여 변경된 처분의 대상적격을 인정한다는 것을 법문으로 명확히 하려는 것으로 그 취지의 타당성이 인정된다고 할 것임.**
>
> 행정기본법 개정법률 제36조 제5항은 현행 제36조 제4항에 따라 이의신청인은 이의신청 결과를 통지받은 날부터 90일 이내에 행정심판 또는 행정소송을 제기할 수 있는바 이의신청인이 행정청으로부터 결과통지를 받을 때 이 사실을 함께 안내하도록 하여 국민의 권리구제를 강화하려는 것으로 타당성이 인정된다고 할 것이다.

## 2. 관련 판례의 태도(2008두19987 판결)

> **판례**
>
> [판시사항]
> 개별공시지가에 대하여 이의가 있는 자가 행정심판을 거쳐 행정소송을 제기하는 경우 제소기간의 기산
>
> [판결요지]
> **부동산 가격공시 및 감정평가에 관한 법률 제12조, 행정소송법 제20조 제1항, 행정심판법 제3조 제1항의 규정 내용 및 취지와 아울러 부동산 가격공시 및 감정평가에 관한 법률에 행정심판의 제기를 배제하는 명시적인 규정이 없고 부동산 가격공시 및 감정평가에 관한 법률에 따른 이의신청과 행정심판은 그 절차 및 담당 기관에 차이가 있는 점을 종합하면, 부동산 가격공시 및 감정평가에 관한 법률이 이의신청에 관하여 규정하고 있다고 하여 이를 행정심판법 제3조 제1항에서 행정심판의 제기를 배제하는 '다른 법률에 특별한 규정이 있는 경우'에 해당한다고 볼 수 없으므로, 개별공시지가에 대하여 이의가 있는 자는 곧바로 행정소송을 제기하거나 부동**

산 가격공시 및 감정평가에 관한 법률에 따른 이의신청과 행정심판법에 따른 행정심판청구 중
어느 하나만을 거쳐 행정소송을 제기할 수 있을 뿐 아니라, 이의신청을 하여 그 결과 통지를
받은 후 다시 행정심판을 거쳐 행정소송을 제기할 수도 있다고 보아야 하고, 이 경우 행정소송
의 제소기간은 그 행정심판 재결서 정본을 송달받은 날부터 기산한다.
(대법원 2010.1.28. 선고 2008두19987 판결[개별공시지가결정처분취소])

## 3. 사안의 경우(취소소송을 제기할 경우 소송의 대상과 제소기간)

개별공시지가의 이의신청의 성격은 별도의 행정심판이 아니라 강학상 이의신청에 불과하고 최근
개정된 행정기본법 제36조 제4항에 따라 개별공시지가 이의신청 결과통지서를 받을 날로부터
90일 이내에 행정소송을 제기하면 된다. 또한 소송의 대상은 이의신청이 기각되었으면 원처분을
소송의 대상으로 삼고, 해당 사안에서는 2,000,000원으로 변경된바, 소송의 대상은 변경된 처분
(2,000,000원)을 소송의 대상으로 삼는 것이 타당하다고 판단된다.

## Ⅳ 사례의 해결

① 부동산공시법상 개별공시지가 검증이란, 개별토지가격에 대하여 검증을 의뢰받은 감정평가법
  인등이 토지특성조사, 비교표준지선정, 토지가격비준표의 적용등을 종합적으로 검토하여 지
  가의 적정성을 판단하는 과정이다. 이는 담당공무원의 비전문성을 보완하고 개별공시지가의
  객관성, 신뢰성을 확보하는 데에 취지가 있으므로 부동산공시법에서 이러한 내용이 법령으로
  정비되어 반영하였다. 대법원 판례에 따르면 개별공시지가 정정신청에 대한 정정불가 결정
  통지는 관념의 통지에 불과하여 항고소송의 대상이 되는 처분이 아니므로, 취소소송의 대상에
  해당하지 못하는바 요건 불비로 취소소송을 제기할 수 없다고 판단된다. 사안의 경우 개별공
  시지가 정정불가 결정 통지는 판례의 태도에 따라 관념의 통지로서 처분에 해당하지 않고 사
  실행위에 불과하므로 甲은 취소소송을 제기할 수 없다고 판단된다.

② 부동산공시법 제11조 개별공시지가에 이의가 있는 자는 그 결정·공시일부터 30일 이내에 서
  면으로 시장·군수 또는 구청장에게 이의를 신청할 수 있다고 규정하고 있다. 최근 행정기본
  법 제36조 제4항이 개정되어서 "이의신청에 대한 결과를 통지받은 후 행정심판 또는 행정소송
  을 제기하려는 자는 그 결과를 통지받은 날(제2항에 따른 통지기간 내에 결과를 통지받지 못한
  경우에는 같은 항에 따른 통지기간이 만료되는 날의 다음 날을 말한다)부터 90일 이내에 제1
  항의 처분(이의신청 결과 처분이 변경된 경우에는 변경된 처분으로 한다)에 대하여 행정심판
  또는 행정소송을 제기할 수 있다."고 국민의 권익을 한층 보호하는 차원으로 개정되었다.

③ 결국 개정된 행정기본법 제36조 제4항에 따라 개별공시지가 이의신청에 대하여 취소소송을
  제기하는 경우에 취소소송의 대상은 이의신청이 기각된 경우 원처분을 소송의 대상으로 하
  고, 변경된 처분인 경우에는 변경된 처분을 소송의 대상으로 삼도록 하는 것이 타당하다고
  판단된다.

## 11절　토지가격비준표의 법적 성질

**문제**

2024.4.30. 서울 동작구 노량진동 100번지 대 37㎡ 및 서울 동작구 노량진동 101번지 대 45㎡에 대한 2024.1.1. 기준 개별공시지가를 각각 ㎡당 7,000,000원으로 결정한 처분을 취소해야 한다고 토지소유자는 취소소송을 통해 주장하고 있다. 아래 토지소유자 원고의 주장이 타당한지 검토하시오.　10점　(기출문제 응용)

1. 토지소유자 원고의 주장

   피고가 이 사건 각 토지의 개별공시지가를 산정함에 있어 토지가격비준표를 사용하여 비교표준지와 이 사건 각 토지 사이의 토지특성의 차이로 인한 가격배율을 정한 후 비교표준지의 공시지가에 곱하는 방식으로 산정하여야 함에도 불구하고, 이와 같은 방식을 무시하고 감정평가법인들이 토지가격비준표상의 토지특성 항목에 없는 사항을 주관적으로 반영하여 검증한 지가를 개별공시지가로 그대로 결정한 점에 비추어 보면, 이 사건 처분은 부동산 가격공시에 관한 법률에 어긋나는 것으로서 위법하여 취소되어야 한다.

2. 동작구청장 피고의 주장

   피고가 이 사건 각 토지의 개별공시지가를 산정함에 있어 토지가격비준표상의 가격배율에 의하여 산정한 지가에 대하여 감정평가법인등이 검증 과정에서 비교표준지의 공시지가와 균형이 맞지 아니함을 이유로 감액이 필요하다는 의견을 제시하여 동작구 부동산가격공시위원회의 심의를 거쳐 감액 조정한 것일 뿐이고, 더욱이 원고의 이의신청에 따라 다른 감정평가법인등의 검증과 동작구 부동산가격공시위원회의 심의를 거쳐 인근 지가와의 균형을 고려하여 상향조정한 지가를 개별공시지가로 재결정한 점에 비추어 보면, 이 사건 처분은 법 및 법 시행령 등에 따른 것으로 적법하다.

<table>
<tr><td>

Ⅰ. 논점의 정리

Ⅱ. 토지가격비준표의 법적 성질
  1. 개별공시지가 의의 및 취지
  2. 토지가격비준표의 의의 및 내용
    (1) 의의 및 취지
    (2) 내용

</td><td>

3. 토지가격비준표의 법적 성질
  (1) 문제점
  (2) 학설
  (3) 판례 및 검토
4. 해당 대법원 판례

Ⅲ. 사안의 경우

</td></tr>
</table>

## Ⅰ   논점의 정리

본 사안의 토지소유자는 자신의 부동산 가격공시에 관한 법률(이하 '부동산공시법')상 개별공시지가가 토지가격비준표와 달리 결정되었다는 사유로 당해 개별공시지가가 위법하다고 주장하고 있다. 사안의 해결에 앞서 먼저 개별공시지가의 개념, 토지가격비준표의 의의, 내용 등을 살펴본 후, 그 법규성에 대해 학설과 해당 대법원 판례를 검토하여 위법한지 여부를 판단한다.

## Ⅱ   토지가격비준표의 법적 성질

### 1. 개별공시지가 의의 및 취지(부동산공시법 제10조)

개별공시지가는 시장·군수·구청장이 세금 및 부담금의 부과 등 일정한 행정목적에 활용하기 위하여 공시지가를 기준으로 일정한 절차에 따라 결정·공시한 개별토지의 단위면적당 적정가격을 의미한다. 이는 합리적인 과세부담 및 적정가격 형성의 취지에서 인정된다.

> **판례**
>
> ● **개별공시지가의 법적 성질**
>
> [판결요지]
> 토지초과이득세법, 택지소유상한에 관한 법률, 개발이익환수에 관한 법률 및 각 그 시행령이 각 그 소정의 토지초과이득세, 택지초과소유부담금 또는 개발부담금을 산정함에 있어서 기초가 되는 각 토지의 가액을 시장, 군수, 구청장이 지가공시 및 토지 등의 평가에 관한 법률 및 같은 법 시행령에 의하여 정하는 개별공시지가를 기준으로 하여 산정한 금액에 의하도록 규정하고 있고, 시장, 군수, 구청장은 같은 법 제10조 제1항 제6호, 같은 법 시행령 제12조 제1, 제2호의 규정에 의하여 각개 토지의 지가를 산정할 의무가 있다고 할 것이므로 시장, 군수, 구청장이 산정하여 한 **개별토지가액의 결정은 토지초과이득세, 택지초과소유부담금 또는 개발부담금 산정 등의 기준이 되어 국민의 권리, 의무 내지 법률상 이익에 직접적으로 관계된다고 할 것이고, 따라서 이는 행정소송법 제2조 제1항 제1호 소정의 행정청이 행하는 구체적 사실에 관한 법집행으로서의 공권력행사이어서 행정소송의 대상이 되는 행정처분으로 보아야 할 것이다**(대판 1993.1.15, 92누12407[개별토지가격결정처분취소등]).

### 2. 토지가격비준표의 의의 및 내용

#### (1) 의의 및 취지

토지가격비준표란 국토교통부장관이 행정목적상 개별토지의 가격을 산정하기 위해 필요하다고 인정하는 경우에 작성하여 관계 행정기관에 제공하는 표준지와 개별토지의 가치형성요인에 관한 비교표를 말한다. 이는 지가산정의 객관성과 합리성 그리고 신속성을 위한 취지에서 인정된다.

### (2) 내용

토지가격비준표는 토지의 가격형성요인을 다중회귀분석기법에 의해 산출된 기준으로 작성되며, 국공유지 취득이나 처분, 보상, 개별공시지가 산정 시 활용된다.

## 3. 토지가격비준표의 법적 성질

### (1) 문제점

토지가격비준표는 부동산공시법 제3조 제8항에 위임을 받은 행정규칙 형식의 법규명령인바, 그 인정 여부 및 법규성에 대한 견해가 대립한다. ① 헌법 제75조, 제95조를 한정적으로 해석하여 행정규칙 형식으로 법규명령을 제정할 수 없다는 위헌설이 있으나, ② 헌법 제75조, 제95조를 예시적으로 해석하여 구체적 위임이 있을 경우 가능하다는 합헌설이 타당하다. 이때 법규성 여부가 문제 된다.

### (2) 학설

① 형식설은 법규명령은 엄격한 절차를 통해 규정되며, 형식을 중시하여 행정규칙으로 보는 견해, ② 규범구체화 행정규칙설의 경우 전문성, 기술성 있는 범위 내에서 행정청의 입법권이 허용된다는 견해, ③ 법령보충규칙설은 형식은 행정규칙이되, 상위 법령의 위임으로 그 내용을 보충, 결합하여 법규성이 인정된다는 견해, ④ 실질설은 실질은 국민의 재산권에 대한 법규성을 다루고 있으므로 법규명령으로 보는 견해, ⑤ 수권여부기준설은 상위법령의 수권여부에 따라 법규성을 인정하는 견해이다.

### (3) 판례 및 검토

판례는 국토교통부장관이 작성하여 제공하는 토지가격비준표는 법률보충적인 역할을 하는 법규적 성질을 가진다고 하여 법규성을 긍정하였다. 생각건대, 토지가격비준표는 상위법인 부동산공시법 제10조 제4항의 위임을 받아 상위법령의 구체적인 내용을 보충하는 역할을 하는 바 법규성 인정이 타당하다고 생각한다.

## 4. 해당 대법원 판례

최근 판례는 "시장·군수 또는 구청장은 표준지공시지가에 토지가격비준표를 사용하여 산정된 지가와 감정평가법인등의 검증의견 및 토지소유자 등의 의견을 종합하여 해당 토지에 대하여 표준지공시지가와 균형을 유지한 개별공시지가를 결정할 수 있고, 그와 같이 결정된 개별공시지가가 표준지공시지가와 균형을 유지하지 못할 정도로 현저히 불합리하다는 등의 특별한 사정이 없는 한, 결과적으로 토지가격비준표를 사용하여 산정한 지가와 달리 결정되었거나 감정평가사의 검증의견에 따라 결정되었다는 이유만으로 개별공시지가 결정이 위법하다 볼 수는 없다"라고 판시하였다.

> **판례**
>
> [판시사항]
> 시장 등이 어떠한 토지에 대하여 표준지공시지가와 균형을 유지하도록 결정한 개별공시지가가
> 토지가격비준표를 사용하여 산정한 지가와 달리 결정되었거나 감정평가사의 검증의견에 따라
> 결정되었다는 이유만으로 위법한 것인지 여부(원칙적 소극)
>
> [판결요지]
> 부동산 가격공시 및 감정평가에 관한 법률 제11조, 부동산 가격공시 및 감정평가에 관한 법률
> 시행령 제17조 제2항의 취지와 문언에 비추어 보면, <u>시장·군수 또는 구청장은 표준지공시지</u>
> <u>가에 토지가격비준표를 사용하여 산정된 지가와 감정평가업자의 검증의견 및 토지소유자 등의</u>
> <u>의견을 종합하여 해당 토지에 대하여 표준지공시지가와 균형을 유지한 개별공시지가를 결정할</u>
> <u>수 있고, 그와 같이 결정된 개별공시지가가 표준지공시지가와 균형을 유지하지 못할 정도로</u>
> <u>현저히 불합리하다는 등의 특별한 사정이 없는 한, 결과적으로 토지가격비준표를 사용하여 산</u>
> <u>정한 지가와 달리 결정되었거나 감정평가사의 검증의견에 따라 결정되었다는 이유만으로 그</u>
> <u>개별공시지가 결정이 위법하다고 볼 수는 없다.</u>
> (대판 2013.11.14, 2012두15364[개별공시지가결정처분취소])

## Ⅲ 사안의 경우

토지가격비준표는 대외적 구속력을 갖고 있으므로 동작구청장은 개별공시지가 산정 시 이를 고려
해야할 것이다. 그러나 최근 판례의 입장대로 법 제10조 제4항, 제5항 및 시행령 제18조 취지상
적정한 검증이 되어 균형유지가 된 경우 토지가격비준표와 달리 개별공시지가가 결정되었다 하더
라도 반드시 위법하다고 볼 수 없다. 따라서 토지소유자의 주장은 타당하지 않다고 판단된다.

> **판례**
>
> ● 해당 쟁점에 대한 대법원 판례 : 대법원 2013.11.14. 선고 2012두15364 판결[개별공시지가
> 결정처분취소]
>
> [판시사항]
> 시장 등이 어떠한 토지에 대하여 표준지공시지가와 균형을 유지하도록 결정한 개별공시지가
> 가 토지가격비준표를 사용하여 산정한 지가와 달리 결정되었거나 감정평가사의 검증의견에
> 따라 결정되었다는 이유만으로 위법한 것인지 여부(원칙적 소극)
>
> [판결요지]
> **부동산 가격공시 및 감정평가에 관한 법률 제11조, 부동산 가격공시 및 감정평가에 관한 법**
> **률 시행령 제17조 제2항 의 취지와 문언에 비추어 보면, 시장·군수 또는 구청장은 표준지공**
> **시지가에 토지가격비준표를 사용하여 산정된 지가와 감정평가업자의 검증의견 및 토지소유**
> **자 등의 의견을 종합하여 당해 토지에 대하여 표준지공시지가와 균형을 유지한 개별공시지**

**가를 결정할 수 있고, 그와 같이 결정된 개별공시지가가 표준지공시지가와 균형을 유지하지 못할 정도로 현저히 불합리하다는 등의 특별한 사정이 없는 한, 결과적으로 토지가격비준표를 사용하여 산정한 지가와 달리 결정되었거나 감정평가사의 검증의견에 따라 결정되었다는 이유만으로 그 개별공시지가 결정이 위법하다고 볼 수는 없다.**

[이유]

상고이유를 판단한다.

1. 「부동산 가격공시 및 감정평가에 관한 법률」(이하 '법'이라 한다) 제11조에 의하면, 시장·군수 또는 구청장(이하 '시장 등'이라 한다)은 개별공시지가를 결정·공시하는 경우 당해 토지와 유사한 이용가치를 지닌다고 인정되는 하나 또는 둘 이상의 표준지의 공시지가를 기준으로 토지가격비준표를 사용하여 지가를 산정한 다음, 그와 같이 산정된 지가의 타당성에 대하여 감정평가업자의 검증을 받고(다만 이 검증은 생략할 수 있는 경우도 있다) 토지소유자 그 밖의 이해관계인의 의견을 들은 후 시·군·구부동산평가위원회의 심의를 거쳐서 개별공시지가를 결정하고, 이때 당해 토지의 가격과 표준지공시지가가 균형을 유지하도록 하여야 한다. 그리고 「부동산 가격공시 및 감정평가에 관한 법률 시행령」(이하 '법 시행령'이라 한다) 제17조 제2항에 의하면, 시장 등으로부터 검증의뢰를 받은 감정평가업자는 '비교표준지의 선정에 관한 사항'과 '개별토지의 가격산정의 적정성에 관한 사항' 외에도 '산정한 개별토지의 가격과 표준지공시지가의 균형유지에 관한 사항', '산정한 개별토지의 가격과 인근 토지의 지가 및 전년도 지가와의 균형유지에 관한 사항', '그 밖에 시장 등이 검토를 의뢰한 사항'을 검토·확인하고 의견을 제시하여야 한다. 이와 같은 규정들의 취지와 그 문언에 비추어 보면, 시장 등은 표준지공시지가에 토지가격비준표를 사용하여 산정된 지가와 감정평가업자의 검증의견 및 토지소유자 등의 의견을 종합하여 당해 토지에 대하여 표준지공시지가와 균형을 유지한 개별공시지가를 결정할 수 있고, 그와 같이 결정된 개별공시지가가 표준지공시지가와 균형을 유지하지 못할 정도로 현저히 불합리하다는 등의 특별한 사정이 없는 한, 결과적으로 토지가격비준표를 사용하여 산정한 지가와 달리 결정되었거나 감정평가사의 검증의견에 따라 결정되었다는 이유만으로 그 개별공시지가의 결정이 위법하다고 볼 수는 없다.

2. 원심은 그 판시와 같은 사실을 인정한 다음, 피고는 이 사건 각 토지의 개별공시지가를 결정하면서 감정평가업자가 산정지가의 검증과정에서 토지가격비준표에 제시된 토지특성에 기초한 가격배율을 무시하고 감정평가방식에 따라 독자적으로 산정하여 의견을 제시한 검증지가를 그대로 반영하였을 뿐만 아니라 그 과정에서 참작하여서는 아니 되는 '장래의 이용가능성'을 개별공시지가 감액의 요소로 반영하였고, 이와 같은 잘못은 원고의 이의신청에 따라 실시한 다른 감정평가업자의 검증과정 및 동작구 부동산평가위원회의 심의과정에서도 바로잡히지 아니하였으므로, 피고가 이 사건 각 토지에 대한 개별공시지가를 1㎡당 700만 원으로 결정한 이 사건 처분은 법과 법 시행령에 규정된 개별공시지가 산정방법에 어긋나는 것으로서 위법하다고 판단하였다.

3. 그러나 원심의 이러한 판단은 다음과 같은 이유로 수긍하기 어렵다.

   원심판결 이유와 기록에 의하면, ① 피고는 이 사건 각 토지의 비교표준지로 서울 동작구 (주소 생략) 토지(2010.1.1. 기준 공시지가는 1㎡당 810만 원이다)를 선정하고 이 사건 각 토지와 비교표준지의 토지가격비준표상 총 가격배율을 1.00으로 조사함에 따라 이 사건 각 토지의 가격을 1㎡당 810만 원으로 산정한 사실, ② 법 제11조에 따라 피고로부터 이와 같이 산정된 가격의 검증을 의뢰받은 감정평가사 소외 1은, 이 사건 각 토지가 비교표준지와 비교하여 환경조건, 획지조건 및 기타조건에서 열세에 있어(기타조건과 관련하여, 비교표준지는 개발을 위한 거래가 이어지고 있으나, 이 사건 각 토지는 개발 움직임이 없다는 점을 '장래의 동향'으로 반영하여 97%의 비율로 열세에 있다고 보았다) 비교표준지의 공시지가를 약 83.9%의 비율로 감액한 1㎡당 680만 원을 개별공시지가로 정함이 적정하다는 검증의견을 제시한 사실, ③ 피고가 이 검증의견을 받아들여 이 사건 각 토지의 개별공시지가를 1㎡당 680만 원으로 결정·공시하였는데, 이에 대하여 원고가 이의신청을 제기한 사실, ④ 원고의 이의신청에 따라 피고로부터 다시 이 사건 각 토지의 가격에 대한 검증을 의뢰받은 감정평가사 소외 2는, 이 사건 각 토지가 비교표준지와 비교하여 환경조건에서 95%, 획지조건에서 91%의 비율로 열세에 있다고 보아(기타조건에서는 비교표준지와 대등하다고 보았다) 비교표준지의 공시지가에 대하여 약 86.5%의 비율로 감액한 1㎡당 700만 원을 이 사건 각 토지의 개별공시지가로 정함이 적정하다는 검증의견을 제시하였고, 피고는 동작구 부동산평가위원회의 심의를 거쳐 이 검증의견을 받아들여 이 사건 처분을 한 사실을 알 수 있다.

이러한 사실관계를 앞서 본 법리에 비추어 살펴보면, 감정평가사 소외 2의 검증의견은 이 사건 각 토지의 가격을 감정평가방식에 의하여 독자적으로 산정한 것이 아니라 법령상 절차에 따라 제시한 이 사건 각 토지와 비교표준지 사이의 가격균형유지 등에 관한 의견으로서, 피고는 토지가격비준표를 사용하여 산정된 당해 토지의 가격과 감정평가사 소외 2의 검증의견 등을 종합하고 동작구 부동산평가위원회의 심의를 거쳐 이 사건 처분을 한 것으로 보인다. 따라서 피고가 결정한 이 사건 각 토지의 개별공시지가가 결과적으로 토지가격비준표를 사용하여 산정한 지가가 아니라 감정평가사의 검증의견과 같게 되었더라도 이것만으로 이 사건 처분을 위법하다고 볼 수는 없다. 원심이 인용한 대법원 판례들은 이 사건과 적용되는 법령의 내용을 달리하는 사안에 관한 것으로서 이 사건에 원용하기에 적절하지 아니하다. 그리고 위와 같은 사실관계에 의하면, 감정평가사 소외 2의 검증의견이나 그에 따른 이 사건 처분에는 이 사건 각 토지의 '장래의 이용가능성'이 그 개별공시지가에 대한 감액의 요소로 반영되었다고 볼 수도 없다. 나아가 이 사건 각 토지에 대한 '장래의 동향'이 평가의 요소로 반영되었더라도 이는 이 사건 각 토지와 비교표준지의 가격을 비교하는 기준시점 당시의 요소로 고려한 것일 뿐 이 사건 각 토지에 대한 현실적 이용 상황과는 다른 '장래의 이용가능성'을 고려한 것으로 볼 수 없으므로, 이를 들어 이 사건 처분이 위법하다고 할 수도 없다.

그럼에도 원심은 그 판시와 같은 이유를 들어 이 사건 처분이 위법하다고 판단하였으니, 원심의 이러한 판단에는 개별공시지가의 결정에 관한 법리를 오해하였을 뿐만 아니라, 논리와 경험의 법칙을 위반하고 자유심증주의의 한계를 벗어나 사실을 잘못 인정함으로써 판결에 영향을 미친 위법이 있다. 이를 지적하는 취지의 상고이유의 주장은 이유 있다.

4. 그러므로 원심판결을 파기하고, 사건을 다시 심리·판단하게 하기 위하여 원심법원에 환송하기로 하여 관여 대법관의 일치된 의견으로 주문과 같이 판결한다.

# PART

# 03

# 감정평가 및 감정평가사에 관한 법률

■ 최근 감정평가 및 감정평가사에 관한 법률 개정됨. [시행 2022.7.21.] [법률 제18309호, 2021.7.20. 일부개정]

[제정・개정이유]

[일부개정]

◇ 개정이유

감정평가는 부동산, 동산, 산업재산권 등 자산에 대한 경제적 가치를 판정하는 업무로서 자산의 거래, 담보 설정, 경매 등 다양한 분야에서 활용되고 있으며, 공정하고 객관적인 가치평가가 필수적임. 그러나 감정평가를 의뢰하면서 이해관계에 따라 고가 또는 저가평가를 종용하거나 감정평가에 대한 보수를 제대로 지급하는 않는 일부 의뢰인들의 행태로 인해 공정한 감정평가가 저해되거나 감정평가 시장질서가 훼손되는 문제가 나타나고 있음.

이에 감정평가 시장질서를 확립하고 공정하고 객관적인 감정평가가 이루어지도록 하기 위해 의뢰인의 불공정 행위를 제한하는 한편, 공정한 감정평가에 대한 감정평가사의 책무를 명시하고, 감정평가의 신뢰를 제고하기 위한 감정평가서 표본조사에 대한 법적 근거를 마련하면서 징계이력을 공개하도록 하는 등 감정평가사의 책임과 의무도 강화하려는 것임. 또한, 감정평가산업의 환경변화에 대응하여 감정평가의 구체적인 원칙과 기준을 연구・보급할 수 있는 기관 또는 단체의 운영근거를 마련하고, 전자적인 형태의 감정평가서 발급을 허용하는 등 감정평가분야의 낡은 규제도 개선하려는 것임.

◇ 주요내용

가. 국토교통부장관이 감정평가 실무기준을 정하기 위해 전문성을 갖춘 기관 또는 단체를 기준제정기관으로 지정할 수 있도록 하고, 국토교통부장관은 감정평가의 공정성과 합리성을 보장하기 위해 필요한 경우에 실무기준의 내용을 변경하도록 요구할 수 있도록 함(제3조 제4항 및 제5항).

나. 감정평가사는 공공성을 지닌 가치평가 전문직으로서 공정하고 객관적으로 그 직무를 수행하도록 함(제4조 제2항).

다. 감정평가서를 「전자문서 및 전자거래기본법」에 따른 전자문서로 발급할 수 있도록 하고 감정평가서 원본과 관련 서류를 전자적 기록매체에 수록하여 보존할 수 있도록 함(제6조 제1항 및 제3항).

라. 감정평가 의뢰인 및 관계기관 등 대통령령으로 정하는 자로 하여금 발급된 감정평가서의 적정성에 대한 검토를 해당 감정평가서를 발급한 감정평가법인등이 아닌 감정평가법인등에게 의뢰할 수 있도록 함(제7조 제3항).

마. 미성년자 또는 피성년후견인・피한정후견인도 감정평가사 자격은 취득할 수 있도록 감정평가사 결격사유에서 제외하되, 등록의 거부사유에 규정함(제12조 제1항 및 제18조 제1항).

바. 의뢰인이나 선의의 제3자를 보호하기 위하여 감정평가법인등이 갖추어야 하는 손해배상능력 등을 국토교통부령으로 정할 수 있도록 함(제28조 제4항 신설).

사. 누구든지 감정평가법인등과 그 사무직원에게 토지 등에 대하여 특정한 가액으로의 감정평가를 유도 또는 요구할 수 없도록 함(제28조의2 신설).

아. 감정평가법인은 100분의 70을 넘는 범위에서 감정평가사인 사원 또는 이사를 두도록 하여 일정한 범위에서 감정평가사가 아닌 사원 또는 이사를 둘 수 있도록 함(제29조 제2항).

자. 국토교통부장관이 감정평가사에 대한 징계를 한 때에는 그 사유를 밝혀 해당 감정평가사, 감정평가법인등, 한국감정평가사협회에 각각 통보하고 그 내용을 관보 또는 인터넷 홈페이지 등에 게시 또는 공고하도록 함(제39조의2 신설).



■ **최근 감정평가 및 감정평가사에 관한 법률 개정됨. [시행 2023.8.10.] [법률 제19403호, 2023.5.9. 일부개정]**

● **감정평가법 제12조(결격사유)**

① 다음 각 호의 어느 하나에 해당하는 사람은 감정평가사가 될 수 없다.

  1. 삭제 〈2021.7.20.〉

  2. 파산선고를 받은 사람으로서 복권되지 아니한 사람

  3. 금고 이상의 실형을 선고받고 그 집행이 종료(집행이 종료된 것으로 보는 경우를 포함한다)되거나 그 집행이 면제된 날부터 3년이 지나지 아니한 사람

  4. 금고 이상의 형의 집행유예를 받고 그 유예기간이 만료된 날부터 1년이 지나지 아니한 사람

  5. 금고 이상의 형의 선고유예를 받고 그 선고유예기간 중에 있는 사람

  6. <u>제13조에 따라 감정평가사 자격이 취소된 후 3년이 지나지 아니한 사람. 다만, 제7호에 해당하는 사람은 제외한다.</u>

  7. 제39조 제1항 제11호 및 제12호에 따라 자격이 취소된 후 5년이 지나지 아니한 사람

② 국토교통부장관은 감정평가사가 제1항 제2호부터 제5호까지의 어느 하나에 해당하는지 여부를 확인하기 위하여 관계 기관에 자료를 요청할 수 있다. 이 경우 관계 기관은 특별한 사정이 없으면 그 자료를 제공하여야 한다.

● **감정평가법 제24조(사무직원)**

① 감정평가법인등은 그 직무의 수행을 보조하기 위하여 사무직원을 둘 수 있다. 다만, 다음 각 호의 어느 하나에 해당하는 사람은 사무직원이 될 수 없다.

  1. 미성년자 또는 피성년후견인 · 피한정후견인

  2. 이 법 또는 「형법」 제129조부터 제132조까지, 「특정범죄 가중처벌 등에 관한 법률」 제2조 또는 제3조, 그 밖에 대통령령으로 정하는 법률에 따라 유죄 판결을 받은 사람으로서 다음 각 목의 어느 하나에 해당하는 사람

    가. 징역 이상의 형을 선고받고 그 집행이 끝나거나 그 집행을 받지 아니하기로 확정된 후 3년이 지나지 아니한 사람

　　나. 징역형의 집행유예를 선고받고 그 유예기간이 지난 후 1년이 지나지 아니한 사람

　　다. 징역형의 선고유예를 받고 그 유예기간 중에 있는 사람

　3. 제13조에 따라 감정평가사 자격이 취소된 후 1년이 경과되지 아니한 사람. 다만, 제4호 또는 제5호에 해당하는 사람은 제외한다.

　4. 제39조 제1항 제11호에 따라 자격이 취소된 후 5년이 경과되지 아니한 사람

　5. 제39조 제1항 제12호에 따라 자격이 취소된 후 3년이 경과되지 아니한 사람

　6. 제39조에 따라 업무가 정지된 감정평가사로서 그 업무정지 기간이 지나지 아니한 사람

② 감정평가법인등은 사무직원을 지도·감독할 책임이 있다.

③ 국토교통부장관은 사무직원이 제1항 제1호부터 제6호까지의 어느 하나에 해당하는지 여부를 확인하기 위하여 관계 기관에 관련 자료를 요청할 수 있다. 이 경우 관계 기관은 특별한 사정이 없으면 그 자료를 제공하여야 한다.

● 감정평가법 제39조 (징계)

① 국토교통부장관은 감정평가사가 다음 각 호의 어느 하나에 해당하는 경우에는 제40조에 따른 감정평가관리·징계위원회의 의결에 따라 제2항 각 호의 어느 하나에 해당하는 징계를 할 수 있다. 다만, 제2항 제1호에 따른 징계는 제11호, 제12호에 해당하는 경우 및 제27조를 위반하여 다른 사람에게 자격증·등록증 또는 인가증을 양도 또는 대여한 경우에만 할 수 있다.

　1. 제3조 제1항을 위반하여 감정평가를 한 경우

　2. 제3조 제3항에 따른 원칙과 기준을 위반하여 감정평가를 한 경우

　3. 제6조에 따른 감정평가서의 작성·발급 등에 관한 사항을 위반한 경우

　3의2. 제7조 제2항을 위반하여 고의 또는 중대한 과실로 잘못 심사한 경우

　4. 업무정지처분 기간에 제10조에 따른 업무를 하거나 업무정지처분을 받은 소속 감정평가사에게 업무정지처분 기간에 제10조에 따른 업무를 하게 한 경우

　5. 제17조 제1항 또는 제2항에 따른 등록이나 갱신등록을 하지 아니하고 제10조에 따른 업무를 수행한 경우

　6. 구비서류를 거짓으로 작성하는 등 부정한 방법으로 제17조 제1항 또는 제2항에 따른 등록이나 갱신등록을 한 경우

　7. 제21조를 위반하여 감정평가업을 한 경우

　8. 제23조 제3항을 위반하여 수수료의 요율 및 실비에 관한 기준을 지키지 아니한 경우

　9. 제25조, 제26조 또는 제27조를 위반한 경우

　10. 제47조에 따른 지도와 감독 등에 관하여 다음 각 목의 어느 하나에 해당하는 경우

　　가. 업무에 관한 사항의 보고 또는 자료의 제출을 하지 아니하거나 거짓으로 보고 또는 제출한 경우

　　나. 장부나 서류 등의 검사를 거부 또는 방해하거나 기피한 경우

　11. 감정평가사의 직무와 관련하여 금고 이상의 형을 선고받아(집행유예를 선고받은 경우를 포함한다) 그 형이 확정된 경우

12. 이 법에 따라 업무정지 1년 이상의 징계처분을 2회 이상 받은 후 다시 제1항에 따른 징계사
유가 있는 사람으로서 감정평가사의 직무를 수행하는 것이 현저히 부적당하다고 인정되는
경우

② 감정평가사에 대한 징계의 종류는 다음과 같다.

1. 자격의 취소
2. 등록의 취소
3. 2년 이하의 업무정지
4. 견책

③ 협회는 감정평가사에게 제1항 각 호의 어느 하나에 해당하는 징계사유가 있다고 인정하는 경우
에는 그 증거서류를 첨부하여 국토교통부장관에게 징계를 요청할 수 있다.

④ 제1항과 제2항에 따라 자격이 취소된 사람은 자격증과 등록증을 국토교통부장관에게 반납하여야
하며, 등록이 취소되거나 업무가 정지된 사람은 등록증을 국토교통부장관에게 반납하여야 한다.

⑤ 제1항 및 제2항에 따라 업무가 정지된 자로서 등록증을 국토교통부장관에게 반납한 자 중 제17
조에 따른 교육연수 대상에 해당하는 자가 등록갱신기간이 도래하기 전에 업무정지기간이 도과
하여 등록증을 다시 교부받으려는 경우 제17조 제1항에 따른 교육연수를 이수하여야 한다.

⑥ 제19조 제2항·제4항은 제1항과 제2항에 따라 자격 취소 또는 등록 취소를 하는 경우에 준용한다.

⑦ 제1항에 따른 징계의결은 국토교통부장관의 요구에 따라 하며, 징계의결의 요구는 위반사유가
발생한 날부터 5년이 지나면 할 수 없다.

## 12절 | 감정평가법 제3조(기준)

---

**문제**

「감정평가 및 감정평가에 관한 법률」상 감정평가 기준에 대하여 설명하시오. 10점

| | |
|---|---|
| Ⅰ. 서 | 2. 임대료 및 조성비용 고려 |
| Ⅱ. 감정평가의 의의 및 취지 | 3. 감정평가에 관한 규칙 기준 |
| Ⅲ. 감정평가의 기준 | 4. 기준제정기관 |
|    1. 토지평가는 공시지가기준 평가 | Ⅳ. 결 |

---

## Ⅰ 서

감정평가 및 감정평가사에 관한 법률(이하 '감정평가법')에서는 감정평가를 통해 대상 물건의 경제적 가치를 판정하기 위해서 기준을 규정하고 있다. 이하에서는 감정평가법 및 감정평가에 관한 규칙의 규정을 통해 감정평가기준에 대하여 설명하고자 한다.

## Ⅱ 감정평가의 의의 및 취지

감정평가란 토지 등의 경제적 가치를 판정하여 그 결과를 가액으로 표시하는 것을 말한다. 이러한 감정평가는 물건의 경제적 가치를 정확하게 판정하여 국민의 재산권을 보호하고 국가경제 발전에 기여함을 목적으로 한다.

## Ⅲ 감정평가의 기준

### 1. 토지평가는 공시지가기준 평가

토지를 감정평가하는 경우에는 표준지공시지가를 기준으로 감정평가한다. 감정평가법 제3조 제1항에서는 감정평가법인등이 토지를 감정평가하는 경우에는 그 토지와 이용가치가 비슷하다고 인정되는 「부동산 가격공시에 관한 법률」에 따른 표준지공시지가를 기준으로 하여야 한다고 규정하고 있다. 다만, 적정한 실거래가가 있는 경우에는 이를 기준으로 할 수 있다.

### 2. 임대료 및 조성비용 고려

다만, 제1항에도 불구하고 감정평가법인등이 「주식회사 등의 외부감사에 관한 법률」에 따른 재무제표 작성 등 기업의 재무제표 작성에 필요한 감정평가와 담보권의 설정·경매 등 대통령령으로 정하는 감정평가를 할 때에는 해당 토지의 임대료, 조성비용 등을 고려하여 감정평가를 할 수 있다.

## 3. 감정평가에 관한 규칙 기준

또한, 감정평가의 공정성과 합리성을 보장하기 위하여 감정평가법인등(소속 감정평가사를 포함한다)이 준수하여야 할 원칙과 기준은 국토교통부령으로 정한다고 규정하고 있다. 이에 따라 감정평가에 관한 규칙이 제정되었으며, 시장가치기준 원칙, 현황기준 원칙, 개별물건기준 원칙 등이 규정되어 있다.

## 4. 기준제정기관

### (1) 기준제정기관의 지정

① 국토교통부장관은 감정평가법인등이 감정평가를 할 때 필요한 세부적인 기준(이하 "실무기준"이라 한다)의 제정 등에 관한 업무를 수행하기 위하여 대통령령으로 정하는 바에 따라 전문성을 갖춘 민간법인 또는 단체(이하 "기준제정기관"이라 한다)를 지정할 수 있다.

② 국토교통부장관은 필요하다고 인정되는 경우 제40조에 따른 감정평가관리·징계위원회의 심의를 거쳐 기준제정기관에 실무기준의 내용을 변경하도록 요구할 수 있다. 이 경우 기준제정기관은 정당한 사유가 없으면 이에 따라야 한다.

### (2) 비용의 지원

국가는 기준제정기관의 설립 및 운영에 필요한 비용의 일부 또는 전부를 지원할 수 있다.

## Ⅳ 결

감정평가법 및 감정평가에 관한 규칙에서는 감정평가의 공정성을 확보하기 위해서 감정평가의 기준에 대하여 명시적으로 규정하고 있다. 감정평가사는 감정평가 시 해당 기준에 따라 대상 물건의 경제적 가치를 정확히 판정하도록 노력하여야 한다. 최근 개정된 감정평가법에서는 감정평가사는 공공성을 지닌 가치평가 전문직으로서 공정하고 객관적으로 그 직무를 수행하도록 하는 상징적인 규정을 두어 감정평가사를 공익성 높은 전문직으로 규정하였다(법 제4조 제2항).

## 13절 | 감정평가법 제4조(직무)

> **문제**
>
> 최근의 감정평가의 사회적 위상이 강화되는 시점에서 감정평가법인등의 법적 지위를 구체적으로 논하시오. 10점

| | |
|---|---|
| **I. 서** | 3. 감정평가사 자격등록 및 갱신등록 의무(법 제17조) |
| **II. 감정평가법인등의 권리** | 4. 성실의무 등(법 제25조) |
|   1. 감정평가권 | 5. 비밀엄수의무(법 제26조) |
|   2. 명칭사용권(법 제22조) | 6. 국토교통부장관의 지도·감독에 따를 의무(법 제47조) |
|   3. 보수청구권(법 제23조) | **IV. 감정평가법인등의 책임** |
|   4. 청문권(법 제45조) |   1. 민사상 책임(법 제28조) |
|   5. 쟁송제기권 |   2. 행정상 책임(법 제52조) |
| **III. 감정평가법인등의 의무** |   3. 형사상 책임(법 제49조, 제50조) |
|   1. 공정한 감정평가의무(법 제1조) |   4. 몰수 및 추징(법 제50조의2) |
|   2. 감정평가서 교부 및 보존의무 (법 제6조) | **V. 결** |

# I  서

법적 지위는 법률관계에서 주체 또는 객체로서의 지위를 말하는 것으로 이는 권리와 의무로 나타난다. 감정평가법인등은 주로 부동산의 감정평가와 관련하여 권리·의무·책임의 주체 또는 객체가 된다. 부동산 감정평가는 사회성·공공성이 크므로 전문성을 요한다 할 것이므로, 감정평가 및 감정평가사에 관한 법률은 일정한 자격과 요건을 갖춘 감정평가법인등만이 감정평가를 할 수 있도록 규정하고 있고, 그에 따른 의무와 책임을 법정하고 있다. 자격등록제도, 징계제도, 과징금제도 등의 규정은 사회적 책임의 가중함을 보여주는 단적인 예라 할 것이다. 최근 개정 감정평가법에서는 감정평가사는 공공성을 지닌 가치평가 전문직으로서 공정하고 객관적으로 그 직무를 수행하도록 하는 상징적인 규정을 두어 감정평가사를 공익성 높은 전문직으로 규정하였다(법 제4조 제2항).

# II  감정평가법인등의 권리

## 1. 감정평가권

감정평가는 전문적 지식을 요하는 일로서 감정평가 및 감정평가사에 관한 법률(이하 '감정평가법')

은 일정요건을 갖추어 자격등록하고 설립인가 및 사무소개설을 한 감정평가법인등에게만 토지 등의 평가권을 부여하고 있다.

## 2. 명칭사용권(법 제22조)

감정평가법인등은 사무소개설권, 인가신청권, 사무소명칭, 명함 등에 '감정평가사' 또는 '감정평가사사무소', '감정평가법인'이라는 명칭을 사용할 수 있다. 그리고 감정평가법인등이 아닌 자는 이와 유사한 명칭을 사용할 수 없으며, 이에 위반한 경우 500만원 이하의 과태료에 처하게 된다.

## 3. 보수청구권(법 제23조)

감정평가법인등은 근로의 대가로 보수를 청구할 수 있다. 보수는 업무수행에 따른 수수료와 그에 필요한 실비가 해당된다. 수수료의 요율 및 실비의 범위는 국토교통부장관이 감정평가관리·징계위원회의 심의를 거쳐 결정한다.

## 4. 청문권(법 제45조)

국토교통부장관은 감정평가사의 자격취소 및 감정평가법인의 설립인가취소처분 등을 하고자 하는 경우에는 청문을 실시하여야 한다. 따라서 감정평가법인등의 신분은 법에 의하여 보장되며 감정평가법인등은 청문을 하도록 요청할 수 있는 권리를 가진다.

## 5. 쟁송제기권

이는 실체적 권리구제수단으로서 위법한 등록·설립인가취소에 대하여는 항고쟁송을 제기할 수 있고, 위법한 등록·설립인가취소로 인해 손해가 발생한 경우에는 손해배상을 청구할 수 있다.

# Ⅲ 감정평가법인등의 의무

## 1. 공정한 감정평가의무(법 제1조)

국민의 재산권 보호와 국가경제 발전을 위해서는 공정한 감정평가가 이루어져야 한다. 따라서 감정평가법인등은 토지 등의 평가권을 가짐과 동시에 토지 등에 대하여 공정하게 평가업무를 수행하여야 할 의무를 부담한다.

## 2. 감정평가서 교부 및 보존의무(법 제6조)

감정평가법인등은 감정평가를 의뢰받은 때에는 지체 없이 감정평가를 실시한 후 감정평가서를 발급하여야 하며, 그 원본은 발급일부터 5년, 관련 서류는 발급일부터 2년 이상 보존(동법 시행규칙 제3조)하여야 한다.

## 3. 감정평가사 자격등록 및 갱신등록 의무(법 제17조)

감정평가사 자격이 있는 자는 감정평가업을 영위하기 위해서는 국토교통부장관에게 등록을 하여야 하며, 일정기간(5년)마다 갱신등록을 하여야 평가업을 영위할 수 있다.

## 4. 성실의무 등(법 제25조)

감정평가법인등은 감정평가업무를 행함에 있어 품위를 유지하여야 하고 신의와 성실로써 공정하게 하여야 하며, 고의 또는 중대한 과실로 업무를 잘못하여서는 안 되는 의무를 부담한다.

## 5. 비밀엄수의무(법 제26조)

감정평가법인등(감정평가법인 또는 감정평가사사무소의 소속 감정평가사를 포함한다)이나 그 사무직원 또는 감정평가법인등이었거나 그 사무직원이었던 사람은 업무상 알게 된 비밀을 누설하여서는 아니 된다. 다만, 다른 법령에 특별한 규정이 있는 경우에는 그러하지 아니하다.

## 6. 국토교통부장관의 지도·감독에 따를 의무(법 제47조)

국토교통부장관은 감정평가법인등 및 협회에 대하여 감독상 필요할 때에는 그 업무에 관한 보고 또는 자료의 제출, 그 밖에 필요한 명령을 할 수 있으며, 소속 공무원으로 하여금 그 사무소에 출입하여 장부·서류 등을 검사하게 할 수 있다. 출입·검사를 하는 공무원은 그 권한을 표시하는 증표를 지니고 이를 관계인에게 내보여야 한다.

## Ⅳ 감정평가법인등의 책임

### 1. 민사상 책임(감정평가법 제28조)

감정평가법은 성실한 평가를 유도하고 불법행위로 인한 평가의뢰인 및 선의의 제3자를 보호하기 위하여 감정평가법인등에게 손해배상책임을 인정하고 있다.

### 2. 행정상 책임(법 제52조)

감정평가법인등이 각종 의무규정에 위반하였을 경우의 제재수단으로서 설립인가취소 또는 업무정지(법 제32조) 등과 행정질서벌로서 500만원 이하의 과태료(법 제52조) 등이 부과될 수 있다. 또한 과징금제도(법 제41조)를 통하여 행정상 책임을 강화시키고 있다.

### 3. 형사상 책임(법 제49조, 제50조)

이는 형법이 적용되는 책임으로서 행정형벌이다. 또한 감정평가법인등이 공적평가업무를 수행하는 경우에는 공무원으로 의제하여 알선수뢰죄 등 가중처벌을 받도록 규정하고 있다(법 제48조). 그리고 형사상 책임은 법인의 대표자, 법인 또는 개인의 대리인이나 사용인 기타의 종업원이 위반행위를 한 경우에 그 행위자를 벌하는 외에 그 법인이나 개인에 대하여도 벌금에 처하도록 하여 양벌규정을 두고 있다. 다만, 법인 또는 개인이 그 위반행위를 방지하기 위하여 해당 업무에 관하여 상당한 주의와 감독을 게을리하지 아니한 경우에는 그러하지 아니다.

## 4. 몰수 및 추징(법 제50조의2)

업무와 관련된 대가를 받거나 감정평가 수주의 대가로 금품 또는 재산상의 이익을 제공하거나 제공하기로 약속한 자와 감정평가사의 자격증·등록증 또는 감정평가법인의 인가증을 다른 사람에게 양도 또는 대여한 자와 이를 양수 또는 대여받은 자에 대하여 이러한 죄를 지은 자가 금품이나 그 밖의 이익은 몰수한다. 이를 몰수할 수 없을 때에는 그 가액을 추징한다.

## V 결

이상에서 살펴본 바와 같이 감정평가법인등에게는 부동산 감정평가의 권리로서 감정평가권이 부여되어 있고, 감정평가권을 적절히 수행할 수 있도록 하기 위하여 그와 관련된 일정한 권리를 인정하고 있으며, 감정평가권을 유효하게 담보하기 위한 보호제도가 인정되고 있다. 그리고 부동산의 감정평가는 그 사회성, 공공성으로 인하여 사회일반에 미치는 영향이 크기 때문에 감정평가법인등에게는 각종 의무가 부과되어 있으며, 감정평가법인등이 그러한 의무를 이행하지 아니한 경우에는 그에 따른 책임을 지거나 처벌을 받아야 한다.

## 14절 · 감정평가법 제8조(감정평가 타당성조사 등)

> **문제**
>
> 「감정평가 및 감정평가에 관한 법률」상 감정평가 타당성 조사에 대하여 설명하시오. `10점`
>
> | Ⅰ. 서 | Ⅳ. 타당성 조사의 절차 |
> |---|---|
> | Ⅱ. 타당성 조사의 의의 및 취지 | 　1. 타당성 조사의 통지 |
> | Ⅲ. 타당성 조사의 요건 | 　2. 타당성 조사의 완료 |
> | 　1. 타당성 조사의 실시 요건 | Ⅴ. 결 |
> | 　2. 타당성 조사의 생략 요건 | |

## Ⅰ 서

감정평가 및 감정평가사에 관한 법률(이하 '감정평가법')에서는 감정평가의 공정성을 확보하기 위해 작성된 감정평가서에 대해 검토할 수 있는 타당성 조사제도에 대하여 규정하고 있다. 이하에서는 감정평가법 및 동법 시행령의 규정을 통해 타당성 조사에 대하여 설명하고자 한다.

## Ⅱ 타당성 조사의 의의 및 취지(감정평가법 제8조)

타당성 조사란 국토교통부장관이 감정평가서가 발급된 후 해당 감정평가가 감정평가법 또는 다른 법률에서 정하는 절차와 방법 등에 따라 타당하게 이루어졌는지를 직권으로 또는 관계기관 등의 요청에 따라 조사하는 것을 말한다. 이는 감정평가의 공정성을 확보하여 국민의 재산권을 보호하고 국가경제 발전에 기여함을 목적으로 한다.

## Ⅲ 타당성 조사의 요건

### 1. 타당성 조사의 실시 요건

국토교통부 장관은 감정평가법 제47조에 따른 지도 및 감독을 위한 감정평가법인등의 사무소 출입, 검사 또는 제49조에 따른 표본조사의 결과 그 밖의 사유에 따라 조사가 필요하다고 인정하는 경우와 관계 기관 또는 이해관계인이 조사를 요청하는 경우에는 타당성 조사를 할 수 있다.

## 2. 타당성 조사의 생략 요건

다만, 법원의 판결에 따라 확정된 경우, 재판에 계류 중이거나 수사기관에서 수사 중인 경우, 공익사업을 위한 토지 등의 취득 및 보상에 관한 법률 등 관계 법령에 감정평가와 관련하여 권리구제 절차가 규정되어 있는 경우로서 권리구제 절차가 진행 중이거나 권리구제 절차를 이행할 수 있는 경우(권리구제 절차를 이행하여 완료된 경우를 포함한다), 징계처분, 제재처분, 형사처벌 등을 할 수 없어 타당성조사의 실익이 없는 경우에는 타당성 조사를 하지 아니하거나 중지할 수 있다.

## Ⅳ 타당성 조사의 절차

### 1. 타당성 조사의 통지

국토교통부장관은 타당성 조사에 착수한 경우에는 착수일부터 10일 이내에 해당 감정평가법인등과 이해관계인에게 타당성 조사의 사유, 타당성 조사에 대하여 의견을 제출할 수 있다는 것과 의견을 제출하지 아니하는 경우의 처리방법, 업무를 수탁한 기관의 명칭 및 주소, 그 밖에 국토교통부장관이 공정하고 효율적인 타당성조사를 위하여 필요하다고 인정하는 사항에 대하여 알려야 한다. 또한 이러한 통지를 받은 감정평가업자 또는 이해관계인은 통지를 받은 날부터 10일 이내에 국토교통부장관에게 의견을 제출할 수 있다.

### 2. 타당성 조사의 완료

국토교통부장관은 감정평가법 제8조 제1항에 따른 타당성 조사를 완료한 경우에는 해당 감정평가법인등, 제3항에 따른 이해관계인 및 법 제8조 제1항에 따라 타당성조사를 요청한 관계 기관에 지체 없이 그 결과를 통지하여야 한다.

## Ⅴ 결

타당성 조사는 감정평가의 객관성과 공정성을 확보하기 위하여 실시하는 제도이다. 향후에는 이러한 제도의 활용을 통해 국민의 재산권을 보호하되, 남용을 하는 사례는 없도록 주의하여야 한다고 판단된다.

## 15절
**– 감정평가법 제17조(등록 및 갱신등록)**
**– 행정법 쟁점 : 행정소송법 제23조(집행정지)**

---

**문제**

감정평가법인에 소속된 감정평가사 甲은 계속적으로 감정평가 업무를 수행하다가 고의·과실로 잘못된 평가를 하여 「감정평가 및 감정평가사에 관한 법률」(이하 '감정평가법') 제39조에 따라 업무가 정지되었다. 이후 감정평가법 제17조에 의거 등록갱신기간이 다가옴에 따라 감정평가사 甲은 등록의 갱신을 신청하였으나 국토교통부장관은 이를 거부하였다. 이에 감정평가사 甲은 취소소송을 제기함과 동시에 집행정지신청을 하고자 한다. 이때 감정평가사 甲의 청구에 대해 법원은 어떠한 판단을 하여야 하는지를 검토하시오. 다만 甲의 업무정지기간은 경과하였으며, 집행정지의 적극적 요건과 소극적 요건을 나누어 논하시오. `10점`

| | |
|---|---|
| Ⅰ. 논점의 정리 | 1. 집행정지의 의의 및 취지 |
| Ⅱ. 관련 행정작용의 법적 성질 | 2. 집행정지요건의 충족 여부 |
| Ⅲ. 취소소송 제기의 적법성 |   (1) 적극적 요건 |
| Ⅳ. 집행정지요건의 검토 |   (2) 소극적 요건 |
| | Ⅴ. 사안의 해결 |

## Ⅰ 논점의 정리

감정평가사 甲은 자격등록의 갱신신청에 대한 국토교통부의 거부행위에 대하여 취소소송을 제기함과 동시에 집행정지신청을 하였다. 따라서 甲의 집행정지신청에 대한 인용 여부를 해결하기 위해서는 해당 행정작용인 국토교통부장관의 등록거부행위가 처분인지 검토한 후, 만약 거부처분에 해당한다면 집행정지가 허용될 수 있는지를 집행정지요건으로 검토하여야 한다.

## Ⅱ 관련 행정작용의 법적 성질

'감정평가 및 감정평가사에 관한 법률(이하 '감정평가법')'상의 자격등록행위를 감정평가사가 감정평가업을 할 수 있는 요건을 갖추었는지를 판단하는 것으로 등록을 하여야만 자연적 자유를 회복하여 감정평가업을 하게 되는 것이므로 완화된 허가로 봄이 타당하다고 보인다. 이와 같이 보게 되면 등록은 단순히 형식적 요건심사만을 하는 것이 아니고 실질적 요건도 심사하게 된다. 이는 행정행위로서 처분에 해당하며, 등록결격사유에 해당되지 않는다면 관련 법문 등을 고려할 때 국토교통부장관은 반드시 등록을 허가해야 하는 기속행위로 보인다.

## Ⅲ 취소소송 제기의 적법성

거부행위의 처분성이 인정되기 위해서는 본 행위가 공권력 행사로서의 거부처분에 해당되고, 국민의 권리·의무에 영향을 줄 뿐만 아니라, 이에 판례상 특히 요구되는 법규상·조리상 신청권이 존재해야 하는지가 문제된다. 이에 등록행위는 행정행위로서 처분성을 갖는다고 볼 수 있고, 감정평가법에 의거 등록의 전제로서 신청권이 인정될 수 있다고 보이므로 대상적격이 인정될 것이다. 다만, 신청권에 있어서 대상적격의 문제가 아니라, 원고적격 또는 본안판단의 문제로 보는 견해도 있다. 감정평가법 제17조에 따라 신청권을 인정하고 있으므로, 甲의 소제기는 소송요건에 적법하다. 따라서 법원은 본안판단을 위한 심사를 하여야 하며, 집행정지신청에 따른 인용가능성을 판단하여야 할 것이다.



## Ⅳ 집행정지요건 검토

### 1. 집행정지의 의의 및 취지

취소소송의 제기는 처분 등의 효력이나 그 집행 또는 절차의 속행에 영향을 주지 아니하는 것이 원칙이나, 이를 엄격히 적용하는 경우에는 회복할 수 없는 손해를 입게 되어 권리구제가 되지 못하는 경우가 있게 되므로 행정소송법이 예외적으로 집행정지를 인정하고 있다. 행정소송법 제23조에 그 근거를 둔다.

### 2. 집행정지요건의 충족 여부

#### (1) 적극적 요건

##### 1) 정지대상인 처분 등의 존재

① 문제점

집행정지는 종전의 상태, 즉 원상을 회복하여 유지시키는 소극적인 것이며 종전의 상태를 변경시키는 적극적인 조치로 활용될 수 없다. 따라서 집행정지는 처분 전, 부작위 또는 처분소멸 후에는 회복시킬 대상이 없으므로 허용되지 아니한다. 문제는 행정청의 거부처분이 집행정지의 대상이 될 수 있는가이다.

② 학설 및 판례의 태도

부정설과 예외적 긍정설 등이 대립하나, 판례는 거부처분의 효력을 정지하더라도 거부처분이 없었던 것과 같은 상태로 되돌아가는 데 불과하고 신청인에게 아무런 보탬이 되지 아니하여 그 효력정지를 구할 이익이 없다고 하여 부정설을 취하고 있다.

> **판례**
>
> ● 대판 1991.5.2, 91두15[접견허가거부처분효력정지]
>
> [결정요지]
>
> 가. 행정처분의 효력정지나 집행정지를 구하는 신청사건에 있어서는 행정처분 자체의 적법 여부를 판단할 것이 아니고 그 행정처분의 효력이나 집행 등을 정지시킬 필요가 있는지의 여부, 즉 행정소송법 제23조 제2항 소정 요건의 존부만이 판단대상이 되는 것이므로 이러한 요건을 결여하였다는 이유로 효력정지신청을 기각한 결정에 대하여 행정처분 자체의 적법 여부를 가지고 불복사유로 할 수 없다.
>
> 나. 허가신청에 대한 거부처분은 그 효력이 정지되더라도 그 처분이 없었던 것과 같은 상태를 만드는 것에 지나지 아니하는 것이고 그 이상으로 행정청에 대하여 어떠한 처분을 명하는 등 적극적인 상태를 만들어 내는 경우를 포함하지 아니하는 것이므로, 교도소장이 접견을 불허한 처분에 대하여 효력정지를 한다 하여도 이로 인하여 위 교도소장에게 접견의 허가를 명하는 것이 되는 것도 아니고 또 당연히 접견이 되는 것도 아니어서 접견허가거부처분에 의하여 생길 회복할 수 없는 손해를 피하는 데 아무런 보탬도 되지 아니하니 접견허가거부처분의 효력을 정지할 필요성이 없다.

③ 검토 및 사안의 경우

거부처분이라 하더라도 집행정지의 신청의 이익이 있다고 볼 수 있는 경우에는 예외적 이유를 인정할 필요가 있다고 보인다. 사안의 등록갱신은 법상 정해진 기간마다 갱신하여야 하는 것으로 등록갱신의 거부처분이 집행정지되면 갱신 전의 등록의 효력을 그대로 유지할 수 있는바, 집행정지의 이익이 있으므로 집행정지의 대상이 된다고 봄이 타당하다.

2) 적법한 본안소송의 계속

집행정지는 본안소송이 계속 중일 것을 요한다. 계속된 본안소송은 소송요건을 갖춘 적법한 것이어야 한다. 사안에서 甲은 취소소송을 제기하였고, 앞서 살핀 바와 같이 소송요건상 하자는 없는 것으로 보이므로 해당 요건을 충족하고 있다.

3) 회복하기 어려운 손해발생의 우려

사안의 경우 등록신청거부가 되어 등록이 취소되면 감정평가업무를 수행하지 못하게 되고, 그로 인한 업무의 중단으로 인하여 그동안 쌓아온 명예 및 신용관계에 회복하기 어려운 손해가 발생한다고 볼 수 있다. 따라서 해당 요건을 충족하고 있다고 보인다.

> **판례**
>
> ● 대결 2003.4.25, 2003무2[집행정지]
>
> [결정요지]
>
> [1] 행정소송법 제23조 제2항에 정하고 있는 행정처분 등의 집행정지 요건인 '회복하기 어려운 손해'라 함은 특별한 사정이 없는 한 금전으로 보상할 수 없는 손해로서 이는 금전보

상이 불능인 경우 내지는 금전보상으로는 사회관념상 행정처분을 받은 당사자가 참고 견 딜 수 없거나 또는 참고 견디기가 곤란한 경우의 유형, 무형의 손해를 일컫는다.
[2] 당사자가 행정처분 등이나 그 집행 또는 절차의 속행으로 인하여 재산상의 손해를 입거 나 기업 이미지 및 신용이 훼손당하였다고 주장하는 경우에 그 손해가 금전으로 보상할 수 없어 '회복하기 어려운 손해'에 해당한다고 하기 위해서는, 그 경제적 손실이나 기업 이미지 및 신용의 훼손으로 인하여 사업자의 자금사정이나 경영 전반에 미치는 파급효과 가 매우 중대하여 사업 자체를 계속할 수 없거나 중대한 경영상의 위기를 맞게 될 것으로 보이는 등의 사정이 존재하여야 한다.

## 4) 긴급한 필요의 존재

긴급한 필요라 함은 회복하기 어려운 손해의 발생이 절박하여 손해를 회피하기 위하여 본안판 결을 기다릴 여유는 없는 것을 말한다. 사안에서 명예 및 신용의 손상을 회피하기 위하여 본 안판결을 기다릴 여유는 없는 것으로 보인다.

> **판례**
>
> ● 대결 2008.12.29, 2008무107[집행정지]
>
> [결정요지]
>
> 행정처분이 위법하거나 무효임을 주장하여 그 취소 또는 무효확인을 구하는 소송을 제기 하더라도 행정처분의 효력이나 집행에는 영향이 없는 것이 원칙이다(행정소송법 제23조 제1항, 제38조 제1항). 다만 행정소송법 제23조 제2항은 그 처분으로 인하여 생길 회복하기 어려운 손해를 예방하기 위하여 긴급한 필요가 있는 경우에 한하여 법원이 그 처분의 효력을 정지할 수 있다고 정한다. 여기서 "처분으로 인하여 생길 회복하기 어려운 손해를 예방하기 위하여 긴급한 필요"가 있는지 여부는 당해 처분의 성질과 태양 및 내용, 처분상대방이 입는 손해의 성질·내용 및 정도, 원상회복·금전배상의 방법 및 난이, 본안청구의 승소가능성의 정도 등을 종합적으로 고려하여 구체적·개별적으로 판단하여야 한다(대결 2004.5.17, 2004 무6 참조).

## (2) 소극적 요건

### 1) 공공복리에 중대한 영향을 미칠 우려가 없을 것

집행정지는 공공복리에 중대한 영향을 미칠 우려가 있을 때에는 허용되지 아니한다. 이는 구 체적인 경우에 있어서 처분의 집행에 의해 신청인이 입을 손해와 처분의 집행정지에 의해 영 향을 받을 공공복리를 비교·형량하여 정하여야 한다. 사안에서 등록갱신거부처분을 집행정 지하는 것이 공공복리에 중대한 영향을 미치는 것은 아니라고 보인다.

## 2) 본안청구가 이유 없음이 명백하지 아니할 것

행정소송법상 명문으로 집행정지의 요건으로 규정되어 있지는 않지만, 집행정지는 인용판결의 실효성을 확보하기 위하여 인정되는 것이며 행정의 원활한 수행을 보장하며 집행정지 신청의 남용을 방지할 필요도 있으므로 본안청구가 이유 없음이 명백하지 아니할 것을 집행정지의 요건으로 하는 것이 타당하다고 보인다. 사안의 거부행위는 제시된 사실관계상 국토교통부장관이 특별한 이유 없이 행한 것이므로 위법성이 인정될 개연성이 매우 높다고 보인다. 따라서 최소한 甲의 취소소송의 청구이유가 명백하게 없는 것은 아니다.

## Ⅴ 사안의 해결

甲의 취소소송 제기는 등록신청의 거부행위가 처분이기에 대상적격 및 원고적격, 제소기간 등 소송요건을 충족하고 있으며, 취소소송 제기와 동시에 집행정지 신청을 한바, 이는 거부처분에 있어서 예외적으로 인정될 실익이 있다고 보이며, 명예상 회복하기 어려운 손실발생의 우려가 있고 이는 긴급한 필요가 존재하며, 사실관계상 공공복리에 중대한 영향 및 본안청구가 이유 없음이 명백하지 않은 바, 집행정지는 인용될 것으로 보인다.

## 16절 – 감정평가법 제18조(등록 및 갱신등록의 거부)
## – 행정법 쟁점 : 선결문제, 기판력

---

**문제**

감정평가법인의 구성원인 감정평가사 甲은 감정평가업무를 수행하기 위하여 개정된 「감정평가 및 감정평가사에 관한 법률」에 의한 등록을 적법한 요건을 갖추어 국토교통부장관에게 신청하였다. 그러나 국토교통부장관 乙은 종전 甲이 업무수행 중 수수료 및 실비 외의 뇌물을 수뢰한 전력이 있어 평가업무를 수행하기 곤란하다는 이유를 들어 등록을 거부하였다. 40점

(1) 甲은 이 처분으로 인한 재산상의 손해를 서울지방민사법원에 청구하고자 한다. 甲의 소송에 대해 민사법원은 등록거부처분의 위법성을 심사할 수 있는가?

(2) 甲은 이때에 먼저 행정쟁송의 제기방법을 택하여 취소심판을 거쳐, 서울행정법원에 해당 처분의 취소소송을 제기하였다. 그러나 청구가 기각되자 항소를 포기하고, 바로 서울지방민사법원에 손해배상청구소송을 제기하였다. 이 경우 서울행정법원의 판결은 서울지방민사법원의 판결에 영향을 미치는가?

---

I. 논점의 정리
II. 해당 등록거부의 위법성 검토
   1. 감정평가사자격 등록거부의 법적 성질
   2. 위법성 및 위법성 정도
III. 설문 (1)의 검토
   1. 문제의 소재
   2. 공정력과 구성요건적 효력

   3. 선결문제의 심리가능성
   4. 사안의 경우
IV. 설문 (2)의 검토
   1. 문제의 소재
   2. 취소소송의 판결의 기판력
   3. 선결관계로서 기판력의 효력범위
   4. 사안의 경우
V. 사례의 해결

---

## I. 논점의 정리

감정평가 및 감정평가사에 관한 법률(이하 '감정평가법')은 감정평가법인등에 대한 권리와 의무 등에 대하여 규정하고 있다. 사안은 법률에 따른 甲의 감정평가법인등의 등록에 대한 거부에 대한 권리구제의 수단을 검토하는 사안으로,

1. 설문 (1)은 국토교통부장관의 등록거부의 위법을 이유로 직접 손해배상소송을 청구할 수 있는지 문제되는바, 등록거부의 법적 성질을 살피고 그 위법 여부와 그 위법의 정도를 판단하고, 이러한 등록거부의 공정력에 불구하고 민사법원이 그 위법 여부 또는 효력을 판단할 수 있는지 검토한다.

2. 설문 (2)는 행정법원의 기각판결이 후행하는 민사소송에 있어서 법원의 심리에 어떤 영향을 미치는지 여부로서 기판력과 관련하여 학설과 판례를 고찰한다.

## Ⅱ 해당 등록거부의 위법성 검토

### 1. 감정평가사자격 등록거부의 법적 성질

#### (1) 사인의 공법행위로서 등록신청

등록이란 사인이 알린 일정한 사실을 행정청이 유효한 행위로서 받아들이는 것, 즉 수리하는 행위를 말한다. 이는 통상의 신고와 달리 행정청의 수리가 요구된다는 점에서 행위요건적 공법행위이다(홍정선 교수).

#### (2) 등록거부의 처분성

거부가 행정쟁송의 대상인 처분이 되기 위해서는 ① 국민의 권리·의무에 직접 영향을 미치는 공권력 행사의 거부로서, ② 법규상 조리상 신청권이 인정되어야 한다. 사안의 등록신청에 대한 거부는 행위요건적 공법행위의 거부로서, 감정평가법인등인 甲의 권리·의무에 직접 영향을 미치고, 감정평가법 제17조에 의한 신청이 전제되는바, 행정쟁송의 대상이 되는 처분에 해당한다고 판단된다.

#### (3) 기속행위성

행정행위가 재량행위인지 기속행위인지의 판단을 위해 ① 해당 근거법규의 문언과, ② 행정행위의 성질과 목적, ③ 기본권과의 관련성을 판단해야 한다. 사안의 경우 처분의 근거가 되는 감정평가법 제18조의 문언으로 볼 때, "~하여야 한다"의 기속적 의무로 규정되어 있는바, 일정한 사유의 발생 시 등록을 거부하여야 하는 기속행위로 볼 수 있다.

### 2. 위법성 및 위법성 정도

감정평가법 제18조에 따라 결격사유의 발생 시 등 일정한 사유에 해당하지 않는 경우 법정 외의 사유를 들어 거부할 수 있는지 문제된다. 등록신청에 대하여 형식적 요건 외에 실질적 요건도 심사할 수 있다고 본다면, 해당 등록은 실질상 허가제도와 동일해진다고 볼 수 있으며, 이는 일정한 결격사유에 해당하는 감정평가사의 업무를 제한하려는 입법취지에 조우하지 않는다. 또한 해당 행위의 기속행위성과 그 침익적 성격으로 볼 때 법정된 사유 외의 사유로 거부할 수 없다고 봄이 타당하며 따라서 사안의 경우 법에 위반된 처분으로서 위법하다고 판단된다. 그 위법 정도는 판례의 중대명백설에 의할 때 중대한 법규위반이나 명백하다고 보기는 어려운바, 취소사유로 볼 수 있다.

## Ⅲ 설문 (1)의 검토

### 1. 문제의 소재

위법한 행정작용에 대해 甲은 행정상 손해배상을 먼저 제기하고 있다. 이때 수소법원인 민사법원이 본안사건인 손해배상청구의 인용 여부를 결정하기 위하여 행정작용의 위법성을 판단할 수 있는지와 관련하여, 선결문제의 심리 여부가 문제된다.

### 2. 공정력과 구성요건적 효력

다수의 견해와 판례는 선결문제를 공정력의 문제로서 논의한다. 그러나 선결문제는 그 실질상 행정행위가 다른 국가기관에 대하여 어느 정도 내용적으로 구속하는가에 관련된 문제이므로, 그 적용대상에 있어서 공정력과는 차이가 있다고 보아야 할 것이다. 따라서 논의의 체계에 있어서는 공정력의 문제가 아니라 구성요건적 효력의 문제로서 고찰하는 것이 타당하다.

### 3. 선결문제의 심리가능성

#### (1) 선결문제의 논의배경

행정소송법 제11조는 민사소송에서 본안판단의 전제로서 행정처분 등의 무효 여부 또는 부존재 여부에 대한 분쟁을 선결문제로서 심리가 가능하다고 규정한다. 그러나 하자가 단순 위법인 경우는 명문의 규정이 없는바, 학설·판례의 검토가 필요하다.

#### (2) 행정행위의 효력을 부인하여야 하는 경우

부당이득반환청구소송과 같이 행정행위의 효력을 부인하여야만 사건의 심리가 계속될 수 있는 경우에는 학설과 판례가 일치하여 수소법원이 행정행위의 효력을 부인할 수 없다. 이는 행정행위의 구성요건적 효력에 반하고, 현행 소송법상 취소소송의 배타적 관할권 규정에도 위배되기 때문이다.

#### (3) 행정행위의 위법성 확인이 선결문제인 경우

① 학설은 대립하여, ㉠ 행정소송법 제11조 제1항이 처분 등의 효력 유무나 존재 여부만을 규정하고 있으며, 행정행위의 공정력이나 취소소송의 배타적 관할을 이유로 행정행위가 당연무효가 아닌 한 심리할 수 없다는 부정설, ㉡ 행정소송법 제11조 제1항을 예시규정으로 해석하고, 공정력은 단순히 절차적인 효력만을 가진다는 측면에서 심리가 가능하다는 긍정설로 나뉜다.
② 판례는 계고처분이 위법임을 이유로 손해배상을 청구한 사안에서 행정처분의 취소판결이 있어야만 손해배상을 청구할 수 있는 것은 아니라고 보아 긍정설의 입장을 취하고 있다.
③ 생각건대, 긍정설이 타당하며 소송경제적인 이유와 개인의 권리보호의 관점에서도 타당하다고 볼 것이다.

### 4. 사안의 경우

사안에서 甲에 대한 등록거부처분의 위법성은 취소 정도의 하자로 보이며, 민사법원은 그 효력 여부는 판단할 수 없다. 그러나 손해배상청구소송에 있어 그 등록거부의 위법성을 확인함은 다수

견해와 판례에 의할 때 가능하다고 볼 수 있다. 따라서 甲은 취소소송을 제기하지 않고, 손해배상을 청구할 수 있으며 민사법원은 등록거부처분의 위법성을 심리할 수 있다.

## Ⅳ  설문 (2)의 검토

### 1. 문제의 소재

취소소송의 기각판결이 있은 후, 민사소송을 제기하는 경우 선행 취소판결의 기판력이 이러한 후행 소송에 있어서 효력을 미친다면 민사법원은 그러한 기판력에 위배되는 판결을 할 수 없을 것이다.

### 2. 취소소송의 판결의 기판력

#### (1) 의의 및 취지

기판력이란 판결이 확정된 때에는 후에 동일한 사건이 소송상 문제가 되었을 때, 소송당사자는 이에 저촉되는 주장을 할 수 없고 법원도 이에 저촉되는 판단을 하지 못하게 하는 효력을 말한다. 즉, 전소의 확정판결이 후소에 미치는 구속력을 말한다. 기판력을 인정하는 취지는 소송절차의 반복과 모순된 재판의 방지라는 법적안정성의 요청에 따라 인정되는 것이다.

#### (2) 기판력의 범위

① 기판력이 미치는 인적 범위는 소송의 당사자와 승계인이며, 판례는 소송의 보조참가인에게도 미친다고 본다. ② 객관적 범위로서 동일한 소송물로 판결의 주문에 포함된 것에 한하며, ③ 시간적 범위는 변론종결 시까지를 기준으로 한다.

### 3. 선결관계로서 기판력의 효력범위

사안은 취소판결의 기판력의 객관적 범위에 관한 문제로서, 전소의 소송물이 후소에서 단지 선결관계로서 나타나는 경우에 해당한다.

#### (1) 학설

##### ① 전부기판력 긍정설(일원설)

이 견해는 국가배상청구소송에서의 위법의 개념을 항고소송과 같이 행위불법으로 보는 입장에서 주장하는 것(협의의 행위불법설)이다. 이 견해에 의하면 취소소송에서 청구기각이든 청구인용 판결이든 그 행위에 대한 위법성이 판단되고, 그것은 후소인 국가배상청구소송에서 선결관계로 작용하므로 항상 기판력이 미친다고 본다. 그 논거로는, 동일규범 위반에 대하여 후소의 법원이 전소와 다른 판단을 할 수 있다고 한다면 분쟁의 일회적 해결의 요청을 근본적으로 뒤엎는 결과가 된다는 점, 법질서의 일체성 등을 제시하고 있다.

##### ② 전부기판력 부정설(이원설)

취소소송의 소송물은 위법사유마다 다르며, 국가배상법의 위법개념과 쟁송법상의 위법개념이 다르다고 보는 입장(결과불법설)으로서, 이에 의하면 취소소송의 기판력은 소송에서 다루어진 위법사유에 한하여 미치고, 취소소송에서 청구기각판결이 확정된다 하더라도 후소인 손해배상청구소송에서 다른 위법사유를 들어 처분의 위법성을 주장할 수 있다는 것이다.

③ 제한적 기판력 긍정설

국가배상법상의 법령위반과 쟁송법상의 위법개념이 다르다고 보며, 취소소송 판결내용이 당사자의 청구인용인 경우에는 후소인 손해배상청구소송에 대해서 기판력이 발생하지만 청구기각인 경우에는 전소의 기판력은 후소에 미치지 않는다고 본다(광의의 행위불법설). 이 주장은 양 소송에서의 행정행위의 위법상 판단내용을 달리 보고 있으며 이에 따라 당사자의 권리보호를 위하여 청구인용인 경우에만 전소의 기판력을 인정하려고 하는 것이다.

## (2) 검토

우선 양 소송에서의 위법성 개념의 차이는 인정하여야 한다고 생각한다. 즉, 국가배상청구소송에서의 위법성 문제는 손해배상체계에서의 의미를 갖는 것이므로 그 판단기준이 취소소송의 경우와는 다른 특성을 가지며, 그 범위도 침해되는 범위나 침해행위의 상관관계 등에 의하여 넓게 인정되어야 한다고 본다. 그러나 기판력의 취지는 전소의 확정판결의 효력을 동일한 법적 분쟁을 대상으로 하는 후소에 있어서도 관철하려고 하는 것이므로, 전소의 소송물이 후소에서 선결문제로 나타나는 경우인 본 논의에서도, 청구기각이든 청구인용이든 불문하고 전소의 기판력은 인정되어야 할 것이다. 즉, 서로 실질적인 관련이 있는 두 소송은 서로 모순되거나 배치되지 않고 해결되는 것이 분쟁의 통일적 해결을 위하여 필요하기 때문에 이때에는 취지를 확대하여 인정할 필요가 있다고 본다.

## 4. 사안의 경우

따라서 취소소송의 기판력이 후소인 손해배상청구소송의 심리에 효력을 미친다고 본다면, 서울지방민사법원은 서울행정법원의 기각판결과 모순되는 판단을 할 수 없으므로, 청구는 기각될 것이다.

## Ⅴ  사례의 해결

1. 설문 (1)은 등록거부처분의 위법확인을, 후행 민사법원에서 심리할 수 있는지의 선결문제로서, 이는 행정행위의 구성요건적 효력논의로 볼 수 있으며, 통설과 판례에 따를 때 위법성의 확인은 가능하다고 본다. 다만 효력의 부인은 불가하다고 생각된다.

2. 설문 (2)는 선행 행정법원의 판결의 기판력이 후행 민사법원의 심리에 영향을 미치는지 여부로서, 취소소송의 판결의 기판력은 객관적 범위로서 동일한 소송물에 미치며, 확정판결의 효력으로서 분쟁의 통일적 해결을 위한 기판력의 취지를 고려할 때 행정법원의 기각판결의 기판력은 후행 민사법원의 심리에 미치는 바, 甲의 청구는 기각될 것이라 사료된다.

   ※ 이와 달리, 일반적으로 당사자의 권리구제 측면에서 일부기판력 긍정설을 취하고, 기각판결일 경우에는 기판력이 미치지 않는다고 봐도 무방하다(장태주 교수, 강구철 교수).

## 17절 | 감정평가법 제25조, 제26조, 제27조(성실의무)

> **문제**
>
> 「감정평가 및 감정평가사에 관한 법률」 제25조에 따른 감정평가법인등의 '성실의무 등'의
> 내용을 서술하시오. 10점
>
> | Ⅰ. 개설 | Ⅲ. 감정평가법 제26조 및 제27조 |
> | Ⅱ. 감정평가법 제25조의 구체적인 내용 | 1. 감정평가법 제26조 |
> | 1. 감정평가법인등의 성실의무 | 2. 감정평가법 제27조 |
> | 2. 관련 판례의 태도 | Ⅳ. 결 |

## Ⅰ 개설

국민의 재산권 보호와 국가경제 발전을 위해서는 공정한 감정평가가 이루어져야 한다. 따라서 감정평가 및 감정평가사에 관한 법률(이하 '감정평가법')에서 감정평가법인등은 토지 등의 평가권을 가짐과 동시에 토지 등에 대하여 공정하게 평가업무를 수행하여야 할 의무를 부담한다. 이하에서는 이와 관련하여 감정평가법인등의 성실의무 등에 대하여 설명하고자 한다.

## Ⅱ 감정평가법 제25조의 구체적인 내용

### 1. 감정평가법인등의 성실의무(감정평가법 제25조)

감정평가법인등은 감정평가업무를 행함에 있어 품위를 유지하여야 하고 신의와 성실로써 공정하게 감정평가를 하여야 하며, 고의 또는 중대한 과실로 잘못된 평가를 할 수 없는 등의 의무를 부담한다.

> **⇨ 감정평가법 제25조(성실의무 등)**
>
> ① 감정평자법인등(감정평가법인 또는 감정평가사사무소의 소속 감정평가사를 포함한다. 이하 이 조에서 같다)은 제10조에 따른 업무를 하는 경우 품위를 유지하여야 하고, 신의와 성실로써 공정하게 감정평가를 하여야 하며, 고의 또는 중대한 과실로 업무를 잘못하여서는 아니 된다.
> ② 감정평가법인등은 자기 또는 친족 소유, 그 밖에 불공정한 감정평가를 할 우려가 있다고 인정되는 토지 등에 대해서는 이를 감정평가하여서는 아니 된다.
> ③ 감정평가법인등은 토지 등의 매매업을 직접 하여서는 아니 된다.

④ 감정평가법인등이나 그 사무직원은 제23조에 따른 수수료와 실비 외에는 어떠한 명목으로도 그 업무와 관련된 대가를 받아서는 아니 되며, 감정평가 수주의 대가로 금품 또는 재산상의 이익을 제공하거나 제공하기로 약속하여서는 아니 된다.

⑤ 감정평가사, 감정평가사가 아닌 사원 또는 이사 및 사무직원은 둘 이상의 감정평가법인(같은 법인의 주·분사무소를 포함한다) 또는 감정평가사사무소에 소속될 수 없으며, 소속된 감정평가법인 이외의 다른 감정평가법인의 주식을 소유할 수 없다.

⑥ 감정평가법인등이나 사무직원은 제28조의2에서 정하는 유도 또는 요구에 따라서는 아니 된다.

## 2. 관련 판례의 태도

> **판례**
>
> **[판결요지]**
>
> [1] 부동산 가격공시 및 감정평가에 관한 법률, 감정평가에 관한 규칙의 취지를 종합해 볼 때, 감정평가사가 대상물건의 평가액을 가격조사 시점의 정상가격이 아닌 특수한 조건을 반영한 가격 또는 현재가 아닌 시점의 가격을 기준으로 정하는 경우에, 반드시 그 조건 또는 시점을 분명히 하고, 특히 특수한 조건이 수반된 미래 시점의 가격이라면 그 조건과 시점을 모두 밝힘으로써, 감정평가서를 열람하는 자가 제시된 감정가를 정상가격 또는 가격조사 시점의 가격으로 오인하지 않도록 해야 한다.
>
> [2] 감정평가에 관한 규칙 제8조 제5호, 부동산 가격공시 및 감정평가에 관한 법률 제37조 제1항 및 관계 법령의 취지를 종합해 보면, 감정평가사는 공정하고 합리적인 평가액의 산정을 위하여 성실하고 공정하게 자료검토 및 가격형성요인 분석을 해야 할 의무가 있고, 특히 특수한 조건을 반영하거나 현재가 아닌 시점의 가격을 기준으로 하는 경우에는 제시된 자료와 대상물건의 구체적인 비교·분석을 통하여 평가액의 산출근거를 논리적으로 밝히는 데 더욱 신중을 기하여야 한다. 만약 위와 같이 하는 것이 곤란한 경우라면 감정평가사로서는 자신의 능력에 의한 업무수행이 불가능하거나 극히 곤란한 경우로 보아 대상물건에 대한 평가를 하지 말아야 하지 구체적이고 논리적인 가격형성요인의 분석이 어렵다고 하여 자의적으로 평가액을 산정해서는 안 된다.
>
> (출처 : 대판 2012.4.26, 2011두14715[징계처분취소])

## Ⅲ 감정평가법 제26조 및 제27조

### 1. 감정평가법 제26조

감정평가법인등이나 그 사무직원 또는 감정평가법인등이었거나 그 사무직원이었던 사람은 업무상 알게 된 비밀을 누설하여서는 아니 된다. 다만, 다른 법령에 특별한 규정이 있는 경우에는 그러하지 아니하다.

> 🔖 **감정평가법 제26조(비밀엄수)**
> 감정평가법인등(감정평가법인 또는 감정평가사사무소의 소속 감정평가사를 포함한다. 이하 이 조에서 같다)이나 그 사무직원 또는 감정평가법인등이었거나 그 사무직원이었던 사람은 업무상 알게 된 비밀을 누설하여서는 아니 된다. 다만, 다른 법령에 특별한 규정이 있는 경우에는 그러하지 아니하다.

## 2. 감정평가법 제27조

### (1) 관련 규정의 검토

감정평가법인등은 다른 사람에게 자기의 성명 또는 상호를 사용하여 감정평가법 제10조에 다른 업무를 수행하게 하거나 자격증·등록증 또는 인가증을 양도·대여하거나 이를 부당하게 행사하여서는 아니 된다.

> 🔖 **감정평가법 제27조(명의대여 등의 금지)**
> ① 감정평가사 또는 감정평가법인등은 다른 사람에게 자기의 성명 또는 상호를 사용하여 제10조에 따른 업무를 수행하게 하거나 자격증·등록증 또는 인가증을 양도·대여하거나 이를 부당하게 행사하여서는 아니 된다.
> ② 누구든지 제1항의 행위를 알선해서는 아니 된다.

### (2) 관련 판례의 태도

> **판례**
>
> **[판결요지]**
> 부동산 가격공시 및 감정평가에 관한 법률 제37조 제2항에 의하면, 감정평가업자는 다른 사람에게 자격증·등록증 또는 인가증을 양도 또는 대여하거나 이를 부당하게 행사해서는 안 된다. 여기에서 '자격증 등을 부당하게 행사'한다는 것은 감정평가사 자격증 등을 본래의 용도가 아닌 다른 용도로 행사하거나, 본래의 행사목적을 벗어나 감정평가업자의 자격이나 업무범위에 관한 법의 규율을 피할 목적으로 이를 행사하는 경우도 포함한다. 따라서 감정평가사가 감정평가법인에 가입한다는 명목으로 자신의 감정평가사 등록증 사본을 가입신고서와 함께 한국감정평가협회에 제출하였으나, 실제로는 자신의 감정평가경력을 부당하게 인정받는 한편, 소속 감정평가법인으로 하여금 설립과 존속에 필요한 감정평가사의 인원수만 형식적으로 갖추게 하거나 법원으로부터 감정평가 물량을 추가로 배정받을 수 있는 자격을 얻게 할 목적으로 감정평가법인에 소속된 외관만을 작출하였을 뿐 해당 감정평가법인 소속 감정평가사로서의 감정평가업무나 이와 밀접한 관련이 있는 업무를 수행할 의사가 없었다면, 이는 감정평가사 등록증을 그 본래의 행사목적을 벗어나 감정평가업자의 자격이나 업무범위에 관한 법의 규율을 피할 목적으로 행사함으로써 자격증 등을 부당하게 행사한 것이라고 볼 수 있다.
> (출처 : 대판 2013.10.31, 2013두11727[징계(업무정지)처분취소])

### (3) 명의대여와 부당행사의 구분

감정평가법령과 대법원 판례에서는 명의대여와 부당행사에 대해서 구분하고 있다. 특히 명의
대여의 경우에는 예를 들어 홍길동 감정평가사의 명의를 한석봉이라는 사람이 홍길동 감정평
가사인양 행사하면서 감정평가행위를 하는 것을 명의대여라고 하고, 부당행사는 감정평가법
인 설립의 감정평가사 구성원이 5인인데 금융기관에 근무하는 A 감정평가사가 감정평가법인
에 소속되어 그 구성원의 숫자만 맞추고 있는 경우에 이를 두고 부당행사라고 한다. 즉 대법원
판례에서는 부당행사에 대하여 소속 감정평가법인으로 하여금 설립과 존속에 필요한 감정평
가사의 인원수만 형식적으로 갖추게 하거나 법원으로부터 감정평가 물량을 추가로 배정받을
수 있는 자격을 얻게 할 목적으로 감정평가법인에 소속된 외관만을 작출하였을 뿐 해당 감정
평가법인 소속 감정평가사로서의 감정평가업무나 이와 밀접한 관련이 있는 업무를 수행할 의
사가 없었다면, 이는 감정평가사 등록증을 그 본래의 행사목적을 벗어나 감정평가업자의 자격
이나 업무범위에 관한 법의 규율을 피할 목적으로 행사함으로써 자격증 등을 부당하게 행사한
것이라고 볼 수 있다고 판시하고 있다.

## Ⅳ 결

판례의 태도와 같이 성실의무위반 등이 있는 때에는 행정형벌(감정평가법 제49조 및 제50조)을
받게 되며, 공적업무 수행 시 공무원에 의제되어 뇌물수뢰죄가 적용된다. 감정평가는 국민의 경
제에 미치는 영향이 크기 때문에 감정평가업무 수행 시에는 성실의무를 준수하도록 노력하여야
할 것이다.

## 18절  감정평가법 제28조(손해배상책임)

> **문제**
>
> 감정평가액은 다양한 목적으로 활용된다. 따라서 감정평가사가 고의 또는 과실로 인하여 부당한 감정평가를 하여 손해가 발생한 경우 해당 감정평가사는 이에 대한 손해를 보상할 책임을 갖게 될 것이다. 이하 감정평가 및 감정평가사에 관한 법률상 손해배상책임을 설명하시오. 30점

Ⅰ. 서
Ⅱ. 감정평가 법률관계의 법적 성질
　1. 개설
　2. 도급계약이라는 견해
　　(1) 의의
　　(2) 도급으로 보는 논거
　　(3) 법률관계 내용
　3. 위임계약이라는 견해
　　(1) 의의
　　(2) 위임으로 보는 논거
　　(3) 법률관계의 내용
　4. 검토
Ⅲ. 감정평가법 제28조와 민법 제750조와의 관계
　1. 개설
　2. 특칙이라는 견해(면책설)
　3. 특칙이 아니라는 견해(보험관계설)
　4. 판례
　5. 검토

Ⅳ. 손해배상책임의 성립요건
　1. 감정평가를 하면서
　2. 고의 또는 과실이 있을 것(과실책임주의)
　3. 부당한 감정평가를 하였을 것
　　(1) 개설
　　(2) 적정가격과 현저한 차이가 있는 감정평가
　　(3) 감정평가서류에 거짓을 기록한 경우
　4. 감정평가의뢰인 또는 선의의 제3자에게 손해가 발생하였을 것
　5. 상당한 인과관계가 있을 것
　6. 위법성의 요건이 필요한지 여부
Ⅴ. 손해배상책임의 내용
　1. 손해배상의 범위
　2. 특약으로 부과되어 있는 임대차조사가 감정평가 내용으로 되는지 여부
　3. 손해배상책임의 보장
Ⅵ. 결(손해배상책임 관련 문제)

---

> **Tip ▶ 강박사의 TIP(최근 기출문제)**
> 1. 감정평가법인 등의 손해배상책임의 성립요건(제33회 문제4)

## Ⅰ  서(손해배상책임의 의의 및 취지)

감정평가 및 감정평가사에 관한 법률(이하 '감정평가법') 제28조 제1항은 '감정평가법인등이 감정평가를 하면서 고의 또는 과실로 감정평가 당시의 적정가격과 현저한 차이가 있게 감정평가를 하거

나 감정평가서류에 거짓을 기록함으로써 감정평가의뢰인이나 선의의 제3자에게 손해를 발생하게 하였을 때에는 감정평가법인등은 그 손해를 배상할 책임이 있다.'고 규정하여 감정평가법인등의 손해배상책임을 규정하고 있다. 이처럼 감정평가법인등의 손해배상책임 규정은 감정평가법인등의 성실·공정한 감정평가를 유도하여 선의의 평가의뢰인이 불측의 피해를 입지 않도록 하기 위함이며, 또한 부동산 등의 적정가격 형성으로 국토의 효율적 이용과 국민경제의 발전을 도모하기 위함에 그 취지가 있다.

## Ⅱ 감정평가 법률관계의 법적 성질

### 1. 개설

감정평가의뢰인과 감정평가법인등 사이의 감정평가의뢰관계는 상호 대등관계로서 사법상 계약관계라고 할 수 있다. 감정평가업무를 의뢰하게 되면 감정평가법인등에게는 성실한 감정평가와 적정가격 평가의무, 감정평가서 교부 및 보존의무 등이 발생하고, 의뢰인에게는 수수료의 지급의무가 발생한다. 이러한 법률관계에 대하여 도급계약이라는 견해와 위임계약이라는 견해가 있다.

### 2. 도급계약이라는 견해

#### (1) 의의

도급이란 당사자 일방이 어느 일을 완성할 것을 약정하고 상대방의 일의 결과에 대하여 보수를 지급할 것을 약정함으로써 성립하는 계약을 말한다(민법 제664조). 건물의 건축, 양복의 수선 등이 이에 해당하며 보수는 완성된 목적물의 인도와 동시에 지급한다. 도급계약은 유상이 원칙이며, 노무에 대한 결과를 목적으로 하는 계약이다.

#### (2) 도급으로 보는 논거

감정평가의뢰관계가 도급계약에 해당한다는 견해는 감정평가라는 일의 완성을 목적으로 수수료라는 보수를 지급하는 것이므로 도급계약의 성질이 있다고 한다.

#### (3) 법률관계 내용

감정평가의뢰관계를 도급계약으로 보면 수급인(감정평가법인등)은 보수지급청구권, 일의 완성의 의무, 목적물 인도의무, 목적물에 대한 하자담보책임 또는 손해배상의무를 부담한다.

### 3. 위임계약이라는 견해(판례·다수설)

#### (1) 의의

위임계약이란 당사자 일방이 상대방에 대하여 사무의 처리를 위탁하고 상대방이 이를 승낙함으로써 성립하는 계약을 말한다(민법 제680조). 위임계약은 특별한 약정이 없으면 보수를 청구할 수 없는 무상계약이 원칙이며, 일정한 사무의 처리를 목적으로 한다.

### (2) 위임으로 보는 논거

감정평가의뢰관계가 위임계약에 해당한다는 견해는 ① 감정평가의뢰인이 평가를 의뢰(청약)하고 감정평가법인등이 이를 받아들임(승낙)으로써 성립한다는 점, ② 특정소송사건의 처리, 특정질병의 치료, 특정재산의 관리 등과 같이 지식, 경험, 수완 등을 동원하여 일정한 사무를 처리하기 위한 통일적인 노무의 제공을 목적으로 한다는 점에서 위임계약의 성질이 있다고 한다.

### (3) 법률관계의 내용

감정평가의뢰관계를 위임계약으로 보면 수임인(감정평가법인등)은 보수청구권, 선량한 관리자의 주의로써 위임사무를 처리할 의무를 부담한다.

## 4. 검토

① 감정평가법인등이 업무를 수행하는 데 있어서 의뢰인의 지시나 감독을 받지 않는 재량성이 있는 점, ② 적정가격 산정을 위한 일의 처리를 목적으로 한다는 점, ③ 적정가격의 평가는 대상 물건의 특정한 가격을 결정하는 것이 아니고 의뢰인이 참고할 수 있는 정보의 제공에 해당한다는 점, ④ 중도에 업무를 중단하더라도 이미 수행한 부분에 대하여는 그에 상응하는 보수를 받는다는 점들을 고려할 때, 위임계약으로 보는 견해가 타당하다고 본다. 따라서 감정평가법인등이 의뢰인에 대하여 위임의 취지에 따라 사무를 처리할 채무를 부담하게 된다. 그런데 감정평가법인등이 채무를 이행하였으나, 감정평가결과가 부당하고, 감정평가의뢰인이 그 감정평가결과를 믿고 거래를 하여 손해를 본 경우에는 채무불이행의 여러 가지 유형 중 불완전이행의 법리에 따라 의뢰인에게 손해배상책임을 진다. 그리고 제3자가 부당한 감정평가결과를 믿고 거래행위를 하여 손해를 입은 경우에는 계약에 따라 이행하여야 할 채무가 존재하지 않기 때문에 감정평가법인등이 일반불법행위 법리에 의하여 손해배상책임을 진다고 할 수 있다.

## ▐Ⅲ▌ 감정평가법 제28조와 민법 제750조와의 관계

## 1. 개설

상기와 같이 감정평가의뢰로 인하여 성립한 법률관계는 사법상 유상의 특수한 위임계약에 해당하기 때문에 감정평가법 제28조 제1항의 규정이 없어도 감정평가법인등이 의뢰인에 대하여 채무불이행 중 불완전이행의 법리에 따라 손해배상책임을 지고, 선의의 제3자에 대하여는 일반불법행위의 법리에 따라 손해배상책임을 부담하면 된다. 그러나 감정평가법이 새로이 제28조 제1항의 규정을 둔 이유가 무엇인지에 대하여 논란이 있으며, 이를 민법에 대한 특칙으로 보는 견해와 특칙이 아니라는 견해가 대립하고 있다.

## 2. 특칙이라는 견해(면책설)

일반 채무불이행·불법행위이론에 의하면 손해배상을 져야 할 경우라도 감정평가법 제28조 제1항에 해당하는 경우가 아니면 감정평가법인등이 책임을 지지 않도록 민법에 대하여 특칙을 정한 것이라고 한다. 이는 감정평가가 객관적으로 적정가격을 알아내기 어렵다는 점을 감안하여 감정평가법 제28조 제1항의 규정을 감정평가법인등을 보호하기 위한 규정으로 보는 것이다. 다음과 같은 사항을 논거로 제시한다. ① 감정평가수수료는 얼마 되지 않는데 감정평가결과가 잘못된 경우에는 감정평가법인등이 막대한 손해배상책임을 져야 하는 경우가 생길 수 있어서 감정평가법인등에게 지나친 규제이며 가혹하다는 점, ② 객관적인 적정가격을 찾아내는 것은 현실적으로 어려우며 감정평가가액은 주관적 가치판단을 전제로 한 전문가의 판단이며 의견인 것이다. 그런데도 감정평가법인등을 빈번히 손해배상청구대상에 노출된 채로 방치시켜 두어서는 감정평가제도나 감정평가사제도 존속 자체가 위태로울 수 있다는 점 등을 든다.

## 3. 특칙이 아니라는 견해(보험관계설)

감정평가법 제28조 제1항의 규정은 동조 제2항의 보험이나 공제사업과 관련된 규정으로, 보험금이나 공제금의 지급대상이 되는 감정평가법인등의 손해배상책임의 범위를 한정하는 것일 뿐이고 감정평가법인등의 민법상 책임에 대한 특칙을 정한 것이 아니라는 견해이다. 이에 따르면 감정평가법인등의 민법상 책임과 관련하여서는 감정평가법 제28조 제1항의 규정은 무의미한 규정 또는 선언적 규정으로 보게 된다. 다음과 같은 사항을 논거로 제시한다. ① 입법취지는 감정평가법인등의 손해배상책임을 담보하기 위하여 보험가입 등의 조치를 유도하기 위한 것이라는 점, ② 감정평가법인등의 고의 또는 과실로 부당감정평가를 한 경우에까지 보호할 필요가 없다는 점 등을 든다.

## 4. 판례

판례는 아래와 같이 판시하여 특칙이 아니라는 견해에 입각하고 있는 것으로 판단된다. "감정평가법인등(현재 개정 감정평가법인등)의 부실감정으로 인하여 손해를 입게 된 감정평가의뢰인이나 선의의 제3자는 (구)지가공시 및 토지 등의 평가에 관한 법률상(현재 감정평가법)의 손해배상책임과 민법상의 불법행위로 인한 손해배상책임을 함께 물을 수 있다"(대판 1998.9.22, 97다36293).

## 5. 검토

(1) 적정가격이란 현실적으로 찾기가 어렵고 그러함에도 손해배상책임을 널리 인정하여서는 감정평가제도가 위태로울 수 있다는 점을 고려한 정책적 배려에서 마련된 규정으로 보아야 한다는 점, (2) 특칙이 아니라는 견해에 따를 경우 감정평가법 제28조 제1항의 규정은 무의미한 규정이 된다는 점 등을 고려할 때, 논리적으로 특칙으로 보는 견해가 타당하다고 본다.

## Ⅳ  손해배상책임의 성립요건

### 1. 감정평가를 하면서

감정평가란 물건의 경제적 가치를 판정하여 그 결과를 가액으로 표시하는 것을 말한다. 따라서 감정평가법 제28조의 손해배상책임이 성립하기 위해서는 감정평가로 발생한 손해에 해당하여야 하고, 가치판단작용이 아닌 순수한 사실조사 잘못으로 인한 손해에 대하여는 적용이 없다. 그러나 판례의 경우에는 담보목적의 감정평가 시에 임대차관계에 대한 사실조사에 잘못이 있는 경우에 그러한 사실조사는 감정평가의 내용은 아니라고 하면서도 감정평가법 제28조에 의한 감정평가법인등의 손해배상책임을 인정하였다(대판 1997.9.12, 97다7400 ; 1997.12.12, 97다41196 ; 2000.4.21, 99다66618).

### 2. 고의 또는 과실이 있을 것(과실책임주의)

감정평가법인등이 손해배상책임을 지기 위해서는 주관적인 책임요건으로서 그 손해가 감정평가법인등의 귀책사유인 고의·과실로 발생한 것이어야 한다. 이러한 고의·과실의 입증책임은 손해배상을 주장하는 자인 평가의뢰인 또는 선의의 제3자가 진다.

고의란 자기 행위가 일정한 결과를 낳을 것을 인식하고 그 결과를 용인하는 것을 말한다. 감정평가법인등이 자신의 부당한 감정평가로 인하여 평가의뢰인이나 선의의 제3자에게 손해가 발생할 것을 인식하고도 부당한 감정평가를 용인하는 것이다. 대법원은 부동산공시법과 감정평가에 관한 규칙 등의 기준을 무시하고 자의적인 방법에 의하여 토지를 감정평가한 것은 고의·중과실에 의한 부당한 감정평가로 볼 수 있다고 하였다(대판 1997.5.7, 96다52427).

과실이란 일정한 사실을 인식할 수 있음에도 불구하고 부주의로 이를 인식하지 못한 것을 말한다. 감정평가업무에 종사하는 평균인을 기준으로 부주의 여부를 판정한다. 대법원은 과실로 인정되는 부주의에 대하여 사전자료준비 부주의, 평가절차의 부주의, 윤리규정에 대한 부주의, 관계법령 및 규칙에 규정된 평가방식 적용에 대한 부주의를 그 예로 들고 있다.

### 3. 부당한 감정평가를 하였을 것

#### (1) 개설

감정평가법인등이 부당한 감정평가를 한 경우에 손해배상책임이 성립한다. 감정평가법 제28조 제1항에서는 부당한 감정평가에 해당하는 것으로 ① 감정평가 당시의 적정가격과 현저한 차이가 있게 감정평가한 경우와, ② 감정평가서류에 거짓을 기록한 경우를 규정하고 있다.

#### (2) 적정가격과 현저한 차이가 있는 감정평가

##### ① 현저한 차이의 의의

현저한 차이란 일반적으로 달라질 수 있다고 인정할 수 있는 범위를 초과하여 발생한 차이를 의미하는 것이다. 감정평가는 가치의 판단이며 의견이기 때문에 평가주체에 따라 달라질 수

밖에 없다는 점이 고려되어야 한다. 따라서 적정가격과 현저한 차이가 아니고 일반적 차이가 있게 감정평가한 경우까지 책임을 물을 수 없다고 보아야 한다.

② 현저한 차이의 판단기준

판례는 토지보상법 시행규칙 등에 제시된 1.3배(또는 1.1배)가 현저한 차이에 대한 유일한 판단기준이 될 수 없다고 하면서, 부당감정에 이르게 된 감정평가법인등의 귀책사유를 고려하여 사회통념에 따라 탄력적으로 판단하여야 한다고 하였다. 그리고 현저한 차이는 고의에 의한 경우와 과실에 의한 경우에 따라 다르게 보아야 한다고 판시하였다.

> **Check Point!**
>
> **판례의 비판적 검토**
>
> ① 고의 또는 과실에 따라서 현저한 차이를 달리 볼 수 있는지
>
> 상기 판례에 대하여 비판적인 주장이 제기되고 있다. 감정평가법 제28조 제1항의 규정은 주관적 책임요건으로서 '고의·과실'과 객관적 책임요건으로서 '현저한 차이'가 모두 충족되었을 때 감정평가법인등의 손해배상책임이 성립하는 것으로 규정하고 있으며, 양자를 각각 독립된 책임요건으로 구성하고 있다. 그럼에도 주관적 책임요건인 '고의·과실'에 따라서 객관적 책임요건인 '현저한 차이'를 달리 보는 것은 옳지 않다.
>
> ② 1.3배(1.1배) 차이를 현저한 차이로 볼 수 있는지
>
> 감정평가법 제28조 제1항은 객관적 책임요건으로서 '현저한 차이'를 규정하고 있으며, '일반적 차이'는 책임요건에서 제외하고 있다. 현저한 차이에 대한 명확한 기준이 없는 상태에서 부동산 가격공시에 관한 법률 시행령 제8조 제6항(최고평가액이 최저평가액의 1.3배를 초과하는 경우)과 공익사업을 위한 토지 등의 취득 및 보상에 관한 법률 시행규칙 제17조 제2항 제2호(평가액 중 최고평가액이 최저평가액의 110퍼센트를 초과하는 경우)는 중요한 판단기준이 된다. 부동산 가격공시에 관한 법률에서도 적정가격과 1.3배 이상 차이가 나지 않는다면 이는 일반적인 차이로서 평가주체에 따라 달라질 수 있는 차이로 인정하고 있는 것이다. 따라서 1.3배 이내의 차이는 고의에 의한 경우라 하더라도 현저한 차이가 아니라고 함이 타당하다. 표준지공시지가의 경우는 1.3배 이상 차이가 나지 않을 경우에는 양 가격을 산술평균하여 공시한다. 그런데 상기 판례는 1.3배 이상 차이가 나지 않을 경우에도 현저한 차이로 인정되는 경우가 있다고 한다. 결국 판례에 따르면 현저한 차이가 있는 부당한 감정평가에 의한 지가를 정부가 공시지가로 공시하는 경우도 발생한 것이 되어 타당하지 못하다고 할 것이다.

### (3) 감정평가서류에 거짓을 기록한 경우

감정평가서상의 기재사항에 대하여 물건의 내용, 산출의 근거, 평가가액 등의 거짓을 기재한 경우로서, 가격에 변화를 일으키는 요인에 대하여 고의 또는 과실로 거짓을 기재함을 의미한다.

## 4. 감정평가의뢰인 또는 선의의 제3자에게 손해가 발생하였을 것

감정평가의뢰인 또는 선의의 제3자에게 손해가 발생하여야 한다. 선의의 제3자라 함은 감정내용이 허위 또는 감정평가 당시의 적정가격과 현저한 차이가 있음을 인식하지 못한 것뿐만 아니라, 감정평가서 자체에 그 감정평가서를 감정의뢰 목적 이외에 사용하거나 감정의뢰인 이외의 타인이 사용할 수 없음이 명시되어 있는 경우에는 그러한 사용사실까지 인식하지 못한 제3자를 의미한다(대판 1999.9.7, 99다28661). 따라서 부당한 감정평가임을 알지 못한 경우라도 타인이 사용할 수 없음을 인식한 경우에는 선의의 제3자에 해당하지 아니한다. 손해라 함은 일반적으로 법익(주로 재산권)에 관하여 받은 불이익을 말한다. 따라서 감정평가의뢰인 또는 선의의 제3자가 가지고 있는 법적인 이익에 침해가 발생하여야 한다.

> **판례**
>
> ● 대판 2009.9.10, 2006다64627 판결
>
> **[판시사항]**
> 부당감정에 따른 감정평가법인등의 손해배상책임에 관하여 정한 (구)지가공시 및 토지 등의 평가에 관한 법률 제26조 제1항의 '선의의 제3자'의 의미
>
> **[판결요지]**
> (구)지가공시 및 토지 등의 평가에 관한 법률(2005.1.14. 법률 제7335호 부동산 가격공시 및 감정평가에 관한 법률로 전부 개정되기 전의 것) 제26조 제1항은 감정평가법인등이 타인의 의뢰에 의하여 감정평가를 함에 있어서 고의 또는 과실로 감정평가 당시의 적정가격과 현저한 차이가 있게 감정평가하거나 감정평가서류에 허위의 기재를 함으로써 감정평가 의뢰인이나 선의의 제3자에게 손해를 발생하게 한 때에는 그 손해를 배상할 책임이 있다고 규정하고 있는데, 여기에서 '선의의 제3자'라 함은 감정 내용이 허위 또는 감정평가 당시의 적정가격과 현저한 차이가 있음을 인식하지 못한 것뿐만 아니라 감정평가서 자체에 그 감정평가서를 감정의뢰 목적 이외에 사용하거나 감정의뢰인 이외의 타인이 사용할 수 없음이 명시되어 있는 경우에는 그러한 사용 사실까지 인식하지 못한 제3자를 의미한다.

## 5. 상당한 인과관계가 있을 것

적정가격과 현저한 차이가 있게 한 감정평가와 손해의 발생과의 사이에는 인과관계가 있어야 한다고 보아야 할 것이다. '인과관계'라 함은 선행의 사실과 후행의 사실과의 사이에 전자가 없었더라면 후자도 없었으리라는 관계가 있는 경우에 성립되는 관계를 말한다.

## 6. 위법성의 요건이 필요한지 여부

감정평가법은 감정평가법인등의 손해배상책임 성립요건에 위법성을 요구하고 있지 아니하다. 따라서 위법성을 손해배상책임의 성립요건으로 보아야 하는지 의문이 있다. 이에 대하여 ① 민법상 채무불이행의 경우에도 위법성이 민법의 규정은 없으나 위법성을 별도의 요건으로 본다는 점을

들어 감정평가법인등의 손해배상책임이 성립하기 위해서는 별도의 요건으로 필요하다는 견해가 있다. 그리고 별도의 요건으로 필요하지 않다는 견해는 다시 두 가지로 구분된다. ② 고의 또는 과실 속에 위법성의 요소가 포함되어 있다고 보는 견해와, ③ 위법성의 요소는 부당한 감정평가의 개념 속에 포함되어 있다는 견해로 구분된다.

감정평가법 제28조는 민법에 대한 특칙으로 보는 것이 타당하다는 점에서 명시적 규정이 없는 위법성의 요건은 필요하지 않다고 보는 것이 타당하다고 할 것이다. 그리고 필요 없다는 견해 중에서 고의 또는 과실 속에 포함되어 있다고 보는 견해는 주관적 책임요건과 객관적 책임요건을 분명하게 하지 못하는 문제점이 있다고 할 수 있다. 따라서 부당한 감정평가의 개념 속에 위법성의 요건이 포함되어 있는 것으로 보는 것이 타당할 것이다.

## Ⅴ 손해배상책임의 내용

### 1. 손해배상의 범위

상기와 같은 손해배상책임의 성립요건이 모두 충족된 경우에 감정평가법인등의 손해배상책임을 지게 된다. 따라서 해당 부당한 감정평가와 상당인과관계가 있는 모든 손해를 배상하여야 한다. 손해의 범위는 부당한 감정평가가 없었다고 한다면 있었어야 할 법익상태(재산상태)와 부당한 감정평가가 이미 발생하고 있는 현재의 법익상태의 차이를 말한다. 판례는 담보목적의 감정평가에 있어 부당한 감정가격에 근거하여 산출된 담보가치와 정당한 감정가격에 근거하여 산출된 담보가치의 차액을 한도로 하여 대출금 중 정당한 감정가격에 근거하여 산출된 담보가치를 초과한 부분이 손해액이 된다고 하였다(대판 1999.5.25, 98다56416).

감정평가의뢰인이 부당한 감정평가 성립에 원인을 제공하였거나, 용인을 한 경우에는 이를 참작하여 배상액을 정하여야 한다(과실상계원칙의 인정). 판례에 따르면 감정평가법인등이 현장확인의무를 이행함이 없이 평가한 것을 알면서 이를 용인한 경우에 의뢰인의 과실을 인정하였다.

### 2. 특약으로 부과되어 있는 임대차조사가 감정평가 내용으로 되는지 여부

판례의 경우에는 담보목적의 감정평가 시에 임대차관계에 대한 사실조사에 잘못이 있는 경우에 그러한 사실조사는 감정평가의 내용은 아니라고 하면서도 감정평가법 제28조에 의한 감정평가법인등의 손해배상책임을 인정하였다(대판 1997.9.12, 97다7400 ; 1997.12.12, 97다41196 ; 2000.4.21, 99다66618).

이에 대하여 임대차조사는 감정평가의 내용이 아님에도 불구하고, 감정평가를 함에 있어서 발생한 손해배상책임을 규정하고 있는 감정평가법 제28조의 배상책임을 인정한 것은 타당하지 못하다는 주장이 있다. 이 경우에는 민법 제750조의 불법행위책임을 지면 될 것인데, 감정평가법 제28조의 손해배상책임을 인정하면 손해의 배상과 함께 업무정지처분도 함께 받게 되므로 감정평가법 제28조의 손해배상책임을 엄격하게 인정하여야 한다고 본다.

## 3. 손해배상책임의 보장

감정평가법인등은 손해배상책임을 보장하기 위하여 보증보험에 가입하거나 협회가 운영하는 공제사업에 가입하고 이를 국토교통부장관에게 통보하여야 한다. 감정평가법인등이 보증보험금으로 손해배상을 한 때에는 10일 이내에 보험계약을 다시 체결하여야 한다.

(1) 보증보험에 가입하는 경우에는 해당 보험의 보험가입금액은 감정평가사 1인당 1억원 이상으로 하여야 한다.

(2) 협회가 운영하는 공제사업에 가입하는 경우에는 협회정관내용에 따른다.

## VI 결(손해배상책임 관련 문제)

1. 감정평가법 제28조에 의한 감정평가법인등의 손해배상책임에 대하여도 민법상 불법행위로 인한 손해배상청구권의 소멸시효규정의 적용을 받는다고 본다. 따라서 민법 제766조의 규정에 의하여 감정평가법인등에 대한 손해배상청구권은 감정평가의뢰인 또는 선의의 제3자가 손해를 안 날부터 3년, 부당한 감정평가가 있은 날부터 10년 이내에 행사하여야 할 것이다.

2. 감정평가법인등이 법인인 경우에는 법인은 사용자책임(선임감독상 책임)을 지며, 해당 감정평가를 수행한 감정평가사에 대하여 구상권을 행사할 수 있다.

3. 보상평가의 경우에도 감정평가법 제28조의 손해배상책임이 성립할 수 있는가의 문제가 있다. 그러나 보상목적의 감정평가가격은 협의 또는 재결절차에서 수용·사용의 목적물에 대한 제시가격의 성격을 가지며, 피수용자는 그러한 가격에 불복할 권리가 인정된다. 따라서 보상목적의 감정평가에 있어서는 감정평가법 제28조의 손해배상책임이 성립하지 아니한다고 볼 것이다

4. 최근 개정된 감정평가법에서는 의뢰인이나 선의의 제3자를 보호하기 위하여 감정평가법인등이 갖추어야 하는 손해배상능력 등을 국토교통부령으로 정할 수 있도록 하였다(법 제28조 제4항).

<table>
<tr><td>**19**절</td><td>– 감정평가법 제32조(인가취소 등)<br>– 행정법 쟁점 : 법규명령형식의 행정규칙</td></tr>
</table>



## 문제

甲은 열심히 공부하여 감정평가사 시험에 합격하고 소정의 실무수습을 받은 후 감정평가사 자격등록 및 감정평가법인등이 되었다. 그러나 보상법규 공부는 소홀히 하던 터라 관련 규정을 실무에서도 등한시하다가 甲은 토지 등의 매매업을 직접 영위한 사실이 적발되어, 국토교통부장관인 乙로부터 「감정평가 및 감정평가사에 관한 법률(이하 '감정평가법')」 제32조 및 동법 시행령 제29조에 의거 1년의 업무정지처분을 받았다. 이에 甲은 그러한 위반사실은 인정하지만, 구체적으로 5년간 성실하게 아무런 위반사실 없이 감정평가업을 수행하여 오고 있었음에도 이러한 사실을 고려하지 않은 1년의 업무정지처분은 위법하다고 주장하며 취소소송을 제기하였다. 甲의 주장이 인용가능한지를 논하시오. 40점

I. 논점의 정리

II. 업무정지처분기준(별표 3)의 법적 성질
  1. 문제점
  2. 학설
    (1) 법규명령설(형식설, 다수설)
    (2) 행정규칙설(실질설)
    (3) 수권여부기준설
  3. 판례
  4. 검토

III. 업무정지처분의 법적 성질
  1. 침익적 행정행위로서의 하명
  2. 재량행위성
    (1) 기속·재량의 구별기준
    (2) 업무정지처분의 재량행위성 여부

IV. 업무정지처분의 위법성
  1. 문제점
  2. 〈별표 3〉을 행정규칙으로 보는 경우
    (1) 위법성 판단기준
    (2) 비례의 원칙
    (3) 사안의 적용
  3. 〈별표 3〉을 법규명령으로 보는 경우
    (1) 제29조 별표의 위헌·위법 여부
    (2) 업무정지처분의 위법성

V. 사례의 해결

---

**Tip** 강박사의 TIP(최근 기출문제)
1. 부동산공시법 시행령 제77조 [별표 2]와 협의의 소익(제27회 4번)
2. [별표3]과 협의의 소익(제24회 3번)
3. [별표3]의 재판규범성 인정 여부(제20회 3번)
4. [별표3]과 협의의 소익(제16회 2번)

## I  논점의 정리

사안은 감정평가법인등인 甲이 국토교통부장관의 1년의 업무정지처분이 과도하다는 사유로 그 위법을 다툴 수 있는지의 여부로서,

1. 사안의 해결을 위해 감정평가 및 감정평가사에 관한 법률(이하 '감정평가법') 시행령 제29조 [별표 3]의 법적 성질을 검토하여, 해당 업무정지처분의 법적 성질을 규명하고,
2. 그 위법성의 판단을 위해 해당 별표규정을 행정규칙으로 보는 경우와 법규명령으로 보는 경우로 나누어 인용가능성을 논의한다.

## II  업무정지처분기준(별표 3)의 법적 성질

### 1. 문제점

해당 감정평가법 시행령 제29조에 근거한 별표규정은, 그 형식은 상위법의 위임에 터잡아 규정된 법규명령의 형식으로 규정되나, 그 실질은 제재처분의 내부적 기준인 재량준칙의 내용인바, 이러한 법규명령 형식의 행정규칙의 법적 성질에 따라 해당 처분의 재량행위성의 판단기준과 위법성의 심사구조 등에 있어 논의의 실익이 있다.

### 2. 학설

#### (1) 법규명령설(형식설, 다수설)

법규명령의 형식으로 규정된 이상 해당 재량준칙은 법규로 되어 국민과 법원을 구속한다는 견해이다. 법규명령은 일반공권력에 근거하여 제정되는 것으로 개인의 자유·재산에 직접적인 관계가 없는 사항이라도 국가와 일반국민을 구속하는 점을 논거로 한다.

#### (2) 행정규칙설(실질설)

행정규칙은 법규의 형식으로 제정되어도 행정규칙으로서의 성질이 변하지 않는다는 견해이다. 법률과 법규명령이 언제나 국민일반을 구속하는 것은 아니라는 것을 논거로 한다.

#### (3) 수권여부기준설

내용과 형식에 관계없이 법률의 위임 여부에 따라 구분하는 견해이다. 법률의 위임없이 제정된 것은 부령 형식을 취하였다 하여도 행정규칙의 효력만 인정할 수 있고, 법률의 위임에 의해 제정된 것은 법규명령으로서의 효력을 인정할 수 있다고 한다.

### 3. 판례

종전 대법원은 일관되게 이를 국민이나 법원을 구속하지 못하는 행정규칙에 불과하다고 판시하였으나 최근 (구)주택건설촉진법 시행령 관련사건(대판 1997.12.26, 97누15418)에서 해당 처분의 기준이 된 (구)주택건설촉진법 시행령 제10조의3 제1항 [별표 1]은 동법 제7조 제2항의 위임규

정에 터잡은 규정형식상 대통령령이므로 그 성질이 부령인 시행규칙이나 또는 지방자치단체의 규칙과 같이 통상적으로 행정조직 내부에 있어서의 행정명령에 지나지 않는 것이 아니라 대외적으로 국민이나 법원을 구속하는 힘이 있는 법규명령에 해당한다고 판시하였다.

## 4. 검토

판례가 법규명령 형식의 행정규칙의 재판규범성을 일관되게 부인한 것은 이의 법규성을 인정하게 되면 처분청이 재량준칙에 따라 기계적으로 집행하게 되어 구체적인 사안에 있어서 형평을 기하기 어렵게 된다는 점을 고려한 것으로 볼 수 있었다. 그러나 최근 대통령령 형식의 재량준칙에 대하여는 법규성을 인정하였는바, 합리적 근거를 찾기 어렵다고 본다. 생각건대, 법치주의에 근거한 형식의 엄격성, 절차적 정당성 및 법규명령에 대한 국민의 예측가능성을 부여하는 점에 비추어 법규명령으로 봄이 타당하다고 생각된다.

## Ⅲ 업무정지처분의 법적 성질

## 1. 침익적 행정행위로서의 하명

업무정지처분은 부작위의무를 부과하는 행정행위로서 강학상 하명에 해당하는바, 해당 처분에 대하여 행정쟁송을 통하여 다툴 수 있다.

## 2. 재량행위성

### (1) 기속·재량의 구별기준

종래 요건재량설, 효과재량설이 논의되었으나, 현재의 통설과 판례는 해당 법규의 문언, 목적 및 취지, 기본권과의 관련성을 합리적으로 고려하여 판단하여야 한다고 본다.

### (2) 업무정지처분의 재량행위성 여부

① 별표규정을 행정규칙으로 보는 경우 처분의 근거가 되는 법규범의 범위는 모법인 감정평가법 제32조 제1항이 되며, 동 조항의 문언에 비추어 "~할 수 있다."고 규정된 바, 재량행위로 볼 수 있다.

② 별표규정을 법규명령으로 보는 경우 별표규정은 법규성이 인정되어 대외적 구속력이 인정되는 바, 처분의 근거는 별표규정이 되어 기속행위로 볼 여지가 있다. 그러나 동법 시행령 제29조 별표의 일반기준 및 개별기준의 가중규정 및 감경규정은 그 형식, 체제, 문언상 재량의 여지를 부여하는바, 형식설에 의하더라도 업무정지처분은 여전히 재량행위로 판단된다.

## Ⅳ  업무정지처분의 위법성

### 1. 문제점

해당 업무정지처분의 경우, 주체·형식·절차의 측면상 위법성이 없다고 판단되며, 내용상 하자와 관련하여 법규성 여부에 따른 재판규범으로서 위법성 심사구조를 검토한다.

### 2. <별표 3>을 행정규칙으로 보는 경우

#### (1) 위법성 판단기준

위법성 여부는 별표가 아닌 감정평가법 제32조 제1항에 의해 재량의 일탈·남용 여부에 따라 판단하여야 하는바, 사안에서는 비례의 원칙 위반 여부가 문제된다.

#### (2) 비례의 원칙

비례의 원칙이란 행정목적 달성을 위해 수단을 동원함에 있어 달성하고자 하는 목적과 수단 사이에 합리적 균형관계가 유지되어야 한다는 것으로 헌법 제37조 제2항에 근거한다. 이는 적합성, 필요성, 상당성을 그 내용으로 하여 단계적 심사를 통해 위법성을 판단하게 된다.

#### (3) 사안의 적용

업무정지처분의 취지는 감정평가사의 의무를 담보하는 목적달성에 적합한 수단이나, 1년의 업무정지는 목적달성의 필요최소한도의 침해수단으로 필요성이 인정된다고 보기 어렵고, 장기간 성실히 감정평가업을 영위해 온 사정에 비추어 처분으로 인해 침해되는 사익과 달성되는 공익 사이에 상당성이 있다고 보기 어렵다. 또한 감정평가법 시행령 별표는 1차, 2차, 3차에 걸쳐 경중에 따라 단계적으로 징계처분을 하도록 규정하고 있어 비례의 원칙을 고려토록 하고 있다. 따라서 해당 업무정지처분은 비례원칙에 위배된 위법한 처분이며 그 위법성의 정도는 취소사유라고 볼 수 있다.

### 3. <별표 3>을 법규명령으로 보는 경우

#### (1) 제29조 별표의 위헌·위법 여부

위임입법의 한계로 ① 법률상 수권규정이 있어야 하고, ② 구체적 범위를 정하여 수권하여야 하며, ③ 모법을 부당하게 제한하여 모법의 취지에 어긋나지 않아야 한다. 사안의 경우, 2년의 범위 내에서 감정평가법 제32조 제5항에서 동법 시행령에 그 기준을 위임하고 있어, 〈별표 3〉이 모법의 재량권을 과도하게 제한하는지 문제되나, 행정청의 의사는 가능한 한 존중되어야 하며, 시행령 제29조 별표에 감경규정을 두고 있는 등으로 볼 때 위헌·위법의 여지는 없다고 판단된다.

#### (2) 업무정지처분의 위법성

비록 〈별표 3〉이 기속적으로 처분기준을 일의적으로 규정하나, 시행령 제29조 별표의 감경규정에 따라, "정상참작의 사유존재" 시 구체적 사안에 따라 재량권을 행사하여야 한다. 사안의 경우, 일응 처분기준에 따른 적법성이 인정되나, 구체적 사정의 고려 없이 별표규정에 따른 일의적 처분으로 재량의 불행사 또는 비례의 원칙을 위반한 위법한 처분이라 할 수 있다.

## V 사례의 해결

1. 업무정지처분은 침익적 처분으로서 하명에 해당하며, 근거규정인 〈별표 3〉을 행정규칙으로 보는 경우뿐만 아니라 법규명령으로 보는 경우도 감경규정 등의 취지에 따라 재량행위로 판단된다.

2. 〈별표 3〉을 행정규칙으로 보는 경우 업무정지처분은 비례의 원칙 위반으로 재량의 일탈·남용이 있는바 위법하며, 법규명령으로 보더라도 정상참작의 사유가 있는지를 판단하여야 함에도 재량권의 불행사로서 위법성이 인정된다고 보인다.

3. 따라서 甲은 업무정지처분에 대하여 그 법규성 여부와 관계없이 구체적 사실의 고려가 없는 비례원칙 위반사유를 주장하여 그 위법성을 주장할 수 있다. 특히, 감정평가법 시행령의 별표에서는 단계적으로 경중을 고려하여 징계처분을 하도록 하고 있는데 이를 고려하지 않은 처분은 비례의 원칙 위반이라고 할 것이다. 따라서 甲의 주장은 인용가능하다고 생각된다.

4. 나아가, 甲은 회복하기 어려운 손해의 발생 시 집행정지를 신청할 수 있으며, 위법한 업무정지로 손해가 발생 시 손해배상청구도 가능하나, 고의·과실 여부의 입증은 어려울 것으로 판단된다.

---

**베타답안**

 **40점**

### Ⅰ. 논점의 정리

사례는 감정평가법인등인 甲이 국토교통부장관의 1년의 업무정지처분이 과도하다는 사유로 제기한 취소소송의 인용가능성에 대한 것으로,

(1) 사안의 해결을 위해 감정평가 및 감정평가사에 관한 법률(이하 '감정평가법') 시행령 제29조 [별표 3]의 법적 성질을 검토하여, 해당 업무정지처분의 법적 성질을 규명한다.

(2) 그 위법성의 판단을 위해 해당 별표규정을 행정규칙으로 보는 경우와 법규명령으로 보는 경우로 나누어 인용가능성을 논의한다.

### Ⅱ. 행정작용의 법적 성질

### 1. 감정평가법 시행령 제29조 [별표 3]의 법적 성질

#### (1) 문제점(논의의 실익)

감정평가법 시행령 제29조에 근거한 별표규정은, 그 형식은 감정평가법 제32조 위임

에 의해 규정된 법규명령의 형식으로 규정되나, 그 실질은 제재처분의 내부적 기준인 재량준칙의 내용인바, 이러한 법규명령 형식의 행정규칙의 법적 성질에 따라 해당 처분의 재량행위성의 판단기준과 위법성의 심사구조 등에 있어 논의의 실익이 있다.

### (2) 법규명령 형식의 행정규칙 법적 성질에 대한 학설

① **법규명령설(형식설)** : 행정규칙으로 정한 고유한 사항은 없다는 점, 법규의 형식으로 규정된 이상 일반국민을 구속하게 되어 법규명령으로 본다.

② **행정규칙설(실질설)** : 형식이 비록 법규명령 형식이라 하더라도 행정규칙으로서의 성질이 변하지 않는다는 견해이다.

③ **수권여부기준설** : 내용과 형식에 관계없이 법률의 위임이 있는 경우에는 법규명령이고, 법률의 위임이 없는 경우에는 행정규칙이라고 본다.

### (3) 판례의 태도

대법원은 형식이 총리령이나 부령인 때에는 그 법적 성질을 실질적 내용에 따라 행정규칙으로 보면서, 형식이 대통령령인 경우에는 형식을 중시하여 법규명령으로 보고 있다.

### (4) 검토

① 대법원의 입장에 관하여 부령이라 하더라도 대통령령과 같이 절차, 내용 등 검토를 통해서 절차적 정당성이 동일하게 부여된다는 점 등을 볼 때 대통령령과 부령을 구분하는 것은 타당하지 아니하다고 판단되며, ② 법치주의에 근거한 형식의 엄격성, 절차적 정당성, 법규명령에 대한 국민의 예측가능성 등을 볼 때 법규명령으로 보는 것이 타당하다고 여겨진다. 이하에서는 양측의 입장 모두에서 검토한다.

## 2. 업무정지처분의 법적 성질

### (1) 침익적 행정행위로서의 하명

업무정지처분은 부작위의무를 부과하는 행정행위로서 강학상 하명에 해당하는바, 해당 처분에 대하여 행정쟁송을 통하여 다툴 수 있다.

### (2) 업무정지처분의 재량행위성 여부

① 별표규정을 행정규칙으로 보는 경우 : 처분의 근거법인 감정평가법 제32조 제1항의 문언에서 "할 수 있다"라고 규정하여 재량행위로 볼 수 있다.

② 별표규정을 법규명령으로 보는 경우 : 별표규정의 법규성 인정으로 대외적 구속력이 인정되는바, 처분의 근거는 별표규정이 되어 기속행위로 볼 여지가 있다. 그러나 동법 시행령 제29조 [별표 3]의 가중감경규정으로 보건대 재량행위로 판단된다.

## III. 업무정지처분의 위법성 판단

## 1. 문제점

주체 · 형식 · 절차의 위법성은 없다고 판단되며, 내용상 하자와 관련하여 법규성 여부에 따른 재판규범으로서 위법성 심사구조를 검토한다.

## 2. [별표 3]을 행정규칙으로 보는 경우

### (1) 위법성 판단기준

재량준칙은 법규성을 부정하는 것이 일반적이므로 감정평가법 제32조 제1항에 의해 재량의 남용으로서 비례원칙의 위배 여부가 문제된다.

### (2) 비례원칙의 위반 여부

① **비례원칙 의의 및 내용** : 비례원칙이란 행정목적 달성을 위해 수단을 동원함에 있어 달성하고자 하는 목적과 수단 사이에 합리적 균형관계가 유지되어야 한다는 것으로 헌법 제37조 제2항에 근거한다. 이는 적합성, 필요성, 상당성을 그 내용으로 하여 단계적 심사를 통해 위법성을 판단하게 된다.

② **사안의 적용** : 업무정지처분의 취지는 감정평가법인등의 의무를 담보하는 목적달성에 적합한 수단이나 1년의 업무정지는 목적달성의 필요최소한도의 침해수단으로 보기 어렵다. 필요최소한도의 수단이더라도 장기간 성실히 감정평가업을 영위해 온 사정에 비추어 처분으로 달성되는 공익과 처분으로 침해되는 사익 사이에 상당성이 있다고 보기 어려워 비례원칙을 위반한 처분에 해당한다.

### (3) 위법정도 및 인용가능성

다수설과 판례에 따라 업무정지처분은 비례원칙의 위반으로 중대하지만 일반인의 관점에서 명백하지 않기 때문에 취소사유에 해당한다. 따라서 甲이 제기한 취소소송은 인용될 것으로 판단된다.

## 3. [별표 3]을 법규명령으로 보는 경우

### (1) 위법성 판단기준

제재적 처분기준인 시행령 제29조 [별표 3]을 법규명령으로 보면 재판규범이 되므로 이를 근거로 업무정지처분의 위법성을 판단한다.

### (2) [별표 3]의 위헌·위법 여부

① **구체적 규범통제 가능성 여부** : 명령규칙이 헌법이나 법률에 위반되는지 여부가 재판에서 전제가 된 경우 법원은 이에 대한 심사권을 갖게 된다. 사안에서 [별표 3]은 법규성이 인정되므로 통제의 대상이 되고, [별표 3]의 위헌·위법 여부에 재판의 결론이 달라지므로 재판의 전제성이 인정된다.

② **명령규칙심사청구의 인용 여부** : 위법의 한계로 ㉠ 법률상 수권규정이 있어야 하고, ㉡ 구체적 범위를 정하여 수권하여야 하며, ㉢ 모법을 부당하게 제한하여 모법의 취지에 어긋나지 않아야 한다. 사안에서 2년의 범위 내에서 감정평가법 제32조 제5항에서 시행령에 그 기준을 정하도록 위임하고 있으며, [별표 3]이 모법의 재량권을 과도하게 제한되는지 문제되나 행정청의 의사는 가능한 한 존중되어야 하며 시행령 제29조 [별표 3]에 감경규정을 두고 있는 등 위헌·위법의 여

지는 없다고 판단된다.

### (3) 재량의 남용으로 비례원칙 위반 여부 혹은 재량불행사 여부

① 비례원칙의 의의 : 비례원칙이란 행정목적을 달성하기 위해 수단을 동원함에 있어 달성하고자 하는 목적과 수단 사이에 합리적 균형관계가 유지되어야 한다는 원칙이다.

② 사안의 적용

㉠ 비록 [별표 3]이 기속적으로 처분기준을 일의적으로 규정하고 있는 듯하나, 시행령 제29조 별표의 감경규정에 따라 "정상참작의 사유존재" 시 구체적 사안에 따라 재량권을 행사하여야 한다.

㉡ 사안의 경우, 구체적 사정의 고려 없이 [별표 3] 등을 기준으로 일의적 처분이 이루어졌다면 재량의 불행사 또는 비례원칙을 위반한 위법한 처분이라 할 수 있다.

### (4) 위법의 정도 및 인용가능성

다수설과 판례에 따라 업무정지처분은 비례원칙 위반으로 중대하지만 일반인의 관점에서 명백하지 않기 때문에 취소사유에 해당한다. 따라서 甲이 제기한 취소소송은 인용될 것으로 판단된다.

## Ⅳ. 사례의 해결

1. 업무정지처분은 침익적 처분으로서 하명에 해당하며, 근거규정인 법 제32조 제1항 및 동법 시행령 제29조 [별표 3]의 감경규정 등으로 미루어 보아 재량행위성이 인정된다.

2. [별표 3]을 행정규칙으로 보는 경우 업무정지처분은 비례의 원칙위반으로 재량의 일탈·남용이 있는바 위법하며, 법규명령으로 보는 경우 정상참작의 사유가 있는지를 판단하여야 할 때 재량의 불행사로 위법성이 인정된다 할 것이다.

3. 따라서 甲은 업무정지처분에 대하여 그 법규성 여부와 관계없이 "비례원칙 위반"을 주장할 때에 위법성이 인정되며 그 정도는 중대명백설에 따를 때 취소사유일 것이므로 인용이 가능하리라 생각된다.

## 20절  감정평가법 제39조(징계)

> **문제**
>
> 감정평가는 국민의 재산권 및 국가 경제에 큰 영향을 끼치므로 감정평가의 주체인 감정평가사의 윤리성이 크게 요구된다. 이에 따라 「감정평가 및 감정평가사에 관한 법률」에서는 법령을 위반한 감정평가사에 대하여 징계를 규정하여, 공정한 감정평가를 도모하고 있다. 이하 감정평가사에 대한 징계제도에 대하여 설명하시오. 20점
>
> | | |
> |---|---|
> | Ⅰ. 개설 | Ⅲ. 징계의 주체 및 절차 |
> | Ⅱ. 징계의 법적 성질 |   1. 징계권자 |
> |   1. 징계의 유형 |   2. 징계절차 |
> |     (1) 등록취소 | Ⅳ. 징계의 효과 |
> |     (2) 업무정지 |   1. 징계의 유형에 따른 효과 |
> |     (3) 견책 |   2. 등록증 반환의무 |
> |     (4) 자격취소 | Ⅴ. 징계에 대한 권리구제 |
> |   2. 재량행위 |   1. 등록취소 및 업무정지의 경우 |
> | |   2. 견책의 경우 |



## Ⅰ  개설

감정평가사 징계란 감정평가사가 감정평가 및 감정평가사에 관한 법률(이하 '감정평가법')상의 의무를 위반하는 경우, 국토교통부장관이 감정평가관리·징계위원회의 의결에 따라 행정적 책임을 가하는 것을 말한다. 2007년 개정법은 감정평가사에 대한 징계제도를 신설하였다. 이는 기존의 감정평가법인등에 대한 행정적 책임으로부터 감정평가사에 대한 행정적 책임을 분리하여 감정평가사 개인의 책임을 명확히 하고, 부적격자가 감정평가업무를 수행하는 것을 방지하여 감정평가업무에 대한 신뢰를 제고하기 위하여 도입되었다.

## Ⅱ  징계의 법적 성질

### 1. 징계의 유형

#### (1) 등록취소

징계로서의 등록취소는 등록 후의 법위반 사실을 이유로 등록을 취소하는 것이므로 강학상 철회에 해당된다. 다만, 부정한 방법으로 등록이나 갱신등록을 한 경우에 있어서의 등록취소는 직권취소에 해당된다.

### (2) 업무정지

업무정지란 감정평가사의 업무수행을 금지시키는 부작위의무를 부과하는 강학상 하명에 해당된다.

### (3) 견책

견책이란 감정평가사의 법위반 사실에 대하여 훈계하고 주의의무를 주는 징계벌에 해당한다.

### (4) 자격취소

자격취소란 감정평가사로서의 자격을 박탈하여 향후 감정평가사로서의 지위를 향유할 수 없도록 하는 것을 의미한다. 감정평가법 제39조에서는 제11호, 제12호를 위반한 경우 및 제27조를 위반하여 다른 사람에게 자격증·등록증 또는 인가증을 양도 또는 대여한 경우에만 자격취소를 할 수 있다고 규정한다. 이외 동법 제13조에서는 부정한 방법으로 자격을 취득한 자에게도 자격취소를 규정하고 있다.

## 2. 재량행위

감정평가법 제39조 제1항 "~징계를 할 수 있다"고 규정하고 있으므로 문언의 형식상 징계 여부는 재량행위에 해당되고, 징계수단으로서 견책, 업무정지, 등록취소, 자격취소만을 규정하고 법령상 선택기준 등이 규정되어 있지 않으므로 징계수단의 선택에 있어서도 재량행위성이 인정된다.

## Ⅲ  징계의 주체 및 절차

## 1. 징계권자

국토교통부장관은 징계내용을 외부에 표시하는 권한을 갖는 행정청이고, 징계위원회는 다수의 위원으로 구성되어서 감정평가사의 징계에 관한 사항을 결정하는 합의제 행정기관으로서 의결기관이다.

## 2. 징계절차

(1) 협회는 국토교통부장관에게 감정평가사의 징계를 요청할 수 있으며, 국토교통부장관은 감정평가관리·징계위원회에 징계의결을 요구할 수 있다.

(2) 징계대상자는 기일에 출석하여 구술 또는 서면으로 자기에게 유리한 사실을 진술하거나 증거를 제출할 수 있다.

(3) 감정평가관리·징계위원회는 징계의결의 요구를 받은 날부터 60일 이내에 징계에 관한 의결을 하여야 한다.

(4) 국토교통부장관은 징계사실을 관보에 공고하고, 정보통신망 등을 이용하여 일반인에게 알려야 한다.

## Ⅳ  징계의 효과

### 1. 징계의 유형에 따른 효과

등록취소는 등록의 효력이 소멸하게 되고, 업무정지는 업무정지기간 동안 감정평가업무를 수행할 수 없고, 견책은 주의의무가 발생한다.

### 2. 등록증 반환의무

등록이 취소되거나 업무가 정지된 자는 등록증을 국토교통부장관에게 반납하여야 한다.

## Ⅴ  징계에 대한 권리구제

### 1. 등록취소 및 업무정지의 경우

감정평가사는 위법한 등록취소와 업무정지에 대하여는 행정쟁송을 통해 구제받거나, 국가배상을 통한 구제를 받을 수 있다.

### 2. 견책의 경우

감정평가사에 대한 견책은 명예나 심리적 영향을 미치는 외에 법적 불이익이 예정되어 있지는 않지만 감정평가법인등 선정에 있어서 불이익이 있는 바, 이는 공권력 행사로서 처분등에 해당되어 항고쟁송을 통해 권리구제를 받을 수 있다. 또한 손해가 발생하였다면 국가배상청구를 통해 권리구제를 받을 수 있다.

---

★★★감정평가법상 징계의 절차(최근 감정평가법령 개정반영함)

(1) 징계의결의 요구(감정평가법 시행령 제34조 제1항)

국토교통부장관은 감정평가사에게 법 제39조 제1항 각 호의 어느 하나에 따른 징계사유가 있다고 인정하는 경우에는 증명서류를 갖추어 감정평가관리·징계위원회에 징계의결을 요구해야 한다.

(2) 징계당사자에게 통보(감정평가법 시행령 제34조 제2항)

감정평가관리·징계위원회는 제1항에 따른 징계의결의 요구를 받으면 지체 없이 징계요구 내용과 징계심의기일을 해당 감정평가사(이하 "당사자"라 한다)에게 통지해야 한다.

(3) 의견진술(감정평가법 시행령 제41조)

당사자는 감정평가관리·징계위원회에 출석하여 구술 또는 서면으로 자기에게 유리한 사실을 진술하거나 필요한 증거를 제출할 수 있다.

(4) 징계의결(감정평가법 시행령 제35조)

감정평가관리·징계위원회는 징계의결을 요구받은 날부터 60일 이내에 징계에 관한 의결을 해야 한다. 다만, 부득이한 사유가 있을 때에는 감정평가관리·징계위원회의 의결로 30일의 범위에서 그 기간을 한 차례만 연장할 수 있다.

---

**(5) 징계의 공고(감정평가법 제39조의2) 및 징계사실의 통보(동법 시행령 제36조)**

① 국토교통부장관은 제39조 제1항 및 제2항에 따라 징계를 한 때에는 지체 없이 그 구체적인 사유를 해당 감정평가사, 감정평가법인등 및 협회에 각각 알리고, 그 내용을 대통령령으로 정하는 바에 따라 관보 또는 인터넷 홈페이지 등에 게시 또는 공고하여야 한다.

② 협회는 제1항에 따라 통보받은 내용을 협회가 운영하는 인터넷 홈페이지에 3개월 이상 게재하는 방법으로 공개하여야 한다.

③ 협회는 감정평가를 의뢰하려는 자가 해당 감정평가사에 대한 징계 사실을 확인하기 위하여 징계 정보의 열람을 신청하는 경우에는 그 정보를 제공하여야 한다.

④ 제1항부터 제3항까지에 따른 조치 또는 징계 정보의 공개 범위, 시행·열람의 방법 및 절차 등에 관하여 필요한 사항은 대통령령으로 정한다.

---

**감정평가법 시행령 제36조(징계사실의 통보 등)**

① 국토교통부장관은 법 제39조의2 제1항에 따라 구체적인 징계 사유를 알리는 경우에는 징계의 종류와 사유를 명확히 기재하여 서면으로 알려야 한다.

② 국토교통부장관은 법 제39조의2 제1항에 따라 같은 항에 따른 징계사유 통보일부터 14일 이내에 다음 각 호의 사항을 관보에 공고해야 한다.

  1. 징계를 받은 감정평가사의 성명, 생년월일, 소속된 감정평가법인등의 명칭 및 사무소 주소

  2. 징계의 종류

  3. 징계 사유(징계사유와 관련된 사실관계의 개요를 포함한다)

  4. 징계의 효력발생일(징계의 종류가 업무정지인 경우에는 업무정지 시작일 및 종료일)

③ 국토교통부장관은 제2항 각 호의 사항을 법 제9조에 따른 감정평가 정보체계에도 게시해야 한다.

④ 제3항 및 법 제39조의2 제2항에 따른 징계내용 게시의 기간은 제2항에 따른 공고일부터 다음 각 호의 구분에 따른 기간까지로 한다.

  1. 법 제39조 제2항 제1호 및 제2호의 자격의 취소 및 등록의 취소의 경우: 3년

  2. 법 제39조 제2항 제3호의 업무정지의 경우: 업무정지 기간(업무정지 기간이 3개월 미만인 경우에는 3개월)

  3. 법 제39조 제2항 제4호의 견책의 경우: 3개월

## 21절 감정평가법 제40조(감정평가관리 · 징계위원회)

> **문제**
>
> 감정평가업계를 지도 · 감독하고 있는 국토교통부는 '감정평가사징계위원회 운영 및 징계양정에 관한 규정'을 개정해 위반사항을 구체화하고 양정기준을 조정하였다. 감정평가사에 대한 징계는 현재까지 '감정평가 및 감정평가사에 관한 법률' 및 하위법령에서 정하고 있는 의무사항을 위반한 27개 행위에 대해 자격등록취소, 업무정지(2년 이하), 견책 등의 징계를 했다. 그러나 앞으로는 감정평가시장의 공정경쟁 유도 및 금품수수를 근절하고 성실한 감정평가를 위해 위반행위를 42개로 세분화해 위반행위나 비위의 정도 등을 감안, 차등적으로 징계양정을 적용할 수 있도록 했다. 또 감정평가법인 소속 감정평가사가 비위를 저지르거나 부실평가로 징계를 받는 경우 지금까지는 대부분 해당 감정평가사만 징계를 했으나 앞으로는 해당 감정평가사가 소속된 감정평가법인에 대해서도 징계를 할 수 있도록 했다. 이러한 것을 결정하는 곳이 바로 감정평가관리 · 징계위원회에서 결정한다. 「감정평가 및 감정평가사에 관한 법률」상 감정평가관리 · 징계위원회에 대하여 설명하시오. 10점

Ⅰ. 서

Ⅱ. 감정평가관리 · 징계위원회의 성격
   1. 필수기관의 성격
   2. 의결기관의 성격

Ⅲ. 징계의결의 하자
   1. 의결에 반하는 처분
   2. 의결을 거치지 않은 처분

Ⅳ. 감정평가관리 · 징계위원회의 구성
   1. 감정평가관리 · 징계위원회의 구성
   2. 소위원회 구성 운영

Ⅴ. 결

## Ⅰ 서

감정평가사 징계제도는 감정평가사의 결격사유를 강화하고, 그 자격을 등록하게 하는 등 감정평가사의 적격성에 대한 기준이 강화됨에 따라 감정평가사가 위법한 행위를 한 경우 엄정한 절차에 따라 징계처분이 이루어지도록 할 필요가 있어 새로이 도입된 제도이다. 감정평가관리 · 징계위원회는 감정평가사에 대한 징계를 의결하기 위해 국토교통부에 설치하는 의결기관에 해당한다.

## Ⅱ  감정평가관리 · 징계위원회의 성격

### 1. 필수기관의 성격

감정평가관리 · 징계위원회는 다수의 위원으로 구성되어서 감정평가사의 징계에 관한 사항을 의결하는 합의제 행정기관이다. 징계위원회는 감정평가사를 징계하도록 하기 위해서는 반드시 설치하여야 하는 필수기관이다.

### 2. 의결기관의 성격

징계권자는 국토교통부장관이지만 징계내용에 관한 의결은 감정평가관리 · 징계위원회에 맡겨져 있다. 따라서 감정평가관리 · 징계위원회는 의결권을 갖는 의결기관이다.

## Ⅲ  징계의결의 하자

### 1. 의결에 반하는 처분

징계위원회는 의결기관이므로 징계위원회의 의결은 국토교통부장관을 구속하게 된다. 따라서 징계위원회의 의결에 반하는 처분은 무효가 된다.

### 2. 의결을 거치지 않은 처분

국토교통부장관은 징계위원회의 의결에 구속되기 때문에 징계위원회의 의결을 거치지 않고 처분을 한 경우 권한 없는 징계처분이 되어 무효가 될 수 있다.

## Ⅳ  감정평가관리 · 징계위원회의 구성

### 1. 감정평가관리 · 징계위원회의 구성

#### (1) 설치 및 구성

감정평가관리 · 징계위원회는 국토교통부에 설치하고, 원장 1명 및 부위원장 1명을 포함한 13명 이내로 구성하고 위원장은 국토교통부장관이 위촉하거나 지명한다.

#### (2) 위원의 임기 및 제척, 기피

위원의 임기는 2년으로 하되 1차례에 한하여 연임할 수 있다. 당사자와 친족, 동일법인 및 사무소 소속 평가사는 제척되고 불공정한 의결을 할 염려가 있는 자는 기피될 수 있다.

## 2. 소위원회 구성 운영



## V 결(조사위원회의 필요성) – 소위원회 설치 및 운영

징계위원회제도는 대외적으로 공정성 확보에 중요하다. 징계위원회가 사실관계의 명확한 파악과 공정하며 객관적인 징계를 하기 위해서는 별도의 조사위원회를 신설하여 개별적이고 구체적 사실관계를 확정할 필요가 있다. 따라서 조사위원회를 설치하여 내부적인 감사를 진행하는 것이 보다 공정성과 신뢰성을 확보할 수 있을 것이다. 다만 최근 감정평가법 시행령 제40조의2(소위원회) 규정을 두어 징계의결 요구 내용을 검토하기 위해서 징계위원회에 소위원회를 둘 수 있다고 규정하고 있고, 소위원회의 운영은 징계위원장이 정하도록 하고 있다. 이는 감정평가사 징계의 공정성과 신뢰성을 확보하는데 크게 기여할 것으로 평가된다.

## 22절  감정평가법 제41조(과징금의 부과)

> **문제**
>
> 감정평가 및 감정평가사에 관한 법률상 과징금제도에 대하여 설명하시오. 30점
>
> Ⅰ. 서(의의 및 입법취지)
> Ⅱ. 과징금의 법적 성질
>  1. 급부하명
>  2. 재량행위
> Ⅲ. 과징금의 부과절차 및 내용
>  1. 과징금의 부과
>  2. 과징금의 부과기준
>  3. 과징금의 통지 및 납부의무
>
> 4. 납부기한의 연장과 분할납부
> 5. 가산금 징수
> 6. 체납처분
> Ⅳ. 과징금에 대한 권리구제
>  1. 과징금에 대한 이의신청
>  2. 행정심판
>  3. 행정소송
> Ⅴ. 결

## Ⅰ 서(의의 및 입법취지)

과징금이란 행정법규의 위반으로 경제적 이익을 얻게 되는 경우 해당 위반으로 인한 경제적 이익을 박탈하기 위하여 그 이익액에 따라 행정기관이 과하는 행정상 제재금을 말한다. 감정평가 및 감정평가사에 관한 법률(이하 '감정평가법')상 감정평가법인등에게 부과되는 과징금은 국토교통부장관이 업무정지처분을 하여야 하는 경우로서 그 업무정지처분이 공적 업무의 정상적인 수행에 지장을 초래하는 등 공익을 해칠 우려가 있는 경우에 업무정지처분에 갈음하여 과징금을 부과할 수 있도록 한 것이므로 변형된 과징금에 해당한다. 본 변형된 과징금의 입법취지는 감정평가법인등의 업무영역이 확대되고 공공성이 강화됨에 따라 감정평가법인등이 업무정지처분을 받게 되는 경우 그 감정평가법인등의 감정평가를 필요로 하는 공익사업의 원활한 추진에 어려움을 겪게 될 우려가 있어 이를 개선하려는 것이다.

## Ⅱ 과징금의 법적 성질

### 1. 급부하명

과징금 부과행위는 과징금 납부의무를 명하는 행위이므로 급부하명에 해당한다.

### 2. 재량행위

감정평가법 제41조에서는 "과징금을 부과할 수 있다."고 규정하고 있으므로 법문언의 규정형식상 재량행위에 해당한다.

## Ⅲ 과징금의 부과절차 및 내용

### 1. 과징금의 부과(감정평가법 제41조)

국토교통부장관은 업무정지처분이 「부동산 가격공시에 관한 법률」 제3조에 따른 표준지공시지가의 공시 등의 업무를 정상적으로 수행하는 데에 지장을 초래하는 등 공익을 해칠 우려가 있는 경우에는 업무정지처분에 갈음하여 5천만원(법인의 경우는 5억원) 이하의 과징금을 부과할 수 있다.

### 2. 과징금의 부과기준(감정평가법 시행령 제43조)

과징금은 ① 위반행위의 내용과 정도, ② 위반행위의 기간과 위반횟수, ③ 위반행위로 취득한 이익의 규모를 고려하여 부과하여야 하며, 과징금의 금액은 위반행위의 내용과 정도 등을 참작하여 그 금액의 2분의 1의 범위 안에서 이를 가중 또는 감경할 수 있도록 하고 있다. 다만, 가중하는 경우에도 과징금의 총액은 과징금의 최고액을 초과할 수 없다.

### 3. 과징금의 통지 및 납부의무(감정평가법 시행령 제43조)

국토교통부장관은 과징금을 부과하는 때에는 그 위반행위의 종별과 해당 과징금의 금액을 명시하여 이를 납부할 것을 서면으로 통지하여야 한다. 통지를 받은 자는 통지가 있은 날부터 60일 이내에 국토교통부장관이 정하는 수납기관에 과징금을 납부하여야 한다.

### 4. 납부기한의 연장과 분할납부(감정평가법 제43조)

국토교통부장관은 과징금 납부의무자가 ① 재해 등으로 재산에 큰 손실을 입은 경우, ② 과징금을 일시납부하면 자금사정에 큰 어려움이 예상되는 경우 등의 사유로 과징금의 전액을 일시에 납부하기 어렵다고 인정될 때에는 그 납부기한을 연장하거나 분할납부하게 할 수 있다. 이 경우 필요하다고 인정할 때에는 담보를 제공하게 할 수 있다. 과징금 납부의무자가 과징금 납부기한을 연장하거나 분할납부를 하려는 경우에는 납부기한 10일 전까지 국토교통부장관에게 신청하여야 한다.

### 5. 가산금 징수(감정평가법 제44조)

국토교통부장관은 과징금 납부의무자가 납부기한 내에 과징금을 납부하지 아니한 경우에는 납부기한의 다음 날부터 납부한 날의 전일까지의 기간에 대하여 과징금액에 연 100분의 6을 곱하여 계산한 가산금을 징수할 수 있다.

### 6. 체납처분(감정평가법 제44조)

국토교통부장관은 과징금 납부의무자가 납부기한 내에 과징금을 납부하지 아니하였을 때에는 기간을 정하여 독촉을 하고, 그 지정한 기간 내에 과징금이나 가산금을 납부하지 아니하였을 때에는 국세 체납처분의 예에 따라 징수할 수 있다.

## Ⅳ 과징금에 대한 권리구제

### 1. 과징금에 대한 이의신청(감정평가법 제42조)

과징금의 부과처분에 이의가 있는 자는 이를 통보받은 날부터 30일 이내에 사유서를 갖추어 국토교통부장관에게 이의를 신청할 수 있다. 국토교통부장관은 이의신청에 대하여 30일 이내에 결정을 하여야 한다. 다만, 부득이한 사정으로 그 기간 이내에 결정을 할 수 없는 경우에는 30일의 범위 내에서 기간을 연장할 수 있다.

### 2. 행정심판

국토교통부장관의 이의신청에 대한 결정에 이의가 있는 자는 행정심판을 청구할 수 있다.

### 3. 행정소송

과징금 부과행위는 처분에 해당하므로 항고소송의 대상이 된다. 과징금 부과처분은 재량행위이므로 비례원칙 등의 행정법의 일반원칙에 위반하는 경우에는 위법하게 된다.

## Ⅴ 결

감정평가법상 과징금은 일반적인 형태의 과징금이 아니라 변형된 과징금으로 국민의 재산권에 중대한 영향을 미치는 표준지공시지가의 공시 등의 업무를 정상적으로 수행하기 위해서 공익적 관점에서 부과하는 것이다. 권리구제와 관련하여 최근 개별공시지가의 이의신청에 대하여 강학상 이의신청으로 판시한 바 있는데, 과징금의 경우에는 명시적으로 강학상 이의신청으로 보고 이의신청에 대한 결정에 이의가 있는 자에게 행정심판을 제기할 수 있도록 규정하고 있어 국민의 권리구제에 만전을 기한 입법조치는 높이 평가된다.

<table>
<tr><td>**23**절</td><td>– 감정평가법 제45조(청문)<br>– 행정법 쟁점 : 절차의 하자, 하자의 치유</td></tr>
</table>

---

**문제**

국토교통부장관은 감정평가사 甲이 부정행위를 통해 자격증을 취득했음을 이유로 「감정평가 및 감정평가사에 관한 법률」(이하 '감정평가법')에 의거 자격을 취소하였다. 이와 관련하여 국토교통부장관이 청문을 실시하고자 甲의 주소지에 몇 회에 걸쳐 청문통지서를 발송하였으나 수취인부재 등의 이유로 계속해서 반송되어 청문통지서를 공시송달하였고 甲이 예정된 청문일에 출석하지 아니하자, 국토교통부장관은 청문을 실시하지 아니하고 甲에 대한 자격을 취소하였다. 다음 물음에 답하시오. 40점

(1) 행정절차법상 청문제도와 감정평가법 청문제도에 대하여 설명하시오. 10점

(2) 이 경우 감정평가사 甲에 대한 자격 취소처분이 실체상 하자는 없으나, 청문 절차상 하자가 있음을 이유로 취소소송을 제기했을 때, 甲의 청구가 인용될 수 있는지를 논하시오. 20점

(3) 만약 청문 통지서가 정상적으로 도달하기는 하였으나 청문 기일 10일 전에 도달해야 하는데 5일 전에 도달하였고, 감정평가사 甲이 청문장에 출석하여 상당한 시간 동안 신세 한탄을 하면서 한번만 봐달라고 애원을 하였으나 국토교통부장관은 자격을 취소하였다. 해당 사안에서 도달기준일에 대한 하자는 치유되었는지, 만약 절차상 하자가 치유 가능하다면 언제까지 해야 하는지 검토하시오. 10점

---

Ⅰ. 논점의 정리

Ⅱ. (물음 1) 행정절차법상 청문제도 및 감정평가법상 청문제도
　1. 청문 의의 및 기능
　2. 행정절차법상 청문제도
　3. 감정평가법상 청문제도
　4. 청문의 예외사유에 해당하는지 여부
　　(1) 행정절차법 규정 검토
　　(2) 사안의 경우

Ⅲ. (물음 2) 절차상의 하자를 이유로 甲의 청구가 인용될 수 있는지
　1. 관련 행정작용의 법적 성질
　2. 청문절차 하자의 독자적 위법성 여부
　3. 위법성의 정도
　4. 사안의 경우

Ⅳ. (물음 3) 절차 하자의 치유 가능성 여부
　1. 하자 치유 의의 및 인정여부
　2. 하자 치유 인정범위
　3. 관련 판례의 검토
　4. 하자 치유의 시기
　5. 사안의 경우

Ⅴ. 사안의 해결

> 판례

● 대판 2001.4.13, 2000두3337[영업허가취소처분취소]

[판시사항]

[1] 청문절차를 결여한 (구)공중위생법상의 유기장업허가취소처분의 적법 여부(한정 소극)

[2] 침해적 행정처분을 할 경우 청문을 실시하지 않을 수 있는 사유인 행정절차법 제21조 제4항 제3호 소정의 '의견청취가 현저히 곤란하거나 명백히 불필요하다고 인정될 만한 상당한 이유가 있는지 여부'의 판단기준 및 행정처분의 상대방에 대한 청문통지서가 반송 되었다거나, 행정처분의 상대방이 청문일시에 불출석하였다는 이유로 청문을 실시하지 아니하고 한 침해적 행정처분의 적법 여부(소극)

[3] (구)공중위생법상 유기장업허가취소처분을 함에 있어서 두 차례에 걸쳐 발송한 청문통지 서가 모두 반송되어 온 경우, 행정절차법 제21조 제4항 제3호에 정한 청문을 실시하지 않아도 되는 예외 사유에 해당한다고 단정하여 당사자가 청문일시에 불출석하였다는 이 유로 청문을 거치지 않고 이루어진 위 처분이 위법하지 않다고 판단한 원심판결을 파기 한 사례

[판결요지]

[1] (구)공중위생법(1999.2.8. 법률 제5839호 공중위생관리법 부칙 제2조로 폐지) 제24조 제1호, 행정절차법 제22조 제1항 제1호, 제4항, 제21조 제4항 및 제28조, 제31조, 제34 조, 제35조의 각 규정을 종합하면, 행정청이 유기장업허가를 취소하기 위하여는 청문을 실시하여야 하고, 다만 행정절차법 제22조 제4항, 제21조 제4항에서 정한 예외사유에 해당하는 경우에는 청문을 실시하지 아니할 수 있으며, 행정청이 선정한 청문주재자는 청문을 주재하고, 당사자 등의 출석 여부, 진술의 요지 및 제출된 증거, 청문주재자의 의견 등을 기재한 청문조서를 작성하여 청문을 마친 후 지체 없이 청문조서 등을 행정청 에 제출하며, 행정청은 제출받은 청문조서 등을 검토하고 상당한 이유가 있다고 인정하 는 경우에는 청문결과를 적극 반영하여 행정처분을 하여야 하는바, 이러한 청문절차에 관한 각 규정과 행정처분의 사유에 대하여 해당 영업자에게 변명과 유리한 자료를 제출 할 기회를 부여함으로써 위법사유의 시정가능성을 고려하고 처분의 신중과 적정을 기하 려는 청문제도의 취지에 비추어 볼 때, 행정청이 침해적 행정처분을 함에 즈음하여 청문 을 실시하지 않아도 되는 예외적인 경우에 해당하지 않는 한 반드시 청문을 실시하여야 하고, 그 절차를 결여한 처분은 위법한 처분으로서 취소사유에 해당한다.

[2] 행정절차법 제21조 제4항 제3호는 침해적 행정처분을 할 경우 청문을 실시하지 않을 수 있는 사유로서 "해당 처분의 성질상 의견청취가 현저히 곤란하거나 명백히 불필요하다고 인정될 만한 상당한 이유가 있는 경우"를 규정하고 있으나, 여기에서 말하는 '의견청취가 현저히 곤란하거나 명백히 불필요하다고 인정될 만한 상당한 이유가 있는지 여부'는 해당 행정처분의 성질에 비추어 판단하여야 하는 것이지, 청문통지서의 반송 여부, 청문통지 의 방법 등에 의하여 판단할 것은 아니며, 또한 행정처분의 상대방이 통지된 청문일시에 불출석하였다는 이유만으로 행정청이 관계법령상 그 실시가 요구되는 청문을 실시하지 아니한 채 침해적 행정처분을 할 수는 없을 것이므로, 행정처분의 상대방에 대한 청문통

지서가 반송되었다거나, 행정처분의 상대방이 청문일시에 불출석하였다는 이유로 청문을 실시하지 아니하고 한 침해적 행정처분은 위법하다.

[3] (구)공중위생법(1999.2.8.법률 제5839호 공중위생관리법 부칙 제2조로 폐지)상 유기장업허가취소처분을 함에 있어서 두 차례에 걸쳐 발송한 청문통지서가 모두 반송되어 온 경우, 행정절차법 제21조 제4항 제3호에 정한 청문을 실시하지 않아도 되는 예외 사유에 해당한다고 단정하여 당사자가 청문일시에 불출석하였다는 이유로 청문을 거치지 않고 이루어진 위 처분이 위법하지 않다고 판단한 원심판결을 파기한 사례

---

■ **최근 개정된 행정절차법 [시행 2023.3.24.] [법률 제18748호, 2022.1.11. 일부개정]**

**[제정·개정이유]**

**[일부개정]**

◇ **개정이유**

행정의 공정성·투명성을 제고하고 국민의 권익을 보호하기 위하여 인허가 등의 취소 등 국민에게 불이익한 처분을 하는 경우 당사자 등의 신청이 없는 경우에도 청문을 하도록 청문의 대상을 확대하고, 공정하고 전문적인 청문을 위하여 다수 국민의 이해가 상충되는 처분 등을 하는 경우에는 청문 주재자를 2명 이상으로 선정할 수 있도록 하며, 코로나바이러스감염증-19의 장기화 등으로 인하여 온라인 중심으로 빠르게 변화하는 행정환경을 반영하여 종전에는 오프라인 공청회와 병행하여서만 온라인 공청회를 개최할 수 있도록 하던 것을, 온라인 공청회를 단독으로도 개최할 수 있도록 하는 한편, 행정청이 법령에 따른 의무를 위반한 자의 성명·법인명, 위반사실 등을 공표하는 경우에 필요한 공통 절차를 정하는 등 현행 제도의 운영상 나타난 일부 미비점을 개선·보완하려는 것임.

◇ **주요내용**

가. 인허가 등의 취소, 신분·자격의 박탈 등의 처분을 하는 경우에 당사자의 신청이 없는 경우에도 청문을 실시하도록 함(제22조 제1항 제3호).

나. 공정하고 전문적인 청문을 위하여 다수 국민의 이해가 상충되는 처분이나 다수 국민에게 불편이나 부담을 주는 처분 등을 하는 경우에는 청문 주재자를 2명 이상으로 선정할 수 있도록 함(제28조 제2항 신설).

다. 국민의 생명·신체·재산의 보호 등 국민의 안전 또는 권익보호 등의 이유로 오프라인 공청회를 개최하기 어려운 경우 등에는 온라인 공청회를 단독으로 개최할 수 있도록 함(제38조의2 제2항 신설).

라. 위반사실 등의 공표에 관한 공통 절차를 마련함(제40조의3 신설).

마. 행정청이 국민의 권리의무에 직접 영향을 미치는 계획을 수립하거나 변경·폐지할 때에는 관련된 여러 이익을 정당하게 형량하도록 함(제40조의4 신설).

바. 행정예고기간은 예고 내용의 성격 등을 고려하여 정하되 20일 이상으로 하며, 행정목적 달성을 위하여 긴급한 필요가 있는 경우로서 행정예고기간을 단축하는 경우에도 단축된 행정예고기간이 10일 이상이 되도록 함(제46조).

## Ⅰ  논점의 정리

사안에서 甲이 부정행위를 통해 자격을 취득함에 따라 국토교통부장관이 청문을 거치지 않고 자격을 취소한 것이 과연 절차 하자의 위법성을 구성하는지 문제 된다. 먼저 (물음 1)에서 행정절차법상의 청문제도와 감정평가법 제40조의 청문제도, 감정평가사 징계위원회에 대해 살피고, (물음 2)에서 실체상 하자는 전혀 없으나, 절차상의 하자만 있는 경우 위법을 구성하는지, 위법성의 정도를 살펴 취소소송 시 甲의 청구가 인용될 수 있는지를 논한다. (물음 3)에서는 관련 판례를 통해 청문일 10일 전에 통지서가 도달하지 않았더라도 스스로 청문 기일에 출석하여 충분한 방어의 기회를 얻었다면 절차 하자가 치유되는지 검토한다.

## Ⅱ  (물음 1) 행정절차법상 청문제도 및 감정평가법상 청문제도

### 1. 청문 의의 및 기능

청문이란 행정청이 어떠한 처분을 하기에 앞서 당사자 등의 의견을 직접 듣고 증거를 조사하는 절차를 말한다. 이러한 청문절차는 상대방의 의견, 자료 제출을 통한 행정의 적정화를 달성하는 기능, 국민의 권익과 사전 구제를 통한 사법기능을 보완하는 기능을 한다.

### 2. 행정절차법상 청문제도(행정절차법 제22조)

행정청이 처분을 할 때 ① 다른 법령 등에서 청문을 하도록 규정하고 있는 경우, ② 행정청이 필요하다고 인정하는 경우, ③ 인허가 등의 취소, 신분·자격의 박탈 등의 경우에 청문을 하도록 규정하고 있다.

### 3. 감정평가법상 청문제도(감정평가법 제45조)

① 국토교통부장관이 감정평가법 제13조 제1항에 의한 자격취소를 하는 경우, ② 동법 제32조 제1항에 따른 감정평가법인의 설립인가 취소를 하는 경우 반드시 청문을 실시하여야 한다는 기속 규정을 두고 있다.

### 4. 청문의 예외사유에 해당하는지 여부

#### (1) 행정절차법 규정 검토(행정절차법 제22조 제4항, 제21조 제4항)

① 공공의 안전 또는 복리를 위하여 긴급히 처분을 할 필요가 있는 경우, ② 법령 등에서 요구된 자격이 없거나 없어지게 되면 반드시 일정한 처분을 하여야 하는 경우에 그 자격이 없거나 없어지게 된 사실이 법원의 재판 등에 의하여 객관적으로 증명된 때, ③ 해당 처분의 성질상 의견청취가 현저히 곤란하거나 명백히 불필요하다고 인정할 만한 상당한 이유가 있는 경우, ④ 당사자가 의견진술의 기회를 포기한다는 뜻을 명백하게 표시한 경우에는 청문을 실시하지 않을 수 있다.

### (2) 사안의 경우

당사자가 공시송달을 통해 의견진술권을 명백히 포기할 수도 없고 공시송달을 하였으나 청문일에 출석하지 않은 것을 처분의 성질상 의견 청취가 현저히 곤란하거나 명백히 불필요하다고 인정될 만한 상당한 이유가 있는 경우라 할 수 없을 것이다. 이에 청문을 흠결한 자격 취소처분은 하자가 있는 처분일 것이다. 다만 실체적 하자가 없이 절차상 하자만을 이유로 당해 처분이 위법하다고 할 수 있는지가 문제가 된다.

## Ⅲ (물음 2) 절차상의 하자를 이유로 甲의 청구가 인용될 수 있는지

## 1. 관련 행정작용의 법적 성질

취소란 행정청이 성립 당시의 하자를 이유로 그 행정행위의 효력을 소멸시키는 행정작용을 말한다. 사안에서 甲이 부정행위로 자격증을 취득한 것이 원인이 되어 감정평가법 제13조 제1항에 근거하여 취소된바, 강학상 취소이며 행정행위의 하명에 해당한다. 또한 부정한 방법으로 자격증을 취득한 경우 자격을 취소하여야 한다고 규정하고 있으므로 기속행위이다.

## 2. 청문절차 하자의 독자적 위법성 여부

### (1) 문제점

자격 취소처분에 실체적 하자는 전혀 없으나, 청문절차 결여로 절차 하자가 있는 경우 독자적으로 위법을 구성하는지 문제가 된다. 이때 재량행위의 경우 적법한 절차를 거쳐 새롭게 적법한 처분을 할 수 있다고 보아 절차하자의 독자적 위법성을 인정하고 있으나, 기속행위인 청문의 절차상 하자만을 이유로 독자적 위법성을 인정할 수 있는지 여부가 문제된다.

### (2) 학설

① 행정청이 적법한 절차를 거쳐 다시 처분하더라도 여전히 이전의 처분과 동일한 처분을 하기 때문에 행정경제에 반한다는 점 등을 이유로 부정하는 견해가 있다. ② 적법절차를 거쳐 다시 처분하는 경우 반드시 동일한 결론에 도달하게 되는 것이 아니라는 점 등을 이유로 독자적 위법성을 긍정하는 견해가 있다.

### (3) 판례

대법원은 기속행위인 과세처분에서도 그 이유제시상의 하자를 이유로 이를 취소한 바 있기 때문에 절차 하자의 독자적 위법성 구성 사유를 인정하고 있다고 보인다.

### (4) 검토

행정절차의 중요성 및 기능을 고려해 볼 때 행정절차의 흠결만으로도 독자적 위법성 사유를 구성한다고 봄이 타당하다. 사안의 청문절차는 자격 취소 처분 시 반드시 청문을 거쳐야 하는 것이고, 기속행위도 판례와 다수설은 절차 하자의 독자적 위법성을 인정하고 있다. 따라서 청문을 결한 국토교통부장관의 자격 취소처분은 절차 하자가 존재하는 위법한 처분이 된다.

## 3. 위법성의 정도

감정평가법은 청문절차를 결한 효력에 대하여 아무런 규정을 두고 있지 아니하므로 〈통설, 판례〉의 기준인 중대명백설에 따라야 할 것이다. 사안은 甲의 불출석으로 인해 청문일에 청문을 시행하지 않은 것이어서 청문절차의 하자가 명백하다고 볼 수는 없는바, 취소사유의 하자가 존재한다.

## 4. 사안의 경우

절차 하자의 독자적 위법성이 인정되고, 중대명백설에 따를 때 법 위반으로 중대하나 일반인의 견지에서 볼 때 명백하지 않아 취소사유의 하자가 있으므로, 甲의 청구는 인용될 수 있다.

## Ⅳ (물음 3) 절차 하자의 치유가능성 여부

## 1. 하자 치유 의의 및 인정여부

하자의 치유란 행정행위의 성립 당시 하자를 사후에 보완하여 그 행위의 효력을 유지시키는 것을 말한다. 판례는 행정행위의 무용한 반복을 피하고 당사자의 법적 안정성을 위해서 국민의 권리나 이익을 침해하지 않는 범위 내에서 구체적 사정에 따라 합목적적으로 인정해야 한다고 판시한 바 있다. 생각건대, 하자의 치유는 하자의 종류에 따라서, 하자의 치유를 인정함으로써 달성되는 이익과 그로 인하여 발생하는 불이익을 비교·형량하여 개별적으로 결정하여야 한다.

## 2. 하자 치유 인정범위

판례는 절차 및 형식상의 하자 중 취소사유만 인정한다. 이에 대해 내용상 하자에도 적용된다는 견해도 있다. 또한, 하자 치유는 행정행위의 존재를 전제로 하여 그 흠을 치유하여 흠이 없는 행정행위로 하는 것이므로 무효인 행정행위의 치유는 인정될 수 없다는 부정설이 통설이며 판례의 입장이다.

## 3. 관련 판례의 검토

대법원은 청문서 도달 기간을 지키지 아니하였다면 이는 청문의 절차적 요건을 준수하지 아니한 것이므로 이를 바탕으로 한 행정처분은 위법하다고 판시하였다. 다만, 청문서 도달 기간을 다소 어겼다 하더라도 당사자가 이의를 제기하지 아니하고 스스로 청문 기일에 출석하여 충분한 방어의 기회를 얻었다면 청문서 도달 기간을 준수하지 아니한 하자는 치유된다고 보았다.

## 4. 하자 치유의 시기

판례는 이유제시의 하자를 치유하려면 늦어도 처분에 대한 불복여부의 결정 및 불복신청에 편의를 줄 수 있는 상당한 기간 내에 하여야 한다고 하고 있다. 생각건대, 이유제시제도의 기능과 하자의 치유의 기능을 조화시켜야 하고, 절차상 하자 있는 행위의 실효성 통제를 위해서 쟁송 제기 이전까지 가능하다고 본다.

## 5. 사안의 경우

생각건대, 청문의 하자는 절차상 하자로서 독자적 위법 사유가 인정되어 취소사유에 해당한다. 또한, 사안과 같이 청문서 도달기간을 지키지 않았더라도, 당사자가 이의를 제기하지 아니하고 청문기일에 출석하여 충분한 방어의 기회를 얻었다면, 하자가 치유된다고 보는 판례의 태도가 타당하다고 판단된다. 하자 치유의 시기는 실효성 통제를 위해 쟁송 제기 이전까지 가능할 것이다.

## Ⅴ 사안의 해결

(물음 1) 사안의 자격취소처분은 감정평가법 제13조 제1항의 규정에 따른 기속행위이며, 이때 자격취소처분 때 감정평가법 제45조에 의거 청문절차를 실시하였어야 한다. 또한, 청문은 감정평가법 제45조에 의거 감정평가사의 자격 취소 시 반드시 거쳐야 하는 필요적 절차이다. 판례는 청문의 예외사유는 처분의 성질에 따라 판단하여야 한다고 판시하였다. (물음 2) 사안의 경우 청문의 생략사유에 해당하지 않는 것으로 볼 때 청문절차의 하자가 인정되며, 통설·판례에 비추어 절차적 하자의 독자적 위법성이 긍정되고, 위법성 정도는 취소사유이므로 甲의 청구는 인용이 가능하다고 본다. (물음 3) 비록 청문기일을 어겼으나 당사자가 청문기일에 스스로 출석하여 충분한 방어의 기회를 가졌다면 절차하자는 치유된다고 봄이 타당하다. 절차하자는 치유되며 이유제시의 하자를 치유하려면 늦어도 처분에 대한 불복 여부의 결정 및 불복신청에 편의를 줄 수 있는 상당한 기간 내에 해야 하므로 행정쟁송 제기 이전까지 해야 할 것이다.

<table><tr><td>**1절**</td><td>**감정평가법 제8조(감정평가 타당성조사 등)**</td></tr></table>

---

**문제**

감정평가사 甲은 토지소유자 乙로부터 그 소유의 토지(이하 '이 사건 토지'라고 한다)를 물류단지로 조성한 후에 형성될 이 사건 토지에 대한 추정 시가를 평가하여 달라는 감정평가를 의뢰받아 1천억원으로 평가하였다(이하 '이 사건 감정평가'라고 한다). 甲은 그 근거로 단순히 인근 공업단지 시세라고 하며 공업용지 평당 3백만원 이상이라고만 감정평가서에 기재하였다. 그러나 얼마 후 이 사건 토지에 대한 경매절차에서 법원의 의뢰를 받은 감정평가사 丙은 이 사건 토지의 가격을 1백억원으로 평가하였다. 평가금액 간에 10배에 이르는 현저한 차이가 발생하자 사회적으로 문제가 되었다. 이에 국토교통부장관은 적법한 절차를 거쳐 甲에게 "부동산의 적정한 가격을 산정하기 위해서는 정확한 자료를 검토하고 이를 기반으로 가격형성요인을 분석하여야 함에도 그리하지 않은 잘못이 있다."는 이유로 타당성 검토를 진행하고자 한다. 이에 대해 甲은 이 사건 감정평가는 미래가격 감정평가로서 비교표준지를 설정할 수 없어 부득이하게 인근 공업단지의 시세를 토대로 평가하였던 것이고, 미래가격 감정평가에는 구체적인 기준이 따로 없으므로 일반적인 평가방법을 따르지 않았다고 해서 자신이 잘못한 것은 아니라고 주장한다. 다음 물음에 답하시오. 20점

(1) 국토교통부장관은 감정평가사 甲과 丙의 감정평가에 대하여 타당성 조사를 하려고 한다. 감정평가 및 감정평가사에 관한 법률상 타당성 조사에 관하여 설명하시오. 10점

(2) 위 설문에서 감정평가사 甲의 감정평가에 대하여 국토교통부장관을 징계 처분을 하고자 한다. 위에서 감정평가사 甲은 자신이 잘못 평가하지 않았다는 주장은 타당한지에 대하여 논하시오. 10점

---

| (설문 1에 대하여) | (설문 2에 대하여) |
|---|---|
| Ⅰ. 타당성조사의 의의 및 취지 | Ⅰ. 논점의 정리 |
| Ⅱ. 타당성조사의 사유 | Ⅱ. 관련 규정의 검토 |
| Ⅲ. 타당성조사의 절차 | Ⅲ. 잘못된 평가인지 판례 검토 |
|    1. 타당성조사의 착수 |    1. 미래시점의 가격 조건 |
|    2. 의견제출 |    2. 평가액의 산출근거를 기재 |
|    3. 타당성조사 결과 통지 |    3. 가격자료 검토 및 가격형성요인 분석 |
| | Ⅳ. 사안의 해결 |

**Tip** 강박사의 TIP(최근 기출문제)

1. 미래가격 감정평가에 대한 타당성(제26회 문제4)

## (설문 1에 대하여)

### Ⅰ 타당성조사의 의의 및 취지

감정평가 및 감정평가사에 관한 법률(이하 '감정평가법')상 타당성조사란 감정평가서가 발급된 후 해당 감정평가가 감정평가법 또는 다른 법률에서 정하는 절차와 방법 등에 따라 타당하게 이루어 졌는지를 직권으로 또는 관계기관 등의 요청에 따라 조사하는 것을 말한다. 이는 공정한 감정평 가를 도모함에 취지가 있다.

### Ⅱ 타당성조사의 사유

감정평가법 시행령 제8조(타당성조사의 절차 등)

### Ⅲ 타당성 조사의 절차

#### 1. 타당성조사의 착수

국토교통부장관은 타당성조사에 착수한 경우에는 착수일부터 10일 이내에 해당 감정평가법인등 과 이해관계인에게 타당성조사의 사유, 타당성조사에 대하여 의견을 제출할 수 있다는 것과 의견 을 제출하지 아니하는 경우의 처리방법, 감정평가법 제46조 제1항 제1호에 따라 업무를 수탁한 기관의 명칭 및 주소, 그 밖에 국토교통부장관이 공정하고 효율적인 타당성조사를 위하여 필요하 다고 인정하는 사항을 알려야 한다.

#### 2. 의견제출

타당성조사 통지를 받은 감정평가법인등 또는 이해관계인은 통지를 받은 날부터 10일 이내에 국 토교통부장관에게 의견을 제출할 수 있다.

#### 3. 타당성조사 결과 통지

국토교통부장관은 감정평가법 제8조 제1항에 따른 타당성조사를 완료한 경우에는 해당 감정평 가법인등, 이해관계인 및 법 제8조 제1항에 따라 타당성조사를 요청한 관계기관에 지체 없이 그 결과를 통지하여야 한다.

## (설문 2에 대하여)

### I  논점의 정리

사안의 경우에는 감정평가사 甲은 물류단지로 조성한 후 형성될 미래의 추정시가로 1천억원을 평가하였는데, 경매절차에 감정평가사 丙은 1백억원으로 평가하여 10배 이상의 가격 차이가 발생하여 사회적으로 문제가 되었다. 미래가격 감정평가가 일반적인 평가방법을 따르지 않았다고 해서, 감정평가사 甲이 잘못 평가한 것이 아니라고 하는 주장의 타당성을 검토하는 것으로 관련 규정과 판례를 검토해 보고자 한다.

### II  관련 규정의 검토

> **↩ 감정평가법 제3조(기준)**
> ① 감정평가법인등이 토지를 감정평가하는 경우에는 그 토지와 이용가치가 비슷하다고 인정되는 「부동산 가격공시에 관한 법률」에 따른 표준지공시지가를 기준으로 하여야 한다. 다만, 적정한 실거래가가 있는 경우에는 이를 기준으로 할 수 있다.
> ② 제1항에도 불구하고 감정평가법인등이 「주식회사 등의 외부감사에 관한 법률」에 따른 재무제표 작성 등 기업의 재무제표 작성에 필요한 감정평가와 담보권의 설정·경매 등 대통령령으로 정하는 감정평가를 할 때에는 해당 토지의 임대료, 조성비용 등을 고려하여 감정평가를 할 수 있다.
> ③ 감정평가의 공정성과 합리성을 보장하기 위하여 감정평가법인등(소속 감정평가사를 포함한다. 이하 이 조에서 같다)이 준수하여야 할 원칙과 기준은 국토교통부령으로 정한다.
> ④ 국토교통부장관은 감정평가법인등이 감정평가를 할 때 필요한 세부적인 기준(이하 "실무기준"이라 한다)의 제정 등에 관한 업무를 수행하기 위하여 대통령령으로 정하는 바에 따라 전문성을 갖춘 민간법인 또는 단체(이하 "기준제정기관"이라 한다)를 지정할 수 있다.
> ⑤ 국토교통부장관은 필요하다고 인정되는 경우 제40조에 따른 감정평가관리·징계위원회의 심의를 거쳐 기준제정기관에 실무기준의 내용을 변경하도록 요구할 수 있다. 이 경우 기준제정기관은 정당한 사유가 없으면 이에 따라야 한다.
> ⑥ 국가는 기준제정기관의 설립 및 운영에 필요한 비용의 일부 또는 전부를 지원할 수 있다.

> **감정평가에 관한 규칙 제6조(현황기준 원칙)**
> ① 감정평가는 기준시점에서의 대상물건의 이용상황(불법적이거나 일시적인 이용은 제외한다) 및 공법상 제한을 받는 상태를 기준으로 한다.
> ② 감정평가법인등은 제1항에도 불구하고 다음 각 호의 어느 하나에 해당하는 경우에는 기준시점의 가치형성요인 등을 실제와 다르게 가정하거나 특수한 경우로 한정하는 조건(이하 "감정평가조건"이라 한다)을 붙여 감정평가할 수 있다.
> 　1. 법령에 다른 규정이 있는 경우
> 　2. 의뢰인이 요청하는 경우
> 　3. 감정평가의 목적이나 대상물건의 특성에 비추어 사회통념상 필요하다고 인정되는 경우
> ③ 감정평가법인등은 제2항에 따라 감정평가조건을 붙일 때에는 감정평가조건의 합리성, 적법성 및 실현가능성을 검토해야 한다. 다만, 제2항 제1호의 경우에는 그렇지 않다.
> ④ 감정평가법인등은 감정평가조건의 합리성, 적법성이 결여되거나 사실상 실현 불가능하다고 판단할 때에는 의뢰를 거부하거나 수임을 철회할 수 있다.

> **감정평가에 관한 규칙 제12조(감정평가방법의 적용 및 시산가액 조정)**
> ① 감정평가법인등은 제14조부터 제26조까지의 규정에서 대상물건별로 정한 감정평가방법(이하 "주된 방법"이라 한다)을 적용하여 감정평가해야 한다. 다만, 주된 방법을 적용하는 것이 곤란하거나 부적절한 경우에는 다른 감정평가방법을 적용할 수 있다.
> ② 감정평가법인등은 대상물건의 감정평가액을 결정하기 위하여 제1항에 따라 어느 하나의 감정평가방법을 적용하여 산정(算定)한 가액[이하 "시산가액(試算價額)"이라 한다]을 제11조 각 호의 감정평가방식 중 다른 감정평가방식에 속하는 하나 이상의 감정평가방법(이 경우 공시지가기준법과 그 밖의 비교방식에 속한 감정평가방법은 서로 다른 감정평가방식에 속한 것으로 본다)으로 산출한 시산가액과 비교하여 합리성을 검토해야 한다. 다만, 대상물건의 특성 등으로 인하여 다른 감정평가방법을 적용하는 것이 곤란하거나 불필요한 경우에는 그렇지 않다.
> ③ 감정평가법인등은 제2항에 따른 검토 결과 제1항에 따라 산출한 시산가액의 합리성이 없다고 판단되는 경우에는 주된 방법 및 다른 감정평가방법으로 산출한 시산가액을 조정하여 감정평가액을 결정할 수 있다.

## ■ Ⅲ  잘못된 평가인지 판례 검토

### 1. 미래시점의 가격 조건

감정평가사가 대상물건의 평가액을 가격조사시점의 정상가격이 아닌 특수한 조건을 반영한 가격 또는 현재가 아닌 시점의 가격을 기준으로 정하는 경우에는, 반드시 그 조건 또는 시점을 분명히 하고, 특히 특수한 조건이 수반된 미래시점의 가격이라면 그 조건과 시점을 모두 밝힘으로써, 감정평가서를 열람하는 자가 제시된 감정가를 정상가격 또는 가격조사시점의 가격으로 오인하지 않도록 해야 한다.

### 2. 평가액의 산출근거를 기재

감정평가사는 공정하고 합리적인 평가액의 산정을 위하여 성실하고 공정하게 자료검토 및 가격형성요인의 분석을 하여야 할 의무가 있고, 특히 특수한 조건을 반영하거나 현재가 아닌 시점의 가격을 기준으로 하는 경우에는 제시된 자료와 대상물건의 구체적인 비교·분석을 통하여 평가액의 산출근거를 논리적으로 밝히는 데 더욱 신중을 기하여야 한다. 만약 위와 같이 하는 것이 곤란한 경우라면 감정평가사로서는 자신의 능력에 의한 업무수행이 불가능하거나 극히 곤란한 경우로 보아 대상물건에 대한 평가를 하지 말아야 하는 것이지, 구체적이고 논리적인 가격형성요인의 분석이 어렵다고 하여 자의적으로 평가액을 산정하여서는 아니 된다.

### 3. 가격자료 검토 및 가격형성요인 분석

평가액의 산출근거에 대해서는 토지의 위치와 물류단지로서의 개발가능성 등을 개략적, 반복적으로 기재해 두었을 뿐이고 정작 가격자료라며 제시한 위 공장용지와 공업단지의 구체적인 형상 등에 관한 기재는 없고, 물류단지로 개발될 예정이라는 이 사건 토지와는 그 용도가 다른 공장용지와 공업단지가 어떠한 측면에서 토지와 가격평가상 비교가 가능한지를 구체적으로 판단할 만한 자료도 제시한 바가 없으며, 이에 대한 적절한 분석도 없다고 하였다. 나아가 토지가 미래에 어떻게 개발될지 확정되지 않아 일반감정평가와 같이 개별요인분석 및 비교를 명확히 할 수는 없지만, 인근 토지 등의 공시지가 및 시세를 기준으로 구체적인 가격산정을 한 이상, 획지조건, 환경조건 등 가능한 개별요인분석 및 비교는 필요하다.

> **판례**
>
> ● 대판 2012.4.26, 2011두14715[징계처분취소]
>
> **[판결요지]**
>
> [1] 부동산 가격공시 및 감정평가에 관한 법률, 감정평가에 관한 규칙의 취지를 종합해 볼 때, 감정평가사가 대상물건의 평가액을 가격조사 시점의 정상가격이 아닌 특수한 조건을 반영한 가격 또는 현재가 아닌 시점의 가격을 기준으로 정하는 경우에는, <u>반드시 그 조건 또는 시점을 분명히 하고, 특히 특수한 조건이 수반된 미래 시점의 가격이라면 그 조건과</u>

시점을 모두 밝힘으로써, 감정평가서를 열람하는 자가 제시된 감정가를 정상가격 또는 가격조사 시점의 가격으로 오인하지 않도록 해야 한다.

[2] 감정평가에 관한 규칙 제8조 제5호, 부동산 가격공시 및 감정평가에 관한 법률 제37조 제1항 및 관계 법령의 취지를 종합해 보면, 감정평가사는 공정하고 합리적인 평가액의 산정을 위하여 성실하고 공정하게 자료검토 및 가격형성요인 분석을 해야 할 의무가 있고, 특히 특수한 조건을 반영하거나 현재가 아닌 시점의 가격을 기준으로 하는 경우에는 제시된 자료와 대상물건의 구체적인 비교·분석을 통하여 평가액의 산출근거를 논리적으로 밝히는 데 더욱 신중을 기하여야 한다. 만약 위와 같이 하는 것이 곤란한 경우라면 감정평가사로서는 자신의 능력에 의한 업무수행이 불가능하거나 극히 곤란한 경우로 보아 대상물건에 대한 평가를 하지 말아야 하지 구체적이고 논리적인 가격형성요인의 분석이 어렵다고 하여 자의적으로 평가액을 산정해서는 안 된다.

## Ⅳ 사안의 해결

甲은 단순히 인근 공업단지 시세라 하여 공업용지를 평당 3백만원 이상이라고만 감정평가서에 기재하였는바, 신의와 성실로써 공정하게 감정평가를 한 것으로 판단하기 어렵다고 보인다. 따라서 감정평가사 甲이 미래 추정가치로 1천억원을 평가한 것은 위 관계규정과 판례를 검토할 때 잘못된 평가라고 할 것이다. 또한, 감정평가사 甲은 위의 잘못된 평가로 인하여 감정평가 및 감정평가사에 관한 법률 제25조 성실의무 등을 위반하였는바, 동법에 따라 국토교통부장관에게 징계통보를 받았으므로 동법 제39조 징계규정에 의거하여 감정평가관리·징계위원회 의결을 거쳐 징계가 될 것으로 판단된다.

## 2절  감정평가법 제10조(감정평가법인등의 업무)

> **문제**
>
> 甲과 乙은 감정평가사 자격이 없는 공인회계사로서, 甲은 A주식회사의 부사장 겸 본부장이고 乙은 A주식회사의 상무의 직에 있는 자이다. 甲과 乙은 A주식회사 대표 B로부터 서울 소재의 A주식회사 소유 빌딩의 부지를 비롯한 지방에 있는 같은 회사 전 사업장 물류센터 등 부지에 대한 자산 재평가를 의뢰받고, 회사의 회계처리를 목적으로 부지에 대한 감정평가등 자산재 평가를 실시하여 그 결과 평가대상 토지(기존의 장부상 가액 3천억원)의 경제적 가치를 7천억원의 가액으로 표시하고, 그 대가로 1억 5,400만원을 받았다. 다음 물음에 답하시오(각각 별개의 문제임). 20점
>
> (1) 위 공인회계사 甲과 乙의 행위는 「감정평가 및 감정평가사에 관한 법률」상의 감정평가법인등의 업무에 해당하는지 여부에 관하여 검토하시오. 10점
>
> (2) 감정평가사가 아닌 심마니 홍길동이 법원 행정재판부로부터 수용 대상 토지상에 재배되고 있는 산양삼의 손실보상액 평가를 의뢰받고 감정서를 작성하여 제출한 사건에서 특수감정인으로 등재된 심마니 홍길동이 산양삼 손실보상평가액을 평가할 수 있는지를 감정평가사 자격을 갖춘 사람만이 감정평가업을 독점적으로 영위할 수 있도록 한 취지 중심으로 논하시오(대법원 2021.10.14. 선고 2017도10634 판결[(구)부동산가격공시 및 감정평가에 관한 법률위반]). 10점
>
> | | |
> |---|---|
> | Ⅰ. 논점의 정리 | 2. 감정평가사가 아닌 자가 감정평가를 할 수 있는지 여부 |
> | Ⅱ. (물음 1)에 대하여 |   (1) 관련 규정의 검토 |
> |   1. 각 개념의 의의 |   (2) 관련 판례의 태도 |
> |     (1) 감정평가 및 감정평가업 |   (3) 검토 |
> |     (2) 감정평가법인등 | 3. 감정평가사가 아닌 자의 감정평가 행위의 위법 여부 |
> |   2. 감정평가사의 직무 |   (1) 관련 판례의 태도 |
> |   3. 감정평가업의 취지 |   (2) 검토 |
> | Ⅲ. (물음 2)에 대하여 | Ⅳ. 사례의 해결 |
> |   1. 감정평가법인등의 업무 | |

## Ⅰ  논점의 정리

「감정평가 및 감정평가사에 관한 법률」(이하 '감정평가법')에서는 감정평가법인등, 감정평가업 등의 정의에 대해 규정하고 있다. 감정평가법상 감정평가사 자격을 갖춘 사람만이 감정평가업을 독점적으로 영위할 수 있는 취지를 검토하고, 감정평가업무를 수행하기 위한 요건을 살펴보고, 사안의 행위가 형법 제20조의 정당행위에 해당하여 위법성이 조각되는지 여부를 검토한다.

## Ⅱ (물음 1)에 대하여

### 1. 각 개념의 의의

#### (1) 감정평가 및 감정평가업

감정평가란 토지 등의 경제적 가치를 판정하여 그 결과를 가액으로 표시한 것을 말하며, 감정평가업이란 타인의 의뢰에 따라 일정한 보수를 받고 토지 등의 감정평가를 업으로 행하는 것을 말한다.

#### (2) 감정평가법인등

감정평가법인등이란 감정평가법 제21조에 따라 사무소를 개설한 감정평가사와 제29조에 따라 인가를 받은 감정평가법인을 말한다.

> **감정평가법 제2조(정의)**
> 이 법에서 사용하는 용어의 뜻은 다음과 같다.
> 1. "토지 등"이란 토지 및 그 정착물, 동산, 그 밖에 대통령령으로 정하는 재산과 이들에 관한 소유권 외의 권리를 말한다.
> 2. "감정평가"란 토지 등의 경제적 가치를 판정하여 그 결과를 가액(價額)으로 표시하는 것을 말한다.
> 3. "감정평가업"이란 타인의 의뢰에 따라 일정한 보수를 받고 토지 등의 감정평가를 업(業)으로 행하는 것을 말한다.
> 4. "감정평가법인등"이란 제21조에 따라 사무소를 개설한 감정평가사와 제29조에 따라 인가를 받은 감정평가법인을 말한다.

### 2. 감정평가사의 직무

감정평가사는 타인의 의뢰를 받아 토지 등을 감정평가하는 것을 그 직무로 한다. 또한 감정평가사는 공공성을 지닌 가치평가 전문직으로서 공정하고 객관적으로 그 직무를 수행한다.

> **감정평가법 제4조(직무)**
> ① 감정평가사는 타인의 의뢰를 받아 토지 등을 감정평가하는 것을 그 직무로 한다.
> ② 감정평가사는 공공성을 지닌 가치평가 전문직으로서 공정하고 객관적으로 그 직무를 수행한다.

## 3. 감정평가업의 취지

감정평가사 자격을 갖춘 사람만이 감정평가업을 독점적으로 영위할 수 있도록 한 취지는 감정평가업무의 전문성, 공정성, 신뢰성을 확보해서 재산과 권리의 적정한 가격형성을 보장하여 국민의 권익을 보호하기 위한 것이다.

> **판례**
>
> ● 대판 2021.10.14, 2017도10634[부동산 가격공시 및 감정평가에 관한 법률위반]
>
> **[판시사항]**
> 구 부동산 가격공시 및 감정평가에 관한 법률에서 감정평가사 자격을 갖춘 사람만이 감정평가업을 독점적으로 영위할 수 있도록 한 취지
>
> **[판결요지]**
> 구 부동산 가격공시 및 감정평가에 관한 법률(2016.1.19. 법률 제13796호 부동산 가격공시에 관한 법률로 전부 개정되기 전의 것, 이하 '구 부동산공시법'이라고 한다) 제2조 제7호 내지 제9호, 제43조 제2호는 감정평가란 토지 등의 경제적 가치를 판정하여 그 결과를 가액으로 표시하는 것을 말하고, 감정평가업자란 제27조에 따라 신고를 한 감정평가사와 제28조에 따라 인가를 받은 감정평가법인을 말한다고 정의하면서, 감정평가업자가 아닌 자가 타인의 의뢰에 의하여 일정한 보수를 받고 감정평가를 업으로 행하는 것을 처벌하도록 규정하고 있다. 이와 같이 감정평가사 자격을 갖춘 사람만이 감정평가업을 독점적으로 영위할 수 있도록 한 취지는 감정평가업무의 전문성, 공정성, 신뢰성을 확보해서 재산과 권리의 적정한 가격형성을 보장하여 국민의 권익을 보호하기 위한 것이다(구 부동산공시법 제1조 참조).

## Ⅲ (물음 2)에 대하여

## 1. 감정평가법인등의 업무

감정평가법인등은 부동산공시법에 따라 감정평가법인등이 수행하는 업무, 부동산공시법 제8조 제2호에 따른 목적을 위한 토지 등의 감정평가, 자산재평가법에 따른 토지 등의 업무를 수행한다.

> ● 감정평가법 제10조(감정평가법인등의 업무)
> 감정평가법인등은 다음 각 호의 업무를 행한다.
> 1. 「부동산 가격공시에 관한 법률」에 따라 감정평가법인등이 수행하는 업무
> 2. 「부동산 가격공시에 관한 법률」 제8조 제2호에 따른 목적을 위한 토지 등의 감정평가
> 3. 「자산재평가법」에 따른 토지 등의 감정평가
> 4. 법원에 계속 중인 소송 또는 경매를 위한 토지 등의 감정평가
> 5. 금융기관·보험회사·신탁회사 등 타인의 의뢰에 따른 토지 등의 감정평가
> 6. 감정평가와 관련된 상담 및 자문

> 7. 토지 등의 이용 및 개발 등에 대한 조언이나 정보 등의 제공
> 8. 다른 법령에 따라 감정평가법인등이 할 수 있는 토지 등의 감정평가
> 9. 제1호부터 제8호까지의 업무에 부수되는 업무

## 2. 감정평가사가 아닌 자가 감정평가를 할 수 있는지 여부

### (1) 관련 규정의 검토

감정평가법 제14조의 감정평가사 시험을 합격한 자에게 제11조의 감정평가사의 자격이 발생한다. 일정한 기간 수습을 거친 후, 제17조의 등록을 국토교통부장관에게 신청하여 제10조 업무를 할 수 있는 법적 지위를 향유하게 된다. 만약 이러한 자격이 없는 자가 제10조 감정평가업무를 영위하는 경우 제49조 근거 3년 이하의 징역 또는 3천만원 이하의 벌금에 처할 것을 규정하고 있다

### (2) 관련 판례의 태도

타인의 의뢰를 받아 감정평가법이 정한 토지에 대한 감정평가를 행하는 것은 회계서류에 대한 전문적 지식이나 경험과는 관계가 없어 '회계에 관한 감정' 또는 '그에 부대되는 업무'에 해당한다고 볼 수 없고, 그 밖에 공인회계사가 행하는 다른 직무의 범위에 포함된다고 볼 수도 없다(대판 2015.11.27, 2014도191)는 판례의 태도가 있었으나, 최근 판례 2017도10634 판결에 따르면 소송의 증거방법 중 하나인 감정은 법관의 지식과 경험을 보충하기 위하여 특별한 학식과 경험을 가진 제3자에게 그 전문적 지식이나 이를 구체적 사실에 적용하여 얻은 판단을 법원에 보고하게 하는 것으로, 감정신청의 채택 여부를 결정하고 감정인을 지정하거나 단체 등에 감정촉탁을 하는 권한은 법원에 있고(민사소송법 제335조, 제341조 제1항 참조), 행정소송사건의 심리절차에서 공익사업을 위한 토지 등의 취득 및 보상에 관한 법률상 토지 등의 손실보상액에 관하여 감정을 명할 경우 그 감정인으로 반드시 감정평가사나 감정평가법인을 지정하여야 하는 것은 아니라고 판시하여 감정평가사가 아닌 사람이더라도 그 감정사항에 포함된 토지 등을 감정평가 할 수 있다고 판시하였다.

### (3) 검토

감정평가사만에게 법률적으로 독점적인 평가업무를 할 수 있도록 법적 자격을 부여한 것은 적정가격평가의 전문성과 신뢰성을 제고하기 위함이다. 적정가격은 조세산정등 행정업무 기준이 되는 지가로 활용되거나, 불완전한 부동산시장에서 균형가격의 기능을 하는 등 행정의 형평과 국가경제기반에 직접적인 영향을 끼치는 매우 중대하고 전문적인 업무이다. 감정평가사가 아닌 자가 감정평가업을 영위한다면 국가 경제에 큰 혼란과 타격을 줄 수 있는바 제10조 업무는 감정평가사만이 할 수 있도록 엄격하게 제한하는 것이 타당하다.

## 3. 감정평가사가 아닌 자의 감정평가 행위의 위법 여부

### (1) 관련 판례의 태도

> **판례**
>
> ● 대판 2021.10.14, 2017도10634[부동산가격공시 및 감정평가에 관한 법률위반]
>
> [판시사항]
>
> 민사소송법 제335조에 따른 법원의 감정인 지정결정 또는 같은 법 제341조 제1항에 따른 법원의 감정촉탁을 받은 경우, 감정평가업자가 아닌 사람이더라도 그 감정사항에 포함된 토지 등의 감정평가를 할 수 있는지 여부(적극) 및 이러한 행위가 형법 제20조의 정당행위에 해당하여 위법성이 조각되는지 여부(적극)
>
> [판결요지]
>
> 한편 소송의 증거방법 중 하나인 감정은 법관의 지식과 경험을 보충하기 위하여 특별한 학식과 경험을 가진 제3자에게 그 전문적 지식이나 이를 구체적 사실에 적용하여 얻은 판단을 법원에 보고하게 하는 것으로, 감정신청의 채택 여부를 결정하고 감정인을 지정하거나 단체 등에 감정촉탁을 하는 권한은 법원에 있고(민사소송법 제335조, 제341조 제1항 참조), 행정소송사건의 심리절차에서 공익사업을 위한 토지 등의 취득 및 보상에 관한 법률상 토지 등의 손실보상액에 관하여 감정을 명할 경우 그 감정인으로 반드시 감정평가사나 감정평가법인을 지정하여야 하는 것은 아니다.
>
> 법원은 소송에서 쟁점이 된 사항에 관한 전문성과 필요성에 대한 판단에 따라 감정인을 지정하거나 감정촉탁을 하는 것이고, 감정결과에 대하여 당사자에게 의견을 진술할 기회를 준 후 이를 종합하여 그 결과를 받아들일지 여부를 판단하므로, 감정인이나 감정촉탁을 받은 사람의 자격을 감정평가사로 제한하지 않더라도 이러한 절차를 통하여 감정의 전문성, 공정성 및 신뢰성을 확보하고 국민의 재산권을 보호할 수 있기 때문이다.
>
> 그렇다면 민사소송법 제335조에 따른 법원의 감정인 지정결정 또는 같은 법 제341조 제1항에 따른 법원의 감정촉탁을 받은 경우에는 감정평가업자가 아닌 사람이더라도 그 감정사항에 포함된 토지 등의 감정평가를 할 수 있고, 이러한 행위는 법령에 근거한 법원의 적법한 결정이나 촉탁에 따른 것으로 형법 제20조의 정당행위에 해당하여 위법성이 조각된다고 보아야 한다.

### (2) 검토

감정평가법인등이 아닌 사람이라도 토지 등을 감정평가할 수 있고, 이러한 행위가 형법 제20조의 정당행위에 해당한다는 판례의 태도는 감정평가 및 감정평가사에 관한 제도를 확립하여 공정한 감정평가를 도모함으로써 국민의 재산권을 보호하여 국가경제 발전에 기여함을 목적으로 하는 감정평가법의 입법취지에 위배되는 판결이라 판단된다.

## Ⅳ  사례의 해결

종전 회계법인의 감정평가 행위에 대해 이는 감정평가법에 따른 벌칙의 대상이라는 판결과는 달리 최근 판례는 법원의 감정촉탁을 받은 사람의 경우 토지 등을 감정평가할 수 있다고 판시하였다. 이러한 판례의 태도는 감정평가법의 입법 취지 및 감정평가법상 감정평가법인등의 업무 범위 등을 규정한 감정평가법에 위배되는 판결이라 할 것이다.

> **판례**
>
> ● 대판 2015.11.27, 2014도191[부동산가격공시 및 감정평가에 관한 법률위반]
> 〈공인회계사 토지 감정평가 사건〉
>
> **[판시사항]**
> 공인회계사법 제2조에서 정한 '회계에 관한 감정'의 의미 및 타인의 의뢰를 받아 '부동산 가격공시 및 감정평가에 관한 법률'이 정한 토지에 대한 감정평가를 행하는 것이 공인회계사의 직무범위에 포함되는지 여부(소극) / 감정평가업자가 아닌 공인회계사가 타인의 의뢰에 의하여 일정한 보수를 받고 '부동산 가격공시 및 감정평가에 관한 법률'이 정한 토지에 대한 감정평가를 업으로 행하는 것이 같은 법 제43조 제2호에 의하여 처벌되는 행위인지 여부(적극) 및 위 행위가 형법 제20조가 정한 '법령에 의한 행위'로서 정당행위에 해당하는지 여부(원칙적 소극)
>
> **[판결요지]**
> 공인회계사법의 입법 취지와 목적, 회계정보의 정확성과 적정성을 담보하기 위하여 공인회계사의 직무범위를 정하고 있는 공인회계사법 제2조의 취지와 내용 등에 비추어 볼 때, 위 규정이 정한 '회계에 관한 감정'이란 기업이 작성한 재무상태표, 손익계산서 등 회계서류에 대한 전문적 회계지식과 경험에 기초한 분석과 판단을 보고하는 업무를 의미하고, 여기에는 기업의 경제활동을 측정하여 기록한 회계서류가 회계처리기준에 따라 정확하고 적정하게 작성되었는지에 대한 판정뿐만 아니라 자산의 장부가액이 신뢰할 수 있는 자료에 근거한 것인지에 대한 의견제시 등도 포함된다. 그러나 타인의 의뢰를 받아 부동산 가격공시 및 감정평가에 관한 법률(이하 '부동산공시법'이라 한다)이 정한 토지에 대한 감정평가를 행하는 것은 회계서류에 대한 전문적 지식이나 경험과는 관계가 없어 '회계에 관한 감정' 또는 '그에 부대되는 업무'에 해당한다고 볼 수 없고, 그 밖에 공인회계사가 행하는 다른 직무의 범위에 포함된다고 볼 수도 없다.
> 따라서 감정평가업자가 아닌 공인회계사가 타인의 의뢰에 의하여 일정한 보수를 받고 부동산공시법이 정한 토지에 대한 감정평가를 업으로 행하는 것은 부동산공시법 제43조 제2호에 의하여 처벌되는 행위에 해당하고, 특별한 사정이 없는 한 형법 제20조가 정한 '법령에 의한 행위'로서 정당행위에 해당한다고 볼 수는 없다.

## 3절
- 감정평가법 제13조(자격의 취소)
- 행정법 쟁점 : 절차의 하자, 하자의 치유

**문제**

대법원 판례(대법원 2016.10.27, 2016두41811 판결)는 "행정절차법 제21조 제1항, 제3항, 제4항, 제22조에 의하면, 행정청이 당사자에게 의무를 부과하거나 권익을 제한하는 처분을 하는 경우에는 미리 '처분의 제목', '처분하려는 원인이 되는 사실과 처분의 내용 및 법적 근거', '이에 대하여 의견을 제출할 수 있다는 뜻과 의견을 제출하지 아니하는 경우의 처리방법', '의견제출기관의 명칭과 주소', '의견제출기한' 등의 사항을 당사자 등에게 통지하여야 하고, 의견제출기한은 의견제출에 필요한 상당한 기간을 고려하여 정하여야 하며, 다른 법령 등에서 필수적으로 청문을 하거나 공청회를 개최하도록 규정하고 있지 아니한 경우에도 당사자 등에게 의견제출의 기회를 주어야 하며, 다만 '해당 처분의 성질상 의견청취가 현저히 곤란하거나 명백히 불필요하다고 인정될 만한 상당한 이유가 있는 경우' 등에 한하여 처분의 사전통지나 의견청취를 하지 아니할 수 있다. 따라서 행정청이 침해적 행정처분을 하면서 당사자에게 사전통지를 하거나 의견제출의 기회를 주지 아니하였다면, 사전통지나 의견제출의 예외적인 경우에 해당하지 아니하는 한, 처분은 위법하여 취소를 면할 수 없다. 그리고 여기에서 '의견청취가 현저히 곤란하거나 명백히 불필요하다고 인정될 만한 상당한 이유가 있는 경우'에 해당하는지는 해당 행정처분의 성질에 비추어 판단하여야 하며, 처분상대방이 이미 행정청에 위반사실을 시인하였다거나 처분의 사전통지 이전에 의견을 진술할 기회가 있었다는 사정을 고려하여 판단할 것은 아니다."라고 판시하고 있다. 위의 청문절차에 대한 대법원 판례를 참고하여 감정평가사 자격취소에 대한 절차상 하자에 관한 위법성의 법리적 쟁점에 대하여 사례를 해결하고자 한다. 다음 물음에 답하시오. 30점

> 국토교통부장관은 감정평가사 甲이 감정평가 및 감정평가사에 관한 법률(이하 '감정평가법')상 법령을 위반하였음을 이유로 감정평가법 제13조 및 제39조 제2항 제1호에 의거 2021년 6월 5일 甲에게 자격취소처분을 하였다. 자격취소처분을 함에 있어서 감정평가법과 행정절차법에 따라 청문절차는 실시하였으나 청문서를 청문일인 2021년 5월 25일부터 5일 전인 같은 달 5월 20일에야 해당 감정평가사 甲에게 발송하여 도달하였다. 이에 甲 감정평가사는 행정절차법의 청문서 도달기간인 10일을 준수하지 않았기 때문에 위 청문절차는 위법하고, 이러한 위법한 청문절차에 의해 내린 자격취소처분은 위법하다며 동 처분의 취소소송을 제기하였다.

(1) 감정평가 및 감정평가사에 관한 법률상 감정평가사 자격취소처분의 법적 성질과 행정소송법상 취소소송의 적법성을 논하시오. 10점
(2) 감정평가 및 감정평가사에 관한 법률상 징계절차에 대하여 설명하고, 감정평가법 제45조 및 행정절차법상 10일을 준수하지 않은 청문절차의 하자가 있으나 당사자가 자진해서 청문장에 출석하여 충분한 소명을 한 경우라면 하자는 치유될 수 있는지 여부를 논하시오. 20점

I. 논점의 정리

II. (물음 1)

  1. 감정평가사 자격취소처분의 법적 성질

    (1) 자격취소의 의의 및 법적 근거

    (2) 자격취소처분의 법적 성질

  2. 행정소송법상 취소소송의 적법성

    (1) 취소소송의 요건

    (2) 사안의 경우

III. (물음 2)

  1. 감정평가사 법률상 징계절차

    (1) 징계의결 요구

    (2) 징계당사자에게 통보

    (3) 의견진술

    (4) 징계의결

    (5) 징계의 공고 및 징계사실의 통보

  2. 청문절차의 하자가 치유될 수 있는지 여부

    (1) 자격취소처분의 위법성 및 취소사유 여부

      1) 문제점

      2) 청문의 의의 및 법적 근거

      3) 절차상 하자의 독자적 위법사유 인정 여부

      4) 위법성의 정도

    (2) 청문절차의 하자가 치유될 수 있는지 여부

      1) 하자치유의 의의 및 인정 여부

      2) 하자치유의 인정범위

      3) 하자치유의 인정시기

    (3) 사안의 해결

      1) 관련 판례의 태도

      2) 소결

# I 논점의 정리

사안은 청문서 도달기간을 준수하지 않은 청문절차의 하자를 이유로 제기한 자격취소 처분에 대한 취소소송의 인용가능성에 관한 문제이다. ① 자격취소처분의 법적 근거와 그에 따른 법적 성질을 검토하고, ② 취소소송의 요건을 간략히 검토한 후 ③ 위법성 고찰과 관련하여 청문의 의의 및 법적 근거를 살피고, 청문서 도달기간을 준수하지 아니한 청문이 위법한 청문에 해당하는지 여부 및 위법한 청문에 해당한다고 할 경우 청문절차의 하자가 치유될 수 있는지 여부를 검토하여 사안을 해결하기로 한다.

# II (물음 1)

## 1. 감정평가사 자격취소처분의 법적 성질

### (1) 자격취소의 의의 및 법적 근거

감정평가사란 전문자격인으로 권리를 가짐을 물론 그에 대한 책임도 부담하여야 한다. 따라서 감정평가법은 제13조에 일정한 경우 자격의 취소에 대해서 규정하고 있다.

### (2) 자격취소처분의 법적 성질

사안의 경우 자격취소의 사유가 명확치 아니하나, 감정평가법 제13조 제1항 사유이면 성립상의 하자를 이유로 하는 강학상 직권취소에 해당하며, "하여야 한다."고 규정하고 있어 기속행위에 해당한다. 반면, 감정평가법 제27조와 동법 제39조 제1항 제11호와 제12호 사유이면 적법·유효하게 성립한 행정행위를 사후에 일정한 사정의 발생으로 효력을 상실시키는 강학상 철회에 해당하며, "할 수 있다."고 규정하고 있어 재량행위에 해당한다.

## 2. 행정소송법상 취소소송의 적법성

### (1) 취소소송의 요건

취소소송이 적법하기 위해서는 처분 등을 대상으로 법률상 이익이 있는 자가 권리보호이익이 있는 경우에 행정청을 피고로 제소기간 내에 관할 행정법원에 제기하여야 하는 등 소송요건을 구비하고 있어야 한다.

### (2) 사안의 경우

사안에서 자격취소는 강학상 취소 혹은 직권취소로 처분성이 인정되므로 대상적격을 충족하고 있으며, 처분의 직접상대방이 제기한 소송인바 원고적격도 무난히 인정된다. 제소기간 등 기타 소송요건은 사안에서 구체적으로 제시되지 아니하였으나 충족된 것으로 판단된다. 따라서 취소소송의 제기는 적법하다고 볼 수 있을 것이다.

## Ⅲ (물음 2)

## 1. 감정평가사 법률상 징계절차

### (1) 징계의결의 요구(감정평가법 시행령 제34조 제1항)

국토교통부장관은 감정평가사에게 법 제39조 제1항 각 호의 어느 하나에 따른 징계사유가 있다고 인정하는 경우에는 증명서류를 갖추어 감정평가관리·징계위원회에 징계의결을 요구해야 한다.

### (2) 징계당사자에게 통보(감정평가법 시행령 제34조 제2항)

감정평가관리·징계위원회는 제1항에 따른 징계의결의 요구를 받으면 지체 없이 징계요구 내용과 징계심의기일을 해당 감정평가사(이하 "당사자"라 한다)에게 통지해야 한다.

### (3) 의견진술(감정평가법 시행령 제41조)

당사자는 감정평가관리·징계위원회에 출석하여 구술 또는 서면으로 자기에게 유리한 사실을 진술하거나 필요한 증거를 제출할 수 있다.

### (4) 징계의결(감정평가법 시행령 제35조)

감정평가관리·징계위원회는 징계의결을 요구받은 날부터 60일 이내에 징계에 관한 의결을 해야 한다. 다만, 부득이한 사유가 있을 때에는 감정평가관리·징계위원회의 의결로 30일의 범위에서 그 기간을 한 차례만 연장할 수 있다.

**(5) 징계의 공고(감정평가법 제39조의2) 및 징계사실의 통보(동법 시행령 제36조)**

① 국토교통부장관은 제39조 제1항 및 제2항에 따라 징계를 한 때에는 지체 없이 그 구체적인 사유를 해당 감정평가사, 감정평가법인등 및 협회에 각각 알리고, 그 내용을 대통령령으로 정하는 바에 따라 관보 또는 인터넷 홈페이지 등에 게시 또는 공고하여야 한다.

② 협회는 제1항에 따라 통보받은 내용을 협회가 운영하는 인터넷 홈페이지에 3개월 이상 게재하는 방법으로 공개하여야 한다.

③ 협회는 감정평가를 의뢰하려는 자가 해당 감정평가사에 대한 징계 사실을 확인하기 위하여 징계 정보의 열람을 신청하는 경우에는 그 정보를 제공하여야 한다.

④ 제1항부터 제3항까지에 따른 조치 또는 징계 정보의 공개 범위, 시행·열람의 방법 및 절차 등에 관하여 필요한 사항은 대통령령으로 정한다.

> **감정평가법 시행령 제36조(징계사실의 통보 등)**
>
> ① 국토교통부장관은 법 제39조의2 제1항에 따라 구체적인 징계 사유를 알리는 경우에는 징계의 종류와 사유를 명확히 기재하여 서면으로 알려야 한다.
>
> ② 국토교통부장관은 법 제39조의2 제1항에 따라 같은 항에 따른 징계사유 통보일부터 14일 이내에 다음 각 호의 사항을 관보에 공고해야 한다.
> 1. 징계를 받은 감정평가사의 성명, 생년월일, 소속된 감정평가법인등의 명칭 및 사무소 주소
> 2. 징계의 종류
> 3. 징계 사유(징계사유와 관련된 사실관계의 개요를 포함한다)
> 4. 징계의 효력발생일(징계의 종류가 업무정지인 경우에는 업무정지 시작일 및 종료일)
>
> ③ 국토교통부장관은 제2항 각 호의 사항을 법 제9조에 따른 감정평가 정보체계에도 게시해야 한다.
>
> ④ 제3항 및 법 제39조의2 제2항에 따른 징계내용 게시의 기간은 제2항에 따른 공고일부터 다음 각 호의 구분에 따른 기간까지로 한다.
> 1. 법 제39조 제2항 제1호 및 제2호의 자격의 취소 및 등록의 취소의 경우: 3년
> 2. 법 제39조 제2항 제3호의 업무정지의 경우: 업무정지 기간(업무정지 기간이 3개월 미만인 경우에는 3개월)
> 3. 법 제39조 제2항 제4호의 견책의 경우: 3개월

## 2. 청문절차의 하자가 치유될 수 있는지 여부

### (1) 자격취소처분의 위법성 및 취소사유 여부

**1) 문제점**

먼저, 청문의 의의 및 관계 규정의 검토를 통해 청문절차의 내용을 살피고, 청문서 도달기간을 준수하지 않은 청문의 효력 및 청문절차 하자를 독자적인 위법사유로 인정할 수 있는지 여부를 검토하여 인용가능성을 판단한다. 이후, 이러한 청문절차의 하자가 치유될 수 있는지에 대해 검토한다.

### 2) 청문의 의의 및 법적 근거

청문이란 행정청이 어떠한 처분을 하기에 앞서 당사자의 의견을 직접 듣고 증거를 조사하는 절차를 말한다. 이는 국민의 행정참여를 가능하게 함으로써 행정의 공정성, 투명성을 확보하고 당사자에게 변명의 기회를 주어 행정의 능률성을 도모하는 기능을 한다. 감정평가사 청문 절차는 감정평가법 제45조에서 규정하고 있고, 미비한 사항은 행정절차법 제21조와 제22조 규정을 준수하면 된다.

### 3) 절차상 하자의 독자적 위법사유 인정 여부

대법원은 재량행위의 경우에 행정청은 그 결정에 있어 독자적 판단권이 인정되므로 적법한 절차를 거치게 되면 기존의 처분과 다른 처분을 할 수 있다는 점에서 긍정하고, 기속행위인 세금부과 처분의 경우에도 이유제시의 하자를 독자적 위법사유가 되어 취소의 대상이 된다고 하여 긍정설의 입장이다. 행정절차의 사전적 권리구제 기능은 취소소송 등에 의한 사후적인 구제보다 실질적으로는 더 중요하다는 점에서 긍정설이 타당하다고 생각된다. 사안은 재량행위인지 기속행위인지 알 수 없으나, 상기의 논의로 보아 절차하자의 독자적 위법성이 재량행위와 기속행위 모두 인정되는 바, 청문서 도달기간을 준수하지 않은 청문의 하자는 해당 자격취소를 위법하게 한다고 볼 수 있다.

### 4) 위법성의 정도

위법성의 정도는 중대·명백설에 의할 경우 국민의 행정 참여를 도모함으로써 행정의 공정성·투명성 및 신뢰성을 확보하고 국민의 권익을 보호함을 목적으로 하는 행정절차법의 입법취지에 부합하지 않는 것으로 중대하나, 일반인의 관점에서 명백하다고는 보기 어려워 취소사유에 해당한다고 판단된다.

## (2) 청문절차의 하자가 치유될 수 있는지 여부

### 1) 하자치유의 의의 및 인정 여부

하자의 치유란 행정행위의 성립 당시 하자를 사후에 보완하여 그 행위의 효력을 유지시키는 것을 말한다. 판례는 행정행위의 무용한 반복을 피하고 당사자의 법적 안정성을 위해서 국민의 권리나 이익을 침해하지 않는 범위 내에서 구체적 사정에 따라 합목적적으로 인정해야 한다고 판시한 바 있다. 생각건대, 하자의 치유는 하자의 종류에 따라서, 하자의 치유를 인정함으로써 달성되는 이익과 그로 인하여 발생하는 불이익을 비교·형량하여 개별적으로 결정하여야 한다.

### 2) 하자치유의 인정범위

판례는 절차 및 형식상의 하자 중 취소사유만 인정한다. 이에 대해 내용상 하자에도 적용된다는 견해도 있다. 또한, 하자치유는 행정행위의 존재를 전제로 하여 그 흠을 치유하여 흠이 없는 행정행위로 하는 것이므로 무효인 행정행위의 치유는 인정될 수 없다는 부정설이 통설이며 판례의 입장이다.

> **판례**
>
> ● 대판 1997.5.28, 96누5308[토지등급수정무효확인]
>
> **[판결요지]**
>
> 토지등급결정내용의 개별통지가 있다고 볼 수 없어 토지등급결정이 무효인 이상, 토지소유자가 그 결정 이전이나 이후에 토지등급결정내용을 알았다거나 또는 그 결정 이후 매년 정기 등급수정의 결과가 토지소유자 등의 열람에 공하여졌다 하더라도 개별통지의 하자가 치유되는 것은 아니다.

### 3) 하자치유의 인정시기

판례는 이유제시의 하자를 치유하려면 늦어도 처분에 대한 불복여부의 결정 및 불복신청에 편의를 줄 수 있는 상당한 기간 내에 하여야 한다고 하고 있다. 생각건대, 이유제시제도의 기능과 하자의 치유의 기능을 조화시켜야 하고, 절차상 하자 있는 행위의 실효성통제를 위해서 쟁송제기 이전까지 가능하다고 본다.

> **판례**
>
> ● 대판 1984.4.10, 83누393[재산세부과처분취소]
>
> **[판결요지]**
>
> 세액산출근거가 누락된 납세고지서에 의한 과세처분의 하자의 치유를 허용하려면 늦어도 과세처분에 대한 불복여부의 결정 및 불복신청에 편의를 줄 수 있는 상당한 기간 내에 하여야 한다고 할 것이므로 위 과세처분에 대한 전심절차가 모두 끝나고 상고심의 계류 중에 세액산출근거의 통지가 있었다고 하여 이로써 위 과세처분의 하자가 치유되었다고는 볼 수 없다.

## (3) 사안의 해결

### 1) 관련 판례의 태도

대법원은 청문서 도달기간을 지키지 아니하였다면 이는 청문의 절차적 요건을 준수하지 아니한 것이므로 이를 바탕으로 한 행정처분은 위법하다고 판시하였다. 다만, 청문서 도달기간을 다소 어겼다 하더라도 당사자가 이의를 제기하지 아니하고 스스로 청문기일에 출석하여 충분한 방어의 기회를 가졌다면 청문서 도달기간을 준수하지 아니한 하자는 치유된다고 보았다.

### 2) 소결

생각건대, 청문의 하자는 절차상 하자로서 독자적 위법사유가 인정되어 취소사유에 해당한다. 또한, 사안과 같이 청문서 도달기간을 지키지 않았더라도, 당사자가 이의를 제기하지 아니하고 청문기일에 출석하여 충분한 방어의 기회를 가졌다면, 하자가 치유된다고 보는 판례의 태도가 타당하다고 판단된다.

## 4절  – 감정평가법 제17조(등록 및 갱신등록)
## – 행정법 쟁점 : 신고, 행정기본법 제19조(철회), 행정소송법 제19조(대상적격)

> **문제**
>
> 감정평가사 甲은 감정평가사 시험에 합격하고, 감정평가 및 감정평가사에 관한 법률(이하 '감정평가법')에 의해 감정평가사 자격을 취득하여 국토교통부장관에게 등록을 신청하였고 2009.05.01. 국토교통부장관으로부터 감정평가사 등록증을 교부받았다. 그러나 甲은 A감정평가법인에서 평가업무를 하던 중 2009.08.01. 허위감정평가로 구속되어 형사처벌로 징역 2년 집행유예 5년을 2010.10.1. 선고받았으며, 집행유예 종료시점은 2015.9.30이다. 다음 물음에 답하시오. 30점 (감정평가법령상 5년이 경과하면 징계하지 않는다는 규정은 해당 문제에서는 적용하지 않음을 전제함)
>
> (1) 국토교통부장관은 2010.10.3. 신문보도를 통하여 甲의 구속사실을 알게 되었고 지도·감독의 권한에 근거하여 A감정평가법인에게 관련사항을 보고하도록 하였다. 그러나 보고를 받은 후에도 甲의 등록을 취소하지는 않았고, 이에 甲은 A감정평가법인에서 계속 평가업무를 할 수 있다고 믿고 수년간 업무를 계속해왔다. 2015.03.01.에 이르러서야 수년 후에야 등록을 취소하려고 하는데 국토교통부장관은 甲의 등록을 취소하려고 하는데 이것이 가능한지를 검토하시오. 10점
>
> (2) 이후 2015.04.01. 甲이 갱신등록을 신청하자 국토교통부장관은 등록여부를 검토 중 甲의 집행유예기간이 만료되지 않았다는 사실을 확인하고 갱신등록을 거부하였다. 이때 甲은 국토교통부장관의 갱신등록 거부를 취소소송으로 다툴 수 있는지 검토하시오. 10점
>
> (3) 이후 甲은 A감정평가법인에서 퇴사하였고, 2016.10.01. 집행유예기간 만료 후 1년이 경과되자 다시 등록을 신청하여 등록증을 교부받은 후 감정평가사 10인을 규합하여 신설법인을 만들어 감정평가업을 영위하고 있다. 그러던 중 2022년 표준지공시지가 업무를 하던 감정평가사 甲은 잘못된 평가를 하여 업무정지 3개월을 맞을 위기에 처하자 국토교통부장관에 탄원을 하였고. 이에 국토교통부장관은 공적업무를 수행하는 것을 감안하여 변형된 과징금으로 3천만원을 부과하였다. 감정평가사 甲은 과징금 3천만원이 너무 과도하다고 생각하여 이의신청을 하였고, 그 이의신청 결과를 2022년 4월23일 통지받은 상태이다. 최근 행정기본법이 제정된 바, 현재 이 법률이 시행된다는 전제하에 감정평가사 甲의 과징금처분에 대한 권리구제 여부를 검토하시오. 10점

<table>
<tr><td>

Ⅰ. 논점의 정리

Ⅱ. 국토교통부 등록제 관련 검토<br>
  1. 의의 및 취지<br>
  2. 등록신청의 법적 성질

</td><td>

3. 등록의 법적 성질

Ⅲ. (물음 1)<br>
  1. 등록취소의 법적 성질<br>
  2. 등록취소의 위법성

</td></tr>
</table>

    (1) 철회사유의 존부 및 법적 근거
        여부
    (2) 철회권의 제한법리
  3. 사안의 적용

**Ⅳ. (물음 2)**
  1. 개설
  2. 갱신등록의 거부가 처분인지 여부
    (1) 거부가 처분이 되기 위한 요건
    (2) 사안의 경우
  3. 기타요건 충족 여부 및 사안의 적용

**Ⅴ. (물음 3)**
  1. 개설

  2. 과징금
    (1) 과징금의 의의 및 구별개념
    (2) 감정평가법상 과징금의 의미
       (변형된 과징금) 및 취지
    (3) 과징금의 법적 성질
    (4) 과징금의 요건
  3. 과징금에 대한 권리구제방안
    (1) 이의신청
    (2) 행정기본법상 이의신청 결과를
       통지받은 후 구제방안

**Ⅵ. 사안의 해결**

---

**■ 참고규정**

**감정평가 및 감정평가사에 관한 법률 제17조(등록 및 갱신등록)**

① 제11조에 따른 감정평가사 자격이 있는 사람이 제10조에 따른 업무를 하려는 경우에는 대통령령으로 정하는 바에 따라 실무수습 또는 교육연수를 마치고 국토교통부장관에게 등록하여야 한다.

② 제1항에 따라 등록한 감정평가사는 대통령령으로 정하는 바에 따라 등록을 갱신하여야 한다. 이 경우 갱신기간은 3년 이상으로 한다.

③ 제1항에 따른 실무수습 또는 교육연수는 제33조에 따른 한국감정평가사협회가 국토교통부장관의 승인을 받아 실시·관리한다.

④ 제1항에 따른 실무수습·교육연수의 대상·방법·기간 등과 제1항에 따른 등록 및 제2항에 따른 갱신등록을 위하여 필요한 신청절차, 구비서류 및 그 밖에 필요한 사항은 대통령령으로 정한다.

**제18조(등록 및 갱신등록의 거부)**

① 국토교통부장관은 제17조에 따른 등록 또는 갱신등록을 신청한 사람이 다음 각 호의 어느 하나에 해당하는 경우에는 그 등록을 거부하여야 한다.
  1. 제12조 각 호의 어느 하나에 해당하는 경우
  2. 제17조 제1항에 따른 실무수습 또는 교육연수를 받지 아니한 경우
  3. 제39조에 따라 등록이 취소된 후 3년이 지나지 아니한 경우
  4. 제39조에 따라 업무가 정지된 감정평가사로서 그 업무정지 기간이 지나지 아니한 경우
  5. 미성년자 또는 피성년후견인·피한정후견인

② 국토교통부장관은 제1항에 따라 등록 또는 갱신등록을 거부한 경우에는 그 사실을 관보에 공고하고, 정보통신망 등을 이용하여 일반인에게 알려야 한다.

③ 제2항에 따른 공고의 방법, 내용 및 그 밖에 필요한 사항은 국토교통부령으로 정한다.

④ 국토교통부장관은 감정평가사가 제1항 제1호 및 제5호에 해당하는지 여부를 확인하기 위하여 관계

기관에 관련 자료를 요청할 수 있다. 이 경우 관계 기관은 특별한 사정이 없으면 그 자료를 제공하여야 한다.

### 제19조(등록의 취소)

① 국토교통부장관은 제17조에 따라 등록한 감정평가사가 다음 각 호의 어느 하나에 해당하는 경우에는 그 등록을 취소하여야 한다.
　　1. 제12조 각 호의 어느 하나에 해당하는 경우
　　2. 사망한 경우
　　3. 등록취소를 신청한 경우
　　4. 제39조 제2항 제2호에 해당하는 징계를 받은 경우
② 국토교통부장관은 제1항에 따라 등록을 취소한 경우에는 그 사실을 관보에 공고하고, 정보통신망 등을 이용하여 일반인에게 알려야 한다.
③ 제1항에 따라 등록이 취소된 사람은 등록증을 국토교통부장관에게 반납하여야 한다.
④ 제2항에 따른 공고의 방법, 내용 및 그 밖에 필요한 사항은 국토교통부령으로 정한다.
⑤ 국토교통부장관은 감정평가사가 제1항 제1호에 해당하는지 여부를 확인하기 위하여 관계 기관에 관련 자료를 요청할 수 있다. 이 경우 관계 기관은 특별한 사정이 없으면 그 자료를 제공하여야 한다.

### 제41조(과징금의 부과)

① 국토교통부장관은 감정평가법인등이 제32조 제1항 각 호의 어느 하나에 해당하게 되어 업무정지처분을 하여야 하는 경우로서 그 업무정지처분이 「부동산 가격공시에 관한 법률」 제3조에 따른 표준지공시지가의 공시 등의 업무를 정상적으로 수행하는 데에 지장을 초래하는 등 공익을 해칠 우려가 있는 경우에는 업무정지처분을 갈음하여 5천만원(감정평가법인인 경우는 5억원) 이하의 과징금을 부과할 수 있다.

－이하 생략－

## Ⅰ　논점의 정리

사안은 감정평가사 등록과 관련하여 감정평가법 규정의 위반 여부 및 권리구제에 관한 문제이다. 먼저, 등록의 법적 성질과 관련하여 사인의 공법행위로서의 신고유형을 검토하고, (설문 1)에서는 등록취소의 법적 성질 검토 후 위법 여부와 관련하여 실권의 법리에 위반되는지 검토한다. (설문 2)에서는 갱신등록거부가 처분인지의 요건을 살펴 취소소송의 소송요건 충족 여부를 살펴본다. (설문 3)에서는 과징금부과처분에 불복해 이의신청을 한 경우 행정기본법에 따른 권리구제 방안에 대해 알아본다.

## Ⅱ 국토교통부 등록제 검토

### 1. 의의 및 취지

등록이란 감정평가사 자격을 취득한 자가 평가업무능력 취득을 목적으로 국토교통부장관에게 등록신청을 하고 등록부에 등재하는 제도를 말한다. 이는 감정평가의 공정성과 투명성을 위해 도입한 것으로, 감정평가사 개개인의 자질을 일정기간마다 검토함으로써 허위감정, 부실감정 등의 사고 예방에 그 취지가 있다.

### 2. 등록신청의 법적 성질

#### (1) 자기완결적 신고와 수리를 요하는 신고

자기완결적 신고란 신고요건을 갖춘 적법한 신고만 하면 신고의 공법적 효력이 발생하는 신고를 말한다. 한편 수리를 요하는 신고한 행정청에 대하여 사인이 일정한 사항을 통지하고, 행정청이 이를 수리함으로써 공법적 효과가 발생하는 신고를 말한다. 일반적으로는 이를 등록이라고 하기도 한다.

#### (2) 양자의 구별기준

양자는 신고의 효력발생 및 신고반려의 효과, 권리구제 등에서 구분실익이 있으며 그 구별기준에 대하여 형식적 요건 외에 실질적 요건을 요구하는지 여부로 판단하는 견해와 신고요건의 차이는 없으므로 양자의 구별은 해당 법령의 목적과 관련 조문에 대한 합리적, 유기적 해석을 통하여 판단하여야 한다는 견해가 대립한다.

#### (3) 관련 판례의 태도

**[판결요지]**
건축법에서 인·허가의제 제도를 둔 취지는, 인·허가의제사항과 관련하여 건축허가 또는 건축신고의 관할 행정청으로 그 창구를 단일화하고 절차를 간소화하며 비용과 시간을 절감함으로써 국민의 권익을 보호하려는 것이지, 인·허가의제사항 관련 법률에 따른 각각의 인·허가 요건에 관한 일체의 심사를 배제하려는 것으로 보기는 어렵다. 왜냐하면, 건축법과 인·허가의제사항 관련 법률은 각기 고유한 목적이 있고, 건축신고와 인·허가의제사항도 각각 별개의 제도적 취지가 있으며 그 요건 또한 달리하기 때문이다. 나아가 인·허가의제사항 관련 법률에 규정된 요건 중 상당수는 공익에 관한 것으로서 행정청의 전문적이고 종합적인 심사가 요구되는데, 만약 건축신고만으로 인·허가의제사항에 관한 일체의 요건 심사가 배제된다고 한다면, 중대한 공익상의 침해나 이해관계인의 피해를 야기하고 관련 법률에서 인·허가 제도를 통하여 사인의 행위를 사전에 감독하고자 하는 규율체계 전반을 무너뜨릴 우려가 있다. 또한 무엇보다도 건축신고를 하려는 자는 인·허가의제사항 관련 법령에서 제출하도록 의무화하고 있는 신청서와 구비서류를 제출하여야 하는데, 이는 건축신고를 수리하는 행정청으로 하여금 인·허가의제사항 관련 법률에 규정된 요건에 관하여도 심사를 하도록 하기 위한 것으로 볼 수밖에 없다. 따라서 인·허가의제 효과를 수

> 반하는 건축신고는 일반적인 건축신고와는 달리, 특별한 사정이 없는 한 행정청이 그 실체적 요건
> 에 관한 심사를 한 후 수리하여야 하는 이른바 '수리를 요하는 신고'로 보는 것이 옳다.
> (출처 : 대판 2011.1.20, 2010두14954 전원합의체[건축(신축)신고불가취소])

### (4) 검토 및 사안의 경우

생각건대, 구별에 있어서 법령상 표현방식, 실질적 심사의 필요성, 수리행위에 따른 법률관계 변동 여부, 심사의 절차 완비 등이 고려되어야 하며, 또한 명확한 판단이 곤란하여 구별이 어려울 경우에는 자기완결적 신고로 보는 것이 국민권익구제 측면에서 유리할 것이라 판단된다. 감정평가법 제17조 및 동법 시행령에서 등록신청에 대한 국토교통부장관의 수리의무를 규정하고 있으며, 동 규정이 업무능력과 관련한 감정평가사 자격의 적정성 검토를 위한 규정인 점, 동법 제18조에는 등록거부 및 그 사유를 기재하고 있는 점 등에 비추어 볼 때 甲의 등록신청은 수리를 요하는 신고로 봄이 타당하다 여겨진다. 또한 5년마다 갱신등록 신청 시에도 동일한 심사를 거치게 되는바, 갱신등록 또한 수리를 요하는 신고로 볼 수 있다.

## 3. 등록의 법적 성질(공증의 반증과 관련)

등록이란 일정한 법률사실 또는 법률관계를 행정청이 비치하는 공부에 등재함으로써 일정한 법적 효과를 발생시키는 것으로, 그 법적 성질은 강학상 준법률행위적 행정행위인 공증으로 보는 것이 일반적인 견해이며, 공적장부에 등재되어 일반인에게 열람된다는 점에서 수리와 구별된다. 공증은 그 내용에 대해 공적증거력을 발생시키나, 반증이 있으면 공증의 취소를 기다림이 없이 이를 전복시킬 수 있는바, 행정행위성 여부에 대해 논란이 있다. 그러나 사안의 등록은 이를 통하여 감정평가사에게 업무능력을 부여하여 법률관계의 변동을 가져오는바, 행정소송법상 처분이라 볼 수 있으며, 이에 따라 반증에 의해서도 효력을 부인할 수 없는 공정력이 발생한다. 또한, 감정평가법상 요건충족 시 등록의무를 규정하고 있는바, 기속행위에 해당한다.

## Ⅲ (물음 1)

## 1. 등록취소의 법적 성질

등록취소란 일정한 사유 발생 시 감정평가사 자격의 등록을 취소하는 것으로서 원시적 하자가 아니라 새로운 사정에 의하여 처분을 취소하는 것인바, 강학상 철회에 해당한다. 또한, 감정평가법 제19조 제1항의 규정이 '취소하여야 한다'고 규정하고 있는바, 기속행위로 본다.

## 2. 등록취소의 위법성

### (1) 철회사유의 존부 및 법적 근거 요부

철회가 적법하려면 철회사유가 존재하여야 하나, 그 법적 근거의 필요성에 대하여는 통설·판례가 행정의 탄력성을 고려하여 불요설을 취하고 있다. 사안의 경우 감정평가법에 등록취소의 근거 및 취소사유가 기재되어 있는바, 이와 관련된 위법은 없는 것으로 판단된다.

## (2) 철회권의 제한법리

### 1) 실권의 법리

철회권의 제한법리에는 신뢰보호의 원칙, 비례원칙, 평등원칙, 실권의 법리 등이 있으나 사안과 관련해서는 실권의 법리가 문제된다. 실권의 법리란 행정청에게 철회권 등 권리행사의 기회가 있음에도 불구하고 장기간에 걸쳐 이를 행사하지 않았기 때문에 상대방이 이에 대해 신뢰할 만한 정당한 사유가 있게 될 때에는 그 권리를 행사할 수 없다는 법리를 말한다.

### 2) 요건

① 행정청이 취소사유나 철회사유 등을 앎으로써 권리행사 가능성을 알았을 것, ② 행정권 행사가 가능함에도 불구하고 장기간 권리행사를 하지 않을 것, ③ 권리불행사에 대한 상대방의 신뢰에 정당한 사유가 있을 것의 요건을 충족 시 해당 처분은 실권의 법리에 반하는 위법성이 인정된다.

## 3. 사안의 적용

사안의 경우 국토교통부장관은 甲의 구속사실을 알았음에도 불구하고 등록취소를 장기간 하지 않아 甲에게 신뢰를 형성시켜 준 경우에 해당하므로, 해당 등록취소는 실권의 법리 위반의 요건에 해당하는 바, 위법성이 있다. 상기와 같이 국토교통부장관의 등록취소는 실권의 법리에 위반되는바, 현재 그 행사가 불가능하다고 봄이 타당하다고 생각된다.

## Ⅳ (물음 2)

## 1. 개설

사안은 甲의 갱신등록신청에 대한 국토교통부장관의 등록거부 시 이를 취소소송으로 다툴 수 있는지 묻고 있는바, 이는 취소소송의 요건을 충족하는지의 문제이다. 사안과 관련하여서는 대상적격으로 거부가 처분인지가 중요시되며, 기타 다른 요건도 검토한다.

## 2. 갱신등록의 거부가 처분인지 여부

### (1) 거부가 처분이 되기 위한 요건

거부가 처분이 되기 위해서는 ① 국민의 권리·의무에 영향을 미치는 공권력 행사의 거부 외에 판례는 ② 법규상·조리상 신청권의 존재를 그 요건으로 한다. 이에 대해 신청권은 원고적격 또는 본안요건의 문제라는 견해가 있으나, 관련규정으로부터 도출되는 추상적 권리라는 점에 비추어 볼 때 판례의 입장이 타당하다고 여겨진다.

### (2) 사안의 경우

사안의 경우 등록 및 갱신등록이 처분인 바, 등록거부는 처분의 거부에 해당하며, 감정평가법 제17조의 규정상 甲에게 신청권이 인정된다고 볼 것인바, 갱신등록의 거부는 처분으로서 대상적격을 충족한다.

### 3. 기타요건 충족 여부 및 사안의 적용

甲은 등록거부로 인해 평가업무를 영위할 수 없는바, 법률상 이익의 침해를 받아 원고적격이 인정되고, 기타 요건도 별도 언급이 없는바, 충족된 것으로 볼 수 있다. 따라서 甲은 국토교통부장관의 갱신등록거부를 취소소송으로 다툴 수 있다.

## V (물음 3)

### 1. 개설

사안은 감정평가법상 과징금부과처분에 불복할 시 권리구제방법을 묻고 있다. 행정기본법 시행 전제하에 과징금처분에 대한 권리구제 여부에 관해 답한다.

### 2. 과징금

#### (1) 과징금의 의의 및 구별개념

과징금은 행정법상 의무위반 행위로 얻은 경제적 이익을 박탈하기 위한 금전상 제재금을 말한다. 과징금은 의무이행의 확보수단으로써 가해진다는 점에서 의무위반에 대한 벌인 과태료와 구별된다.

#### (2) 감정평가법상 과징금의 의미(변형된 과징금) 및 취지

감정평가법상 과징금은 계속적인 공적업무수행을 위하여 업무정지처분에 갈음하여 부과되는 것으로 변형된 과징금에 속한다. 이는 인허가 철회나 정지처분으로 인해 발생하는 국민생활 불편이나 공익을 고려함에 취지가 인정된다.

#### (3) 과징금의 법적 성질

과징금 부과행위는 과징금 납부의무를 명하는 행위이므로 급부하명에 해당한다. 또한, 감정평가법 제41조에서는 "과징금을 부과할 수 있다."고 규정하고 있으므로 법문언의 규정형식상 재량행위에 해당한다.

#### (4) 과징금의 요건

감정평가법 제32조에 의한 업무정지처분을 할 경우로서 업무정지처분을 하게 되면 표준지 및 표준주택가격 조사 평가 등 공적업무수행에 영향을 미칠 우려가 있어야 할 것을 요건으로 한다.

### 3. 과징금에 대한 권리구제방안

#### (1) 이의신청

과징금의 경우에는 명시적인 강학상 이의신청으로, 이의신청에 대한 결정에 이의가 있는 자에게 행정심판을 제기할 수 있도록 감정평가법 제42조에 규정하고 있다. 과징금의 부과처분에 이의가 있는 자는 이를 통보받은 날부터 30일 이내에 사유서를 갖추어 국토교통부장관에게 이의를 신청할 수 있다. 국토교통부장관은 이의신청에 대하여 30일 이내에 결정을 하여야 한다. 다만, 부득이한 사정으로 그 기간 이내에 결정을 할 수 없는 경우에는 30일의 범위 내에서 기간을 연장할 수 있다.

> **감정평가 및 감정평가사에 관한 법률 제42조(이의신청)**
> ① 제41조에 따른 과징금의 부과에 이의가 있는 자는 이를 통보받은 날부터 30일 이내에 사유서를 갖추어 국토교통부장관에게 이의를 신청할 수 있다.
> ② 국토교통부장관은 제1항에 따른 이의신청에 대하여 30일 이내에 결정을 하여야 한다. 다만, 부득이한 사정으로 그 기간에 결정을 할 수 없을 때에는 30일의 범위에서 기간을 연장할 수 있다.
> ③ 제2항에 따른 결정에 이의가 있는 자는 「행정심판법」에 따라 행정심판을 청구할 수 있다.

## (2) 행정기본법상 이의신청 결과를 통지받은 후 구제방안

### 1) 행정쟁송

과징금 부과행위는 처분으로서 이의신청의 대상이 되며, 이의신청을 한 경우라 하더라도 행정심판이나 행정소송을 제기하는 것이 가능하다. 행정기본법 제36조 적용 시에는 이의신청에 대한 결과를 통지받은 후 행정심판 또는 행정소송을 제기하려는 자는 통지받은 날(제2항에 따른 통지기간 내에 결과를 통지받지 못한 부득이한 사유가 있는 경우에는 기간 만료일의 다음날)부터 90일 이내에 행정심판 또는 행정소송을 제기할 수 있다.

> **행정기본법 제36조(처분에 대한 이의신청)**
> ① 행정청의 처분(「행정심판법」 제3조에 따라 같은 법에 따른 행정심판의 대상이 되는 처분을 말한다. 이하 이 조에서 같다)에 이의가 있는 당사자는 처분을 받은 날부터 30일 이내에 해당 행정청에 이의신청을 할 수 있다.
> ② 행정청은 제1항에 따른 이의신청을 받으면 그 신청을 받은 날부터 14일 이내에 그 이의신청에 대한 결과를 신청인에게 통지하여야 한다. 다만, 부득이한 사유로 14일 이내에 통지할 수 없는 경우에는 그 기간을 만료일 다음 날부터 기산하여 10일의 범위에서 한 차례 연장할 수 있으며, 연장 사유를 신청인에게 통지하여야 한다.
> ③ 제1항에 따라 이의신청을 한 경우에도 그 이의신청과 관계없이 「행정심판법」에 따른 행정심판 또는 「행정소송법」에 따른 행정소송을 제기할 수 있다.
> ④ 이의신청에 대한 결과를 통지받은 후 행정심판 또는 행정소송을 제기하려는 자는 그 결과를 통지받은 날(제2항에 따른 통지기간 내에 결과를 통지받지 못한 경우에는 같은 항에 따른 통지기간이 만료되는 날의 다음 날을 말한다)부터 90일 이내에 제1항의 처분(이의신청 결과 처분이 변경된 경우에는 변경된 처분으로 한다)에 대하여 행정심판 또는 행정소송을 제기할 수 있다. 〈개정 2025.3.18.〉
> ⑤ 행정청은 제2항 또는 다른 법률에 따라 이의신청에 대한 결과를 통지할 때에는 대통령령으로

정하는 바에 따라 제4항에 따른 행정심판 또는 행정소송을 제기할 수 있는 기간 등 행정심판 또는 행정소송의 제기에 관한 사항을 함께 안내하여야 한다. 다만, 이의신청에 대한 결과를 통지하기 전에 이미 신청인이 행정심판 또는 행정소송을 제기한 경우에는 안내하지 아니할 수 있다. 〈신설 2025.3.18.〉

⑥ 다른 법률에서 이의신청과 이에 준하는 절차에 대하여 정하고 있는 경우에도 그 법률에서 규정하지 아니한 사항에 관하여는 이 조에서 정하는 바에 따른다. 〈개정 2025.3.18.〉

⑦ 제1항부터 제6항까지에서 규정한 사항 외에 이의신청의 방법 및 절차 등에 관한 사항은 대통령령으로 정한다. 〈개정 2025.3.18.〉

⑧ 다음 각 호의 어느 하나에 해당하는 사항에 관하여는 이 조를 적용하지 아니한다. 〈개정 2025.3.18.〉

1. 공무원 인사 관계 법령에 따른 징계 등 처분에 관한 사항
2. 「국가인권위원회법」 제30조에 따른 진정에 대한 국가인권위원회의 결정
3. 「노동위원회법」 제2조의2에 따라 노동위원회의 의결을 거쳐 행하는 사항
4. 형사, 행형 및 보안처분 관계 법령에 따라 행하는 사항
5. 외국인의 출입국·난민인정·귀화·국적회복에 관한 사항
6. 과태료 부과 및 징수에 관한 사항

[시행일: 2025.9.19.] 제36조 제5항

### 2) 사안의 경우

甲은 이의신청 결과를 통지받은 2022년 4월 23일로부터 90일 이내에 행정심판 또는 행정소송을 제기할 수 있다. 과징금 부과행위는 처분에 해당하므로 항고소송의 대상이 되고, 재량행위이므로 비례원칙 등의 행정법의 일반원칙에 위반하는 경우에는 위법하게 된다.

## Ⅵ 사안의 해결

1. 감정평가사의 등록신청은 수리를 요하는 신고이고, 그에 대한 국토교통부장관의 등록은 업무능력을 부여해주는 공증으로서 처분에 해당한다고 볼 수 있다(감정평가사 등록제도는 완화된 허가로 보는 견해도 있으나, 어찌 되었든 처분으로 보고 있다는 점에서 항고소송의 대상으로 볼 수 있겠다).

2. (설문 1)에서 국토교통부장관은 甲의 구속사실을 알고도 장기간 등록취소를 행사하지 않았는바, 이후에 한 등록취소는 실권의 법리에 위반된다고 판단된다.

3. (설문 2)에서 갱신등록신청이 수리를 요하는 신고인바, 이에 대한 등록거부는 업무능력을 제한하는 처분에 해당하며, 따라서 甲은 이를 취소소송으로 다툴 수 있다고 판단된다.

4. (설문 3)에서 감정평가법상 과징금은 업무정지처분에 갈음하는 처분으로 변형된 과징금이라고 할 수 있다. 과징금 부과처분에 불복해 이의신청을 한 경우 행정기본법에 따라 이의신청 결과를 통보받은 후 90일 내로 행정심판 또는 행정소송을 제기할 수 있다.

PART · 03

## 5절
**– 감정평가법 제19조(등록의 취소)**
**– 행정법 쟁점 : 구성요건적 효력과 선결문제**

---

**문제**

감정평가사 甲은 둘 이상 감정평가사무소를 설치하였다는 이유로 「감정평가 및 감정평가사에 관한 법률」(이하 '감정평가법') 제39조에 따라 감정평가관리·징계위원회의 의결을 거쳐 국토교통부장관으로부터 감정평가사 등록의 취소라는 징계를 받았다. 그러나 사실은 甲과 동명이인인 乙이 개설한 감정평가사무소를 甲의 사무소로 착오하여 징계한 것이었다. 그러나 甲은 장기 해외출장 중이어서 처분사실을 알고도 이를 항고소송으로 다투지 못하였고, 그 불복기간이 경과되었다. 이 상황에서 甲의 권리구제에 대한 다음 물음에 답하시오. **40점**

(1) 甲은 해외출장 중 업무를 수행한 거래처로부터 등록취소를 이유로 거래계약의 해지를 통보받았다. 이로 인해 막대한 재산상 손해를 입은 甲은 그 손해의 배상을 민사법원에 청구하고자 한다. 이 경우 민사법원이 위법성을 판단할 수 있는지 논하시오.

(2) 한편, 국토교통부장관은 甲이 등록이 취소되어 업무를 할 수 없게 된 뒤에도 해외출장 업무를 계속하였다는 것을 이유로 감정평가법 제49조 제2호에 따라 형사법원에 기소하였다. 이 경우 甲이 처벌받을 것인지 논하시오.

---

Ⅰ. 문제제기

Ⅱ. 관련 행정작용의 검토
  1. 등록취소의 법적 성질
  2. 등록취소처분의 위법성 검토
  3. 위법한 등록취소처분의 효력

Ⅲ. 설문 (1) 민사상 손해배상청구에 대한 甲의 권리구제 가능성
  1. 개설
  2. 공정력과 구성요건적 효력과의 관계
  3. 구성요건적 효력과 선결문제
    (1) 선결문제의 의의 및 근거
    (2) 처분의 효력상실이 선결문제인 경우

    (3) 처분의 위법확인이 선결문제인 경우
  4. 사안의 적용

Ⅳ. 설문 (2) 형사상 甲의 처벌가능성 검토
  1. 개설
  2. 처분의 위법확인이 선결문제인 경우
  3. 처분의 효력부인이 선결문제인 경우
    (1) 학설
    (2) 판례
    (3) 소결
  4. 사안의 적용

Ⅴ. 문제해결

# I 문제제기

사안은 국토교통부장관의 등록취소에 대하여 감정평가사 甲이 항고소송의 제기가 불가하여 민사상, 형사상 법률관계로 다투게 될 경우의 권리구제의 문제이다.

1. 먼저 국토교통부장관의 등록취소의 법적 성질 및 위법성을 검토하고 그 효력을 논한다.
2. 설문 (1)과 관련하여 손해배상청구소송에서 민사법원의 심리가 가능한지, 선결문제의 논의를 공정력 또는 구성요건적 효력과의 관계에서 논하여 권리구제 가능성을 검토한다.
3. 설문 (2)와 관련하여 등록취소를 다툴 불복기간이 경과한 경우 甲이 형사소송에서 유죄판결을 받아야 할 것인지 인권보장의 측면에서 고찰해보고자 한다.

# II 관련 행정작용의 검토

## 1. 등록취소의 법적 성질

「감정평가 및 감정평가사에 관한 법률」(이하 '감정평가법')상의 등록취소는 수익적 행정행위의 취소로 강학상 하명에 해당하며, 감정평가사의 업무능력을 박탈시키는바, 행정쟁송법상 처분에 해당한다. 또한 사안의 등록취소처분은 동법 제39조의 문언상 '~ 징계를 할 수 있다'고 규정한바, 재량행위로 판단된다.

## 2. 등록취소처분의 위법성 검토

대상 행위인 등록취소처분은 국토교통부장관의 착오에 기인하여 발령되었다. 이는 행정주체의 의사표시상의 하자로서 주체의 하자에 해당된다. 또한 다른 측면에서 잘못된 사실적 토대 위에서 재량행위를 발령한 것으로서 재량의 남용으로 볼 수도 있다. 따라서 해당 등록취소처분은 위법하며 그 정도는 판례, 다수설인 중대명백설에 따라 취소사유로 판단한다.

## 3. 위법한 등록취소처분의 효력(공정력과 구성요건적 효력)

위법한 등록취소처분의 경우에도 위법의 정도가 당연무효가 아니라면 공정력에 의해 권한 있는 기관에 의해 취소되기까지 일응 유효한 것으로 통용된다. 또한 무효가 아닌 한 제3국가기관은 법률에 특별한 규정이 없는 한 그 행정행위의 존재 및 내용을 존중하여야 하는 구성요건적 효력을 지닌다. 이러한 효력은 행정법관계의 안정성 및 국가기관 상호 간의 권한분배차원에서 인정된다. 사안의 경우 또한 취소사유인바, 공정력 및 구성요건적 효력에 의해 등록취소처분은 유효하며 따라서 甲은 감정평가사로서의 업무능력이 박탈된 상태에 있게 된다.

## Ⅲ 설문 (1) 민사상 손해배상청구에 대한 甲의 권리구제 가능성

### 1. 개설

사안은 감정평가법인등 甲이 막대한 재산상 손해를 입어 이를 손해배상청구로 다투고자 하는바, 甲의 권리구제를 위해서는 해당 등록취소처분의 공정력 또는 구성요건적 효력에도 불구하고 민사법원이 그 위법성을 판단할 수 있는지 선결문제 심리가능성이 문제된다.

### 2. 공정력과 구성요건적 효력과의 관계

다수의 견해와 판례는 선결문제를 공정력의 문제로서 논의한다. 그러나 공정력은 법적안정성설에 근거하여 당사자에 대한 절차법상 권리인데 반해, 구성요건적 효력은 다른 국가기관 또는 법원에 대한 실질적 구속력으로 작용하는바, 양자는 차이가 있다고 봄이 타당하다. 따라서 이하 선결문제 논의는 구성요건적 효력과의 관계 속에서 논하고자 한다.

### 3. 구성요건적 효력과 선결문제

#### (1) 선결문제의 의의 및 근거

선결문제란 소송에서 본안판단을 함에 있어 그 해결이 필수적 전제가 되는 법문제를 말한다. 행정소송법 제11조는 처분의 무효, 부존재의 경우 민사법원의 선결문제 심리가능성을 인정하였으나, 단순위법의 경우에는 그 법적 근거가 없어 학설 및 판례의 논의에 따르게 된다.

#### (2) 처분의 효력부인이 선결문제인 경우

부당이득반환청구소송과 같이 행정행위의 효력이 부인되어야만 그 소송의 이행이 가능한 경우에는, 구성요건적 효력에 저촉되어 효력부인은 불가하다고 보는 데 학설이 일치하고 있다.

#### (3) 처분의 위법확인이 선결문제인 경우

##### ① 학설 및 판례

국가배상청구소송과 같이 행정행위의 위법확인만이 요건인 경우에 학설은 구성요건적 효력과 취소법원의 배타적 관할을 이유로 부정하는 부정설과, 구성요건적 효력은 적법성 추정효력이 아닌 잠재적 유효성에 불과하여 위법확인이 가능하다는 긍정설로 대립한다. 이에 대해 판례는 계고처분 위법을 이유로 한 손해배상청구소송을 인정한 바 있어 긍정설의 입장에 있다고 보인다.

##### ② 검토

구성요건적 효력은 잠재적 통용력에 불과한바, 긍정설이 타당하다고 여겨진다. 또한 일부견해인 법원의 관할권 배분의 문제로 보더라도 위법성 확인은 민사법원도 가능하다고 보아야 할 것이며, 이는 소송경제적 이유 및 개인 권리보호의 관점에서도 그 타당성이 인정된다.

## 4. 사안의 적용

상기와 같이 손해배상청구소송에서 위법성 확인이 가능하다 볼 것인바, 해당 민사법원은 등록취소처분의 위법성을 판단하여 국토교통부장관의 손해배상책임을 인정할 수 있을 것이다. 다만, 이 경우 국토교통부장관의 고의 또는 과실이 문제되는바, 주체의 착오는 과실로 볼 수 있어 가능하다고 여겨진다.

## Ⅳ   설문 (2) 형사상 甲의 처벌가능성 검토

### 1. 개설

사안은 甲이 등록취소처분에 의해 감정평가업무능력을 박탈당했음에도 불구하고 그 업무를 계속한 경우 감정평가법 위반을 이유로 처벌받는 경우로서, 甲의 무죄가 인정되려면 범죄구성요건으로 먼저 등록취소처분의 효력이 부인되어 甲의 감정평가업무능력이 회복되어야 한다. 따라서 구성요건적 효력에도 불구하고 형사법원이 그 효력을 부인할 수 있는지가 문제된다.

### 2. 처분의 위법확인이 선결문제인 경우

형사소송에서 위법확인의 문제는 민사소송의 경우와 동일한 논의가 있다. 따라서 상기 논의에 의할 때 형사소송에서도 위법확인은 가능하다고 볼 수 있다.

### 3. 처분의 효력부인이 선결문제인 경우

#### (1) 학설

다수설은 민사소송의 경우와 같이 구성요건적 효력 및 취소소송의 배타적 관할문제를 들어 형사소송에서 효력부인이 불가하다고 한다. 그러나 일부 견해는 형사소송의 특성상 인권보장을 고려할 필요가 있으며, 이에 따라 예외적으로 효력부인이 인정되어야 한다고 주장한다.

#### (2) 판례

대법원은 위법한 영업허가취소처분에 의한 무면허영업으로 기소된 경우 그 영업허가취소의 효력부인이 불가하다고 하여 부정설의 입장에 있다.

#### (3) 소결(불가쟁력 발생 시의 고려)

일반적으로는 구성요건적 효력상 처분의 효력부인은 불가하다고 보이며, 처분에 아직 불가쟁력이 발생하지 않았다면 당사자는 이를 취소소송으로 다투어 효력을 소멸시킨 후 판례가 인정한 바와 같이 형사법원에 재심사를 청구하여 구제받을 수 있다. 하지만 처분에 불가쟁력이 발생하여 취소소송이 불가하게 되면, 형사소송에서 효력을 부인하지 않는 한 다른 구제방법이 전혀 없어 처분이 위법함에도 이를 따르지 않았다 하여 처벌을 받게 되는 문제가 있다. 따라서 인권보장의 측면에서 불가쟁력의 발생과 같이 예외적인 경우에는 형사법원이 그 효력을 부인하는 것도 가능하다고 봄이 타당하다고 여겨진다.

## 4. 사안의 적용

사안에서 해당 등록취소처분에 대하여 불가쟁력이 발생한바, 상기 논의한 바와 같이 예외적으로 형사법원이 그 효력을 부인하여 甲의 무죄를 인정해 주는 것이 타당하다고 여겨진다. 그러나 판례와 다수설에 의하면 형사법원의 효력부인이 불가한바, 甲은 처벌을 받게 될 것이다.

## Ⅴ 문제해결

1. 해당 등록취소는 강학상 하명으로 처분에 해당되고, 국토교통부장관의 주체하자 및 재량의 남용으로 취소사유의 위법성이 인정된다.

2. 해당 등록취소처분이 취소사유인 한 구성요건적 효력이 발생하여 법원을 구속하는바, 선결문제 심리가능성이 문제되나, 손해배상청구소송에서는 위법성 확인만이 요구되는바, 민사법원의 심리가 가능할 것으로 보인다.

3. 그러나 형사소송에서는 등록취소처분의 효력부인이 선결문제인바, 이미 불가쟁력이 발생한 점을 고려하여 甲의 인권보장 측면에서 예외적으로 형사소송의 무죄판결이 가능하다고 봄이 타당할 것이다.

## 6절    감정평가법 제25조(성실의무 등)

**문제**

한석봉 감정평가사 원고는 2004.3.경 감정평가사 자격을 취득한 다음 2007.11.1. 주식회사 KK은행(이하 'KK은행'이라고 한다)에 상근 계약직으로 입사하여 2010.6.30. 퇴사하였는데, 그 기간 중인 2007.3.5.부터 같은 해 12.21.까지 AA감정평가법인(원래 위 법인에 소속되어 있던 도중 KK은행에 입사한 것임)에, 2009.10.1.부터 2010.5.2.까지 AA감정평가법인 동부지사에, 같은 달 3일부터 같은 해 7.22.까지 AA감정평가법인(이하 'AA감정평가법인'이라고 한다)에 각 감정평가사로 적을 두었다. 국토교통부장관은 2011.7.20. '한석봉 감정평가사 원고가 KK은행에서 근무하면서도 위 감정평가법인에 등록하여 소속만 유지할 뿐 실질적으로 감정평가업무에 관여하지 아니하는 방법으로 감정평가사의 자격증을 대여하거나 이를 부당하게 행사하였고, 위 감정평가법인이 원고의 자격증을 부당행사하여 그 법인을 유지하는 데에 방조한 책임이 있다'는 이유로 감정평가 및 감정평가사에 관한 법률(이하 '감정평가법'이라고 한다) 제25조와 동법 제27조(이하 '법'이라고 한다)에 따라 한석봉 감정평가사 원고의 감정평가사 업무를 1년간 정지하는 처분을 하였다(이하 '이 사건 처분'이라고 한다)(출처 : 서울행정법원 2012.5.3, 2011구합24507[징계처분취소], 대법원 2013.10.24, 2013두727 판결[징계처분취소]). 아래의 물음에 답하시오. 20점

(1) 감정평가법 제25조(성실의무 등)와 감정평가법 제27조(명의대여 등의 금지)규정의 입법취지와 내용에 대하여 설명하시오. 5점

(2) 감정평가법에서 정한 '자격증 등을 부당하게 행사'한다는 의미 및 감정평가사가 감정평가법인에 적을 두었으나 해당 법인의 업무를 수행하거나 운영 등에 관여할 의사가 없고 실제 업무 등을 전혀 수행하지 않았다거나 소속 감정평가사로서 업무를 실질적으로 수행한 것으로 평가하기 어려운 경우, 자격증 등의 부당행사에 해당하는지 여부를 해당 판례를 통하여 검토하시오. 15점

<table>
<tr><td>

Ⅰ. 논점의 정리

Ⅱ. (물음 1)
  1. 감정평가법 제25조와 제27조의 입법취지
  2. 감정평가법 제25조와 제27조의 내용
    (1) 감정평가법 제25조
    (2) 감정평가법 제27조

</td><td>

Ⅲ. (물음 2)
  1. 자격증 등을 부당하게 행사한다는 의미
    (1) 자격증 등의 부당행사의 의미
      1) 관련 판례의 태도
      2) 검토
    (2) 자격증 양도・대여와의 비교
  2. 자격증 등의 부당행사에 해당하는지 여부
    (1) 본래의 용도가 아닌 다른 용도로 행사했는지 여부

</td></tr>
</table>

| (2) 법의 규율을 피할 목적으로<br>　　행사했는지 여부<br>(3) 소결 | Ⅳ. 사안의 해결 |
| --- | --- |



# Ⅰ 논점의 정리

감정평가 및 감정평가사에 관한 법률(이하 '감정평가법')은 감정평가 및 감정평가사에 관한 제도를 확립하여 공정한 감정평가를 도모함으로써 국민의 재산권을 보호하고 국가경제 발전에 기여함을 목적으로 하기 위해 제25조와 제27조에서 성실의무와 명의대여 금지 등에 대해서 규정하고 있다. 이하에서는, 각 규정의 내용과 사안의 경우가 부당한 감정평가에 해당하는지 여부에 대해서 검토해 보고자 한다.

# Ⅱ (물음 1)

## 1. 감정평가법 제25조와 제27조의 입법취지

감정평가법 제25조와 제27조에서는 감정평가법인등에 대하여 성실의무 및 명의대여 등의 금지의무에 대하여 규정하고 있다. 이는 감정평가 및 감정평가사에 관한 제도를 확립하여 공정한 감정평가를 도모함으로써 국민의 재산권을 보호하고 국가경제 발전에 기여함을 목적으로 하는데 그 취지가 있다.

## 2. 감정평가법 제25조와 제27조의 내용

### (1) 감정평가법 제25조(성실의무 등)

> **제25조(성실의무 등)**
> ① 감정평가법인등(감정평가법인 또는 감정평가사사무소의 소속 감정평가사를 포함한다. 이하 이 조에서 같다)은 제10조에 따른 업무를 하는 경우 품위를 유지하여야 하고, 신의와 성실로써 공정하게 하여야 하며, 고의 또는 중대한 과실로 업무를 잘못하여서는 아니 된다.
> ② 감정평가법인등은 자기 또는 친족 소유, 그 밖에 불공정하게 제10조에 따른 업무를 수행할 우려가 있다고 인정되는 토지 등에 대해서는 그 업무를 수행하여서는 아니 된다.
> ③ 감정평가법인등은 토지 등의 매매업을 직접 하여서는 아니 된다.

④ 감정평가법인등이나 그 사무직원은 제23조에 따른 수수료와 실비 외에는 어떠한 명목으로도 그 업무와 관련된 대가를 받아서는 아니 되며, 감정평가 수주의 대가로 금품 또는 재산상의 이익을 제공하거나 제공하기로 약속하여서는 아니 된다.

⑤ 감정평가사, 감정평가사가 아닌 사원 또는 이사 및 사무직원은 둘 이상의 감정평가법인(같은 법인의 주·분사무소를 포함한다) 또는 감정평가사사무소에 소속될 수 없으며, 소속된 감정평가법인 이외의 다른 감정평가법인의 주식을 소유할 수 없다.

⑥ 감정평가법인등이나 사무직원은 제28조의2에서 정하는 유도 또는 요구에 따라서는 아니 된다.

## (2) 감정평가법 제27조(명의대여 등의 금지)

> **제27조(명의대여 등의 금지)**
> ① 감정평가사 또는 감정평가법인등은 다른 사람에게 자기의 성명 또는 상호를 사용하여 제10조에 따른 업무를 수행하게 하거나 자격증·등록증 또는 인가증을 양도·대여하거나 이를 부당하게 행사하여서는 아니 된다.
> ② 누구든지 제1항의 행위를 알선해서는 아니 된다.

## Ⅲ (물음 2)

## 1. 자격증 등을 부당하게 행사한다는 의미

### (1) 자격증 등의 부당행사의 의미

#### 1) 관련 판례의 태도

> **판례**
>
> ● 대판 2013.10.24, 2013두727[징계처분취소]
>
> **[판결요지]**
> 부동산 가격공시 및 감정평가에 관한 법률(이하 '법'이라고 한다) 제37조 제2항에 의하면, 감정평가업자(감정평가법인 소속 감정평가사를 포함한다)는 다른 사람에게 자격증·등록증 또는 인가증(이하 '자격증 등'이라고 한다)을 양도 또는 대여하거나 이를 부당하게 행사해서는 안 된다. 여기에서 '자격증 등을 부당하게 행사'한다는 것은 감정평가사 자격증 등을 본래의 용도 외에 부당하게 행사하는 것을 의미하고, 감정평가사가 감정평가법인에 적을 두기는 하였으나 당해 법인의 업무를 수행하거나 운영 등에 관여할 의사가 없고 실제로도 업무 등을 전혀 수행하지 않았다거나 당해 소속 감정평가사로서 업무를 실질적으로 수행한 것으로 평가하기 어려울 정도라면 이는 법 제37조 제2항에서 정한 자격증 등의 부당행사에 해당한다.

**판례**

● 대판 2013.10.31, 2013두11727[징계(업무정지)처분취소]

[판결요지]

부동산 가격공시 및 감정평가에 관한 법률(이하 '법'이라 한다) 제37조 제2항에 의하면, 감정평가업자(감정평가법인 소속 감정평가사를 포함한다)는 다른 사람에게 자격증·등록증 또는 인가증(이하 '자격증 등'이라 한다)을 양도 또는 대여하거나 이를 부당하게 행사해서는 안 된다. 여기에서 '자격증 등을 부당하게 행사'한다는 것은 감정평가사 자격증 등을 본래의 용도가 아닌 다른 용도로 행사하거나, 본래의 행사목적을 벗어나 감정평가업자의 자격이나 업무범위에 관한 법의 규율을 피할 목적으로 이를 행사하는 경우도 포함한다. 따라서 감정평가사가 감정평가법인에 가입한다는 명목으로 자신의 감정평가사 등록증 사본을 가입신고서와 함께 한국감정평가협회에 제출하였으나, 실제로는 자신의 감정평가경력을 부당하게 인정받는 한편, 소속 감정평가법인으로 하여금 설립과 존속에 필요한 감정평가사의 인원수만 형식적으로 갖추게 하거나 법원으로부터 감정평가 물량을 추가로 배정받을 수 있는 자격을 얻게 할 목적으로 감정평가법인에 소속된 외관만을 작출하였을 뿐 해당 감정평가법인 소속 감정평가사로서의 감정평가업무나 이와 밀접한 관련이 있는 업무를 수행할 의사가 없었다면, 이는 감정평가사 등록증을 그 본래의 행사목적을 벗어나 감정평가업자의 자격이나 업무범위에 관한 법의 규율을 피할 목적으로 행사함으로써 자격증 등을 부당하게 행사한 것이라고 볼 수 있다.

### 2) 검토

생각건대, 감정평가사는 공정한 감정평가를 도모하여 국민의 재산권을 보호하는 등의 의무가 있으므로, 자격증을 부당행사하여서는 아니 되며, 여기에는 본래의 용도 외에 행사하는 것뿐만 아니라, 실질적으로 법인의 업무를 수행하거나 운영 등에 관여하지 않는 등 실질적으로 업무를 수행하지 않는 것도 포함하는 판례의 태도가 타당하다.

## (2) 자격증 양도·대여와의 비교

자격증 양도·대여는 본인이 아닌 타인이 해당 자격증을 행사한 것을 의미한다. 반면, 자격증의 부당행사는 본인이 행사하였으나, 그 내용이나 과정이 적절하지 않은 것을 의미한다. 즉, 실질적으로 자격증을 행사한 사람이 타인이라면 자격증의 양도·대여에 해당하며, 본인이라면 자격증의 부당행사에 해당한다는 점에서 비교된다.

## 2. 자격증 등의 부당행사에 해당하는지 여부

### (1) 본래의 용도가 아닌 다른 용도로 행사했는지 여부

한석봉 감정평가사는 KK은행에서 근무하면서도 감정평가법인에 등록하여 소속만 유지할 뿐 실질적으로 감정평가업무에 관여하지 아니하는 방법으로 감정평가사 자격증을 부당하게 행사하였다. 따라서 이는 해당 법인의 업무를 수행하거나 운영 등에 관여할 의사가 없고, 실제 업무 등을 수행했다고도 보기 어려우므로, 자격증을 본래의 용도가 아닌 다른 용도로 행사했다고 볼 수 있다.

## (2) 법의 규율을 피할 목적으로 행사했는지 여부

한석봉 감정평가사는 감정평가법인에 등록하여 법인을 유지하는 데에 방조한 책임이 있다. 감정평가법 제32조에서는 감정평가사의 수가 미달된 경우 인가취소 등에 대해서 규정하고 있고, 사안에서는 이러한 법의 규율을 피할 목적으로 한석봉 감정평가사를 해당 법인에 등록하여 소속을 유지시켰다고 볼 수 있으므로 자격증의 부당행사에 해당한다고 볼 수 있다.

## (3) 소결

생각건대, 사안의 한석봉 감정평가사는 타인이 아닌 본인이 자격증을 행사하였으므로, 자격증의 양도대여에는 해당하지는 않는다. 하지만, 자격증을 본래의 용도가 아닌 목적으로 행사하였으며 또한 감정평가법인의 감정평가사 수에 관한 규정을 충족하여 법의 규율을 피할 목적으로 자격증을 행사한 경우에도 해당된다고 볼 수 있다. 따라서 감정평가법 제27조에서 규정한 자격증의 부당행사에 해당한다고 판단된다.

## Ⅳ 사안의 해결

자격증의 부당행사는 타인이 자격증을 행사하는 양도·대여와 구분된다. 또한, 판례의 태도에 따른다면 자격증의 부당행사는 본래의 용도가 아닌 목적으로 사용하는 것뿐만 아니라, 법의 규율을 피할 목적으로 행사했다고 볼 여지도 있으므로 사안은 이에 해당한다고 판단된다.

| **7절** | – 감정평가법 제27조(명의대여 등의 금지)<br>– 행정법 쟁점 : 법규명령 형식의 행정규칙, 대상적격, 절차의 하자 |
| --- | --- |

**문제**

甲과 乙등 5명의 감정평가사는 감정평가 및 감정평가사에 관한 법률(이하 '감정평가법')에 따라 국토교통부에서 정한 감정평가법인의 설립에 필요한 발기인모임이 결성되고, 발기인 총회에서 정관을 작성하였고, 국토교통부장관의 인가를 받아 대박감정평가법인을 설립하였다. 대박감정평가법인이 정상적으로 업무를 수행하던 중 과도한 업무와 영업압박 등을 견디지 못한 소속감정평가사 丙은 세계 최대 규모의 금융기관인 론스타은행의 감정평가사 특별채용에 합격 후 입사하여 근무하게 되었다. 그러나 丙은 론스타은행에 근무하던 중에도 허위로 평가경력기간을 연장할 의도로 대박감정평가법인의 소속감정평가사로 남아 있었다. 감사원 정기감사 도중 이 사실을 알게 된 감사원은 국토교통부에 통보하였고, 국토교통부장관은 그 위반행위가 자격증 명의대여 또는 부당행사에 해당하다고 하여 감정평가관리 · 징계위원회를 거쳐 2년간의 업무정지처분을 하였다. 그러나 감정평가사 丙의 대박감정평가법인 소속기간은 1개월 남짓한 기간으로 론스타 은행의 바쁜 업무로 인하여 감정평가법인 사직서는 제출하였지만 대박감정평가법인에서 퇴사를 하지 못한 상태였다. 다음 물음에 답하시오. 30점

(1) 만약 감정평가법령상 별표 3에서는 부당행사라 하더라도 기간이 짧고 위법임을 인식하지 못한 상태에서 1차 위반의 경우에는 6개월 이내의 업무정지를 하도록 하고, 이러한 부당행사 사실을 알고 고의적으로 계속 2차에 걸쳐 위반한 경우에는 1년 이내의 업무정지를 하도록 하며, 위법임을 인식한 상태에서 재차 위반을 하고 3차 위반을 하였을 경우에는 2년 이내의 업무정지를 하도록 하고 있는데, 1차 위반에서 바로 업무정지 2년을 한 것은 위법하다고 丙 감정평가사는 주장하고 있다. 감정평가법 시행령 제29조 별표 3의 법적 성질을 검토하고, 아울러 1차 위반으로 2년의 업무정지를 한 것이 타당한 것인지에 대하여 논하시오. 20점

(2) 감정평가법상 감정평가사 丙은 징계위원회의 의결과정에서 징계위원회로부터 징계심의기일을 통보받지 못하여 자신이 변론할 기회를 갖지 못하여 가중된 징계처분을 받았다고 주장하며, 2년간의 업무정지처분 취소소송을 제기하였다. 감정평가사 丙의 주장에 대하여 법원은 어떠한 판단을 해야 하는지 구체적으로 검토하시오. 10점

| | |
| --- | --- |
| Ⅰ. (설문 1)<br>　1. 감정평가법 시행령 제29조 [별표 3]의<br>　　　법적 성질<br>　　　(1) 문제점<br>　　　(2) 학설의 태도 | 　　　(3) 판례의 태도<br>　　　(4) 검토<br>　2. 2년의 업무정지처분이 위법한지 여부<br>　　　(1) 감정평가법 제27조 위반에<br>　　　　　해당하는지 여부 |

<table>
<tr><td>

1) 관련 규정의 검토<br>
2) 관련 판례의 태도<br>
3) 소결<br>
(2) 2년의 업무정지처분이 위법한<br>
　　지 여부<br>
　1) 개설<br>
　2) 법규명령으로 보는 경우의<br>
　　위법성<br>
　3) 행정규칙으로 보는 경우의<br>
　　위법성

</td><td>

II. (설문 2)<br>
1. 쟁점의 정리<br>
2. 丙의 취소소송 제기의 적법성<br>
　(1) 대상적격<br>
　(2) 기타 소송요건 및 소 적합성<br>
3. 丙의 취소소송에 대한 법원의 판결<br>
　(1) 관련 규정의 검토<br>
　(2) 절차의 하자 여부<br>
　(3) 절차하자의 독자적 위법성<br>
　　인정 여부<br>
　(4) 법원의 판결

</td></tr>
</table>

## I  (설문 1에 대하여)

### 1. 감정평가법 시행령 제29조 [별표 3]의 법적 성질

#### (1) 문제점

감정평가법 시행령 제29조에 근거한 별표규정은, 그 형식은 상위법의 위임에 터잡아 규정된 법규명령의 형식으로 규정되나, 그 실질은 제재처분의 내부적 기준인 재량준칙의 내용인바, 이러한 법규명령 형식의 행정규칙의 법적 성질에 따라 처분의 위법성의 심사구조 등에 있어 논의의 실익이 있다.

#### (2) 학설의 태도

법규명령의 형식으로 규정된 이상 해당 재량준칙은 법규로 되어 국민과 법원을 구속한다는 법규명령설, 형식적으로 법규명령으로 제정되어도 행정규칙으로서의 성질이 변하지 않는다는 행정규칙설, 내용과 형식에 관계없이 법률의 위임 여부에 따라 구분하는 수권여부기준설 등이 대립한다.

#### (3) 판례의 태도

종전 대법원은 일관되게 이를 국민이나 법원을 구속하지 못하는 행정규칙에 불과하다고 판시하였으나 최근 (구)주택건설촉진법 시행령 관련사건에서 해당 처분의 기준이 된 (구)주택건설촉진법 시행령 관련 사건에서 해당 처분의 기준이 된 (구)주택건설촉진법 시행령 제10조의2 제1항 [별표 1]은 동법 제7조 제2항의 위임규정에 터잡은 규정형식상 대통령령이므로 그 성질이 부령인 시행규칙이나 또는 지방자치단체의 규칙과 같이 통상적으로 행정조직 내부에 있어서의 행정명령에 지나지 않는 것이 아니라 대외적으로 국민이나 법원을 구속하는 힘이 있는 법규명령에 해당한다고 판시하였다. 다만, 대판 2006.6.22, 2003두1684 全合 별개 의견에서 부령의 형식이더라도 대외적 구속력을 긍정함이 타당하다고 판시한 바 있다.

### (4) 검토

판례가 법규명령 형식의 행정규칙의 재판규범성을 일관되게 부인한 것은 이의 법규성을 인정하게 되면 처분청이 재량준칙에 따라 기계적으로 집행하게 되어 구체적인 사안에 있어서 형평을 기하기 어렵게 된다는 점을 고려한 것으로 볼 수 있었다. 그러나 최근 대통령령 형식의 재량준칙에 대하여는 법규성을 인정하였는바, 합리적 근거를 찾기 어렵다고 본다, 생각건대, 법치주의에 근거한 형식의 엄격성, 절차적 정당성 및 법규명령에 대한 국민의 예측가능성을 부여하는 점에 비추어 법규명령으로 봄이 타당하다고 생각된다. 다만, 이하에서는 권리구제 검토를 위하여 행정규칙으로 보는 경우도 함께 검토하기로 한다.

## 2. 2년의 업무정지처분이 위법한지 여부

### (1) 감정평가법 제27조 위반에 해당하는지 여부

#### 1) 관련 규정의 검토
감정평가법 제27조(명의대여 등의 금지)

> **제27조(명의대여 등의 금지)**
> ① 감정평가사 또는 감정평가법인등은 다른 사람에게 자기의 성명 또는 상호를 사용하여 제10조에 따른 업무를 수행하게 하거나 자격증·등록증 또는 인가증을 양도·대여하거나 이를 부당하게 행사하여서는 아니 된다.
> ② 누구든지 제1항의 행위를 알선해서는 아니 된다.

#### 2) 관련 판례의 태도

> **판례**
>
> ● 대판 2013.10.31, 2013두11727[징계(업무정지)처분취소]
> [판결요지]
> 부동산 가격공시 및 감정평가에 관한 법률(이하 '법'이라 한다) 제37조 제2항에 의하면, 감정평가업자(감정평가법인 소속 감정평가사를 포함한다)는 다른 사람에게 자격증·등록증 또는 인가증(이하 '자격증 등'이라 한다)을 양도 또는 대여하거나 이를 부당하게 행사해서는 안 된다. 여기에서 '자격증 등을 부당하게 행사'한다는 것은 감정평가사 자격증 등을 본래의 용도가 아닌 다른 용도로 행사하거나, 본래의 행사목적을 벗어나 감정평가업자의 자격이나 업무범위에 관한 법의 규율을 피할 목적으로 이를 행사하는 경우도 포함한다. 따라서 감정평가사가 감정평가법인에 가입한다는 명목으로 자신의 감정평가사 등록증 사본을 가입신고서와 함께 한국감정평가협회에 제출하였으나, 실제로는 자신의 감정평가경력을 부당하게 인정받는 한편, 소속 감정평가법인으로 하여금 설립과 존속에 필요한 감정평가사의 인원수만 형식적으로 갖추게 하거나 법원으로부터 감정평가 물량을 추가로 배정받을 수 있는 자격을 얻게 할 목적으로 감정평가법인에 소속된 외관만을 작출하였을 뿐 해당 감정평가법인 소속 감정평가사로

> 서의 감정평가업무나 이와 밀접한 관련이 있는 업무를 수행할 의사가 없었다면, 이는 감정평
> 가사 등록증을 그 본래의 행사목적을 벗어나 감정평가업자의 자격이나 업무범위에 관한 법의
> 규율을 피할 목적으로 행사함으로써 자격증 등을 부당하게 행사한 것이라고 볼 수 있다.

### 3) 소결

생각건대, 丙은 금융기관인 은행에 근무하던 중에도 허위로 평가경력기간을 연장할 의도로
감정평가법인의 소속감정평가사로 남아 있었다는 점은 감정평가업무를 수행할 의사가 있었다
고 보기 어렵고, 업무범위에 관한 법의 규율을 피할 목적으로 자격증을 부당하게 행사한 것이
라고 볼 수 있다. 따라서 이는 감정평가법 제27조를 위반한 것으로 별표 3의 업무정지처분의
대상이 된다고 판단된다.

## (2) 2년의 업무정지처분이 위법한지 여부

### 1) 개설

시행령 기준을 법규명령으로 보는지, 행정규칙으로 보는지에 따라 그에 따른 처분의 위법성
판단기준이 달라지는바, 이를 각각 나누어 검토한다.

### 2) 법규명령으로 보는 경우의 위법성

시행령 기준을 법규명령으로 볼 경우 해당 처분의 위법성은 상위 법률 및 시행령 별표의 개별
기준, 그리고 이와 함께 [별표 3]의 정상 참작할 사유가 있는 경우 1/2의 범위에서 처분기간
을 감경할 수 있다는 감경규정에 반하는지 여부로 판단하여야 한다. 즉, 감경규정에 의하여
시행령 별표의 기준은 재량성을 확보하게 되는바, 이에 대한 재량의 일탈·남용이 있는지가
판단기준이 된다. 사안의 경우 [별표 3]에서 1차 위반은 업무정지 6개월 이내로 규정하고 있
고, 2년의 업무정지는 가중감경의 범위도 벗어나는 바, 규정 위반으로 위법한 업무정지에 해
당한다.

### 3) 행정규칙으로 보는 경우의 위법성

행정규칙은 법규성을 부인하는 것이 통설·판례의 태도인 바, 이 경우 [별표 3]은 법규가
아니어서 위법판단에서 배제되며, 근거법률 취지상 해당 처분에 재량권 일탈·남용이 있는
지를 판단하여야 한다. 사안의 丙은 자격증의 부당행사를 하였지만, 소속기간이 1개월 남짓
으로 길지 않고, 금융기관인 은행의 바쁜 업무로 인하여 감정평가법인에 사직서는 제출하였
지만, 퇴사를 하지 못한 점 등을 고려한다면, 丙의 특수한 상황을 고려하지 않고 과도한 처
분을 했다고 판단되는바, 이는 비례의 원칙 중 필요성 및 상당성 원칙에 반하는 것으로 판단
된다.

## Ⅱ (설문 2에 대하여)

### 1. 쟁점의 정리

丙의 취소소송 제기에 대한 소적법성을 대상적격 등을 중심으로 검토한다. 소가 적법한 경우 본 안판단으로서, 국토교통부장관의 업무정지처분은 주체, 내용, 형식 등에서 문제가 없으나 감정평가법령에 규정된 징계심의일 통보를 받지 못한 절차하자가 존재하는지, 절차하자가 존재한다면 독자적 위법사유로 주장할 수 있는지 검토한다.

### 2. 丙의 취소소송 제기의 적법성

#### (1) 대상적격

업무정지처분은 부작위 하명으로서 丙 등 감정평가사의 권리·의무에 직접적인 영향을 미치는 행정소송법 제2조 제1항 제1호의 "처분 등"에 해당하여 대상적격을 충족한다. 또한, 감정평가법 제39조 징계규정에서 "할 수 있다."고 규정하는 바, 재량행위에 해당한다.

#### (2) 기타 소송요건 및 소 적법성

丙은 처분의 직접상대방으로서 원고적격(행정소송법 제12조)이 인정되며, 기타 제소기간(행정소송법 제20조), 피고적격(행정소송법 제13조), 관할(행정소송법 제9조) 등이 문제되지 않는 바, 취소소송은 적법한 것으로 판단된다.

### 3. 丙의 취소소송에 대한 법원의 판결(위법성 검토)

#### (1) 관련 규정의 검토

감정평가법 시행령 제34조(징계의결의 요구 등)

#### (2) 절차의 하자 여부

징계심의기일을 丙에게 통지하지 않은 것은 상기 검토한 감정평가법 시행령 제34조 제2항 위반으로서 절차하자에 해당하고, 이는 당사자의 의견진술, 자료제출 등을 통해 당사자의 권익을 보호하고자 하는 출석의 기회를 박탈하는 결과를 가져오는 중대한 하자로 판단된다.

#### (3) 절차하자의 독자적 위법성 인정 여부

##### 1) 문제점

실체적 하자가 없음에도 불구하고 절차상의 하자만을 이유로 처분의 독자적 위법성을 인정할 수 있는지 여부가 기속행위와 관련하여 문제된다. 재량행위의 경우 행정청에 독자적 판단권이 인정되어 적법한 절차를 거쳐 다른 처분이 가능하므로 절차하자가 독자적 위법사유가 된다는데 견해가 일치한다.

### 2) 학설의 태도

소극설은 적정한 행정결정의 확보를 위한 수단에 불과하다는 점, 행정경제 및 소송경제에 반한다는 점을 근거로 한다. 적극설은 적정한 절차는 적정한 결정의 전제가 된다는 점, 반드시 동일한 결론에 도달한다는 보장이 없다는 점을 근거로 한다.

### 3) 판례의 태도

대법원은 청문절차를 거치지 아니하였거나 거쳤다 하더라도 그 절차적 요건을 제대로 준수하지 아니한 경우에는 실체적으로 적법하다 하더라도 그 처분은 위법하여 취소를 면할 수 없다고 판시하여 절차하자의 독자적 위법성을 인정하고 있다. 헌법재판소는 종래 명문규정의 유무를 불문하고 청문절차를 요구하는 입장을 취하였다.

### 4) 검토

취소소송의 기속력이 절차의 위법을 이유로 하는 경우에 준용된다는 점과 실질적 법치주의가 인정되는 현대 행정의 일반원칙상 절차상 하자를 독자적 위법사유로 주장할 수 있다고 보는 것이 타당하다고 판단된다.

## (4) 법원의 판결

통설 및 판례의 중대명백설에 따를 때, 징계심의기일을 통지하지 않은 하자는 내용상 중대하나, 외관상 명백하다고 볼 수 없어 취소사유에 해당한다고 보이며, 이에 법원은 인용판결을 할 것으로 판단된다.

## **8**절　감정평가법 제28조(손해배상책임)

**문제**

국토교통부장관으로부터 감정평가사 자격등록을 한 연후에 고향마을에 감정평가법인 지사를 개설한 감정평가법인등 甲 등은 금융기관으로부터 주택에 대한 담보평가를 의뢰받고 A소유의 101호, B소유의 102호, C소유의 103호 세 채 아파트를 평가하기 위하여 현장에 도착하였다. 소유자 A의 처로부터 甲은 임대차가 없다는 확인을 받고 감정평가서에 "임대차 없음"이라 기재하였다. 그러나 사실은 甲이 모르는 임대차관계가 존재하였으며, 이후 소유자 A, B, C 아파트가 경매로 넘어가자 금융기관에서는 감정평가서의 부실기재를 이유로 甲 등에게 손해배상을 청구하였다. 감정평가법인등 甲과 乙, 丙, 丁도 함께 업무를 하고 있었는데 다음의 물음에 답하시오(감정평가법인등은 모두 금융기관의 업무협약에는 임대차사항에 대한 조사약정이 포함되어 있다). 30점

(1) 감정평가법인등의 손해배상책임에 대하여 설명하시오. 10점

(2) 감정평가법인등 甲은 101호 소유자 A의 처로부터 아파트 101호에 대한 임대차 확인을 받고 "임대차 없음"을 기재하고, 감정평가법인등 乙은 B소유 아파트 102호에 대해 전화조사만으로 임대차 없다는 이야기를 듣고 "임대차 없음"을 기재하였으며, 감정평가법인등 丙은 C소유 103호 아파트가 공실이라는 이유만으로 "임대차 없음"으로 허위로 감정평가서에 임대차 상황을 기재하였고, 결국 경매가 진행되어 은행에 손해가 발생되었는데 그 손해를 배상할 책임이 있는지 논하시오. 15점

(3) 만약 감정평가법인등 丁은 금융기관의 양해 아래 신속한 감정평가를 위해 아파트 101호 소유자 A(임대인)에게 임대차 상황을 물어보고 "임대차 없음"이라고 표시하였는데, 결국 임대차가 있어서 손해가 발생하였는데 손해배상책임이 있는지 논하시오. 5점

---

Ⅰ. 논점의 정리

Ⅱ. (설문 1)
　1. 감정평가 법률관계의 법적 성질
　2. 민법 제750조와의 관계
　3. 손해배상책임의 성립요건
　4. 손해배상책임의 범위와 보장

Ⅲ. (설문 2)
　1. 감정평가법인등 甲의 손해배상책임
　　여부
　　(1) 관련 판례의 태도(대판 2004.
　　　　5.27, 2003다24840)

　　(2) 검토
　2. 감정평가법인등 乙의 손해배상책임
　　여부
　　(1) 관련 판례의 태도(대판 2007.
　　　　4.12, 2006다82625)
　　(2) 검토
　3. 감정평가법인등 丙의 손해배상책임
　　여부
　　(1) 관련 판례의 태도(대판 1997.
　　　　12.12, 97다41196)
　　(2) 검토

> **Ⅳ. (설문 3)**
>   1. 관련 판례의 태도(대판 1997.9.12,
>     97다7400)
>
> **2. 검토**
> **Ⅴ. 사안의 해결**

## Ⅰ   논점의 정리

'감정평가 및 감정평가사에 관한 법률(이하 '감정평가법')' 제28조 제1항은 '감정평가법인등이 감정평가를 하면서 고의 또는 과실로 감정평가 당시의 적정가격과 현저한 차이가 있게 감정평가를 하거나 감정평가서류에 거짓을 기록함으로써 감정평가 의뢰인이나 선의의 제3자에게 손해를 발생하게 하였을 때에는 감정평가법인등은 그 손해를 배상할 책임이 있다.'고 규정하여 감정평가법인등의 손해배상책임을 규정하고 있다. 이처럼 감정평가법인등의 손해배상책임 규정은 감정평가법인등의 성실하고 공정한 감정평가를 유도하여 선의의 평가의뢰인이 불측의 피해를 입지 않도록 하기 위함이며, 또한 부동산 등의 적정가격 형성으로 국토의 효율적 이용과 국민경제의 발전을 도모하기 위함에 그 취지가 있다.

## Ⅱ   (설문 1)

### 1. 감정평가 법률관계의 법적 성질

도급계약이라는 견해와 위임계약이라는 견해가 대립하나, 감정평가법인등이 업무를 수행하는 데 있어서 의뢰인의 지시나 감독을 받지 않는 재량성이 있는 점, 적정가격 산정을 위한 일의 처리를 목적으로 한다는 점, 적정가격의 평가는 대상물건의 특정한 가격을 결정하는 것이 아니고 의뢰인이 참고할 수 있는 정보의 제공에 해당한다는 점, 중도에 업무를 중단하더라도 이미 수행한 부분에 대하여는 그에 상응하는 보수를 받는다는 점들을 고려할 때, 위임계약으로 보는 견해가 타당하다고 본다.

### 2. 민법 제750조와의 관계

#### (1) 학설 및 판례의 태도

특칙이라는 견해와 특칙이 아니라는 견해가 대립하나, 판례는 "감정평가법인등의 부실감정으로 인하여 손해를 입게 된 감정평가의뢰인이나 선의의 제3자는 (구)지가공시 및 토지 등의 평가에 관한 법률상의 손해배상책임과 민법상의 불법행위로 인한 손해배상책임을 함께 물을 수 있다"고 판시한 바 있다.

> **판례**
>
> ● 대판 1998.9.22, 97다36293[손해배상(기)]
>
> [판결요지]
>
> [1] 민사소송법 제615조가 법원은 감정인이 한 평가액을 참작하여 최저경매가격을 정하여야 한다고 하고 있지만, 특별한 사정이 없는 한 감정인의 평가액이 최저경매가격이 되는 것이므로, 감정평가의 잘못과 낙찰자의 손해 사이에는 상당인과관계가 있는 것으로 보아야 한다.
>
> [2] <u>감정평가업자의 부실감정으로 인하여 손해를 입게 된 감정평가의뢰인이나 선의의 제3자는 지가공시 및 토지 등의 평가에 관한 법률상의 손해배상책임과 민법상의 불법행위로 인한 손해배상책임을 함께 물을 수 있다.</u>
>
> [3] 불법행위로 인한 재산상 손해는 위법한 가해행위로 인하여 발생한 재산상 불이익, 즉 위법행위가 없었더라면 존재하였을 재산 상태와 위법행위가 가해진 현재의 재산 상태와의 차이이므로, 낙찰자가 감정평가업자의 불법행위로 인하여 입은 손해도 감정평가업자의 위법한 감정이 없었더라면 존재하였을 재산 상태와 위법한 감정으로 인한 재산 상태와의 차이가 되고, 이는 결국 위법한 감정이 없었다면 낙찰자가 낙찰받을 수 있었던 낙찰대금과 실제 지급한 낙찰대금과의 차액이 된다(다만 위법한 감정에도 불구하고 시가보다 더 낮은 가격으로 낙찰받은 경우, 위법한 감정이 없었다면 실제 지급한 낙찰대금보다 더 낮은 가격으로 낙찰받을 수 있었다는 사정은 이를 주장하는 자가 입증하여야 한다).

### (2) 검토

적정가격이란 현실적으로 찾기가 어렵고 그러함에도 손해배상책임을 널리 인정하여서는 감정평가제도가 위태로울 수 있다는 점을 고려한 정책적 배려에서 마련된 규정으로 보아야 한다는 점, 특칙이 아니라는 견해에 따를 경우 감정평가법 제28조 제1항의 규정은 무의미한 규정이 된다는 점 등을 고려할 때, 특칙으로 보는 견해가 타당하다고 본다.

## 3. 손해배상책임의 성립요건

### (1) 감정평가법인등이 감정평가를 하면서

감정평가란 물건의 경제적 가치를 판정하여 그 결과를 가액으로 표시하는 것을 말한다. 따라서 감정평가법 제28조의 손해배상책임이 성립하기 위해서는 감정평가법인등이 감정평가를 하면서 발생한 손해에 해당하여야 하고, 가치판단작용이 아닌 순수한 사실조사 잘못으로 인한 손해에 대하여는 적용이 없다. 그러나 판례의 경우에는 담보목적의 감정평가 시에 임대차관계에 대한 사실조사에 잘못이 있는 경우에 그러한 사실조사는 감정평가의 내용은 아니라고 하면서도 감정평가법 제28조에 의한 감정평가법인등의 손해배상책임을 인정하였다.

## (2) 고의 또는 과실이 있을 것

고의란 자기 행위가 일정한 결과를 낳을 것을 인식하고 그 결과를 용인하는 것을 말한다. 감정평가법인등이 자신의 부당한 감정평가로 인하여 평가의뢰인이나 선의의 제3자에게 손해가 발생할 것을 인식하고도 부당한 감정평가를 용인하는 것이다. 대법원은 부동산공시법과 감정평가에 관한 규칙 등의 기준을 무시하고 자의적인 방법에 의하여 토지를 감정평가한 것은 고의·중과실에 의한 부당한 감정평가로 볼 수 있다고 하였다. 과실이란 일정한 사실을 인식할 수 있음에도 불구하고 부주의로 이를 인식하지 못한 것을 말한다. 감정평가업무에 종사하는 평균인을 기준으로 부주의 여부를 판정한다. 대법원은 과실로 인정되는 부주의에 대하여 사전자료 준비 부주의, 평가절차의 부주의, 윤리규정에 대한 부주의, 관계법령 및 규칙에 규정된 평가방식 적용에 대한 부주의를 그 예로 들고 있다.

## (3) 부당한 감정평가를 하였을 것

감정평가법인등이 부당한 감정평가를 한 경우에 손해배상책임이 성립한다. 감정평가법 제28조 제1항에서는 부당한 감정평가에 해당하는 것으로 감정평가 당시의 적정가격과 현저한 차이가 있게 감정평가한 경우와, 감정평가서류에 거짓을 기록한 경우를 규정하고 있다. 특히, 현저한 차이란 일반적으로 달라질 수 있다고 인정할 수 있는 범위를 초과하여 발생한 차이를 의미하는 것이다. 감정평가는 가치의 판단이며 의견이기 때문에 평가주체에 따라 달라질 수밖에 없다는 점이 고려되어야 한다. 따라서 적정가격과 현저한 차이가 아니고 일반적 차이가 있게 감정평가한 경우까지 책임을 물을 수 없다고 보아야 한다.

> **판례**
>
> ● 대판 1997.5.7, 96다52427[손해배상(기)]
>
> [판결요지]
>
> [1] 지가공시 및 토지 등의 평가에 관한 법률 제5조 제2항, 같은법 시행령 제7조 제4항, 공공용지의 취득 및 손실보상에 관한 특례법 시행규칙 제5조의4 제1항, 제4항의 각 규정들은 표준지공시지가를 정하거나 공공사업에 필요한 토지의 보상가를 산정함에 있어서 2인 이상의 감정평가업자에 평가를 의뢰하였는데 평가액 중 최고평가액이 최저평가액의 1.3배를 초과하는 경우에는 건설교통부장관이나 사업시행자가 다른 2인의 감정평가업자에게 대상 물건의 평가를 다시 의뢰할 수 있다는 것뿐으로서 여기서 정하고 있는 1.3배의 격차율이 바로 지가공시 및 토지 등의 평가에 관한 법률 제26조 제1항이 정하는 평가액과 적정 가격 사이에 '현저한 차이'가 있는가의 유일한 판단 기준이 될 수 없다.
>
> [2] 지가공시 및 토지 등의 평가에 관한 법률 제26조 제1항은 고의에 의한 부당 감정과 과실에 의한 부당 감정의 경우를 한데 묶어서 그 평가액이 적정 가격과 '현저한 차이'가 날 때에는 감정평가업자는 감정의뢰인이나 선의의 제3자에게 손해배상책임을 지도록 정하고 있는바, 고의에 의한 부당 감정의 경우와 과실에 의한 부당 감정의 경우를 가리지 아니하고 획일적으로 감정평가액과 적정 가격 사이에 일정한 비율 이상의 격차가 날 때에

만 '현저한 차이'가 있다고 보아 감정평가업자의 손해배상책임을 인정한다면 오히려 정의
의 관념에 반할 수도 있으므로, 결국 감정평가액과 적정 가격 사이에 '현저한 차이'가 있
는지 여부는 부당 감정에 이르게 된 감정평가업자의 귀책사유가 무엇인가 하는 점을 고
려하여 사회통념에 따라 탄력적으로 판단하여야 한다.

[3] 감정평가업자가 지가공시 및 토지 등의 평가에 관한 법률과 감정평가규칙의 기준을 무시
하고 자의적 방법에 의하여 대상 토지를 감정평가한 경우, 감정평가업자의 고의·중과실
에 의한 부당 감정을 근거로 하여 같은 법 제26조 제1항의 '현저한 차이'를 인정한 사례

[이유]

(…) 중략

이 사건에 돌아와 보건대 원심이 인정한 바에 의하면 피고는 지가공시 및 토지 등의 평가에
관한 법률과 감정평가규칙의 기준을 무시하고 자의적인 방법에 의하여 이 사건 토지들을 감정
평가하였는바, 이는 고의 또는 그에 가까운 중과실에 의한 부당 감정이라고 볼 수 있다. 사정
이 이와 같음에도 원심이 그 감정평가액이 일응의 적정 가격과 비교하여 1.3배에 미치지 아니
한다는 것을 주된 이유로 하여 '현저한 차이'가 있다고 볼 수 없으므로 더 나아가 살펴볼 필요
도 없이 원고의 이 사건 청구는 이유가 없다고 판단한 것은 지가공시 및 토지 등의 평가에
관한 법률 제26조 제1항에 관한 법리를 오해한 위법이 있다 할 것이고, 원고는 피고의 감정평
가 결과와는 관계없이 소외 1과 이 사건 토지들의 매매대금을 결정하여 두었다는 피고의 주장
에 대하여 원심법원이 아무런 판단을 하지 않은 바이므로 위와 같은 위법은 판결의 결과에
영향을 미쳤다고 보는 수밖에 없다. 이 점을 지적하는 상고이유 제2점의 논지도 이유가 있다.

## (4) 감정평가의뢰인 또는 선의의 제3자에게 손해가 발생하였을 것

부당한 감정평가를 알지 못한 경우라도 타인이 사용할 수 없음을 인식한 경우에는 선의의 제3
자에 해당하지 아니한다. 손해라 함은 일반적으로 주로 재산권에 관하여 받은 불이익을 말한
다. 따라서 감정평가의뢰인 또는 선의의 제3자가 가지고 있는 법적인 이익에 침해가 발생하여
야 한다.

## (5) 상당한 인과관계가 있을 것

적정가격과 현저한 차이가 있게 한 감정평가와 손해의 발생과의 사이에는 인과관계가 있어야
한다고 보아야 할 것이다. '인과관계'라 함은 선행의 사실과 후행의 사실과의 사이에 전자가
없었더라면 후자도 없었으리라는 관계가 있는 경우에 성립되는 관계를 말한다.

## (6) 위법성의 요건이 필요한지 여부

감정평가법은 감정평가법인등의 손해배상책임 성립요건에 위법성을 요구하고 있지 아니하다.
따라서 위법성을 손해배상책임의 성립요건으로 보아야 하는지 견해가 대립한다. 생각건대, 감
정평가법 제28조는 민법에 대한 특칙으로 보는 것이 타당하다는 점에서 명시적 규정이 없는
위법성의 요건을 필요하지 않다고 보는 것이 타당하다고 할 것이다. 그리고 필요 없다는 견해

중에서 고의 또는 과실 속에 포함되어 있다고 보는 견해는 주관적 책임요건과 객관적 책임요건을 분명하게 하지 못하는 문제점이 있다고 할 수 있다. 따라서 부당한 감정평가의 개념 속에 위법성의 요건이 포함되어 있는 것으로 보는 것이 타당할 것이다.

## 4. 손해배상책임의 범위와 보장

상기와 같은 손해배상책임의 성립요건이 모두 충족된 경우에 감정평가법인등의 손해배상책임을 지게 된다. 따라서 해당 부당한 감정평가와 상당인과관계가 있는 모든 손해를 배상하여야 한다. 또한, 감정평가법인등은 손해배상책임을 보장하기 위하여 보증보험에 가입하거나 협회가 운영하는 공제사업에 가입하고 이를 국토교통부장관에게 통보하여야 한다. 감정평가법인등이 보증보험금으로 손해배상을 한 때에는 10일 이내에 보험계약을 다시 체결하여야 한다.

---

**판례**

● 대판 1999.5.25, 98다56416[손해배상(기)]

[판결요지]

[1] 타인의 의뢰에 의하여 일정한 보수를 받고 토지 등의 경제적 가치를 판정하여 그 결과를 가액으로 표시하는 감정평가를 업으로 행하는 감정평가업자가 토지를 개별적으로 감정평가하는 경우에는 실지조사에 의하여 대상 물건을 확인하고, 당해 토지와 용도, 지목, 주변환경 등이 동일 또는 유사한 인근지역에 소재하는 하나 또는 둘 이상의 표준지의 공시지가를 기준으로 공시 기준일로부터 가격시점까지의 지가변동율, 도매물가상승율 및 지가변동에 영향을 미치는 관계 법령에 의한 토지의 사용·처분 등의 제한 또는 그 해제, 토지의 형질변경이나 지목의 변경 등의 기타 사항을 종합적으로 참작하고 평가 대상 토지와 표준지의 지역요인 및 개별요인에 대한 분석 등 필요한 조정을 하는 방법으로 신의와 성실로써 공정하게 감정평가를 하여야 할 주의의무가 있다.

[2] 감정평가업자가 과실로 감정평가 당시의 적정가격과 현저한 차이가 있게 감정평가함으로써 감정평가 의뢰인에게 손해를 발생하게 한 때에는 그 손해를 배상할 책임이 있다.

[3] 감정평가업자가 평가 대상 토지가 보전임지에서 전용허가를 받았음에도 불구하고 그 경위 및 그로 인한 사용상의 제한 내역을 조사하지 않은 채 건축물신고수리통보서만을 근거로 기준에 적합하지 않은 비교표준지를 선정하여 감정가격을 산출한 경우, 감정평가 당시의 적정가격과 현저한 차이가 있게 감정평가한 경우에 해당한다고 본 사례

[4] 금융기관이 감정평가업자를 상대로 감정평가업자가 실시한 담보목적물에 대한 부당 감정을 믿고 그 감정가격에 근거하여 제3자에게 대출을 하여 손해를 입었음을 원인으로 하여 손해배상청구를 하는 경우에 있어서, 금융기관이 감정평가업자의 부당감정과는 관계없이 제3자가 여신적격자가 아님에도 불구하고 대출을 해 줌으로써 손해를 입은 것이라는 취지의 주장은 면책 주장에 해당하는 것이므로 면책의 효과를 주장하는 자에게 그에 대한 입증책임이 있다.

[5] 담보목적물에 대하여 감정평가업자가 부당한 감정을 함으로써 감정 의뢰인이 그 감정을 믿고 정당한 감정가격을 초과한 대출을 한 경우에는 부당한 감정가격에 근거하여 산출된

---

담보가치와 정당한 감정가격에 근거하여 산출된 담보가치의 차액을 한도로 하여 대출금 중 정당한 감정가격에 근거하여 산출된 담보가치를 초과한 부분이 손해액이 된다.

[6] 민법상 과실상계제도는 채권자가 신의칙상 요구되는 주의를 다하지 아니한 경우 공평의 원칙에 따라 손해배상액을 산정함에 있어서 채권자의 그와 같은 부주의를 참작하게 하려는 것이므로 사회통념상 혹은 신의성실의 원칙상 단순한 부주의라도 그로 말미암아 손해가 발생하거나 확대된 원인을 이루었다면 채권자에게 과실이 있는 것으로 보아 과실상계를 할 수 있고, 채무불이행으로 인한 손해배상책임의 범위를 정함에 있어서의 과실상계 사유의 유무와 정도는 개별 사례에서 문제된 계약의 체결 및 이행 경위와 당사자 쌍방의 잘못을 비교하여 종합적으로 판단하여야 하며, 이때에 과실상계 사유에 관한 사실인정이나 그 비율을 정하는 것은 그것이 형평의 원칙에 비추어 현저히 불합리한 것이 아닌 한 사실심의 전권사항이라고 할 수 있다.



## Ⅲ (설문 2)

### 1. 감정평가법인등 甲의 손해배상책임 여부

#### (1) 관련 판례의 태도

> **판례**
>
> ● 대판 2004.5.27, 2003다24840[손해배상(기)]
>
> [판결요지]
>
> [1] 감정평가업자가 금융기관과 감정평가업무협약을 체결하면서 감정 목적물인 주택에 관한 임대차 사항을 상세히 조사할 것을 약정한 경우, 이는 금융기관이 감정평가업자에게 그 주택에 관한 대항력 있는 임차인의 존부 및 그 임차보증금의 액수에 대한 사실 조사를 의뢰한 취지라 할 것이니, 감정평가업자로서는 협약에 따라 성실하고 공정하게 주택에 대한 위와 같은 임대차관계를 조사하여 금융기관에게 알림으로써 금융기관이 그 주택의 담보가치를 적정하게 평가하여 불측의 손해를 입지 않도록 협력하여야 할 의무가 있고, 1991.6.30.까지는 누구나 타인의 주민등록관계를 확인할 수 있었으나, 주민등록법 및 같은 법 시행령이 개정됨에 따라 1991.7.1.부터는 금융기관은 담보물의 취득을 위한 경우에 타인의 주민등록관계를 확인할 수 있되 일개 사설감정인에 불과한 감정평가업자로서는 법령상 이를 확인할 방법이 없게 되었으므로, 감정평가업자로서는 그 이후로는 주택의 현황 조사와 주택의 소유자, 거주자 및 인근의 주민들에 대한 탐문의 방법에 의해서 임대차의 유무 및 그 내용을 확인하여 그 확인 결과를 금융기관에게 알릴 의무가 있다.
>
> [2] 감정평가업자가 현장조사 당시 감정대상 주택 소유자의 처로부터 임대차가 없다는 확인을 받고 감정평가서에 "임대차 없음"이라고 기재하였으나 이후에 임차인의 존재가 밝혀진 경우, 감정평가업자는 감정평가서를 근거로 부실 대출을 한 금융기관의 손해를 배상할 책임이 있다고 한 사례

> [3] 담보목적물에 대하여 감정평가업자가 부당한 감정을 함으로써 감정 의뢰인이 그 감정을 믿고 정당한 감정가격을 초과한 대출을 한 경우에는 부당한 감정가격에 근거하여 산출된 담보가치와 정당한 감정가격에 근거하여 산출된 담보가치의 차액을 한도로 하여 대출금 중 정당한 감정가격에 근거하여 산출된 담보가치를 초과한 부분이 손해액이 된다.
>
> [4] 담보목적물에 주택임대차보호법에서 정한 대항력을 갖춘 임차인이 있는 경우, 정당한 감정가격에 근거한 담보가치는 주택의 감정평가액에서 임차보증금을 공제한 금액에 담보 평가요율을 곱하는 방법에 따라 계산한 금액이라고 한 사례

### (2) 검토

甲은 아파트 소유자의 처로부터 "임대차 없음"이라는 확인을 받았다. 이때 甲은 임대관계 여부를 알지 못했으므로 고의는 없다고 보이나 과실의 인정 여부가 문제된다. 甲은 행정기관 등에서 임대차 여부를 확인하지 않고 단순히 소유자의 처에게만 임대차 여부를 문의하였는바, 이는 충분한 자료의 수집이 미흡했다고 보인다. 또한, 임대차사항에 대하여 성실히 조사할 것을 기대한 금융기관의 신뢰와 관련하여 판단할 때, 손해와 甲의 부실평가 사이에는 상당인과관계가 인정되며, 甲은 감정평가법 제28조에 의거 손해배상책임을 진다고 볼 수 있다.

## 2. 감정평가법인등 乙의 손해배상책임 여부

### (1) 관련 판례의 태도

> **판례**
>
> ● 대판 2007.4.12, 2006다82625[손해배상(기)]
>
> [판결요지]
>
> [1] 감정평가업자가 금융기관과 감정평가업무협약을 체결하면서 감정 목적물인 주택에 관한 임대차 사항을 상세히 조사할 것을 약정한 경우, 이는 금융기관이 감정평가업자에게 그 주택에 관한 대항력 있는 임차인의 존부 및 그 임차보증금의 액수에 대한 사실 조사를 의뢰한 취지이므로, 감정평가업자로서는 협약에 따라 성실하고 공정하게 주택에 대한 위와 같은 임대차관계를 조사하여 금융기관에게 알림으로써 금융기관이 그 주택의 담보 가치를 적정하게 평가하여 불측의 손해를 입지 않도록 협력하여야 할 의무가 있다.
>
> [2] <u>감정평가업자가 금융기관으로부터 조사를 의뢰받은 담보물건과 관련된 임대차관계 등을 조사함에 있어 단순히 다른 조사기관의 전화조사만으로 확인된 실제와는 다른 임대차관계 내용을 기재한 임대차확인조사서를 제출한 사안에서, 감정평가업자에게 감정평가업무협약에 따른 조사의무를 다하지 아니한 과실이 있다고 한 사례</u>
>
> [3] 담보목적물에 대하여 감정평가업자가 부당한 감정을 함으로써 감정 의뢰인이 그 감정을 믿고 정당한 감정가격을 초과한 대출을 한 경우에는 부당한 감정가격에 근거하여 산출된 담보가치와 정당한 감정가격에 근거하여 산출된 담보가치의 차액을 한도로 하여 대출금 중 정당한 감정가격에 근거하여 산출된 담보가치를 초과한 부분이 손해액이 되고, 통상

감정평가업자로서는 대출 당시 앞으로 대출금이 연체되리라는 사정을 알기는 어려우므로 대출 당시 감정평가업자가 대출금이 연체되리라는 사정을 알았거나 알 수 있었다는 특별한 사정이 없는 한 연체된 약정 이율에 따른 지연손해금은 감정평가업자의 부당한 감정으로 인하여 발생한 손해라고 할 수 없다.

### (2) 검토

생각건대, 감정평가업자로서는 금융기관과의 협약에 따라 적정한 감정평가액을 산정해서 은행이 담보금액을 산정함에 있어 불측의 손해를 입지 않도록 협력하여야 할 의무가 존재한다. 따라서 담보물건의 감정평가에 있어 다양한 사항을 조사해야 하나, 담보금액에 영향을 미치는 임대차관계 등을 조사함에 있어 단순히 전화조사만으로 확인한 경우 이러한 의무를 제대로 이행하지 않았다 볼 수 있다. 따라서 감정평가법 제28조에 의해 손해배상책임을 지게 된다.

## 3. 감정평가법인등 丙의 손해배상책임 여부

### (1) 관련 판례의 태도



● 대판 1997.12.12, 97다41196[손해배상(기)]

[판결요지]

[1] 감정평가업자가 금융기관과 감정평가업무협약을 체결하면서 감정 목적물인 주택에 관한 임대차 사항을 상세히 조사할 것을 약정한 경우, 이는 금융기관이 감정평가업자에게 그 주택에 관한 대항력 있는 임차인의 존부 및 그 임차보증금의 액수에 대한 사실 조사를 의뢰한 취지라 할 것이니, 감정평가업자로서는 협약에 따라 성실하고 공정하게 주택에 대한 위와 같은 임대차관계를 조사하여 금융기관에게 알림으로써 금융기관이 그 주택의 담보 가치를 적정하게 평가하여 불측의 손해를 입지 않도록 협력하여야 할 의무가 있고, 1991.6.30.까지는 누구나 타인의 주민등록관계를 확인할 수 있었으나, 주민등록법 및 같은 법 시행령이 개정됨에 따라 1991.7.1.부터는 금융기관은 담보물의 취득을 위한 경우에 타인의 주민등록관계를 확인할 수 있되 일개 사설감정인에 불과한 감정평가업자로서는 법령상 이를 확인할 방법이 없게 되었으므로, 감정평가업자로서는 그 이후로는 주택의 현황 조사와 주택의 소유자, 거주자 및 인근의 주민들에 대한 탐문의 방법에 의해서 임대차의 유무 및 그 내용을 확인하여 그 확인 결과를 금융기관에게 알릴 의무가 있다.

[2] 감정평가업자가 금융기관으로부터 감정평가를 의뢰받은 주택에 대한 현장 조사를 행할 당시 그 주택에 거주하는 사람이 없어 공실 상태이었다고 하더라도, 감정평가업자로서는 일시적으로 임대차 조사 대상 주택에 거주하는 사람이 없었다는 사유만으로 그 주택에 관한 대항력 있는 임차인이 없다고 단정할 수는 없는 사실을 알고 있었다고 할 것이므로, 그 주택의 소유자나 인근의 주민들에게 그 주택이 공실 상태로 있게 된 경위와 임차인이

> 있는지 여부에 관하여 문의하는 등의 방법으로 임대차 사항을 조사하고 그러한 조사에
> 의해서도 임차인의 존재 여부를 밝힐 수 없었다거나 그러한 조사 자체가 불가능하였다면
> 금융기관에게 그와 같은 사정을 알림으로써, 적어도 금융기관으로 하여금 그 주택에 대
> 항력 있는 임차인이 있을 수 있는 가능성이 있다는 점에 대하여 주의를 환기시키는 정도
> 의 의무는 이행하였어야 함에도 불구하고 실제로는 대항력 있는 임차인이 있는데도 감정
> 평가서에 '임대차 없음'이라고 단정적으로 기재하여 금융기관에 송부한 경우, 감정평가업
> 자는 약정상의 임대차조사의무를 제대로 이행하지 못한 것이므로, 금융기관이 위와 같이
> 기재한 임대차 조사 사항을 믿고 그 주택의 담보 가치를 잘못 평가하여 대출함으로써 입
> 은 손해에 대하여 배상할 책임이 있다고 한 사례

### (2) 검토

임대차 사항은 담보물건의 환가성과 관련하여 담보금액 산정에 영향을 미칠 수 있는 사항이
다. 따라서 감정평가업자로서는 그 이후로는 주택의 현황 조사와 주택의 소유자, 거주자 및
인근의 주민들에 대한 탐문의 방법에 의해서 임대차의 유무 및 그 내용을 확인하여 그 확인
결과를 금융기관에게 알릴 의무가 있다. 하지만, 단순히 공실이라는 이유로 임대차 관계가 없
다고 단정한 것은 이러한 의무를 제대로 이행한 것이라고 볼 수 없기 때문에 손해배상책임이
인정된다고 판단된다.

## Ⅳ (설문 3)

### 1. 관련 판례의 태도

> **판례**
>
> ● 대판 1997.9.12, 97다7400[손해배상(기)]
>
> **[판결요지]**
>
> [1] 지가공시 및 토지 등의 평가에 관한 법률 제26조 제1항은 "감정평가업자가 타인의 의뢰에
> 의하여 감정평가를 함에 있어서 고의 또는 과실로 감정평가 당시의 적정가격과 현저한 차이
> 가 있게 감정평가하거나 감정평가서류에 허위의 기재를 함으로써 감정평가 의뢰인이나 선의
> 의 제3자에게 손해를 발생하게 한 때에는 감정평가업자는 그 손해를 배상할 책임이 있다."고
> 규정하고 있고, 여기에서 '감정평가'라 함은 '토지 및 그 정착물 등 재산의 경제적 가치를
> 판정하여 그 결과를 가액으로 표시하는 것'을 말하는바, 금융기관이 담보물에 관한 감정평
> 가를 감정평가업자에게 의뢰하면서 감정업무협약에 따라 감정 목적물에 관한 대항력 있는
> 임대차계약의 존부와 그 임차보증금의 액수에 대한 사실조사를 함께 의뢰한 경우에 그 감정
> 평가의 직접적 대상은 그 담보물 자체의 경제적 가치에 있는 것이고, 임대차관계에 대한
> 사실조사는 그에 부수되는 업무로서 당연히 담보물에 대한 감정평가의 내용이 되는 것은

아니지만, 감정평가업자는 금융기관의 의뢰에 의한 토지 및 건물의 감정평가도 그 업무로 하고 있으므로 감정평가업자가 그 담보물에 대한 감정평가를 함에 있어서 고의 또는 과실로 감정평가서류에 그 담보물의 임대차관계에 관한 허위의 기재를 하여 결과적으로 감정평가 의뢰인으로 하여금 부동산의 담보가치를 잘못 평가하게 함으로써 그에게 손해를 가하게 되었다면 감정평가업자는 이로 인한 손해를 배상할 책임이 있다.

[2] 감정평가업자가 금융기관의 신속한 감정평가 요구에 따라 그의 양해 아래 임차인이 아닌 건물 소유자를 통하여 담보물의 임대차관계를 조사하였으나 그것이 허위로 밝혀진 경우, 감정평가업자에게는 과실이 없으므로 손해배상책임이 인정되지 않는다고 본 사례

## 2. 검토

생각건대, 과실이란 일정한 사실을 인식할 수 있음에도 불구하고 부주의로 이를 인식하지 못한 것을 말한다는 점을 고려한다면, 금융기관의 양해 아래 임대차관계를 조사했으나 허위로 밝혀진 경우, 이는 금융기관의 의뢰로 인한 것이기 때문에 감정평가법인등에게는 과실이 인정되지 않는다고 판단된다. 따라서 감정평가법 제28조의 요건을 충족하지 않았기 때문에 손해배상책임은 문제되지 않는다.

## Ⅴ 사안의 해결(손해배상책임 관련문제)

감정평가법 제28조에 의한 감정평가법인등의 손해배상책임에 대하여도 민법상 불법행위로 인한 손해배상청구권의 소멸시효규정의 적용을 받는다고 본다. 따라서 민법 제766조의 규정에 의하여 감정평가법인등에 대한 손해배상청구권은 감정평가의뢰인 또는 선의의 제3자가 손해를 안 날부터 3년, 부당한 감정평가가 있은 날부터 10년 이내에 행사하여야 할 것이다. 또한, 보상평가의 경우에도 감정평가법 제28조의 손해배상책임이 성립할 수 있는가의 문제가 있다. 그러나 보상목적의 감정평가가격은 협의 또는 재결절차에서 수용·사용의 목적물에 대한 제시가격의 성격을 가지며, 피수용자는 그러한 가격에 불복할 권리가 인정된다. 따라서 보상목적의 감정평가에 있어서는 감정평가법 제28조의 손해배상책임이 성립하지 아니한다고 볼 것이다.

> 🔖 **감정평가법 제28조(손해배상책임)**
> ① 감정평가법인등이 감정평가를 하면서 고의 또는 과실로 감정평가 당시의 적정가격과 현저한 차이가 있게 감정평가를 하거나 감정평가 서류에 거짓을 기록함으로써 감정평가 의뢰인이나 선의의 제3자에게 손해를 발생하게 하였을 때에는 감정평가법인등은 그 손해를 배상할 책임이 있다.
> ② 감정평가법인등은 제1항에 따른 손해배상책임을 보장하기 위하여 대통령령으로 정하는 바에 따라 보험에 가입하거나 제33조에 따른 한국감정평가사협회가 운영하는 공제사업에 가입하는 등 필요한 조치를 하여야 한다.

③ 감정평가법인등은 제1항에 따라 감정평가 의뢰인이나 선의의 제3자에게 법원의 확정판결을 통한 손해배상이 결정된 경우에는 국토교통부령으로 정하는 바에 따라 그 사실을 국토교통부장관에게 알려야 한다.
④ 국토교통부장관은 감정평가 의뢰인이나 선의의 제3자를 보호하기 위하여 감정평가법인등이 갖추어야 하는 손해배상능력 등에 대한 기준을 국토교통부령으로 정할 수 있다.

최근 감정평가법 제28조를 개정하여 "감정평가법인등은 동조 제1항에 따라 감정평가 의뢰인이나 선의의 제3자에게 법원의 확정판결을 통한 손해배상이 결정된 경우에는 국토교통부령으로 정하는 바에 따라 그 사실을 국토교통부장관에게 알려야 한다. 또한 국토교통부장관은 감정평가 의뢰인이나 선의의 제3자를 보호하기 위하여 감정평가법인등이 갖추어야 하는 손해배상능력 등에 대한 기준을 국토교통부령으로 정할 수 있다."는 규정을 신설하여 의뢰인이나 제3자를 보호하는 입법조치를 하였는바, 감정평가의 공정성과 신뢰성이 한층 중시된다고 할 것이다.

<table>
<tr><td>9절</td><td>– 감정평가법 제32조(인가취소 등)<br>– 행정법 쟁점 : 기속행위와 재량행위의 구별, 처분사유의 추가 · 변경, 기속력</td></tr>
</table>

**문제**

최근 언론에서 부동산시장과 관련한 다양한 사회적 이슈가 보도됨에 따라 국토부장관은 감정평가업계의 내부감사를 실시하였다. 감사 도중 국토교통부장관 乙은 감정평가법인등 甲이 「감정평가 및 감정평가사에 관한 법률」 제27조 명의대여 등의 금지 위반을 이유로 동법 제32조 제1항 제11호에 근거하여 6개월의 업무정지처분을 내렸다. 국토교통부장관 乙은 동 처분을 하면서 "귀하는 다른 사람에게 자격증을 양도 또는 대여하였으므로, 귀하의 업무를 2019년 5월 1일자로 정지하였기에 통지합니다."라고 기재된 통지서를 발송하였다. 이에 甲은 다른 사람에게 자격증을 양도 또는 대여한 사실이 없음에도 불구하고 업무정지처분이 이루어졌음을 이유로 국토교통부장관 乙의 업무정지처분에 대한 소송을 제기하였다. <u>40점</u>

(1) 국토교통부장관 乙은 소송 중에 甲이 당초부터 '자기 또는 친족 소유, 그 밖에 불공정한 감정평가를 할 우려가 있다고 인정되는 토지 등에 대해서는 이를 감정평가하여서는 아니 된다는 규정'(법 제25조 제2항)을 위반하고 있어 그러한 행위를 하지 말 것을 고지하고, 그러한 이유를 내세워 자신의 처분의 적법성을 주장하고 있다. 반면 甲은 국토교통부장관 乙의 주장이 처분의 이유보완의 법리에 어긋남을 이유로 위법하다고 주장하고 있다. 甲, 乙의 주장의 당부에 대하여 검토하시오.

(2) 국토교통부장관 乙은 감정평가사 甲이 제기한 취소소송에서 패소하여 판결이 확정되었다. 이후 국토교통부장관 乙은 재처분을 하면서 '자기 또는 친족 소유, 그 밖에 불공정한 감정평가를 할 우려가 있다고 인정되는 토지 등에 대해서는 이를 감정평가하여서는 아니 된다는 규정'을 위반하였다는 이유에서 다시 업무정지처분을 내렸다. 처분의 적법성을 검토하시오.

---

I. 논점의 정리

II. 업무정지처분의 법적 성질
  1. 문제의 소재
  2. 기속 · 재량행위의 의의 및 구별기준
  3. 사안의 경우

III. 설문 (1)에 대하여
  1. 처분사유 추가 · 변경의 의의 및 하자의 치유와의 구별
  2. 처분사유 추가 · 변경의 허용 여부
    (1) 문제의 소재
    (2) 학설의 태도
    (3) 판례의 태도
    (4) 검토
  3. 재량행위에서의 처분사유의 추가 · 변경의 허용 여부
  4. 처분사유 추가 · 변경의 허용범위 및 한계
    (1) 기본적 사실관계의 동일성 여부
    (2) 추가 · 변경사유의 기준시점
  5. 처분사유의 추가 · 변경의 결과
  6. 사안의 경우

| | |
|---|---|
| **IV. 설문 (2)에 대하여** | (1) 학설 |
|   1. 문제의 소재 | (2) 판례 |
|   2. 판결의 기속력 | (3) 검토 |
|   3. 재처분이 판결의 기속력에 반하는지 여부 | **V. 사례의 해결** |

## I · 논점의 정리

(1) 설문 (1)에서 첫째, 행정청의 당초처분의 사유로 들었던 이유에 대하여 당사자가 다투는 과정에서 다른 사유를 추가 또는 변경할 수 있는지에 대한 전제문제로서 「감정평가 및 감정평가사에 관한 법률」(이하 '감정평가법')에 의한 업무정지처분의 법적 성질이 재량행위인지 기속행위인지를 검토하여야 한다.

둘째, 국토교통부장관 乙은 감정평가법상 업무정지처분 당시 다른 사람에게 자격증을 양도 또는 대여하였다는 이유를 들었다가 소송 도중에 해당 자기 또는 친족의 소유토지 기타 불공정한 감정평가를 한 것으로 이유를 변경하였는바, 처분사유의 추가 · 변경의 개념과 허용 여부, 재량행위의 경우 적용 여부, 범위 및 한계 등을 검토하여 문제를 해결한다.

(2) 설문 (2)에서 법원이 종래의 처분이 위법함을 이유로 취소판결이 난 경우, 행정청이 이유를 변경하여 동일한 처분을 하는 것이 판결의 기속력, 특히 반복금지효에 반하는 것이 아닌지 문제된다.

## II · 업무정지처분의 법적 성질

### 1. 문제의 소재

해당 업무정지처분의 경우 그 근거규정이 감정평가법 제32조 제1항에 의한 업무정지처분인바, 처분사유의 추가 · 변경의 가능성 여부와 관련하여 기속행위인지 재량행위인지에 대한 구별에 논의의 실익이 있다 할 것이다.

### 2. 기속 · 재량행위의 의의 및 구별기준

기속행위란 법률이 어떠한 요건하에서 어떠한 행위를 할 것인가에 대해서 일의적으로 규정하고 있어서 행정청이 그 법률을 기계적으로 적용 · 집행하여야 하는 행위를 말하고, 재량행위란 법률이 행정청에 그 요건판단이나, 효과의 결정에 있어서 일정한 독자적 판단권을 인정하고 있는 행위를 말한다. 그 구별기준에 있어서는 요건재량설과 효과재량설의 학설이 있으나 통설과 판례의 경우 근거법령의 법규정의 문언뿐만 아니라 그 법령의 취지, 목적, 행위의 성질 및 헌법상 기본권과의 관계 등을 종합적으로 고려하여 판단하여야 한다는 입장이다.

## 3. 사안의 경우

업무정지처분은 감정평가법 제32조 제1항에서 '2년 이내의 범위에서 기간을 정하여 업무의 정지를 명할 수 있다'고 규정하고 있는 점과 이에 위임된 동법 시행령 제29조 [별표 3]을 판례의 태도에 의거 법규명령으로 본다 하더라도 감경규정에 의거 재량권이 부여된 것으로 볼 수 있는바, 일정한 한도 내의 행정청의 독자적인 판단권이 인정되어 업무정지처분은 재량행위로 해석할 수 있다.

# Ⅲ 설문 (1)에 대하여

## 1. 처분사유 추가·변경의 의의 및 하자의 치유와의 구별

처분사유의 추가·변경이란 당초 처분 시에는 존재하였지만 처분이유로 제시되지 아니하였던 사실 및 법적 근거를 소송계속 중에 추가하거나 변경하는 것을 말한다. 이는 처분청이 처분 시에 처분사유로 삼지 않은 새로운 사실 및 법적 근거를 내세워 처분의 적법성을 주장할 수 있는지의 문제이다. 처분사유의 추가·변경은 이미 처분 시에 객관적으로 존재하였던 사유를 대상으로 한다는 점에서 처분 후에 발생한 사유를 근거로 하는 하자의 치유와 구별된다.

## 2. 처분사유 추가·변경의 허용 여부

### (1) 문제의 소재

행정소송의 계속 중에 처분사유의 추가·변경을 허용할 것인가의 문제에 대해서는 현행 행정소송법은 아무런 규정을 두지 않아 이 문제는 학설과 판례에 맡겨져 있다. 처분사유의 추가·변경은 취소소송의 소송물의 범위 내에서만 가능하다. 처분사유의 변경으로 소송물이 변경된다면 청구가 변경되는 것이므로, 이 경우에는 소의 변경을 하여야 한다.

### (2) 학설의 태도

#### ① 긍정설

이는 취소소송의 소송물을 행정처분의 위법성 일반으로 보는 입장에서 일회적인 분쟁해결이라는 소송경제적 측면을 강조하며 양 당사자는 모든 사실상·법률상의 주장을 할 수 있다는 입장이다. 만약 처분사유의 추가·변경이 허용되지 않으면 원고가 승소하더라도 처분청으로서는 다른 이유를 근거로 다시 동일한 처분을 할 수 있으므로 원고가 이에 대해 다시 소를 제기하는 경우가 발생하여 분쟁의 일회적 해결의 요청에 반하게 된다고 한다.

#### ② 부정설

이는 취소소송의 소송물을 그 처분이유에서 특정된 처분의 위법성으로서 보는 입장에서 실질적 법치주의와 상대방의 신뢰보호를 강조하여 처분사유의 추가·변경을 부인하는 견해이다. 즉, 당초의 처분사유로는 승소할 수 없어 행정청이 새로운 사유를 내세워 처분의 적법성을 주장할 수 있다면 원고의 방어방법에 지장을 주고 법적으로 예기치 못한 불안을 초래할 수 있다고 한다.

③ 제한적 긍정설(통설)

이는 당초의 처분사유와 기본적 사실관계의 동일성이 인정되는 범위 내에서 제한적으로 인정된다는 견해이다. 즉, 행정소송에 있어서 실질적 법치주의 내지 소송경제의 관점과 처분 상대방의 신뢰보호 내지 공격·방어권 보장의 조화의 필요성에서 제한적으로 처분사유의 추가·변경을 허용할 수 있다고 한다.

### (3) 판례의 태도

대법원은 행정처분의 취소를 구하는 항고소송에서 처분청은 당초 처분의 근거로 삼은 사유와 기본적 사실관계가 동일성이 있다고 인정되는 한도 내에서만 다른 사유를 추가하거나 변경할 수 있을 뿐, 기본적 사실관계와 동일성이 인정되지 않는 별개의 사실을 들어 처분사유로서 주장함은 허용되지 않는다고 판시한 바 있다.

### (4) 검토

실질적 법치주의와 분쟁의 일회적 해결이라는 요청 및 원고의 방어권 보장과 신뢰보호의 조화라는 관점에서 제한적 긍정설이 타당하다. 행정절차법 제23조에서 행정청은 처분 시에 당사자에게 처분의 근거와 이유를 제시하여야 한다고 규정하고 있는 점에 비추어 볼 때에도, 사후에 처분사유를 추가·변경하는 것은 그 이유와 근거를 보충 내지 정정하는 것 등 제한적으로만 인정되어야 할 것이다.

## 3. 재량행위에서의 처분사유의 추가·변경의 허용 여부

(1) 부정설은 재량행위에 있어서 고려사항은 그 재량행위의 동일성 판단에 있어서 결정적인 요소로 작용하는 것이므로, 고려사항의 변경은 새로운 처분을 한 것이 되어 허용되지 않는다고 본다.

(2) 긍정설은 재량행위의 경우에도 추가·변경이 원칙적으로 금지되는 것은 아니며, 재량권을 잘못 행사한 결과 행해진 재량처분을 보완하기 위하여 다른 사유를 들어 재량행사의 적법성을 뒷받침하는 경우 이로써 처분의 본질적 내용이 변경되었다고 볼 수 없다고 본다.

생각건대, 재량행위이더라도 기본적인 사실관계의 동일성이 인정되어 원고의 방어권 행사에 불이익을 초래하지 않는 경우에는 처분사유의 추가·변경이 허용된다고 보는 것이 타당하다.

## 4. 처분사유 추가·변경의 허용범위 및 한계

### (1) 기본적 사실관계의 동일성 여부

처분사유의 추가·변경은 기본적 사실관계의 동일성을 해하지 않는 범위 내에서만 허용된다. 이는 행정처분의 상대방의 방어권을 보장함으로써 실질적 법치주의를 구현하고 행정처분의 상대방에 대한 신뢰를 보호하기 위한 것이다. 여기서 기본적 사실관계의 동일성 유무는 처분사유를 법률적으로 평가하기 이전의 구체적인 사실에 착안하여 그 기초가 되는 사회적 사실관계가 기본적인 점에서 동일한지의 여부에 따라 결정한다.

### (2) 추가 · 변경사유의 기준시점

#### ① 문제점

추가 · 변경되는 처분사유의 존재시기 문제로 처분의 위법성 판단기준 시를 언제로 볼 것인지 문제와 연결되는 문제이다.

#### ② 처분의 위법판단의 기준시점

㉠ 처분시설은 취소소송은 처분의 적법성의 사후심사제도인 점, 권력분립원칙을 논거로 하고, 판결시설은 취소소송의 목적은 해당 처분이 현행법규에 비추어 유지될 수 있는가 여부를 판단 · 선언하는 데 있다는 점을 논거로 한다. 판례는 행정처분의 위법 여부는 그 처분 당시의 사유와 사정을 기준으로 하여 판단하여야 하고, 처분청이 처분 이후에 추가한 새로운 사유를 보태어 처분 당초의 흠을 치유할 수 없다고 판시하여 처분시설을 취하고 있다.

㉡ 판결시설은 법원이 행정감독적 기능을 수행하게 된다는 점, 처분 시 위법한 행위가 후일의 법령개폐에 의하여 적법하게 되거나 반대로 적법한 행위가 사후에 위법하게 될 수 있어 법치주의에 반한다는 점, 판결의 지연에 따라 불균형한 결과를 초래할 수 있다는 점 등의 문제점이 있으므로,

㉢ 원칙적으로 처분시설이 타당하다고 보인다.

## 5. 처분사유의 추가 · 변경의 결과

(1) 처분사유의 추가 · 변경이 허용되지 않는, 즉 기본적 사실관계의 동일성이 없는 처분사유의 변경은 당초의 처분을 유지시키지 않고 다른 처분을 발하는 것이어서 처분의 변경을 초래하므로, 이 경우 원고가 새로운 상황에 대비할 수 있도록 처분 · 변경으로 인한 소의 변경이 허용되어야 한다(행정소송법 제22조).

(2) 반면, 소송계속 중 처분사유의 추가 · 변경이 허용될 경우, 원고가 소제기 시에는 당시의 처분사유로는 위법한 처분이라고 생각하였으나 변경된 후에 비로소 처분의 적법성을 인식한 경우에 소 취하의 기회를 부여하여야 한다. 또한 그러한 이유로 소가 취하되거나 원고가 패소하게 되는 경우에는 그로 인한 소송비용의 일부를 피고가 부담하는 것으로 보아야 한다.

## 6. 사안의 경우

이 사안에서 추가된 처분사유는 당초 처분 시에 존재하였던 사유이므로 처분사유의 추가 · 변경의 시간적 범위를 벗어난 것은 아니다. 또한 소송물의 범위를 그 취소원인이 되는 위법성 일반으로 보는 경우에는 처분사유로 감정평가법 제25조 제2항 위반을 추가하는 것은 허용된다고 할 것이다. 그러나 실질적 법치주위와 상대방의 신뢰보호라는 견지에서 당초 처분의 근거로 삼은 사유와 기본적 사실관계에 있어서 동일성이 인정되는 한도 내에서만 새로운 처분사유를 추가 · 변경할 수 있을 뿐 기본적 사실관계의 동일성이 인정되지 않는 별개의 사실을 들어 처분사유로 주장하는 것은 허용되지 아니하며, 추가 · 변경된 사유가 당초의 처분 시 그 사유를 명기하지 않았을 뿐 처분 시에 이미 존재하고 있었고 당사자도 그 사실을 알고 있었다고 하여 당초의 처분사유와 동일성이 있는 것이라 할 수 없다. 그러므로 사안에서 乙이 추가한 처분사유는 당초의 처분

시에 명시되지 아니하였던 것이고, 당초의 처분사유인 감정평가법 제27조 위반과 기본적 사실관계가 동일하다고 볼 수 없는 감정평가법 제25조 제2항 위반을 추가한 것이어서 처분사유의 추가·변경의 허용범위에 속하는 것이라고 할 수 없다고 보인다.

## Ⅳ  설문 (2)에 대하여

### 1. 문제의 소재

설문에서 법원에 의하여 처분의 위법함을 이유로 이에 대한 취소판결이 내려졌음에도 乙이 그 처분의 이유만을 변경하여 다시 업무정지처분을 한 것이 행정소송법 제30조 판결의 기속력에 반하는 것이 아닌지 문제된다.

### 2. 판결의 기속력

판결의 기속력이란 행정청에 대하여 처분이 위법이라는 판결의 내용을 존중하여 그 사건에 대하여 판결의 취지에 따라 행동할 의무를 지우는 것을 말한다. 행정소송법 제30조 제1항은 "처분 등을 취소하는 확정판결은 그 사건에 관하여 당사자인 행정청과 그 밖의 관계행정청을 기속한다." 고 하여 이러한 판결의 기속력을 규정하고 있다. 이러한 판결의 기속력은 반복금지효와 재처분의 무를 그 내용으로 한다. 특히 기속력에 반하는 행정처분은 당연무효라는 것이 판례의 입장이다. 설문에서 법원의 취소판결이 있은 후 乙이 다시 업무정지처분을 하였는바, 여기서 문제 되는 것은 반복금지효에 반하는 것이 아닌 지이다.

### 3. 재처분이 판결의 기속력에 반하는지 여부

#### (1) 학설

학설은 새로운 처분이 그 확정판결에 적시된 위법사유를 보완하여 행해진 경우에는 확정판결에 의해 취소된 종전 처분과는 별개의 처분으로 반복금지효에 반하지 아니한다고 한다.

#### (2) 판례

판례도 "그 확정판결의 기판력은 거기에 적시된 절차 내지 형식의 위법사유에 한하여 미치는 것이므로 과세관청은 그 위법사유를 보완하여 다시 새로운 처분을 할 수 있고, 그 새로운 과세처분은 확정판결에 의하여 취소된 종전의 과세처분과는 별개의 처분이라 할 것이라서 확정판결의 기판력에 저촉되는 것이 아니다(대판 1987.2.10, 86누91)"고 판시했다.

#### (3) 검토

생각건대 판결의 기속력으로서 반복금지효는 판결에 적시된 내용에 구속되어 이와 동일한 이유로 처분하는 경우에만 위법하게 되는 것이고, 그 처분이유를 바꾸어 동일한 처분을 하더라도 이는 동일한 처분이라 할 수 없으므로 반복금지효에 반하지 않는다고 할 것이다. 따라서 설문에서 乙이 그 처분이유만을 바꾸어 다시 업무정지처분을 하였다 하더라도 반복금지효에 반한다고 할 수 없다고 하겠다.

## Ⅴ  사례의 해결

1. 업무정지처분은 부담적 행정행위로서 문언에 비추어 보건대 이는 재량행위로 보이며, 재량행위에 있어서도 처분사유의 추가·변경이 가능하다고 봄이 타당시 된다. 설문 (1)에서 乙은 소송 도중에 자기 또는 친족의 소유토지 기타 불공정한 감정평가를 한 것으로 이유를 변경하였는바, 이는 당초의 처분사유와 새로운 처분사유 간에 기본적 사실관계에 있어서 동일성을 인정하기 어려우므로 처분사유의 추가·변경이 허용될 수 없다고 보인다. 따라서 법원은 처분사유의 추가·변경이 허용될 수 없어 당초의 처분사유만을 근거로 심리하고, 그러한 처분사유가 인정되지 아니하면 甲의 청구를 인용하여야 할 것이다.

2. 설문 (2)에서 乙의 재처분은 새로운 사유에 근거한 동일한 처분으로서 전소 확정판결의 기속력에 반하는 것이 아니다. 나아가 재처분은 명문의 업무정지처분사유에 근거하는 것으로, 乙은 본안에서 승소할 수 있을 것이다.

> **판례**
>
> ● 처분사유의 추가·변경 관련 대법원 판례(대판 2008.2.28, 2007두13791·13807[부정당업자 제재처분취소])
>
> **[판시사항]**
>
> [1] 행정처분의 취소를 구하는 항고소송 계속 중 처분청이 당초 처분의 근거로 삼은 사유와 기본적 사실관계가 동일한 범위 내에서 그 처분의 근거법령만을 추가·변경하거나 당초의 처분사유를 구체적으로 표시하는 것이 허용되는지 여부(적극)
>
> [2] 국가를 당사자로 하는 계약에 관한 법률 시행령 제76조 제1항 제7호에 규정된 '특정인의 낙찰을 위하여 담합한 자'의 의미 및 이에 경쟁입찰의 성립 자체를 방해하기 위하여 경쟁입찰에 참가하지 않은 자가 해당하는지 여부(소극)
>
> **[판결요지]**
>
> [1] 행정처분의 취소를 구하는 항고소송에서 처분청은 당초 처분의 근거로 삼은 사유와 기본적 사실관계가 동일성이 있다고 인정되는 한도 내에서는 다른 사유를 추가하거나 변경할 수도 있으나, 기본적 사실관계가 동일하다는 것은 처분사유를 법률적으로 평가하기 이전의 구체적인 사실에 착안하여 그 기초적인 사회적 사실관계가 기본적인 점에서 동일한 것을 말하며, 처분청이 처분 당시에 적시한 구체적 사실을 변경하지 아니하는 범위 내에서 단지 그 처분의 근거법령만을 추가·변경하거나 당초의 처분사유를 구체적으로 표시하는 것에 불과한 경우에는 새로운 처분사유를 추가하거나 변경하는 것이라고 볼 수 없다.
>
> [2] 침익적 행정처분의 근거가 되는 행정법규는 엄격하게 해석·적용하여야 하고 행정처분의 상대방에게 불리한 방향으로 지나치게 확장해석하거나 유추해석하여서는 안 되며, 그 입법취지와 목적 등을 고려한 목적론적 해석이 전적으로 배제되는 것은 아니라 하더라도 그 해석이 문언의 통상적인 의미를 벗어나서는 안 될 것인바, 국가를 당사자로 하는 계약에 관한 법률 시행령 제76조 제1항 본문이 입찰참가자격 제한의 대상을 '계약상대자

또는 입찰자'로 정하고 있는 점 등에 비추어 보면, 같은 항 제7호에 규정된 '특정인의 낙찰을 위하여 담합한 자'는 '해당 경쟁입찰에 참가한 사람'으로서 그 입찰에서 특정인이 낙찰되도록 하기 위한 목적으로 담합한 사람을 의미한다고 보아야 하고, 해당 경쟁입찰에 참가하지 아니함으로써 경쟁입찰의 성립 자체를 방해하는 담합행위자는 설사 그 경쟁입찰을 유찰시켜 수의계약이 체결되도록 하기 위한 목적에서 비롯된 것이라 하더라도 위 '계약상대자 또는 입찰자'에 해당한다고 할 수 없다.

---

**베타답안**

 **40점**

## I. 논점의 정리

1. 처분사유의 추가·변경 가능성의 전제 문제로서 업무정지처분의 법적 성질이 재량행위인지를 검토하여야 한다.
2. 국토교통부장관이 소송도중 이유변경을 하였는바, 처분사유의 추가·변경의 개념과 허용 여부, 재량행위의 적용 여부, 범위 및 한계 등을 검토하여 문제를 해결한다.
3. 행정청이 이유를 변경하여 동일한 처분을 하는 것이 기속력, 특히 반복금지효에 반하는 것이 아닌지 문제된다.

## II. 업무정지처분의 법적 성질

### 1. 기속·재량행위의 의의 및 구별기준

통설과 판례는 규정의 문언뿐만 아니라 그 법령의 취지, 행위의 성질 및 헌법상 기본권과의 관계 등을 종합적으로 고려하여 판단하여야 한다는 입장이다.

### 2. 설문의 경우

업무정지처분은 감정평가법 제32조 제1항에서 '2년 이내의 범위에서 기간을 정하여 업무의 정지를 명할 수 있다'고 규정하고 있고, 이에 위임된 동법 시행령 제29조 [별표 3]을 판례의 태도에 의거 법규명령으로 본다 하더라도 감경규정에 의거 재량권이 부여된 것으로 볼 수 있는바, 업무정지처분은 재량행위로 판단된다.

## III. 설문 (1)에 대하여

### 1. 처분사유 추가·변경의 의의

당초 처분 시에는 존재하였지만 처분이유로 제시되지 아니하였던 사실 및 법적 근거를 소송계속 중에 추가·변경하는 것을 말한다. 처분 후에 발생한 사유를 근거로 하는 하자의 치유와 구별된다.

### 2. 처분사유 추가·변경의 허용 여부

#### (1) 문제의 소재

현행 행정소송법은 아무런 규정을 두고 있지 않아 이 문제는 학설과 판례에 맡겨져 있다.

### (2) 학설 및 판례의 태도

긍정, 부정, 제한적 긍정설이 논의되나 통설 및 판례는 행정처분의 취소를 구하는 항고소송에서 처분청은 당초 처분의 근거로 삼은 사유와 기본적 사실관계가 동일성이 있다고 인정되는 한도 내에서만 다른 사유를 추가하거나 변경할 수 있다고 한다.

### (3) 검토

실질적 법치주의와 분쟁의 일회적 해결이라는 요청 및 원고의 방어권 보장과 신뢰보호의 조화라는 관점에서 제한적 긍정설 및 판례는 타당하다.

## 3. 재량행위에서 추가·변경의 허용 여부

긍정, 부정설 등이 논의되나 재량행위이더라도 기본적인 사실관계의 동일성이 인정되어 원고의 방어권 행사에 불이익을 초래하지 않는 경우에는 처분사유의 추가·변경이 허용된다고 보는 것이 타당하다.

## 4. 처분사유 추가·변경의 허용범위 및 한계

### (1) 기본적 사실관계의 동일성 여부

기본적 사실관계의 동일성 유무는 처분사유를 법률적으로 평가하기 이전의 구체적인 사실에 착안하여 그 기초가 되는 사회적 사실관계가 기본적인 점에서 동일한지의 여부에 따라 결정한다.

### (2) 추가·변경사유의 기준시점

① 문제점 : 추가·변경되는 처분사유의 존재시기 문제로 처분의 위법성 판단기준 시를 언제로 볼 것인지 문제와 연결되는 문제이다.

② 학설 및 판례 : 처분시설은 취소소송은 권력분립원칙을 논거로 하고, 판결시설은 해당 처분이 현행법규에 비추어 유지될 수 있는가 여부를 판단·선언하는 데 있다는 점을 논거로 한다. 판례는 행정처분의 위법 여부는 그 처분 당시의 사유와 사정을 기준으로 하여 판단하여야 한다고 한다.

③ 검토 : 판결시설은 법원이 행정감독적 기능을 수행하게 된다는 점에서 처분시설이 타당하다.

## 5. 사안의 경우

추가된 처분사유는 당초 처분 시에 존재하였던 사유이므로 시간적 범위를 벗어난 것은 아니다. 그러나 乙이 추가한 처분사유는 당초의 처분 시에 명시되지 아니하였던 것이고, 당초의 처분사유인 감정평가법 제27조 위반과 기본적 사실관계가 동일하다고 볼 수 없는 감정평가법 제25조 제2항 위반을 추가한 것이어서 처분사유의 추가·변경의 허용범위에 속하는 것이라 할 수 없다고 보인다.

## Ⅳ. 설문 (2)에 대하여

## 1. 문제점

취소판결이 내려졌음에도 乙이 그 처분의 이유만을 변경하여 다시 업무정지처분을 한 것이 행정소송법 제30조에 반하는 것으로서 판결의 기속력에 반하는 것이 아닌지 문제된다.

## 2. 기속력 의의

행정청에 대하여 처분이 위법이라는 판결의 내용을 존중하여 그 사건에 대하여 판결의 취지에 따라 행동할 의무를 지우는 것을 말한다.

## 3. 기속력의 내용

반복금지효는 동일한 사실관계 아래서 동일한 이유에 의해 당사자에게 동일한 내용의 처분을 반복할 수 없게 하는 효력을 말한다. 재처분의무란 행정청은 판결의 취지에 따라 다시 이전의 신청에 대한 처분을 해야 한다.

## 4. 재처분이 기속력에 반하는지 여부

### (1) 학설

학설은 새로운 처분이 그 확정판결에 적시된 위법사유를 보완하여 행해진 경우에는 확정판결에 의해 취소된 종전처분과는 별개의 처분으로 반복금지효에 반하지 아니한다고 한다.

### (2) 판례

기판력은 거기에 적시된 절차 내지 형식의 위법사유에 한하여 미치는 것이므로 과세관청은 그 위법사유를 보완하여 다시 새로운 처분을 할 수 있다.

### (3) 검토 및 사안의 경우

생각건대 판결의 기속력으로서 반복금지효는 판결에 적시된 내용에 구속되어 이와 동일한 이유로 처분하는 경우에만 위법하게 되는 것이고, 그 처분이유를 바꾸어 동일한 처분을 하더라도 이는 동일한 처분이라 할 수 없으므로 반복금지효에 반하지 않는다고 할 것이다. 따라서 설문에서 乙이 그 처분이유만을 바꾸어 다시 업무정지처분을 하였다 하더라도 반복금지효에 반한다고 할 수 없다고 하겠다.

## V. 사례의 해결

1. 업무정지처분은 부담적 행정행위로서 문언에 비추어 보건대 이는 재량행위로 보이며, 재량행위에 있어서도 처분사유의 추가·변경이 가능하다고 봄이 타당시된다.
2. 당초의 처분사유와 새로운 처분사유 간에 기본적 사실관계에 있어서 동일성을 인정하기 어려우므로, 처분사유의 추가·변경이 허용될 수 없다고 보인다. 따라서 법원은 당초의 처분사유만을 근거로 심리하고, 그러한 처분사유가 인정되지 아니하면 甲의 청구를 인용하여야 할 것이다.
3. 乙의 재처분은 새로운 사유에 근거한 동일한 처분으로서 기속력에 반하는 것이 아니다. 나아가 재처분은 명문의 업무정지처분사유에 근거하는 것으로, 乙은 본안에서 승소할 수 있을 것이다.

**10절** — 감정평가법 제32조(인가취소 등)
— 행정법 쟁점 : 법규명령 형식의 행정규칙, 협의의 소익

### 문제

「감정평가 및 감정평가사에 관한 법률」(이하 '감정평가법')에 따라 감정평가법인등 甲은 乙의 재산에 대한 감정평가를 허위로 하였다는 이유로 국토교통부장관으로부터 2개월의 업무정지처분을 받았다. 甲은 의견제출을 통하여 자기는 위와 같은 감정평가를 허위로 한 사실이 없다고 주장하고 있으나, 국토교통부장관은 乙이 제시한 증거에 의하여 甲의 허위 평가사실을 인정하고 甲의 주장을 받아들이지 않았다. 甲은 1개월 후 취소소송을 제기하였으나, 서울행정법원은 심리를 진행하다가 이미 업무정지기간이 만료되었음을 이유로 소를 기각하였다. 40점 [기출 16, 20회]

(1) 가중처벌의 가능성을 규정한 관련 규정 감정평가법 시행령 제29조 [별표 3]의 법적 성질을 논하시오. 15점

(2) 행정소송법 제12조 제2문의 법률상 이익과 관련하여 협의의 소익이 있는지를 논하시오. 25점 (변경된 전원합의체[16회에서는 전원합의체 판결이 없는 상태에서 기출]을 구체적으로 검토하시오)

Ⅰ. 논점의 정리

Ⅱ. 가중처벌의 가능성을 규정한 관련법규의 법적 성질
  1. 문제의 소재
  2. 법규명령 형식의 행정규칙의 법적 성질
    (1) 학설
      1) 법규명령설
      2) 행정규칙설
      3) 수권여부기준설
    (2) 판례
    (3) 검토
  3. 사안의 적용

Ⅲ. 행정소송법 제12조 제2문의 법률상 이익의 인정 여부
  1. 문제의 소재

  2. 협의의 소익(권리보호의 필요)
  3. 원고적격과의 구별 여부
  4. 법률상 이익의 범위
  5. 제재적 처분이 가중처분의 요건인 경우의 협의의 소의 이익
    (1) 처분의 효력이 소멸한 경우
    (2) 제재적 처분이 가중처분의 요건인 경우
      ① 종전판례의 태도
      ② 변경된 전원합의체 판결의 태도
        ㉠ 다수의견
        ㉡ 별개의견
      ③ 검토
  6. 사안의 적용 – 甲의 소의 이익 여부

Ⅳ. 사례의 해결

## I  논점의 정리

1. 사안은 감정평가법인등 甲에게 발하여진 처분의 취소를 구하는 소송이 계속되는 도중 기간의 경과로 처분의 효과가 소멸되었음에도 甲에게 소의 이익이 인정되는지가 문제된다.
2. 먼저 해당 가중처분기준을 규정하고 있는 「감정평가 및 감정평가사에 관한 법률」(이하 '감정평가법') 시행령 제29조 [별표 3]의 법적 성질이 법규성을 갖는지를 검토하고,
3. 과연 법규성 인정 여하에 따라서 행정소송법 제12조 제2문의 권리보호의 필요가 甲에게 인정되는지를 검토하여 소의 이익 여부를 해결하도록 한다.

## II  가중처벌의 가능성을 규정한 관련법규의 법적 성질

### 1. 문제의 소재

감정평가법 제32조는 업무정지를 규정하면서 제5항에서는 업무정지 등의 기준은 대통령령으로 위임하여 동법 시행령 제29조 [별표 3]에서는 처분의 기준과 가중감경처분의 가능성을 규정하고 있다. 또한 [별표 3]에서 처분의 한도 등을 규정하고 있는바, 형식은 법규법령이나 실질이 행정규칙으로 법규성 인정 여부와 권리보호의 필요의 인정논의와 연계된다고 할 것이다.

### 2. 법규명령 형식을 가지는 행정규칙의 법적 성질

#### (1) 학설

① **법규명령설**(형식설)

형식을 강조하여 법규명령의 형식으로 규정되어 있는 이상 법규명령으로 보아야 한다는 견해이다. 다수의 견해이다.

② **행정규칙설**(실질설)

해당 규범의 실질내용을 강조하여 내용이 행정사무의 내부처리기준에 불과하므로 행정규칙으로 보아야 한다는 견해이다.

③ **수권여부기준설**

형식면을 강조하면서도 법률의 위임수권 여부를 기준으로, 위임의 근거가 있는 경우에는 법규명령, 위임의 근거가 없는 경우에는 행정규칙으로 보아야 한다는 견해이다.

#### (2) 판례

판례는 문제된 규범의 형식에 따라, 다른 입장을 보이고 있다. 즉, 대통령령 형식의 경우 법규명령으로, 총리령이나 부령 형식을 갖는 경우에는 행정규칙으로 이해한다.

#### (3) 검토

이러한 문제는 궁극적으로 형식과 내용이 일치되는 행정입법의 제정을 통해 시정되어야 할 것이지만, 해석론으로는 실질적인 내용을 중심으로 검토되는 것이 바람직하다고 생각한다. 따라

서 그 내용이 행정기관만을 내부적으로 구속하는 것이라면 행정규칙으로서의 성질은 변하지 않는다고 보는 것이 타당하다고 할 것이다.

## 3. 사안의 적용

위의 검토입장에 따를 경우에는 감정평가법령상의 내용 및 [별표 3] 기준은 행정규칙으로서의 성격을 가지게 될 것이다. 그러나 학설의 다수견해 및 판례의 입장에 따른다면 법규명령으로 보게 될 것이다.

## Ⅲ 행정소송법 제12조 제2문의 법률상 이익의 인정 여부

## 1. 문제소재

처분의 취소소송의 계속 중 처분기간이 경과하면 소의 이익이 소멸한다. 그러나 감정평가법령에서 업무정지를 받은 전력으로 인하여 가중처분의 가능성이 존재하기 때문에 예외적 소의 이익이 존재하는지 문제된다.

## 2. 협의의 소익(권리보호의 필요)

### (1) 의의 및 취지

구체적 사안에서 본안판단을 행할 현실적 필요성을 말하며, 권리보호의 필요라고도 한다. 협의의 소의 이익을 비롯한 소송요건의 취지는 남소방지와 재판청구권 보장 사이의 이익형량을 위한 것이다.

### (2) 소송요건

대상적격, 원고적격 등과 함께 소송요건의 하나이다. 따라서 직권조사사항이며, 흠결 시 각하판결을 하게 된다.

## 3. 원고적격과의 구별 여부

법 제12조 제2문에서는 원고적격이라는 표제로 하여 제12조 제1문과 동일하게 법률상 이익이라는 동일한 용어를 사용하고 있는바, 그 의미에 대하여 다음과 같은 견해가 있다.

### (1) 비구별설(입법상 비과오설=원고적격설)

법 제12조 제2문의 법률상 이익도 제12조 제1문과 동일하게 원고적격을 의미하며 소의 이익은 판례와 학설에 의해 인정되는 것으로 보는 견해가 있다.

### (2) 구별설(입법상과오설=권리보호필요설)

① 처분의 효력이 소멸되어 침해된 권리 내지 법적 지위가 회복될 수 없는 경우에도 회복될 수 있는 법률상 이익이 있는 경우에는 권리보호의 필요가 있다는 것이 동조의 입법취지라는 점,

② 비구별설에 의하면 협의의 소의 이익에 관한 규정이 없게 된다는 문제가 있다는 점을 논거로 협의의 소의 이익으로 보는 견해가 타당하며 다수의 입장이다. 개정안에서도 협의의 소의 이익에 대하여 별도로 규정을 신설하고 있다.

## 4. 법률상 이익의 범위

### (1) 학설

구별설에 의할 때에도 법률상 이익의 범위에 대하여 ① 법 제12조 제1문보다 넓게 부수적 이익도 포함하지만 법적으로 보호할 만한 가치가 있는 이익에 한정하는 견해, ② 경제적 이익, 명예, 신용 등의 인격적 이익, 사회적 이익까지 포함된다는 견해, ③ 문화적 이익까지 포함된다는 견해가 있다.

### (2) 판례

처분의 근거법률에 의하여 보호되는 직접적이고 구체적인 이익을 말하며, 간접적이거나 사실적, 경제적인 이해관계를 가지는 데 불과한 경우는 해당되지 않는다고 하는바, 견해 ①의 입장으로 보인다.

### (3) 검토

본 소송은 형식은 취소소송이지만 실질은 처분의 효력이 소멸된 경우 등에서 처분의 위법성을 확인하는 확인소송이라고 이해되므로, 원고가 위법 확인을 받아야 할 이익이 경제적, 사회적, 문화적 이익인지 여부보다는 제정 처분의 효력이 소멸되었음에도 취소소송을 통하여 보호를 해주어야 할 현실적인 필요성이 있는지 여부에 의해 결정되어야 할 것이다. 따라서 명예나 신용과 같은 이익도 경우에 따라서는 소의 이익이 인정될 수 있을 것이다.

## 5. 제재적 처분이 가중처분의 요건인 경우의 협의의 소의 이익

### (1) 처분의 효력이 소멸한 경우

#### ① 원칙

처분의 효력이 소멸한 경우에는 원칙적으로 해당 처분의 취소를 통하여 회복할 법률상 이익이 없다.

#### ② 예외

그러나 이 경우에도 처분이 외형상 잔존함으로 인하여 어떠한 법률상 이익이 침해되고 있다고 볼 만한 특별한 사정이 있는 경우에는 예외적으로 소의 이익이 있다. 예를 들면 영업정지 처분에 대한 집행정지결정이 있는 경우에는 예외적으로 집행정지된 기간만큼 제재기간이 연기되고 정지처분의 효력이 소멸된 것은 아니므로 정지기간이 경과하였어도 소의 이익이 있다.

### (2) 제재적 처분이 가중처분의 요건인 경우

제재적 처분이 가중처분의 요건인 경우에 가중처분을 받을 위험을 피하기 위하여 소의 이익이 있는지 문제된다.

① 종전의 판례 태도 - 가중처분규정의 법적 성질에 따라 소의 이익 유무를 판단하는 견해

　㉠ 종전의 판례태도 : 판례는 가중처분규정의 법적 성질에 따라 소의 이익 여부를 판단한다. 즉, 가중처분규정의 성질이 법규명령인 경우에는 소의 이익을 인정하지만, 행정규칙인 경우에는 소의 이익을 부정한다.

　㉡ 가중처분규정이 법규명령 형식의 행정규칙인 경우의 가중규범의 법적 성질과 소의 이익

　　ⓐ 부령(시행규칙) 형식의 행정규칙에 가중처분규정이 있는 경우 : 판례는 해당 규범의 법적 성질이 부령 형식(시행규칙)인 경우에는 실질을 중시하여 행정규칙이라고 본다. 따라서 운수사업면허정지처분의 가중처분의 요건을 정한 자동차운수사업면허취소 등의 처분에 관한 시행규칙(국토교통부령)은 행정부 내부의 처분기준을 정한 행정규칙이어서 대외적 구속력이 없으므로 가중적인 제재처분을 받을 불이익은 직접적, 구체적, 현실적인 것이 아닌바, 소의 이익이 없다고 판시하였다.

　　ⓑ 대통령령(시행령) 형식의 행정규칙에 가중처분규정이 있는 경우 : 한편, 판례는 대통령령 형식(시행령)인 경우에는 부령 형식인 경우와는 달리 가중규범의 법적 성질을 법규명령이라고 보고 있다. 따라서 이 경우에는 가중처분의 규정이 대외적인 구속력이 있어, 가중처분을 받을 불이익은 직접적, 구체적, 현실적인 것이므로 소의 이익이 있다고 한다.

② 변경된 전원합의체 판결의 태도(대판 2006.6.22, 2003두1684)

　㉠ 다수의견 - 법규성과는 무관하게 향후에 가중처벌을 받을 위험이 존재하는 경우

　　변경된 판례의 다수견해는 협의의 소의 이익 유무를 가중규범의 법적 성질이 법규명령이냐 행정규칙이냐라는 형식적 기준에 의하여 판단하지 않고, 구체적인 사안별로 관계법령의 취지를 살펴서 현실적으로 권리보호의 필요성이 있느냐를 기준으로 판단하고 있다. 이와 같은 태도는 종래의 학설의 다수견해를 받아들인 것으로 보인다. 그 논거로는 ⓐ 제재적 행정처분의 가중사유나 전제요건에 관한 규정이 법령이 아니라 규칙의 형식으로 되어 있다고 하더라도 그러한 규칙이 법령에 근거를 두고 있는 이상 그 법적 성질이 대외적, 일반적 구속력을 갖는 법규명령인지 여부와는 상관없이 관할 행정청이나 담당 공무원은 이를 준수할 의무가 있으므로 이들이 그 규칙에 정해진 바에 따라 행정작용을 할 것이 당연히 예견되고 그 결과 행정작용의 상대방인 국민으로서는 그 규칙의 영향을 받을 수밖에 없다는 점, ⓑ 나중에 후행처분에 대한 취소소송에서 선행처분의 사실관계나 위법 등을 다툴 수 있는 여지가 남아 있다고 하더라도, ( i ) 상대방으로서는 그 처분의 존재로 인하여 관련 업무나 자격 등에 관하여 장래에 확실히 받을 것으로 예상되는 불이익을 제때에 해소하지 못하는 불안정한 처지에 놓이게 되어 이에 대한 불안 때문에 해당 업무 등과 관련하여 상당한 어려움을 겪을 수 있고, ( ii ) 선행처분 자체의 위법을 다투기 위하여 취소소송을 제기하였더라도 소송계속 중에 그 제재기간이 경과한 때에는 충분한 심리가 된 경우에도 선행처분의 위법 여부에 대한 판단을 받지 못한 채 소송이 종결될 것인데 나중에 다시 동일한 쟁점인 선행처분의 위법을 다투기 위하여 후행처분에 대한 취소소송을 제기하여 이중으로 노력과 비용을 들이는 불편과 부담을 감수할 수밖에 없으며, ( iii ) 선행처분과 후행

처분 사이에 상당한 기간이 경과한 경우에는 선행처분의 위법 여부와 관련되는 증거자료의 멸실로 선행처분의 사실관계 등에 관한 심리가 어려워질 수도 있는 등 여러 가지 불합리한 결과를 초래하여 권리구제의 실효성을 저해할 수 있다는 점 등이다.

ⓛ **별개의견 – 부령 형식의 제재처분기준의 법적 성질을 법규명령으로 보면서 가중처분규정의 법적 성질에 따라 소의 이익 유무를 판단**

가중처분규정의 법적 성질에 따라서 소의 이익 유무를 판단해야 한다고 하여 소의 이익에 대한 논리전개는 종전의 판례와 같이하는 견해이다. 다만, 제재처분기준은 대외적인 구속력이 있으므로 총리령, 부령(시행규칙) 형식의 행정규칙이더라도 법적 성질은 법규명령으로 보아야 한다는 점에서 법적 성질에 대하여는 판례의 입장인 행정규칙과 다르다. 그 논거로는 ⓐ 대통령령과 부령은 모두 헌법 제75조와 제95조에서 정하고 있는 위임명령이고, 다만 대통령령은 그 제정절차에 있어서 국무회의의 심의를 거친다는 점에서 차이가 있을 뿐인데 이 점을 가지고 그 법적 효력을 달리 볼만한 근거로 삼기는 부족하다. 따라서 대통령령 형식의 제재적 처분기준을 법규명령으로 본다면 부령으로 정한 처분기준도 법규명령으로 보는 것이 논리적 일관성이 있다는 점, ⓑ 제재적 처분기준은 국민의 권리·의무에 직접 영향을 미치는 것이기 때문에 이를 단순히 행정청 내부의 사무처리기준에 불과하다고 볼 수 없다는 점 등을 들고 있다.

③ **검토 – 향후 가중처벌을 받을 위험 등 구체적인 사안별로 판단**

ⓛ 담당 공무원은 부령 형식의 행정규칙도 준수하여야 하므로 장래에 그 시행규칙이 정한 바에 따라 가중처분을 할 것이 당연히 예견된다는 점에서 가중처벌을 받을 위험을 제거할 이익은 법률상 이익이라는 점, ⓛ 시간의 경과로 인한 증거자료 등의 멸실의 문제가 있다는 점에서, 협의의 소의 이익 유무를 가중규범의 법적 성질이 법규명령이냐 행정규칙이냐라는 형식적 기준에 의하여 판단하는 종전 판례의 다수의견이나 변경된 판례의 별개의견은 타당하지 않고 구체적인 사안별로 관계법령의 취지를 살펴서 현실적으로 권리보호의 필요성이 있느냐를 기준으로 판단해야 한다는 학설의 다수견해와 변경된 판례의 다수의견의 입장이 타당하다.

## 6. 사안의 적용(甲의 소의 이익 여부)

판례의 다수견해에 따를 때, 甲이 입은 불이익은 구체적인 것이지 간접적, 사실적이거나 경제적 이해관계에 불과한 것이 아닌 만큼 甲으로서는 해당 업무정지처분의 취소를 구할 소의 이익이 있다고 할 것이다.

## Ⅳ 사례의 해결

1. 감정평가법 시행령 제29조 [별표 3]은 이른바 법규명령 형식의 행정규칙으로서 실질적으로 행정청 내부의 사무처리기준으로서 행정규칙으로 볼 수 있다고 할 수 있다. 다만, 판례 및 형식설에 의하면 법규명령이라 할 수 있을 것이다.

2. 법규성과는 무관하게 향후에 가중처벌을 받을 위험이 존재하는 경우, 즉 판례의 다수견해에 의하면 가중제재처분의 기준의 법적 성질과 무관하게 장래에 제재처분기준이 정하는 바에 따라 가중처분을 할 것이 당연히 예견되어 甲이 장래에 받을 불이익은 구체적·직접적인 것이므로 甲은 소의 이익을 갖는다고 보인다.

3. 가중처분의 근거규정의 법적 성질에 따라 판단하는 견해(판례의 별개의견)에 의하면 해당 처분기준은 법규명령으로서 甲은 장래에 가중처분을 받을 위험이 있는바, 권리보호의 필요가 인정된다고 생각된다.



판례

● 협의의 소익과 관련된 대법원 전원합의체 판결(대판 2006.6.22, 2003두1684[영업정지처분취소])

[판시사항]

[1] 제재적 행정처분이 그 처분에서 정한 제재기간의 경과로 인하여 그 효과가 소멸되었으나, 부령인 시행규칙 또는 지방자치단체의 규칙의 형식으로 정한 처분기준에서 제재적 행정처분을 받은 것을 가중사유나 전제요건으로 삼아 장래의 제재적 행정처분을 하도록 정하고 있는 경우, 선행처분인 제재적 행정처분을 받은 상대방이 그 처분에서 정한 제재기간이 경과하였다 하더라도 그 처분의 취소를 구할 법률상 이익이 있는지 여부(한정 적극)

[2] 환경영향평가대행업무 정지처분을 받은 환경영향평가대행업자가 업무정지처분기간 중 환경영향평가대행계약을 신규로 체결하고 그 대행업무를 한 사안에서, 업무정지처분기간 경과 후에도 '환경·교통·재해 등에 관한 영향평가법 시행규칙'의 규정에 따른 후행처분을 받지 않기 위하여 위 업무정지처분의 취소를 구할 법률상 이익이 있다고 한 사례

[판결요지]

[1] [다수의견] 제재적 행정처분이 그 처분에서 정한 제재기간의 경과로 인하여 그 효과가 소멸되었으나, 부령인 시행규칙 또는 지방자치단체의 규칙(이하 이들을 '규칙'이라고 한다)의 형식으로 정한 처분기준에서 제재적 행정처분(이하 '선행처분'이라고 한다)을 받은 것을 가중사유나 전제요건으로 삼아 장래의 제재적 행정처분(이하 '후행처분'이라고 한다)을 하도록 정하고 있는 경우, 제재적 행정처분의 가중사유나 전제요건에 관한 규정이 법령이 아니라 규칙의 형식으로 되어 있다고 하더라도, 그러한 규칙이 법령에 근거를 두고 있는 이상 그 법적 성질이 대외적·일반적 구속력을 갖는 법규명령인지 여부와는 상관 없이, 관할 행정청이나 담당 공무원은 이를 준수할 의무가 있으므로 이들이 그 규칙에 정해진 바에 따라 행정작용을 할 것이 당연히 예견되고, 그 결과 행정작용의 상대방인 국민으로서는 그 규칙의 영향을 받을 수밖에 없다. 따라서 그러한 규칙이 정한 바에 따라 선행처분을 받은 상대방이 그 처분의 존재로 인하여 장래에 받을 불이익, 즉 후행처분의 위험은 구체적이고 현실적인 것이므로, 상대방에게는 선행처분의 취소소송을 통하여 그 불이익을 제거할 필요가 있다. 또한, 나중에 후행처분에 대한 취소소송에서 선행처분의 사실관계나 위법 등을 다툴 수 있는 여지가 남아 있다고 하더라도, 이러한 사정은 후행처분이 이루어지기 전에 이를 방지하기 위하여 직접 선행처분의 위법을 다투는

취소소송을 제기할 필요성을 부정할 이유가 되지 못한다. 그러한 쟁송방법을 막는 것은 여러 가지 불합리한 결과를 초래하여 권리구제의 실효성을 저해할 수 있기 때문이다. 오히려 앞서 본 바와 같이 행정청으로서는 선행처분이 적법함을 전제로 후행처분을 할 것이 당연히 예견되므로, 이러한 선행처분으로 인한 불이익을 선행처분 자체에 대한 소송에서 사전에 제거할 수 있도록 해 주는 것이 상대방의 법률상 지위에 대한 불안을 해소하는 데 가장 유효적절한 수단이 된다고 할 것이고, 또한 그 소송을 통하여 선행처분의 사실관계 및 위법 여부가 조속히 확정됨으로써 이와 관련된 장래의 행정작용의 적법성을 보장함과 동시에 국민생활의 안정을 도모할 수 있다. 이상의 여러 사정과 아울러, 국민의 재판청구권을 보장한 헌법 제27조 제1항의 취지와 행정처분으로 인한 권익침해를 효과적으로 구제하려는 행정소송법의 목적 등에 비추어 행정처분의 존재로 인하여 국민의 권익이 실제로 침해되고 있는 경우는 물론이고 권익침해의 구체적·현실적 위험이 있는 경우에도 이를 구제하는 소송이 허용되어야 한다는 요청을 고려하면, 규칙이 정한 바에 따라 선행처분을 가중사유 또는 전제요건으로 하는 후행처분을 받을 우려가 현실적으로 존재하는 경우에는, 선행처분을 받은 상대방은 비록 그 처분에서 정한 제재기간이 경과하였다 하더라도 그 처분의 취소소송을 통하여 그러한 불이익을 제거할 권리보호의 필요성이 충분히 인정된다고 할 것이므로, 선행처분의 취소를 구할 법률상 이익이 있다고 보아야 한다.

[대법관 이강국의 별개의견] 다수의견은, 제재적 행정처분의 기준을 정한 부령인 시행규칙의 법적 성질에 대하여는 구체적인 논급을 하지 않은 채, 시행규칙에서 선행처분을 받은 것을 가중사유나 전제요건으로 하여 장래 후행처분을 하도록 규정하고 있는 경우, 선행처분의 상대방이 그 처분의 존재로 인하여 장래에 받을 불이익은 구체적이고 현실적이라는 이유로, 선행처분에서 정한 제재기간이 경과한 후에도 그 처분의 취소를 구할 법률상 이익이 있다고 보고 있는바, 다수의견이 위와 같은 경우 선행처분의 취소를 구할 법률상 이익을 긍정하는 결론에는 찬성하지만, 그 이유에 있어서는 부령인 제재적 처분기준의 법규성을 인정하는 이론적 기초 위에서 그 법률상 이익을 긍정하는 것이 법리적으로는 더욱 합당하다고 생각한다. 상위법령의 위임에 따라 제재적 처분기준을 정한 부령인 시행규칙은 헌법 제95조에서 규정하고 있는 위임명령에 해당하고, 그 내용도 실질적으로 국민의 권리·의무에 직접 영향을 미치는 사항에 관한 것이므로, 단순히 행정기관 내부의 사무처리준칙에 지나지 않는 것이 아니라 대외적으로 국민이나 법원을 구속하는 법규명령에 해당한다고 보아야 한다.

[2] 환경영향평가대행업무 정지처분을 받은 환경영향평가대행업자가 업무정지처분기간 중 환경영향평가대행계약을 신규로 체결하고 그 대행업무를 한 사안에서, '환경·교통·재해 등에 관한 영향평가법 시행규칙' 제10조 [별표 2] 2. 개별기준 (11)에서 환경영향평가대행업자가 업무정지처분기간 중 신규계약에 의하여 환경영향평가대행업무를 한 경우 1차 위반 시 업무정지 6개월을, 2차 위반 시 등록취소를 각 명하는 것으로 규정하고 있으므로, 업무정지처분기간 경과 후에도 위 시행규칙의 규정에 따른 후행처분을 받지 않기 위하여 위 업무정지처분의 취소를 구할 법률상 이익이 있다고 한 사례

 40점

# Ⅰ. 논점의 정리

사안은 감정평가사 甲의 업무정지처분에 대한 취소소송에 있어서 협의의 소익 인정 여부의 문제로서 사례의 해결을 위해 설문의 순서에 따라,

1. 먼저 해당 가중처분의 가능성을 규정한 감정평가법 시행령 제29조 별표의 법적 성질을 학설 및 판례의 검토로서 규명하고,

2. 甲의 협의의 소익과 관련하여 이른바 법규명령 형식의 행정규칙에서 정한 가중처분의 가능성에 따른 협의의 소익의 인정 여부에 관한 판례와 학설의 입장을 검토하여 사례를 해결하고자 한다.

# Ⅱ. 설문 (1)의 검토

## 1. 논의의 실익

시행령으로 규정되어 형식은 법규명령이나 그 실질은 재량준칙인 이른바 "법규명령 형식의 행정규칙"으로서 그 법규성 여부에 따라 처분의 위법 여부 및 권리구제가 결정된다.

## 2. 학설의 태도

형식을 중시하여 법규로 보는 형식설, 구체적 타당성 있는 행정을 위해 행정규칙으로 보는 실질설, 수권 여부에 따라 판단하는 수권여부기준설이 있다.

## 3. 판례의 태도

판례는 대통령령에 규정된 경우 "법규"로, 부령에 규정된 경우 "행정규칙"으로 보고 있다. 다만 최근 협의의 소익과 관련한 "환경영향평가법" 관련 판례에서 부령 형식의 행정규칙을 법규명령으로 보아 협의의 소익을 인정해야 한다는 "별개의견"이 제시된 바 있다.

## 4. 검토

"법규명령 형식의 행정규칙" 또한 그 절차적 정당성과 국민의 예측가능성이 보장된다는 점에서 법규명령으로 봄이 타당하다. 다만, 판례에 의한 경우 행정규칙으로 볼 여지가 있으나 감정평가법의 경우 시행령에 규정되어 있으므로 역시 법규성을 갖는다고 보인다.

# Ⅲ. 설문 (2)의 검토

## 1. 문제점

처분의 취소소송의 계속 중 처분기간이 경과하면 소의 이익이 소멸한다. 그러나 감정평

가법에서 업무정지를 받은 전력으로 인하여 가중처분의 가능성이 존재하기 때문에 예외적 소의 이익이 존재하지 않는지 문제된다.

## 2. 협의의 소익 의의와 취지

구체적 사안에서 본안판단을 행할 현실적 필요성을 말하며, 협의의 소의 이익을 비롯한 소송요건의 취지는 남소방지와 재판청구권 보장 사이의 이익형량을 위한 것이다.

## 3. 원고적격과의 구별 여부

제12조 제2문의 법률상 이익의 의미에 대해 원고적격이란 견해와 협의의 소익으로 보는 견해가 있으나, 제1문에서는 원고적격에 대해 규정하고 있으며, 특별히 반복할 필요가 없다는 점에서 협의의 소익규정으로 봄이 타당하다고 생각한다.

## 4. 법률상 이익의 범위

### (1) 학설

구별설에 의할 때에도 법률상 이익의 범위에 대하여 ① 법 제12조 제1문보다 넓게 부수적 이익도 포함하지만 법적으로 보호할 만한 가치가 있는 이익에 한정하는 견해, ② 경제적 이익, 명예, 신용 등의 인격적 이익, 사회적 이익까지 포함된다는 견해, ③ 문화적 이익까지 포함된다는 견해가 있다.

### (2) 판례

처분의 근거법률에 의하여 보호되는 직접적이고 구체적인 이익을 말하며, 간접적이거나 사실적·경제적인 이해관계를 가지는 데 불과한 경우는 해당되지 않는다고 하는바, ①설의 입장으로 보인다.

### (3) 검토

본 소송은 형식은 취소소송이지만 실질은 처분의 위법성을 확인하는 확인소송이라고 이해되므로, 처분의 효력이 소멸되었음에도 취소소송을 통하여 보호를 해주어야 할 현실적인 필요성이 있는지 여부에 의해 결정되어야 할 것이다. 따라서 명예나 신용과 같은 이익도 경우에 따라서는 소의 이익이 인정될 수 있을 것이다.

## 5. 제재적 처분이 가중처분의 요건인 경우의 협의의 소의 이익

### (1) 문제점

제재적 처분이 가중처분의 요건인 경우에 가중처분을 받을 위험을 피하기 위하여 소의 이익이 있는지 문제된다.

### (2) 종전의 판례태도

판례는 가중처분규정의 법적 성질에 따라 소의 이익 여부를 판단한다. 즉, 가중처분규정의 성질이 법규명령인 경우에는 소의 이익을 인정하지만, 행정규칙인 경우에는 소의 이익을 부정한다.

### (3) 변경된 전원합의체 판결의 태도

"변경된 판례의 다수견해"는 협의의 소의 이익 유무를 가중법규의 법적 성질의 형식적 기준에 의하여 판단하지 않고, 구체적인 사안별로 관계법령의 취지를 살펴서 현실적으로 권리보호의 필요성이 있느냐를 기준으로 판단하고 있다. "별개의견"은 가중처분규정의 법적 성질에 따라서 소의 이익 유무를 판단해야 하나, 제재처분기준은 대외적인 구속력이 있으므로 총리령, 부령(시행규칙) 형식의 행정규칙이더라도 법적 성질은 법규명령으로 보아야 한다고 한다.

### (4) 검토

① 담당 공무원은 부령 형식의 행정규칙도 준수하여야 하므로 장래에 가중처분을 할 것이 당연히 예견된다는 점에서 가중처벌을 받을 위험을 제거할 이익은 법률상 이익이라는 점, ② 시간의 경과로 인한 증거자료 등의 멸실의 문제가 있다는 점에서, 협의의 소의 이익 유무를 가중규범의 법적 성질이 법규명령이냐 행정규칙이냐라는 형식적 기준에 의하여 판단하는 것은 타당하지 않고 구체적인 사안별로 관계법령의 취지를 살펴서 현실적으로 권리보호의 필요성이 있느냐를 기준으로 판단해야 한다는 변경된 판례의 다수의견의 입장이 타당하다.

## 6. 사안의 적용(甲의 소의 이익 여부)

판례의 다수견해에 따를 때, 甲이 입은 불이익은 구체적인 것이지 간접적, 사실적이거나 경제적 이해관계에 불과한 것이 아닌 만큼 甲으로서는 해당 업무정지처분의 취소를 구할 소의 이익이 있다고 할 것이다.

## Ⅳ. 사례해결

1. 감정평가법 시행령 제29조 별표는 이른바 법규명령 형식의 행정규칙으로서 실질적으로 행정청 내부의 사무처리기준으로서 행정규칙으로 볼 수 있다고 할 수 있다. 다만, 판례 및 형식설에 의하면 법규명령이라 할 수 있을 것이다.

2. 구체적 사안별 판단하는 경우, 즉 판례의 다수 견해에 의하면 가중제재처분의 기준의 법적 성질과 무관하게 장래에 제재처분 기준이 정하는 바에 따라 가중처분을 할 것이 당연히 예견되어 甲이 장래에 받을 불이익은 구체적 직접적인 것이므로 甲은 소의 이익을 갖는다고 보인다.

3. 판례의 별개견해에 의하면 해당 처분기준은 법규명령으로서 甲은 장래에 가중처분을 받을 위험이 있는바, 권리보호의 필요가 인정된다고 생각된다.

11절    – 감정평가법 제39조(징계)<br>
        – 행정법 쟁점 : 법규명령 형식의 행정규칙

### 문제

감정평가법인등 甲은 무형자산 가치를 전문평가하는 유능한 감정평가법인등이다. 그런데 무형자산 감정평가업무를 수행하면서 알게 된 신흥 벤처기업 乙의 회사영업 정보기밀을 평소 친분이 있는 지인에게 누설하였고 이 사실을 알게 된 신흥벤처기업 乙은 감정평가법인등 甲에게 강력하게 항의하는 동시에 국토교통부에 징계를 요청하였다. 이에 국토교통부장관은 적법한 절차를 거쳐 감정평가 및 감정평가사에 관한 법률 제32조 및 동법 시행령 제29조 별표가 정하는 바에 따라 3개월의 업무정지를 하였으나, 동일한 사안에서 국토교통부장관은 1개월의 업무정지를 해왔었다. 또한 甲은 최근까지 성실히 평가업무를 해왔으며, 누설한 乙의 회사기밀 또한 이미 어느 정도 알려진 내용으로서 누설사실이 乙에게 큰 피해를 입히는 사안은 아닌 것으로 판명되었다. 이에 甲은 자신에게 내려진 3개월의 업무정지처분에 대해 다투고자 한다.

(1) 甲에 대한 업무정지의 위법성을 논하시오(단, 감정평가 및 감정평가사에 관한 법률 시행령 제29조 별표의 규정은 헌법 및 상위 법률에 반하지 않는다고 가정할 것). 25점

(2) 甲은 이전에도 국토교통부장관이 동일한 사안에서 1개월의 처분을 해온 점에 비추어 볼 때, 감정평가 및 감정평가사에 관한 법률 시행령 제29조 별표로 규정하고 있는 3개월의 기준 자체가 너무 과도하다고 판단되어 다투고자 한다. 이때 업무정지에 대한 권리구제를 논하시오. 15점

---

Ⅰ. 논점의 정리

Ⅱ. 업무정지의 법적 성질
   1. 업무정지의 의의 및 근거
   2. 재량행위성

Ⅲ. 감정평가법 시행령 제29조 [별표 3]의 법규성 여부
   1. 논의실익
   2. 학설 – 형식설 / 실질설 / 수권 기준설
   3. 판례
   4. 판례의 비판 및 소결
   5. 사안의 적용

Ⅳ. 설문 (1) 업무정지처분의 위법성
   1. 개설
   2. 법규명령으로 보는 경우의 위법성
     (1) 위법성 판단기준
     (2) 사안의 적용

   3. 행정규칙으로 보는 경우의 위법성
     (1) 위법성 판단기준
     (2) 비례원칙 위반 여부
     (3) 자기구속법리 위반 여부
     (4) 위법성 정도

Ⅴ. 설문 (2) 시행령 기준 위법 시 권리구제
   1. 근거법령(별표 3)의 위법성
     (1) 헌법상 비례원칙에 반하는지 여부
     (2) 위헌·위법한 법규명령의 효력
     (3) 업무정지처분의 위법성 및 정도
   2. 권리구제 및 인용가능성
     (1) 취소소송 및 구체적 규범통제
     (2) 국가배상청구소송 및 권리구제형 헌법소원

Ⅵ. 사례의 해결

# Ⅰ 논점의 정리

사안은 「감정평가 및 감정평가사에 관한 법률」(이하 '감정평가법')상 제26조 규정 위반을 이유로 국토교통부장관이 감정평가법인등 甲에 대해 3개월의 업무정지를 한 경우 甲의 권리구제를 묻고 있다.

1. 먼저 업무정지의 처분성 및 재량행위성 여부와 처분기준인 시행령 [별표 3]의 법규성 여부를 검토한다.

2. 설문 (1)과 관련하여 [별표 3]을 법규명령으로 보는 경우 [별표 3]의 감경규정이 부여하고 있는 재량의 일탈·남용이 있는지 검토하고, 행정규칙으로 보는 경우에는 행정의 자기구속법리 및 비례원칙에 반하지 않는지 검토한다.

3. 설문 (2)와 관련하여 [별표 3]의 기준 자체가 위헌·위법인지 살피고, 그에 따른 처분의 위법성 및 그에 따른 구체적 규범통제 등의 권리구제수단을 검토한다.

# Ⅱ 업무정지의 법적 성질

## 1. 업무정지의 의의 및 근거

업무정지란 「감정평가 및 감정평가사에 관한 법률」(이하 '감정평가법') 제32조에 근거하여 국토교통부장관이 명하는 침익적 처분으로, 상대방인 감정평가법인등에게 부작위의무를 부과하는 강학상 하명에 해당하는바, 항고쟁송의 대상인 처분으로 볼 수 있다.

## 2. 재량행위성

재량행위인지 여부는 통설, 판례에 따라 1차적으로 법문언의 형식을 검토하고, 명확하지 않을 경우에 해당 행위의 성질 및 헌법상 기본권 관련성을 고려하여 판단한다. 사안의 경우는 동법 제32조의 규정에서 "2년 이내의 범위에서 업무의 정지를 명할 수 있다."고 규정하는바, 법문언상 재량행위성이 인정된다.

# Ⅲ 감정평가법 시행령 제29조 [별표 3]의 법규성 여부

## 1. 논의실익

해당 업무정지처분의 기준인 감정평가법 시행령 제29조 [별표 3]은 대통령령에 규정되어 있지만 그 실질은 행정사무의 처리기준으로서 재량준칙의 성질을 지니는바, 이른바 법규명령 형식의 행정규칙에 해당한다. 이러한 규범의 법규성 인정 여부에 따라 해당 처분의 위법성과 권리구제수단이 달라지는바, 검토할 필요가 있다.

## 2. 학설

법규명령 형식의 행정규칙의 법규성에 대하여 ① 형식을 중시하여 법규로 보는 형식설, ② 구체적 타당성이 있는 행정을 위해 행정규칙으로 보는 실질설, ③ 수권 여부로 판단하는 수권기준설이 대립한다.

## 3. 판례

판례는 (구)주택건설촉진법 시행령 별표 등에서 대통령령의 형식을 갖는 경우 법규성을 인정하였으나, 규정형식이 부령인 경우에는 이를 내부처리기준에 불과한 행정규칙으로 보아왔다. 그러나 최근 부령인 환경영향평가법 시행규칙상 가중적 제재처분이 문제된 사건에서 그 처분의 취소를 구할 법률상 이익을 인정하면서도 법규성 여부에 대해서는 판단을 유보하였다.

## 4. 판례의 비판 및 소결

부령과 대통령령은 모두 법규명령인바, 이를 구분하는 판례의 태도는 비판의 여지가 있으며 최근 판례의 취지 또한 부령인 경우에도 그 구체적 구속력을 인정한바, 법규명령으로 보는 것이 타당하다 여겨진다. 생각건대, 법규명령의 형식을 지니는 이상 법제처의 심사 등 절차적 정당성이 인정되고, 공포를 통한 국민의 예측가능성이 보장된다는 점에서 대외적 구속력 있는 법규명령으로 봄이 타당할 것이다.

## 5. 사안의 적용

상기 검토에 의거 시행령 [별표 3]은 법규명령으로 보는 것이 타당하나, 이하에서는 권리구제 검토를 위하여 행정규칙으로 보는 경우도 함께 검토하기로 한다.

## Ⅳ  설문 (1) 업무정지처분의 위법성

## 1. 개설

시행령 별표의 기준을 법규명령으로 보는지, 행정규칙으로 보는지에 따라 그에 따른 처분의 위법성 판단기준이 달라지는바, 이를 각각 나누어 검토한다.

## 2. 법규명령으로 보는 경우의 위법성

### (1) 위법성 판단기준

시행령 기준을 법규명령으로 볼 경우 해당 처분의 위법성은 상위 법률 및 시행령 별표의 개별 기준, 그리고 이와 함께 [별표 3]의 정상 참작할 사유가 있는 경우 1/2의 범위에서 처분기간을 감경할 수 있다는 감경규정에 반하는지 여부로 판단하여야 한다. 즉, 감경규정에 의하여 시행령 별표의 기준은 재량성을 확보하게 되는바, 이에 대한 재량의 일탈·남용이 있는지가 판단기준이 된다.

### (2) 사안의 적용

사안의 경우 甲이 성실히 평가해 온 점, 누출한 기밀이 이미 알려져 있었던 것으로 乙기업에 미치는 피해가 작은 점 등 정상 참작의 사유가 있었음에도 업무정지기간을 감경하지 않고 일의적으로 3개월 처분한 것은 감경규정이 부여하는 재량의 흠결에 해당하여 위법하다고 판단된다. 또한 기존 1개월의 처분을 해온 선례가 있어 자기구속법리의 검토도 가능하나, 이 경우 감경규정이 부여한 재량인 1.5~3개월의 기간에 반하는 위법한 선례인바, 1개월의 자기구속은 받지 않는다고 판단된다. 따라서 해당 업무정지처분은 재량의 흠결에 해당하는 위법성이 인정되며, 이는 취소사유로 본다.

## 3. 행정규칙으로 보는 경우의 위법성

### (1) 위법성 판단기준

행정규칙은 법규성을 부인하는 것이 통설·판례의 태도인 바, 이 경우 [별표 3]은 법규가 아니어서 위법판단에서 배제되며, 근거법률 취지상 해당 처분에 재량의 일탈·남용이 있는지를 판단하여야 한다. 사안의 경우 과도한 업무정지기간과 관련하여 비례원칙이 문제되고, 과징금을 부과해 온 전례가 있어 자기구속의 법리가 문제된다.

### (2) 비례원칙 위반 여부

비례원칙이란 행정의 수단과 목적 사이에 합리적 비례관계가 있어야 한다는 원칙으로, 헌법 제37조 제2항에서 도출되는 불문법 원리이며, 적합성, 필요성, 상당성 충족 여부로 처분의 위법성을 판단한다. 사안의 경우 甲의 위반행위에 대하여 업무정지처분은 적합한 수단이기는 하나, 그 기간에 있어서 甲의 특수한 상황을 고려하지 않고 과도한 처분을 했다고 판단되는바, 이는 필요성 및 상당성 원칙에 반하는 것으로 여겨진다.

> ↬ 행정기본법 제10조(비례의 원칙)
> 행정작용은 다음 각 호의 원칙에 따라야 한다.
> 1. 행정목적을 달성하는 데 유효하고 적절할 것
> 2. 행정목적을 달성하는 데 필요한 최소한도에 그칠 것
> 3. 행정작용으로 인한 국민의 이익 침해가 그 행정작용이 의도하는 공익보다 크지 아니할 것

### (3) 자기구속법리 위반 여부

#### ① 의의 및 근거

행정청이 동일사안에 대하여 제3자에게 한 것과 동일한 행정작용을 상대방에게 하도록 스스로 구속받는다는 법리로서 평등원칙에서 파생된 것으로 보는 것이 다수의 입장이다.

#### ② 요건 및 한계

㉠ 재량영역, ㉡ 선행행위의 존재, ㉢ 불평등한 후행 행정작용의 발령이 그 요건이 되며, 다만 최초 행정작용의 경우(사실상 한계) 및 위법한 선례의 경우(내용상 한계)에는 이 법리의 성립이 제한된다.

#### ③ 재량준칙과의 관계

자기구속의 법리는 재량준칙을 법규로 전환시키는 전환규범의 기능을 갖는다. 단, 이때의 법규란 간접적인 대외적 구속력을 의미하는바, 특별한 필요시에는 이에 따르지 않아도 위법하지 않게 된다.

④ 판례의 인정 여부

대법원은 자기구속의 법리를 명시적으로 인정하지 않았으나, 헌법재판소는 재량준칙에 따라 반복되어 행정관행이 이룩된 경우 자기구속을 받게 된다고 하여 이를 인정한 바 있다.

⑤ 사안의 적용

사안에서 기존에 별표에 따라 3개월의 처분을 해온 바가 없어 자기구속법리가 전환규범으로 작용하지는 않는다. 오히려 동일 사안에서 1개월의 처분을 해 온 전례가 있는바, 자기구속법리에 의해 이에 반하는 3개월의 업무정지처분은 위법하게 된다.

### (4) 위법성 정도

상기와 같이 비례원칙 및 자기구속법리에 위반되어 해당 업무정지처분은 위법하며 그 위법성 정도는 통설·판례인 중대명백설에 의해 취소사유로 판단한다.

## Ⅴ 설문 (2) 시행령 기준 위법 시 권리구제

## 1. 근거법령(별표 3)의 위법성

### (1) 헌법상 비례원칙에 반하는지 여부

사안에서 甲의 주장과 같이 기존에 같은 사안에서 국토교통부장관이 1개월의 처분을 해왔던 점에 비추어 현재 별표의 기준인 3개월 자체가 과도하다면, 이는 헌법상 비례원칙에 반하는 법규정으로서 위헌·위법이 인정된다.

### (2) 위헌·위법한 법규명령의 효력

판례 및 일부견해는 법원에서 법규명령의 위헌·위법이 확인되면 일반적으로 무효가 된다고 주장하나, 다수견해는 이 경우 해당 사건에 한해 효력이 배제될 뿐 별도 폐지되기 전까지는 유효하다고 주장한다. 생각건대, 위법한 법규명령을 무효로 보면 법의 공백상태가 초래된다는 점에서 다수견해가 타당하다고 여겨진다.

### (3) 업무정지처분의 위법성 및 정도

위법한 [별표 3]은 해당 사안에서 효력이 배제된바, 해당 업무정지처분의 위법 여부는 근거법률의 취지에 따라 재량의 일탈·남용 여부로 판단해야 한다. 이 경우 행정규칙으로 본 경우와 동일하게 비례원칙 및 자기구속원칙에 위반되며 위법성 정도는 위법한 법규명령에 근거한 처분으로 일반적으로 취소사유로 판단된다.

## 2. 권리구제 및 인용가능성

### (1) 취소쟁송 및 구체적 규범통제

甲은 업무정지처분에 대해 취소쟁송을 제기하면서, 구체적 규범통제로 그 재판의 전제가 되는

명령규칙심사를 행정심판위원회 또는 법원에 신청하여 위법한 별표의 효력을 배제시킨 후 재량의 일탈·남용에 따라 처분의 위법성을 인용받을 수 있다.

## (2) 국가배상청구소송 및 권리구제형 헌법소원(추상적 규범통제)

국가배상청구는 고의·과실을 입증하기 어렵다 여겨지며, 권리구제형 헌법소원이 가능한지와 관련하여 법규명령에 대한 직접적 통제는 해당 사안이 헌법 제107조 제2항의 영역인 "재판의 전제가 된 경우"에 해당되는바, 판례 및 다수설에 의할 때 인정되기 어려울 것이다.
(구체적 규범통제가 받아들여지지 않은 경우 그 시행규칙 자체가 국민의 기본권을 침해한다면 보충성의 원칙을 충족한다는 전제하에 헌법소원을 제기 할 수도 있을 것이다. 다만, 토지보상법 시행규칙은 헌법 제107조 제2항의 영역인 '재판이 전제가 된 경우'에 해당되는 바, 토지보상법 시행규칙에 대한 헌법소원에서 헌법재판소는 보충성원칙 위배로 모두 각하하여 인정하지 않고 있다.)

---

**Check Point!**

헌법 제107조 (법률 등 위헌제청·심사권·행정심판)

① 법률이 헌법에 위반되는 여부가 재판의 전제가 된 경우에는 법원은 헌법재판소에 제청하여 그 심판에 의하여 재판한다.

② 명령·규칙 또는 처분이 헌법이나 법률에 위반되는 여부가 재판의 전제가 된 경우에는 대법원은 이를 최종적으로 심사할 권한을 가진다. → 구체적 규범통제

---

## VI 사례의 해결

1. 업무정지처분은 재량행위이며, 시행령 [별표 3]은 법규명령으로 봄이 타당하다.

2. [별표 3]을 법규명령으로 보면 해당 처분은 시행령의 감경규정이 부여하는 재량에 반하는 위법성이 인정되며, 행정규칙으로 보면 해당 처분은 비례원칙 및 자기구속법리에 위반되는바, 취소사유의 위법성이 인정된다.

3. 만약 [별표 3] 기준 자체가 너무 과도하여 헌법상 비례원칙에 반하는 규정이라면, 甲은 이를 법원의 구체적 규범통제로 해당 사안에 한해 별표의 효력을 배제한 후 취소소송으로 처분을 취소할 수 있을 것이다.

## 12절 감정평가법 제39조(징계)

---

**문제**

다음 사례별로 감정평가 및 감정평가사에 관한 법률(이하 '감정평가법')상 징계사례의 타당성을 분석하고, 감정평가법상 징계 등 제재조치에 대하여 구체적으로 설명하시오. 30점

(사례 1) 해당 표준지의 경매평가 및 매각가격의 선례가 있음에도 이를 조사·수집, 참작하여 평가하지 않음을 이유로 감정평가관리·징계위원회에 회부되어 업무정지 1개월의 행정처분을 받은 사건에 대하여 징계사례의 타당성을 분석하고, 감정평가법상 제재조치에 대하여 설명하시오. 10점

(사례 2) 개별공시지가 검증결과보고서를 지연제출하였으며, 검증의뢰승낙서 및 의견제출 검증결과보고서를 미제출하였고, 이에 업무정지 1개월의 행정처분을 받은 사건에 대하여 징계사례의 타당성을 분석하고, 감정평가법상 제재조치에 대하여 설명하시오. 10점

(사례 3) 2016년 국·공유재산 매각목적의 감정평가에 대하여 담당 공무원이 전화로 재평가를 요구하였으나, 담당평가사는 2015년에 평가한 평가서 원본의 일부를 수정하여 다시 제출하였고, 이에 감사원은 2016년 의뢰한 평가서의 원본이 존재하지 않음을 이유로 서류보존의무를 위반하였다고, 국토교통부에 통보한 건으로서 업무정지 1년의 행정처분을 받은 사안으로, 징계사례의 타당성을 분석하고, 감정평가사상 제재조치에 대하여 설명하시오. 10점

---

Ⅰ. (사례 1) 표준지공시지가 건
  1. 사건개요 및 징계처분 내용
  2. 징계사례 타당성 분석
  3. 감정평가법상 제재

Ⅱ. (사례 2) 개별공시지가 산정업무 소홀 건
  1. 사건개요 및 징계처분 내용
  2. 징계사례 타당성 분석
  3. 감정평가법상 제재

Ⅲ. (사례 3) 공유재산 매각목적의 감정평가서 원본 보존의무 불이행 건
  1. 사건개요 및 징계처분 내용
  2. 징계사례 타당성 분석
  3. 감정평가법상 제재

Ⅳ. 감정평가법상의 징계제도의 문제점과 한계, 그리고 입법론

## I  (사례 1) 표준지공시지가 건

### 1. 사건개요 및 징계처분 내용

해당 표준지의 경매평가 및 매각가격의 선례가 있음에도 이를 조사·수집, 참작하여 평가하지 않음을 이유로 감정평가관리·징계위원회에 회부되었으며 업무정지 1개월의 행정처분을 받았다.

### 2. 징계사례 타당성 분석

표준지의 적정가격을 조사, 평가하는 경우에는 인근 유사토지의 거래가격, 임대료 및 해당 토지와 유사한 이용가치를 지닌다고 인정되는 토지의 조성에 필요한 비용추정액, 인근 지역 및 다른 지역과의 형평성·특수성, 표준지공시지가 변동의 예측 가능성 등 제반사항을 종합적으로 참작하여 평가하도록 부동산 가격공시에 관한 법률 제3조에서 규정하고 있다. 즉, 해당 표준지와 유사한 이용가치가 인정되는 모든 사례를 참작하여야 하는데도, 상기 건과 같이 경매평가 및 매각가격의 선례가 있음에도 공시지가 조사, 평가에 참작하지 않아서 시장가치를 제대로 반영하지 못하게 되었다. 만약 경매평가 및 매각가격의 선례가 문제가 있더라도 사정을 보정하여 공시지가 평가에 참작할 수 있었음에도 전혀 적용하지 않은 것은 고의 또는 과실이 인정되므로 상기의 업무정지처분은 합당한 것이라고 할 수 있을 것이다.

### 3. 감정평가법상 제재

감정평가사는 감정평가법 제25조에 의거 성실의무를 지고 있으며, 고의 또는 중대한 과실로 업무를 잘못하여서는 아니 된다고 규정하고 있다. 이에 감정평가법 제39조에서는 동법 제25조를 위반한 경우 감정평가사에게 ① 자격의 취소, ② 등록의 취소, ③ 2년 이하의 업무정지, ④ 견책 등의 징계를 규정하고 있다. 또한 업자의 경우에는 감정평가법 제32조에서 제25조 위반에 대하여 인가취소 등의 행정처분을 규정하고 있다.

## II  (사례 2) 개별공시지가 산정업무 소홀 건

### 1. 사건개요 및 징계처분 내용

개별공시지가 검증결과보고서 지연제출하였으며 검증의뢰승낙서 및 의견제출 검증결과보고서를 미제출하였으며, 이에 업무정지 1개월의 처분을 받은 사례이다.

### 2. 징계사례 타당성 분석

검증은 시장, 군수, 구청장이 표준지공시지가를 기준으로 토지가격비준표를 사용하여 산정한 지가에 대하여 적정성을 판별하고 적정한 가격을 제시하는 것으로, 산정지가 검증, 의견제출지가 검증, 이의신청지가 검증을 하게 된다. 본건은 의견제출 검증을 한 후 검증결과보고서를 미제출하였으며, 비록 보고서의 제출기한이 짧은 점은 업무를 하는 데 상당한 제약이지만, 검증은 개별공시지가 산정의 적정성을 보장하는 수단이 되므로 이러한 보고서 미제출은 감정평가 책임소재에 중요한 역할을 하게 된다. 따라서 이러한 보고서 지연 및 미제출은 전문가로서의 성실의무를 다하지 못하였으며, 감정평가법에 규정하는 감정평가서 규정을 위반한 것이므로 1개월의 업무정지처분은 정당하다고 판단된다.

### 3. 감정평가법상 제재

(1) 감정평가법 제6조에는 감정평가법인등은 감정평가를 의뢰받은 때에는 지체 없이 감정평가를 실시한 후 감정평가의뢰인에게 감정평가서를 발급하여야 한다고 규정하고 있다.

(2) 감정평가법 시행령 제29조 [별표 3]에서는 감정평가법 제6조 규정에 의한 감정평가서의 작성, 교부 등에 관한 사항, 즉 정당한 이유 없이 감정평가서의 교부를 지연한 경우에 업무정지 2개월에 해당하는 제재를 규정하고 있다. 상기 건의 경우 검증결과보고서를 지연한 경우이며, 나아가 검증결과보고서를 미제출하였기에 상기 감정평가법에 의거 제재를 받게 된 경우이다.

## Ⅲ (사례 3) 공유재산 매각목적의 감정평가서 원본 보존의무 불이행 건

### 1. 사건개요 및 징계처분 내용

공유재산 매각 관련 담당 공무원이 전화로 재평가를 요구하였으나 평가사는 2015년에 평가한 평가서 원본의 일부를 수정하여 다시 제출하였고 이에 감사원은 2016년 의뢰한 평가서의 원본이 존재하지 않음을 이유로 서류보존의무를 위반하였다고 국토교통부에 통보한 건으로서 업무정지 1년의 징계에 처한 사례이다.

### 2. 징계사례 타당성 분석

감정평가서의 시점수정 내지 가격의 변경 등을 국가기관이나 지방자치단체에서 구두나 전화로 요청하는 경우 공문서를 통하여 공식적으로 요청해줄 것을 해당 국가기관이나 지방자치단체에 요구하여야 하며, 감정평가서의 원본과 발송본의 기재사항 중 변동이 생기면 그 사유를 반드시 명기하여야 한다. 본건은 담당 공무원의 요청에 따라 이를 반영하여 평가선례와 평가액을 결정한 데는 어떠한 법령의 위반도 없지만, 2016년 의뢰한 평가서의 원본을 보존하지 않음은 감정평가서 보존의무를 위반한 것이 되므로 감정평가법 위반으로 징계처분은 합당한 것으로 판단되나, 업무정지 1년으로 처분한 것은 과도한 제재라고 생각된다.

### 3. 감정평가법상 제재

감정평가법 제6조에서는 감정평가서의 작성, 교부 등에 관한 사항을 규정하는바, 감정평가법 시행령 제29조 [별표 3]에서는 감정평가서의 원본과 그 관련서류를 보존기간 동안 보존하지 아니한 경우에 업무정지 6개월에 해당하는 제재를 규정하고 있다.

## Ⅳ  감정평가법상의 징계제도의 문제점과 한계, 그리고 입법론

명확한 징계매뉴얼의 한계점이 있고, 감정평가관리·징계위원회의 단독의결 결과에 의해서 징계 당사자의 행정처벌이 결정되는 문제점이 있다. 변호사법에서처럼 별도의 실사위원회를 두어 징계에 대한 사실관계 규명을 명확히 하고 이에 대한 행정처벌의 양형이 결정되어야 할 것이다. 또한 감정평가법 제32조의 위임을 받은 동법 시행령 제29조 별표에 의한 내용은 감정평가법인등만 규율하고 있는바, 감정평가법 제39조의 경우 감정평가사에 대한 징계의 양형기준이 불명확한 점은 개선의 여지가 있다고 할 것이다.



---

### 베타답안

 30점

## Ⅰ. 논점의 정리

각 사례에 대한 징계의 타당성 분석과 감정평가 및 감정평가사에 관한 법률(이하 '감정평가법')상 제재조치에 대한 설명으로 업무정지처분의 법적 성질을 간략히 살피고, 각 사례에 대한 징계의 타당성 검토는 비례의 원칙을 기준으로 살펴본다.

## Ⅱ. 업무정지의 법적 성질과 징계의 타당성 검토기준

### 1. 업무정지처분의 법적 성질

감정평가사에게 부작위의무를 부과하는 강학상 하명에 해당되며, 감정평가법 제39조에서 "~할 수 있다."고 규정하고 있는바, 재량행위에 해당된다.

### 2. 징계의 타당성 검토기준

#### (1) 비례원칙의 의의

행정작용에 있어서 행정목적과 행정수단 사이에 합리적인 비례관계가 있어야 한다는 원칙이다.

#### (2) 비례원칙의 내용

행정목적 달성을 위한 수단은 법적으로 유용한 것이어야 하고(적합성의 원칙), 채택된 수단은 개인에게 최소한의 침해를 가져오는 수단이어야 하며(필요성의 원칙), 침해되는 사익과 달성하는 공익을 비교·형량해야 한다(상당성의 원칙).

## Ⅲ. (사례 1)의 검토

### 1. 징계의 타당성 분석

#### (1) 부동산 가격공시에 관한 법률 제3조 및 감정평가법 제25조의 태도

부동산 가격공시에 관한 법률 제3조에서는 표준지공시지가를 조사·평가하는 경우 인근 유사토지의 거래가격, 임대료 등을 종합적으로 참작하여 평가하도록 규정하고 있다. 감정평가법 제25조에서는 고의 또는 중대한 과실로 잘못된 평가를 해서는 아니 된다고 규정하고 있다.

### (2) 징계의 타당성 분석

해당 표준지의 경매평가 및 매각가격의 선례가 있음에도 불구하고 이를 참작하지 않은 것은 전술한 감정평가법 제25조에 따른 성실의무 등의 위반으로, 감정평가의 질서유지를 위한 수단으로 업무정지를 행한 것은 적합성 원칙에 충족한다. 설문상 불명확하나, 경매평가 및 매각가격의 선례를 적용하지 않음에 있어 합리적인 사유 등이 있는 경우에 견책도 가능하기 때문에 필요성에 원칙에 반할 수 있다. 상당성 원칙과 관련하여 침해받는 평가사의 사익이 공익보다 큰 경우에는 비례원칙에 반하게 될 수 있다.

## 2. 감정평가법상 제재수단

### (1) 업무정지처분 등(동법 제39조)

국토교통부장관은 일정한 경우 감정평가관리·징계위원회의 의결에 따라 징계할 수 있고, 그 종류에는 자격의 취소, 등록의 취소, 2년 이하의 업무정지, 견책 등이 있다.

### (2) 벌칙

설문상 불명확하나, 제25조 제1항의 규정을 위반하여 만일 고의로 잘못된 평가를 한 경우에 3년 이하의 징역 또는 3천만원 이하의 벌금에 처한다.

### (3) 갱신등록거부

만일 업무정지기간이 지나지 않을 경우에는 국토교통부장관은 등록을 거부해야 한다. 이때 등록거부행위는 그 문언상 기속행위에 해당된다.

# Ⅳ. (사례 2)의 검토

## 1. 감정평가법 제6조의 태도

감정평가를 의뢰받은 때에는 지체 없이 감정평가를 실시하여 감정평가의뢰인에게 감정평가서를 발급하여야 한다.

## 2. 징계의 타당성 분석

검증결과보고서 지연제출 및 검증의뢰승낙서, 검증결과보고서 미제출은 동법 제25조 제1항의 성실의무 등 위반행위로 감정평가의 질서유지를 위한 업무정지처분의 적합성은 인정된다. 개별공시지가 검증결과보고서 지연제출로 인해 개별공시지가 공시의 지연 등이 초래된 점에 업무정지 1개월은 필요성에 원칙에 충족된다고 볼 수 있다. 또한 침해되는 사익보다 달성되는 공익이 더 크다고 볼 수 있어 상당성의 원칙에도 반하지 않는다고 판단된다.

## 3. 감정평가법상 제재수단

### (1) 업무정지 등 및 등록갱신 제한

개별공시지가 산정업무에 대한 소홀로 인해서 전술한 바와 같이 업무정지 등, 등록갱신 제한의 제재수단이 있다.

### (2) 벌칙적용

만일 고의로 개별공시지가에 대한 지연 제출 등을 했을 경우에는 3년 이하의 징역 또는 3천만원 이하의 벌금에 처한다.

### (3) 벌칙적용에 있어 공무원의제

개별공시지가 산정업무(「부동산 가격공시에 관한 법률」에 따라 감정평가법인등이 수행하는 업무)를 행하는 감정평가사는 형법 제129조 내지 제132조의 적용에 있어서는 이를 공무원으로 본다고 규정하고 있다.

## V. (사례 3)의 검토

### 1. 감정평가법 제6조 제3항 및 시행규칙 제3조

감정평가서의 원본과 그 관련 서류를 국토교통부령으로 정하는 기간 이상 보존하여야 한다. 또한 시행규칙에서는 원본은 교부일부터 5년 이상, 관련 서류는 2년 이상 보존해야 한다고 규정하고 있다.

### 2. 징계의 타당성 분석

전술한 동법 및 시행규칙에 위반한 행위로, 감정평가의 질서유지 목적에 대한 수단으로 적합하다. 설문상 불명확하나 이러한 보존의무 불이행이 단 1회에 해당된다면 업무정지 1년을 처분한 것은 과도한 제재수단이라고 볼 수 있고, 감정평가사 원본의 보존의무 불이행행위로 인해 달성되는 공익이 크다고 보기 어렵고, 또한 1년이라는 업무정지로 인해서 침해되는 사익이 달성되는 공익보다 크다고 보이는바, 비례원칙의 위반에 해당된다고 보인다.

### 3. 감정평가법상 제재수단

#### (1) 과태료

동법 제52조 제1항 제1호에서는 감정평가서 원본과 그 관련 서류 규정을 위반한 경우에 500만원 이하의 과태료에 처한다고 명시하고 있다.

#### (2) 업무정지 등과 등록갱신 제한

감정평가서 작성교부 등에 관한 사항을 위반한 경우 업무정지 등의 제재수단과 만일 등록갱신기간에 업무정지기간이 해당될 때는 국토교통부장관으로부터 자격등록 및 갱신등록이 제한된다.

## 13절 − 감정평가법 제41조(과징금)
### − 행정법 쟁점 : 일부취소판결 가능성

**문제**

감정평가사 갑과 을은 「감정평가 및 감정평가사에 관한 법률」에 따른 감정평가준칙을 위반하여 감정평가를 하였음을 이유로 업무정지처분을 받게 되었으나, 국토교통부장관은 그 업무정지처분이 「부동산 가격공시에 관한 법률」에 따른 표준지공시지가 공시등의 업무를 정상적으로 수행하는데 지장을 초래할 우려가 있음을 들어, 2021.4.1. 갑과 을에게 업무정지처분을 갈음하여 각 3천만원의 과징금을 부과하였다. 다음 물음에 답하시오. 20점

(1) 갑은 부과된 과징금이 지나치게 과중하다는 이유로 국토교통부장관에게 이의신청을 하였고, 이에 대해서 국토교통부장관은 2021.4.30. 갑에 대하여 과징금을 2천만원으로 감액하는 결정을 하였다. 갑은 감액된 2천만원의 과징금도 과중하다고 생각하여 과징금부과처분의 취소를 구하는 소를 제기하고자 한다. 이 경우 갑이 취소를 구하여야 하는 대상은 무엇인지 검토하시오. 10점

(2) 을은 2021.6.1. 자신에 대한 3천만원의 과징금부과처분의 취소를 구하는 소를 제기하였다. 이에 대한 심리결과 법원이 적정한 과징금 액수는 1천5백만원이라고 판단하였을 때, 법원이 내릴 수 있는 판결의 내용에 관하여 검토하시오. 10점

---

[물음 1]에 대하여

Ⅰ. 논점의 정리

Ⅱ. 과징금부과처분의 의의 및 법적 성질
   1. 과징금부과처분의 의의 및 구별개념
   2. 과징금부과처분의 법적 성질

Ⅲ. 2천만원으로 감액한 과징금부과처분의 소의 대상
   1. 학설의 견해
   2. 판례의 태도
   3. 검토
   4. 사안의 경우

Ⅳ. 결

[물음 2]에 대하여

Ⅰ. 논점의 정리

Ⅱ. 일부취소판결의 가능성
   1. 학설의 견해
   2. 판례의 태도
   3. 검토
   4. 사안의 경우

Ⅲ. 결

---

**Tip** 강박사의 TIP(최근 기출문제)

1. 감액된 과징금부과처분의 취소를 구하는 소를 제기하고자 할 때의 소의 대상(제32회 3번)

## [물음 1]에 대하여

### I  논점의 정리

국토교통부장관에게 이의신청을 하였고, 이에 대해 국토교통부장관이 과징금을 2천만원으로 감액하는 결정한 것에 대해 甲이 과징금부과처분의 취소를 구하는 소를 제기하고자 하는 경우 소의 대상에 대해 학설과 판례의 태도를 통해 이를 검토하도록 한다.

### II  과징금부과처분의 의의 및 법적 성질

#### 1. 과징금부과처분의 의의 및 구별개념

과징금은 행정법상 의무위반 행위로 얻은 경제적 이익을 박탈하기 위한 금전상 제재금을 말한다. 과징금은 의무이행의 확보수단으로써 가해진다는 점에서 의무위반에 대한 벌인 과태료와 구별된다.

#### 2. 과징금부과처분의 법적 성질

감정평가법상 과징금은 계속적인 공적업무수행을 위하여 업무정지처분에 갈음하여 부과되는 것으로 변형된 과징금에 속한다. 이는 인허가 철회나 정지처분으로 인해 발생하는 국민생활 불편이나 공익을 고려함에 취지가 인정된다. 과징금 부과행위는 과징금 납부의무를 명하는 행위이므로 급부하명에 해당한다. 또한, 감정평가법 제41조에서는 "과징금을 부과할 수 있다."고 규정하고 있으므로 법문언의 규정형식상 재량행위에 해당한다.

### III  2천만원으로 감액한 과징금부과처분의 소의 대상

#### 1. 학설의 견해(변경처분 시 소의 대상)

① 〈병존설〉 양자 모두 독립된 처분이므로 항고소송의 대상이라는 견해, ② 〈흡수설〉 원처분은 변경처분에 흡수되어 변경처분(일부취소처분)만이 항고소송의 대상이라는 견해, ③ 〈역흡수설〉 변경처분(일부취소처분)은 원처분에 흡수되어 변경된 원처분만이 항고소송의 대상이라는 견해가 있다.

> ❧ 행정기본법 제36조(처분에 대한 이의신청)
> ① 행정청의 처분(「행정심판법」 제3조에 따라 같은 법에 따른 행정심판의 대상이 되는 처분을 말한다. 이하 이 조에서 같다)에 이의가 있는 당사자는 처분을 받은 날부터 30일 이내에 해당 행정청에 이의신청을 할 수 있다.
> ② 행정청은 제1항에 따른 이의신청을 받으면 그 신청을 받은 날부터 14일 이내에 그 이의신청에 대한 결과를 신청인에게 통지하여야 한다. 다만, 부득이한 사유로 14일 이내에 통지할 수 없는 경우에는 그 기간을 만료일 다음 날부터 기산하여 10일의 범위에서 한 차례 연장할 수 있으며, 연장 사유를 신청인에게 통지하여야 한다.
> ③ 제1항에 따라 이의신청을 한 경우에도 그 이의신청과 관계없이 「행정심판법」에 따른 행정심

> 판 또는 「행정소송법」에 따른 행정소송을 제기할 수 있다.
> ④ 이의신청에 대한 결과를 통지받은 후 행정심판 또는 행정소송을 제기하려는 자는 그 결과를 통지받은 날(제2항에 따른 통지기간 내에 결과를 통지받지 못한 경우에는 같은 항에 따른 통지기간이 만료되는 날의 다음 날을 말한다)부터 90일 이내에 제1항의 처분(이의신청 결과 처분이 변경된 경우에는 변경된 처분으로 한다)에 대하여 행정심판 또는 행정소송을 제기할 수 있다. 〈개정 2025.3.18.〉
>
> —이하 생략—

※ 행정기본법 제36조 제4항 신설됨으로 인하여 강학상 이의신청에 대하여 결과통지서를 받은 경우에는 새로운 처분으로 보아 90일 이내에 행정심판 또는 행정소송을 제기할 수 있다.

## 2. 판례의 태도

> **판례**
>
> **[판시사항]**
> 행정청이 산업재해보상보험법에 의한 보험급여 수급자에 대하여 부당이득 징수결정을 한 후 그 하자를 이유로 징수금 액수를 감액하는 경우, 징수의무자에게 감액처분의 취소를 구할 소의 이익이 있는지 여부(소극) 및 감액처분으로도 아직 취소되지 않고 남은 부분을 다투고자 하는 경우 항고소송의 대상과 제소기간 준수 여부의 판단 기준이 되는 처분(=당초 처분)
>
> **[판결요지]**
> 행정청이 산업재해보상보험법에 의한 보험급여 수급자에 대하여 부당이득 징수결정을 한 후 징수결정의 하자를 이유로 징수금 액수를 감액하는 경우에 감액처분은 감액된 징수금 부분에 관해서만 법적 효과가 미치는 것으로서 당초 징수결정과 별개 독립의 징수금 결정처분이 아니라 그 실질은 처음 징수결정의 변경이고, 그에 의하여 징수금의 일부취소라는 징수의무자에게 유리한 결과를 가져오는 처분이므로 징수의무자에게는 그 취소를 구할 소의 이익이 없다. 이에 따라 감액처분으로도 아직 취소되지 않고 남아 있는 부분이 위법하다 하여 다투고자 하는 경우, 감액처분을 항고소송의 대상으로 할 수는 없고, 당초 징수결정 중 감액처분에 의하여 취소되지 않고 남은 부분을 항고소송의 대상으로 할 수 있을 뿐이며, 그 결과 제소기간의 준수 여부도 감액처분이 아닌 당초 처분을 기준으로 판단해야 한다.
> (출처 : 대판 2012.9.27, 2011두27247[부당이득금부과처분취소])

## 3. 검토

판례의 태도와 같이 변경처분(일부취소처분)은 원처분을 변경하는 행위로서 독립된 행위가 아닌 바, 변경된 원처분을 항고소송의 대상으로 봄이 타당하다고 판단된다.

## 4. 사안의 경우

사안의 경우 2021.4.30. 과징금을 2천만원으로 감액하는 결정을 한 바, 변경된 원처분인 2천만원을 소송의 대상으로 하는 것이 타당하다고 판단된다.

## Ⅳ 결

변경된 원처분인 2천만원 과징금 부과처분을 소송의 대상으로 하되, 부가적으로 제소기간은 4월 30일을 기준으로 보는 것이 타당하다고 보인다.

## [물음 2]에 대하여

## Ⅰ 논점의 정리

乙은 3천만원의 과징금부과처분의 취소를 구하는 소를 제기하였고, 이에 대한 심리결과 법원이 적정한 과징금의 액수를 1천5백만원이라고 판단하였을 때, 1천5백만원의 과징금부과처분을 변경하기 위해서는 일부취소판결이 가능한지 문제되는 바, 이하 관련 학설과 판례의 태도를 통해 판결의 내용을 검토하도록 한다.

## Ⅱ 일부취소판결의 가능성

### 1. 학설의 견해

청구의 일부분에만 위법이 있는 경우, 일부취소를 할 것인가, 아니면 전부취소를 할 것인가에 대한 견해가 대립한다.

### 2. 판례의 태도

#### (1) 일부취소를 인정한 판례

이러한 판결은 금전 관련사건에서 빈번히 나타난다. 외형상 하나의 행정처분이라 하더라도 가분성이 있거나 그 처분대상의 일부가 특정될 수 있다면 그 일부만의 취소가 가능하다.

> **판례**
>
> **[판시사항]**
> 개발부담금부과처분 취소소송에 있어서 취소의 범위
>
> **[판결요지]**
> 개발부담금부과처분 취소소송에 있어 당사자가 제출한 자료에 의하여 적법하게 부과될 정당한 부과금액이 산출할 수 없을 경우에는 부과처분 전부를 취소할 수밖에 없으나, 그렇지 않은 경우에는 그 정당한 금액을 초과하는 부분만 취소하여야 한다.
> (출처 : 대판 2004.7.22, 2002두11233[개발부담금부과처분취소])

### (2) 일부취소를 부정한 판례

영업정지처분등이 재량권 남용에 해당한다고 판단될 때에는 위법한 처분으로서 그 처분의 취소를 명할 수 있을 따름이고, 재량권의 범위 내에서 어느 정도가 적정한 영업정지기간인가를 가리는 일은 사법심사의 범위를 벗어난다.

> 
> **[판시사항]**
> 행정청이 과징금 부과처분을 한 후 부과처분의 하자를 이유로 감액처분을 한 경우, 감액된 부분에 대한 부과처분 취소청구가 적법한지 여부(소극)
>
> **[판결요지]**
> 행정처분을 한 처분청은 처분에 하자가 있는 경우에는 별도의 법적 근거가 없더라도 스스로 이를 취소하거나 변경할 수 있는바, 과징금 부과처분에서 행정청이 납부의무자에 대하여 부과처분을 한 후 부과처분의 하자를 이유로 과징금의 액수를 감액하는 경우에 감액처분은 감액된 과징금 부분에 관하여만 법적 효과가 미치는 것으로서 당초 부과처분과 별개 독립의 과징금 부과처분이 아니라 실질은 당초 부과처분의 변경이고, 그에 의하여 과징금의 일부취소라는 납부의무자에게 유리한 결과를 가져오는 처분이므로 당초 부과처분이 전부 실효되는 것은 아니다. 따라서 감액처분에 의하여 감액된 부분에 대한 부과처분 취소청구는 이미 소멸하고 없는 부분에 대한 것으로서 소의 이익이 없어 부적법하다.
> (출처 : 대판 2017.1.12, 2015두2352[시정명령 및 과징금납부명령취소])

## 3. 검토

권력분립의 원칙과 행정청의 판단권을 존중하여 일부취소판결을 부정하는 것이 일면 타당하나, 가분성과 특정성 여부에 따라 일부취소판결 여부를 결정하는 것이 타당하다고 판단된다.

## 4. 사안의 경우

당초 부과된 3천만원의 과징금부과처분 중 1천5백만원의 과징금부과처분을 변경하기 위해서는 과징금부과처분은 상기 검토한 바와 같이 재량행위이며, 사안의 경우 업무정지처분에 갈음하여 부과된 변형된 과징금은 가분성과 특정성이 인정되기 어렵다고 판단된다. 따라서 일부취소판결은 불가하고, 전부취소를 하여야 할 것으로 판단된다.

## Ⅲ 결

사안의 경우 1천5백만원에 대한 일부취소판결이 불가한 바, 법원은 3천만원의 과징금 부과처분 전체를 취소하는 판결을 하는 것이 타당하다고 판단된다.

■ 감정평가법상 사무소 개설신고제도가 폐지되어 신고 문제는 크게 중요도는 낮지만 아래 대법원 전원합의체 판결 2가지는 잘 숙지해 두도록 한다.

> **판례**

● 대판 2011.1.20, 2010두14954 전원합의체[건축(신축)신고불가취소]

**[판시사항]**

[1] 건축법 제14조 제2항에 의한 인·허가의제 효과를 수반하는 건축신고가, 행정청이 그 실체적 요건에 관한 심사를 한 후 수리하여야 하는 이른바 '수리를 요하는 신고'인지 여부(적극)

[2] 국토의 계획 및 이용에 관한 법률상의 개발행위허가로 의제되는 건축신고가 개발행위허가의 기준을 갖추지 못한 경우, 행정청이 수리를 거부할 수 있는지 여부(적극)

**[판결요지]**

[1] [다수의견] 건축법에서 인·허가의제제도를 둔 취지는, 인·허가의제사항과 관련하여 건축허가 또는 건축신고의 관할 행정청으로 그 창구를 단일화하고 절차를 간소화하며 비용과 시간을 절감함으로써 국민의 권익을 보호하려는 것이지, 인·허가의제사항 관련 법률에 따른 각각의 인·허가요건에 관한 일체의 심사를 배제하려는 것으로 보기는 어렵다. 왜냐하면, 건축법과 인·허가의제사항 관련 법률은 각기 고유한 목적이 있고, 건축신고와 인·허가의제사항도 각각 별개의 제도적 취지가 있으며 그 요건 또한 달리하기 때문이다. 나아가 인·허가의제사항 관련 법률에 규정된 요건 중 상당수는 공익에 관한 것으로서 행정청의 전문적이고 종합적인 심사가 요구되는데, 만약 건축신고만으로 인·허가의제사항에 관한 일체의 요건심사가 배제된다고 한다면, 중대한 공익상의 침해나 이해관계인의 피해를 야기하고 관련법률에서 인·허가제도를 통하여 사인의 행위를 사전에 감독하고자 하는 규율체계 전반을 무너뜨릴 우려가 있다. 또한 무엇보다도 건축신고를 하려는 자는 인·허가의제사항 관련 법령에서 제출하도록 의무화하고 있는 신청서와 구비서류를 제출하여야 하는데, 이는 건축신고를 수리하는 행정청으로 하여금 인·허가의제사항 관련 법률에 규정된 요건에 관하여도 심사를 하도록 하기 위한 것으로 볼 수밖에 없다. 따라서 인·허가의제 효과를 수반하는 건축신고는 일반적인 건축신고와는 달리, 특별한 사정이 없는 한 행정청이 그 실체적 요건에 관한 심사를 한 후 수리하여야 하는 이른바 '수리를 요하는 신고'로 보는 것이 옳다.

[대법관 박시환, 대법관 이홍훈의 반대의견] 다수의견과 같은 해석론을 택할 경우 헌법상 기본권 중 하나인 국민의 자유권 보장에 문제는 없는지, 구체적으로 어떠한 경우에 수리가 있어야만 적법한 신고가 되는지 여부에 관한 예측가능성 등이 충분히 담보될 수 있는지, 형사처벌의 대상이 불필요하게 확대됨에 따른 죄형법정주의 등의 훼손가능성은 없는지, 국민의 자유와 권리를 제한하거나 의무를 부과하려고 하는 때에는 법률에 의하여야 한다는 법치행정의 원칙에 비추어 그 원칙이 손상되는 문제는 없는지, 신고제의 본질과 취지에 어긋나는 해석론을 통하여 여러 개별법에 산재한 각종 신고제도에 관한 행정법이론 구성에 난맥상을 초래할 우려는 없는지의 측면 등에서 심도 있는 검토가 필요한 문제로 보인다. 그런데 다수의견의 입장을 따르기에는 그와 관련하여 해소하기 어려운 여러 근본적인 의문이 제기된다. 여러 기본적인 법원칙의 근간 및 신고제의 본질과 취지를

훼손하지 아니하는 한도 내에서 건축법 제14조 제2항에 의하여 인·허가가 의제되는 건축신고의 범위 등을 합리적인 내용으로 개정하는 입법적 해결책을 통하여 현행 건축법에 규정된 건축신고제도의 문제점 및 부작용을 해소하는 것은 별론으로 하더라도, '건축법상 신고사항에 관하여 건축을 하고자 하는 자가 적법한 요건을 갖춘 신고만 하면 건축을 할 수 있고, 행정청의 수리 등 별단의 조처를 기다릴 필요는 없다'는 대법원의 종래 견해(대판 1968.4.30, 68누12, 대판 1990.6.12, 90누2468, 대판 1999.4.27, 97누6780, 대판 2004.9.3, 2004도3908 등 참조)를 인·허가가 의제되는 건축신고의 경우에도 그대로 유지하는 편이 보다 합리적인 선택이라고 여겨진다.

[2] [다수의견] 일정한 건축물에 관한 건축신고는 건축법 제14조 제2항, 제11조 제5항 제3호에 의하여 국토의 계획 및 이용에 관한 법률 제56조에 따른 개발행위허가를 받은 것으로 의제되는데, 국토의 계획 및 이용에 관한 법률 제58조 제1항 제4호에서는 개발행위허가의 기준으로 주변 지역의 토지이용실태 또는 토지이용계획, 건축물의 높이, 토지의 경사도, 수목의 상태, 물의 배수, 하천·호소·습지의 배수 등 주변 환경이나 경관과 조화를 이룰 것을 규정하고 있으므로, 국토의 계획 및 이용에 관한 법률상의 개발행위허가로 의제되는 건축신고가 위와 같은 기준을 갖추지 못한 경우 행정청으로서는 이를 이유로 그 수리를 거부할 수 있다고 보아야 한다.
[대법관 박시환, 대법관 이홍훈의 반대의견] 수리란 타인의 행위를 유효한 행위로 받아들이는 수동적 의사행위를 말하는 것이고, 이는 허가와 명확히 구별되는 것이다. 그런데 다수의견에 의하면, 행정청이 인·허가의제조항에 따른 국토의 계획 및 이용에 관한 법률상 개발행위허가요건 등을 갖추었는지 여부에 관하여 심사를 한 다음, 그 허가요건을 갖추지 못하였음을 이유로 들어 형식상으로만 수리거부를 하는 것이 되고, 사실상으로는 허가와 아무런 차이가 없게 된다는 비판을 피할 수 없다. 이러한 결과에 따르면 인·허가의제조항을 특별히 규정하고 있는 입법취지가 몰각됨은 물론, 신고와 허가의 본질에 기초하여 건축신고와 건축허가제도를 따로 규정하고 있는 제도적 의미 및 신고제와 허가제 전반에 관한 이론적 틀이 형해화될 가능성이 있다.

● 대판 2010.11.18, 2008두167 전원합의체[건축신고불허(또는 반려) 처분취소]

[판시사항]
[1] 행정청의 행위가 항고소송의 대상이 되는지 여부의 판단기준
[2] 행정청의 건축신고 반려행위 또는 수리거부행위가 항고소송의 대상이 되는지 여부 (적극)

[판결요지]
[1] 행정청의 어떤 행위가 항고소송의 대상이 될 수 있는지의 문제는 추상적·일반적으로 결정할 수 없고, 구체적인 경우 행정처분은 행정청이 공권력의 주체로서 행하는 구체적 사실에 관한 법집행으로서 국민의 권리·의무에 직접적으로 영향을 미치는 행위라는 점을 염두에 두고, 관련법령의 내용과 취지, 그 행위의 주체·내용·형식·절차, 그 행위와 상대방 등 이해관계인이 입는 불이익과의 실질적 견련성, 그리고 법치행정의 원리와

해당 행위에 관련한 행정청 및 이해관계인의 태도 등을 참작하여 개별적으로 결정하여야 한다.

[2] (구)건축법(2008.3.21. 법률 제8974호로 전부 개정되기 전의 것) 관련규정의 내용 및 취지에 의하면, 행정청은 건축신고로써 건축허가가 의제되는 건축물의 경우에도 그 신고 없이 건축이 개시될 경우 건축주 등에 대하여 공사 중지·철거·사용금지 등의 시정명령을 할 수 있고(제69조 제1항), 그 시정명령을 받고 이행하지 않은 건축물에 대하여는 해당 건축물을 사용하여 행할 다른 법령에 의한 영업 기타 행위의 허가를 하지 않도록 요청할 수 있으며(제69조 제2항), 그 요청을 받은 자는 특별한 이유가 없는 한 이에 응하여야 하고(제69조 제3항), 나아가 행정청은 그 시정명령의 이행을 하지 아니한 건축주 등에 대하여는 이행강제금을 부과할 수 있으며(제69조의2 제1항 제1호), 또한 건축신고를 하지 않은 자는 200만원 이하의 벌금에 처해질 수 있다(제80조 제1호, 제9조). 이와 같이 건축주 등은 신고제하에서도 건축신고가 반려될 경우 해당 건축물의 건축을 개시하면 시정명령, 이행강제금, 벌금의 대상이 되거나 해당 건축물을 사용하여 행할 행위의 허가가 거부될 우려가 있어 불안정한 지위에 놓이게 된다. 따라서 건축신고 반려행위가 이루어진 단계에서 당사자로 하여금 반려행위의 적법성을 다투어 그 법적 불안을 해소한 다음 건축행위에 나아가도록 함으로써 장차 있을지도 모르는 위험에서 미리 벗어날 수 있도록 길을 열어 주고, 위법한 건축물의 양산과 그 철거를 둘러싼 분쟁을 조기에 근본적으로 해결할 수 있게 하는 것이 법치행정의 원리에 부합한다. 그러므로 건축신고 반려행위는 항고소송의 대상이 된다고 보는 것이 옳다.

## 14절 – 감정평가법 제41조(과징금)
## – 행정법 쟁점 : 절차의 하자, 비례의 원칙(재량권 일탈·남용 여부 판단)

**문제**

국토교통부장관은 감정평가법인등이 「감정평가 및 감정평가사에 관한 법률」 제32조 제1항 각 호의 어느 하나에 해당하게 되어 업무정지처분을 하여야 하는 경우로서 그 업무정지처분이 「부동산 가격공시에 관한 법률」 제3조에 따른 표준지공시지가의 공시 등의 업무를 정상적으로 수행하는 데에 지장을 초래하는 등 공익을 해칠 우려가 있는 경우에는 업무정지처분을 갈음하여 5천만원(감정평가법인인 경우는 5억원) 이하의 과징금을 부과할 수 있다(「감정평가 및 감정평가사에 관한 법률」 제41조). 2022년도 표준지공시지가를 감정평가하던 감정평가사 홍길동의 잘못으로 해당 소속된 甲 감정평가법인은 업무정지등에 갈음하여 국토교통부장관으로부터 5천만원의 과징금을 2022년 2월 26일에 부과받았다. 甲 감정평가법인은 이에 대하여 3가지 위법을 주장하고 있다. ① 첫 번째로 감정평가법인 甲은 국토교통부 산하의 감정평가관리·징계위원회(이하 징계위원회)를 거치지 않고 과징금을 부과함으로써 이는 절차상의 하자를 주장하며 위법하다고 주장하고 있다. ② 두 번째로 감정평가법인 소속 감정평가사의 잘못으로 감정평가법인에 대하여 과징금을 부과하는 것은 위법하며 처분사유에 해당되지 않는다고 주장하고 있다. ③ 세 번째로 그동안 성실하게 감정평가법인이 감정평가업무를 수행하여 온 상황으로 한 번의 소속 감정평가사 실수로 과징금 5천만원을 부과한 것은 국토부장관의 재량권 일탈·남용을 주장하고 있다. 위 3가지 주장에 대하여 합당한지 여부를 고찰하시오. 20점

| | |
|---|---|
| Ⅰ. 논점의 정리 | 3. 소속감정평가사의 잘못으로 감정평가법인에 과징금을 부과할 수 있는지 |
| Ⅱ. (물음 1)에 대하여 | Ⅳ. (물음 3)에 대하여 |
|   1. 관련 규정의 검토 |   1. 관련 규정의 검토 |
|   2. 감정평가법 제39조의 취지 |   2. 재량권 일탈·남용 여부 |
|   3. 절차상 하자로 인한 위법여부 |     (1) 비례의 원칙 |
| Ⅲ. (물음 2)에 대하여 |     (2) 재량권 일탈·남용 여부 |
|   1. 관련 규정의 검토 | Ⅴ. 사안의 해결 |
|   2. 감정평가법 제25조의 취지 | |

# Ⅰ 논점의 정리

감정평가 및 감정평가사에 관한 법률(이하 '감정평가법')은 국토교통부장관은 감정평가법인등에게 업무정지처분에 갈음하여 과징금, 즉 변형된 과징금을 부과할 수 있도록 규정하고 있다. 이러한 국토교통부장관의 과징금 부과처분 시 징계위원회를 필수적으로 거쳐야 하는지 여부 및 소속

감정평가사의 잘못으로 감정평가법인에게 과징금을 부과할 수 있는지 여부를 검토하고, 한 번의 실수로 과징금을 부과한 것에 대한 국토교통부장관의 재량권 일탈·남용 여부를 이하 검토하도록 한다.

## Ⅱ (물음 1)에 대하여

### 1. 관련 규정의 검토

> ➲ 감정평가법 제32조(인가취소 등)
>
> ① 국토교통부장관은 감정평가법인등이 다음 각 호의 어느 하나에 해당하는 경우에는 그 설립인가를 취소(제29조에 따른 감정평가법인에 한정한다)하거나 2년 이내의 범위에서 기간을 정하여 업무의 정지를 명할 수 있다. 다만, 제2호 또는 제7호에 해당하는 경우에는 그 설립인가를 취소하여야 한다.
>
> 1. 감정평가법인이 설립인가의 취소를 신청한 경우
> 2. 감정평가법인등이 업무정지처분 기간 중에 제10조에 따른 업무를 한 경우
> 3. 감정평가법인등이 업무정지처분을 받은 소속 감정평가사에게 업무정지처분 기간 중에 제10조에 따른 업무를 하게 한 경우
> 4. 제3조 제1항을 위반하여 감정평가를 한 경우
> 5. 제3조 제3항에 따른 원칙과 기준을 위반하여 감정평가를 한 경우
> 6. 제6조에 따른 감정평가서의 작성·발급 등에 관한 사항을 위반한 경우
> 7. 감정평가법인등이 제21조 제3항이나 제29조 제4항에 따른 감정평가사의 수에 미달한 날부터 3개월 이내에 감정평가사를 보충하지 아니한 경우
> 8. 제21조 제4항을 위반하여 둘 이상의 감정평가사사무소를 설치한 경우
> 9. 제21조 제5항이나 제29조 제9항을 위반하여 해당 감정평가사 외의 사람에게 제10조에 따른 업무를 하게 한 경우
> 10. 제23조 제3항을 위반하여 수수료의 요율 및 실비에 관한 기준을 지키지 아니한 경우
> 11. 제25조, 제26조 또는 제27조를 위반한 경우. 다만, 소속 감정평가사나 그 사무직원이 제25조 제4항을 위반한 경우로서 그 위반행위를 방지하기 위하여 해당 업무에 관하여 상당한 주의와 감독을 게을리하지 아니한 경우는 제외한다.
> 12. 제28조 제2항을 위반하여 보험 또는 한국감정평가사협회가 운영하는 공제사업에 가입하지 아니한 경우
> 13. 정관을 거짓으로 작성하는 등 부정한 방법으로 제29조에 따른 인가를 받은 경우
> 14. 제29조 제10항에 따른 회계처리를 하지 아니하거나 같은 조 제11항에 따른 재무제표를 작성하여 제출하지 아니한 경우
> 15. 제31조 제2항에 따라 기간 내에 미달한 금액을 보전하거나 증자하지 아니한 경우
> 16. 제47조에 따른 지도와 감독 등에 관하여 다음 각 목의 어느 하나에 해당하는 경우
>     가. 업무에 관한 사항의 보고 또는 자료의 제출을 하지 아니하거나 거짓으로 보고 또는 제출한 경우

　　　　나. 장부나 서류 등의 검사를 거부, 방해 또는 기피한 경우
　　17. 제29조 제5항 각 호의 사항을 인가받은 정관에 따라 운영하지 아니하는 경우
　　－ 이하 생략

🔹 **감정평가법 제39조(징계)**

① 국토교통부장관은 감정평가사가 다음 각 호의 어느 하나에 해당하는 경우에는 제40조에 따른 감정평가관리·징계위원회의 의결에 따라 제2항 각 호의 어느 하나에 해당하는 징계를 할 수 있다. 다만, 제2항 제1호에 따른 징계는 제11호, 제12호에 해당하는 경우 및 제27조를 위반하여 다른 사람에게 자격증·등록증 또는 인가증을 양도 또는 대여한 경우에만 할 수 있다.

　1. 제3조 제1항을 위반하여 감정평가를 한 경우
　2. 제3조 제3항에 따른 원칙과 기준을 위반하여 감정평가를 한 경우
　3. 제6조에 따른 감정평가서의 작성·발급 등에 관한 사항을 위반한 경우
　3의2. 제7조 제2항을 위반하여 고의 또는 중대한 과실로 잘못 심사한 경우
　4. 업무정지처분 기간에 제10조에 따른 업무를 하거나 업무정지처분을 받은 소속 감정평가사에게 업무정지처분 기간에 제10조에 따른 업무를 하게 한 경우
　5. 제17조 제1항 또는 제2항에 따른 등록이나 갱신등록을 하지 아니하고 제10조에 따른 업무를 수행한 경우
　6. 구비서류를 거짓으로 작성하는 등 부정한 방법으로 제17조 제1항 또는 제2항에 따른 등록이나 갱신등록을 한 경우
　7. 제21조를 위반하여 감정평가업을 한 경우
　8. 제23조 제3항을 위반하여 수수료의 요율 및 실비에 관한 기준을 지키지 아니한 경우
　9. 제25조, 제26조 또는 제27조를 위반한 경우
　10. 제47조에 따른 지도와 감독 등에 관하여 다음 각 목의 어느 하나에 해당하는 경우
　　　가. 업무에 관한 사항의 보고 또는 자료의 제출을 하지 아니하거나 거짓으로 보고 또는 제출한 경우
　　　나. 장부나 서류 등의 검사를 거부 또는 방해하거나 기피한 경우
　11. 감정평가사의 직무와 관련하여 금고 이상의 형을 선고받아(집행유예를 선고받은 경우를 포함한다) 그 형이 확정된 경우
　12. 이 법에 따라 업무정지 1년 이상의 징계처분을 2회 이상 받은 후 다시 제1항에 따른 징계사유가 있는 사람으로서 감정평가사의 직무를 수행하는 것이 현저히 부적당하다고 인정되는 경우
　　　　　　　　　－ 이하 생략

## 2. 감정평가법 제39조의 취지

종전 감정평가법에서는 감정평가사 개인에 대한 업무정지규정을 감정평가법인에 관한 등록취소 등에 관한 규정과 함께 규정하고 있어 감정평가법인에 대한 사항과 혼재되어 있었다. 그러나 감정평가법 제39조에서는 감정평가사 개인의 징계에 관한 사항을 감정평가법인에 대한 것과는 별

도로 그 종류와 절차를 규정함으로써 징계를 받은 감정평가사에게 절차적인 억울함이 없도록 징계위원회를 통하여 적정한 절차를 거치도록 하는 법률을 개정하였다.

### 3. 절차상 하자로 인한 위법 여부

감정평가법상 징계위원회의 의결절차는 감정평가사 개인에 대한 징계에 관하여 요구되는 절차로서, 감정평가법인에 대한 제재처분에 관하여는 적용되지 않는다고 봄이 타당하다. 따라서 감정평가법인 甲에게 징계위원회를 거치지 않고 과징금을 부과한 것은 절차상 하자에 해당하지 않으므로, 이는 위법한 처분이라 할 수 없다고 판단된다.

## Ⅲ (물음 2)에 대하여

### 1. 관련 규정의 검토

감정평가법 제41조는 "감정평가법인등이 제32조 제1항 각 호의 어느 하나에 해당"하는 경우로서 일정한 사유가 있는 때 과징금을 부과할 수 있다고 규정하고, 제32조 제1항 제11호에서 감정평가법인등이 "제25조를 위반한 경우"를 그 사유로 정하는 한편, 제25조 제1항은 "감정평가법인등(감정평가법인 또는 감정평가사무소의 소속 감정평가사를 포함한다)"는 "신의와 성실로써 공정하게 감정평가를 하여야"한다고 규정한다.

### 2. 감정평가법 제25조의 취지

감정평가법 제25조 제1항이 소속감정평가사와 감정평가법인 모두에게 "신의와 성실로써 공정한 감정평가를 하여야" 할 의무가 있다고 명시한 것은, 감정평가법인이 소속감정평가사가 일차적으로 수행한 감정평가에 법인이 준수해야 할 감정평가준칙을 위반하는 등의 잘못이 없는지 성실하게 확인한 다음 이를 법인의 감정평가결과로 삼음으로써 감정평가가격과의 공정성과 객관성을 최대한 확보하여야 한다는 취지로 볼 수 있다.

### 3. 소속감정평가사의 잘못으로 감정평가법인에 과징금을 부과할 수 있는지

감정평가법 제25조의 취지를 고려하였을 때 감정평가법인이 소속감정평가사의 감정평가 과정에 공정성을 의심할 사정이나 오류 등이 없는지 면밀히 확인하지 않은 채 만연히 이를 채택하여 잘못된 감정평가 결과를 도출하였다면, 이는 소속감정평가사가 자신이 부담하는 성실의무를 준수하지 않은 것과는 별개로 법인 스스로가 부담하는 성실의무로서 공정한 감정평가를 하여야 할 의무를 위반한 것이라고 봄이 타당하다. 따라서 이 경우 소속감정평가사를 징계하는 것과 함께 감정평가법인에게도 과징금부과처분을 할 수 있다고 봄이 타당하다고 판단된다.

## Ⅳ (물음 3)에 대하여

### 1. 관련 규정의 검토

> ↪ **행정소송법 제27조(재량처분의 취소)**
> 행정청의 재량에 속하는 처분이라도 재량권의 한계를 넘거나 그 남용이 있는 때에는 법원은 이를 취소할 수 있다.

### 2. 재량권 일탈·남용 여부

#### (1) 비례의 원칙

제재적 행정처분이 사회통념상 재량권의 범위를 일탈하였거나 남용하였는지 여부는 처분사유인 위반행위의 내용과 당해 처분행위에 의하여 달성하려는 공익목적 및 이에 따르는 제반 사정 등을 객관적으로 심리하여 공익 침해의 정도와 그 처분으로 인하여 개인이 입게 될 불이익을 비교·형량하여 판단하여야 한다.

#### (2) 재량권 일탈·남용 여부

감정평가법인은 신의와 성실로 공정하게 감정평가를 하여야 할 법률적 의무와 사회적 책무를 부담하고 있다. 그러나 사안의 경우 감정평가법인은 신의성실의무에 위반하여 불공정한 감정평가를 하였으며, 과징금 부과 처분으로 인하여 감정평가법인이 입게 될 불이익에 비해 이 처분으로 인하여 달성하려는 공익이 더 중요하다고 판단된다. 따라서 이 사건의 처분이 비례의 원칙에 위배된다고 평가하기는 어렵다.

## Ⅴ 사안의 해결

감정평가법은 감정평가법인에 대한 처분의 규정과 감정평가사에 대한 징계의 절차를 별도로 규정하고 있다. 반면 감정평가법 제25조에서는 감정평가법인등에 대한 성실의무 등을 규정함으로써 감정평가사 스스로가 부담하는 성실의무는 물론 감정평가법인의 소속감정평가사에 대한 책임의무를 규정하고 있다. 이러한 감정평가법인은 신의와 성실로 공정하게 감정평가를 하여야 할 법률적 의무를 지닌다. 따라서 ① 해당 사건의 처분에는 절차적 하자가 없고, ② 처분사유도 존재하며, ③ 재량권을 일탈·남용한 위법이 없다고 판단된다.

<table>
<tr><td>15절</td><td>– 감정평가실무기준<br>– 행정법 쟁점 : 행정규칙의 법규성 논의</td></tr>
</table>

**문제**

「공익사업을 위한 토지 등의 취득 및 보상에 관한 법률」(이하 '공익사업법'이라 한다)에 따라 도로확장건설을 위해 사업인정을 받은 A는 해당 지역에 위치한 甲의 토지를 수용하고자 甲과 협의를 시도하였다. A는 甲과 보상액에 관한 협의가 이루어지지 않자 공익사업법상의 절차에 따라 관할 토지수용위원회에 재결을 신청하였다. 그런데 관할 토지수용위원회는 「감정평가에 관한 규칙(국토교통부령)」에 따른 '감정평가 실무기준(국토교통부 고시)'과는 다르게 용도지역별 지가변동률이 아닌 이용상황별 지가변동률을 적용한 감정평가사의 감정결과를 채택하여 보상액을 결정하였다. 그 이유로 해당 토지는 이용상황이 지가변동률에 더 큰 영향을 미친다는 것을 들었다. 甲은 보상액 결정이 '감정평가 실무기준(국토교통부 고시)'을 따르지 않았으므로 위법이라고 주장한다. 甲의 주장은 타당한지를 검토하시오(법적 성질에 대하여 법규성이 있는 경우와 법규성이 없는 경우를 나누어 검토할 것). 20점

<table>
<tr><td>

Ⅰ. 논점의 정리<br>
Ⅱ. 보상법률주의와 법정평가 보상주의<br>
  1. 보상법률주의<br>
  2. 법정평가 보상주의<br>
Ⅲ. 감정평가실무기준 – 국토교통부 고시의 법적 성질<br>
  1. 감정평가실무기준의 의의 및 취지<br>
  2. 감정평가실무기준의 법적 성질<br>
    (1) 문제점

</td><td>

    (2) 학설<br>
    (3) 판례<br>
    (4) 검토<br>
Ⅳ. 甲 주장의 타당성<br>
  1. 감정평가실무기준의 법규성을 인정하는 경우<br>
  2. 감정평가실무기준의 법규성을 인정하지 않는 경우<br>
Ⅴ. 사안의 해결

</td></tr>
</table>

## Ⅰ 논점의 정리

사안의 경우 관할 토지수용위원회는 보상액 결정에 있어 감정평가실무기준과는 다르게 용도지역별 지가변동률이 아닌 이용상황별 지가변동률을 적용하였고, 甲은 보상액 결정이 위법이라고 주장하는바, 국토교통부 고시인 감정평가실무기준의 법적 성질을 법규성이 있는 경우와 없는 경우를 나누어 검토하고자 한다.

## Ⅱ  보상법률주의와 법정평가 보상주의

### 1. 보상법률주의

헌법 제23조 제3항은 "공공필요에 의한 재산권의 수용, 사용 또는 제한 및 그에 대한 보상은 법률로써 하되, 정당한 보상을 지급하여야 한다."고 규정하고 있는바, 공용수용과 손실보상을 개별 법률에 법률 유보하여 반드시 법적 근거를 마련하도록 하고 있다. 즉, 우리 헌법은 보상법률주의를 채택하고 있다.

### 2. 법정평가 보상주의

토지보상법 제70조(취득하는 토지의 보상) 제1항에서는 "협의나 재결에 의하여 취득하는 토지에 대하여는 「부동산 가격공시에 관한 법률」에 따른 공시지가를 기준으로 하여 보상하되, 그 공시기준일부터 가격시점까지의 관계법령에 따른 그 토지의 이용계획, 해당 공익사업으로 인한 지가의 영향을 받지 아니하는 지역의 대통령령으로 정하는 지가변동률, 생산자물가상승률(「한국은행법」 제86조에 따라 한국은행이 조사·발표하는 생산자물가지수에 따라 산정된 비율을 말한다)과 그 밖에 그 토지의 위치·형상·환경·이용상황 등을 고려하여 평가한 적정가격으로 보상하여야 한다."라고 규정하여 토지의 보상에 대해서 공시지가로 보상하도록 함으로써 보상의 취득 수용의 핵심인 토지보상이 법정 공시지가기준으로 보상하도록 규정하고 있다. 소멸 수용인 지장물 및 권리 등의 보상도 모두 법률로 정하여 보상하도록 하고 있다.

## Ⅲ  감정평가실무기준 – 국토교통부 고시의 법적 성질

### 1. 감정평가실무기준의 의의 및 취지

감정평가실무기준은 감정평가에 관한 규칙 제28조의 위임을 받아 감정평가의 구체적 기준을 정한 것을 말한다. 이는 구체적 기준을 준수하여 감정평가의 공정성과 신뢰성을 제고하는데 취지가 있다.

### 2. 감정평가실무기준의 법적 성질

#### (1) 문제점

감정평가실무기준은 국토교통부 고시로 형식은 행정규칙이지만 감정평가에 관한 규칙 제28조에 그 위임규정이 있어 법령보충적 행정규칙의 성질을 갖는다. 이하, 학설 및 판례를 종합하여 법령보충적 행정규칙의 법규성을 논하고자 한다.

#### (2) 학설

형식적 측면을 중시한 〈행정규칙설〉, 실질적 측면을 중시한 〈법규명령설〉, 상위 규범의 내용을 구체화하는 행정규칙이라는 〈규범구체화설〉, 헌법에 명시된 형식이 아니라면 무효라는 〈위헌무효설〉이 있다.

## (3) 판례

판례는 법령보충적 행정규칙에 대하여 상위법령의 위임한계를 벗어나지 않는 한 그것들과 결합하여 대외적 구속력을 갖는다고 판시하였다. 다만, 감정평가 실무기준의 경우 한국감정평가사협회가 내부적으로 기준을 정한 것에 불과하여 어느 것도 일반 국민이나 법원을 기속하는 것이 아니라고 판시함으로써 법적 구속력을 인정하지 않고 있다.

> **판례**
>
> ● 대판 2014.6.12, 2013두4620[보상금증액]
>
> [판시사항]
> [2] 감정평가에 관한 규칙에 따른 '감정평가 실무기준'이나 한국감정평가업협회가 제정한 '토지보상평가지침'이 일반 국민이나 법원을 기속하는지 여부(소극)
>
> [이유]
> 이 사건 수용대상토지에 대한 손실보상액 산정에 적용되는 구 공익사업을 위한 토지 등의 취득 및 보상에 관한 법률(2011.8.4. 법률 제11017호로 개정되기 전의 것) 제70조 제1항은 '협의 또는 재결에 의하여 취득하는 토지에 대하여는 「부동산 가격공시 및 감정평가에 관한 법률」에 의한 공시지가를 기준으로 하여 보상하되, 그 공시기준일부터 가격시점까지의 관계법령에 의한 당해 토지의 이용계획, 당해 공익사업으로 인한 지가의 영향을 받지 아니하는 지역의 대통령령이 정하는 지가변동률, 생산자물가상승률(「한국은행법」 제86조의 규정에 의하여 한국은행이 조사·발표하는 생산자물가지수에 의하여 산정된 비율을 말한다), 그 밖에 당해 토지의 위치·형상·환경·이용상황 등을 참작하여 평가한 적정가격으로 보상하여야 한다.'고 규정하고 있다. 이에 따라 지가변동률을 참작함에 있어서는 수용대상토지가 도시지역 내에 있는 경우에는 원칙적으로 용도지역별 지가변동률에 의하여 보상금을 산정하는 것이 더 타당하나, 개발제한구역으로 지정되어 있는 경우에는 일반적으로 이용상황에 따라 지가변동률이 영향을 받으므로 특별한 사정이 없는 한 이용상황별 지가변동률을 적용하는 것이 상당하고(대법원 1993.8.27. 선고 93누7068 판결, 대법원 1994.12.27. 선고 94누1807 판결 등 참조), 개발제한구역의 지정 및 관리에 관한 특별조치법이 제정되어 시행되었다고 하여 달리 볼 것은 아니다.
> 그리고 감정평가에 관한 규칙에 따른 '감정평가 실무기준'(2013.10.22. 국토교통부 고시 제2013-620호)은 감정평가의 구체적 기준을 정함으로써 감정평가업자가 감정평가를 수행할 때 이 기준을 준수하도록 권장하여 감정평가의 공정성과 신뢰성을 제고하는 것을 목적으로 하는 것이고, 한국감정평가업협회가 제정한 '토지보상평가지침'은 단지 한국감정평가업협회가 내부적으로 기준을 정한 것에 불과하여 어느 것도 일반 국민이나 법원을 기속하는 것이 아니다(대법원 2010.3.25. 선고 2009다97062 판결 등 참조).
> 앞서 본 법리에 비추어 기록을 살펴보면, 이용상황별 지가변동률을 적용한 제1심 감정인의 감정 결과를 채택하여 이 사건 수용대상토지에 대한 손실보상금을 산정한 원심의 판단은 정당하고, 거기에 개발제한구역 내 토지에 대한 손실보상금 산정에 참작할 지가변동률에 관한 법리를 오해하여 판결에 영향을 미친 위법이 없다.

### (4) 검토

앞서 살펴본 바와 같이 판례는 감정평가실무기준의 법적 구속력을 인정하지 않고 있다. 그러나 실무에서 감정평가를 함에 있어서 감정평가에 관한 규칙의 위임을 통해 만들어진 감정평가실무기준은 감정평가법인등에게는 구속력을 미치기 때문에 법원의 재판규범성을 인정하는 것이 타당하다고 보인다. 따라서 甲 주장의 타당성을 감정평가실무기준의 대외적 구속력 여부를 나누어서 고찰하고자 한다.

## Ⅳ  甲의 주장의 타당성

### 1. 감정평가실무기준의 법규성을 인정하는 경우

감정평가실무기준의 대외적 구속력이 인정되기에 이와 다르게 평가하는 것은 위법하다고 보인다. 법령보충적 행정규칙으로 상위법령과 결합하여 대외적 구속력을 인정한다고 하더라도 용도지역별 지가변동률을 적용하지 않고, 이용상황별 지가변동률을 적용한 것은 부동산 가격공시에 관한 법률과 토지보상법 및 감정평가에 관한 규칙 등 상위법령의 취지에도 부합되지 않는 것이다. 감정평가실무기준상 지가변동률의 적용원칙은 비교표준지가 있는 시·군·구의 같은 용도지역 지가변동률을 적용함을 원칙으로 한다고 규정하고 있고, 예외적인 경우에 용도지역의 지가변동률이 조사·발표되지 않은 경우 등에 이용상황별 지가변동률 등을 적용하도록 하고 있는 바, 법규성이 있는 실무기준을 따르지 않은 것은 위법하다고 할 것이다. 따라서 甲의 주장은 타당하다고 보인다.

### 2. 감정평가실무기준의 법규성을 인정하지 않는 경우

실무기준이 단순 행정규칙이라면 감정평가사에 의한 보상법률주의에 입각하여 전문가에 의한 토지보상은 법정평가로 공시지가기준 평가를 행하고, 그 법정기준을 지키면서 이용상황 등을 고려하여 시점수정을 하였다면 행정청 내부의 사무처리기준에 불과한 실무기준을 지키지 않았다고 하여 바로 위법이라고 할 수 없다. 따라서 전문가에 의한 이용상황의 영향이 커서 이용상황별 지가변동률을 적용한 것은 보상현장에서 전문적인 판단과 의견으로 위법성이 없다고 보인다. 따라서 甲의 주장은 타당성이 인정되지 않는다고 생각된다.

## Ⅴ  사안의 해결

보상액 결정에 있어서 감정평가실무기준(국토교통부 고시)을 따르지 않았으므로 위법하다는 甲의 주장은 실무기준의 대외적 구속력 여부에 따라 달라질 수 있다고 생각된다. 다만 판례는 실무기준의 대외적 구속력을 인정하지 않으므로 실무기준을 따르지 않은 보상액 결정은 위법하지 않다고 판단된다.

■ 원처분주의와 재결주의에 대한 TIP

---

〈목차〉

Ⅰ. 먼저 알아야 할 논의
  1. 원처분주의와 재결주의
  2. 행정심판의 인용재결의 종류
  3. 제소기간
  4. 피고

Ⅱ. 원처분주의 재결주의와 관련 없는 논의
  1. 변경처분의 경우 소의 대상(일반적인 처분의 경우)
  2. 변경처분의 경우 소의 대상(금전관련 처분의 경우)

Ⅲ. 원처분주의 하에서의 소의 대상(색은 견해대립의 대상)
  1. 제3자효 인용재결(원처분 – 취소심판 – 　제3자효 인용재결)
  2. 취소심판 – 일부취소재결(원처분 – 취소심판 – 일부취소재결)
  3. 취소심판 – 변경재결(원처분 – 취소심판 – 변경재결)
  4. 취소심판 – 변경명령재결(원처분 – 취소심판 – 변경명령재결 – 변경처분)
  5. 의무이행심판 – 처분명령재결(거부/부작위 – 의무이행심판 – 처분명령재결 – 처분)

---

〈Ⅰ. 먼저 알아야 할 논의〉

## 1. 원처분주의와 재결주의(행정소송법 제19조)

- 재결취소소송의 경우 원칙적으로 원처분을 대상으로 합니다. 다만, 재결 자체에 고유한 하자가 있는 경우에만 재결을 대상으로 합니다.
- 즉, 재결자체에 고유한 하자가 없으면 원처분 / 재결자체에 고유한 하자가 있으면 재결
- Ⅲ-2, 3, 4는 재결자체에 고유한 하자가 없으므로 원처분을 소의 대상으로 합니다.
  (2, 3, 4는 원처분과 재결 사이에 양적인 차이만 존재하기에 재결자체의 고유한 위법을 논하기 어렵습니다)
- Ⅲ-1, 5는 재결자체에 고유한 하자가 있어서 소를 제기하는 것이므로 원처분을 왈가왈부할 필요가 없습니다.
- 2, 3, 4의 공통점, 1, 5와의 차이점을 잘 생각해주세요(그냥 암기해도 무방합니다).

## 2. 행정심판의 인용재결의 종류

### (1) 취소심판의 경우

#### 1) 행정심판법 제43조 제3항

위원회는 취소심판의 청구가 이유가 있다고 인정하면 처분을 취소 또는 다른 처분으로 변경하거나 처분을 다른 처분으로 변경할 것을 피청구인에게 명한다.

### 2) 종류

① 취소재결(일부취소, 전부취소), ② 변경재결, ③ 변경명령재결

(종전에는 취소명령재결도 있었으나 조문이 삭제되었습니다.)

### 3) 설명

취소심판의 청구가 이유 있다고 인정할 때에는 행정심판위원회 스스로 처분을 취소 또는 변경하거나 처분청에 대하여 당해 처분의 변경을 명할 수 있다. 처분취소재결에는 전부취소 및 일부취소 재결이 포함된다. 행정심판에서도 일부취소는 취소의 대상이 되는 부분이 가분적인 것인 경우에 가능하다.

## (2) 의무이행심판의 경우

### 1) 행정심판법 제43조 제5항

위원회는 의무이행심판의 청구가 이유가 있다고 인정하면 지체 없이 신청에 따른 처분을 하거나 처분을 할 것을 피청구인에게 명한다.

### 2) 종류

① 처분재결 ② 처분명령재결

## 3. 제소기간

- Ⅱ의 경우, 소의대상에 따라 제소기간도 결정됩니다(원처분기준 제소기간 vs 변경처분 기준 제소기간).
- Ⅲ의 경우, 행정심판을 거친 경우이므로 소의 대상과 제소기간은 관계없습니다(무조건 재결서 정본을 송달받은 날부터 90일, 재결이 있은 날부터 1년).

## 4. 피고

- Ⅱ의 경우 처분청이 직권으로 변경한 경우이므로 어느 것이 소의 대상이더라도 당연히 처분청
- Ⅲ의 경우, 소의 대상에 따라 피고를 결정(처분청 vs 행정심판위원회)

〈개략적 설명〉

## Ⅱ. 원처분주의 재결주의와 관련 없는 논의

1. 변경처분의 경우 소의 대상(일반적인 처분의 경우)
2. 변경처분의 경우 소의 대상(금전관련 처분의 경우)
   - 기출 32회 문3처럼, 이의신청을 거쳤다는 멘트에 속아 원처분주의의 논의로 빠지면 절대 안 됩니다.
   - 행정심판위원회의 "재결"이 있었어야 원처분주의를 논의할 필요가 있는 것인데 과징금에 대한 이의신청(감정평가법 제42조)은 강학상 이의신청이므로 이의신청에 따른 국토교통부장관의 감액결정은 "행정심판위원회의 재결"이 아니라 "국토교통부장관의 직권변경"입니다.
   - 만약 이의신청이 특별법상 행정심판이었다면 "재결"로 볼 수 있겠으나, 제가 알기로 부동산공시법, 감정평가법상 이의신청에 특별행정심판규정은 한 가지도 없습니다(토지보상법 제83조의 이의신청이 유일한 특별행정심판 규정).

Ⅲ. 원처분주의하에서의 소의 대상(색은 견해대립의 대상)
  1. 제3자효 인용재결(원처분 – 행정심판 – 제3자효인용재결)
    • 제19조 본문설에 따르든, 제19조 단서설에 따르든 소의 대상이 "재결"인 것은 양자 결론 동일합니다.
    • 다만 그 근거가 제19조 본문인지, 제19조 단서인지에 대한 논의입니다.
    • 주로 토지보상법 사업인정에서 출제됩니다.
      (사업인정에 대하여 토지소유자가 취소심판을 청구하여 인용재결을 받았는데, 그에 불복하는 사업시행자가 인용재결에 대해서 다투는 경우)

  2. 취소심판 – 일부취소재결(원처분 – 취소심판 – 일부취소재결)
    • 불이익처분의 취소를 구하는 심판을 제기하여 일부취소재결을 받았으나, 여전히 남은 부분에 대해 불만
    • 2,3은 학설/판례 동일하게 정리하여 암기하여도 괜찮습니다.

  3. 취소심판 – 변경재결(원처분 – 취소심판 – 변경재결)
    • 불이익처분의 취소를 구하는 심판을 제기하여 변경재결을 받았으나, 여전히 남은 부분에 대해 불만
    • 2,3은 학설/판례 동일하게 정리하여 암기하여도 괜찮습니다.

  4. 취소심판 – 변경명령재결(원처분 – 취소심판 – 변경명령재결 – 변경처분)
    • 불이익처분의 취소를 구하는 심판을 제기하여 변경처분을 받았으나, 여전히 남은 부분에 대해 불만
    • 2,3과 내용적으로 별로 다를 것 없습니다. 다만, 학설/판례를 다르게 정리해야 합니다.

  5. 의무이행심판 – 처분명령재결(거부/부작위 – 의무이행심판 – 처분명령재결 – 처분)
    • 2,3,4와 내용적으로 많이 다른 논의이므로 주의하여 정리하여야 합니다.

〈SUB NOTE〉
1. 변경처분의 경우 소의 대상(일반적인 처분의 경우)
기존의 행정처분을 변경하는 내용의 행정처분이 뒤따르는 경우, ① 후속처분이 종전처분을 완전히 대체하는 것이거나 주요부분을 실질적으로 변경하는 내용인 경우에는 특별한 사정이 없는 한 종전처분은 효력을 상실하고 후속처분만이 항고소송의 대상이 되지만, ② 후속처분의 내용이 종전처분의 유효를 전제로 내용 중 일부만을 추가·철회·변경하는 것이고, 추가·철회·변경된 부분이 내용과 성질상 나머지 부분과 불가분적인 것이 아닌 경우에는, 후속처분에도 불구하고 종전처분이 여전히 항고소송의 대상이 된다.

2. 변경처분의 경우 소의 대상(금전관련 처분의 경우)
   1) 학설 및 판례
      ① 〈흡수설〉 당초처분은 경정처분에 흡수되어 소멸하고 경정처분이 소의 대상
      ② 〈역흡수설〉 경정처분은 당초처분에 흡수되어 경정처분에 의하여 수정된 당초처분이 소의 대상
      ③ 〈병존설〉 당초처분과 경정처분은 독립된 처분으로서 별개의 소송의 대상이 된다.
      ④ 〈판례〉 증액경정처분의 경우 흡수설, 감액경정처분의 경우 역흡수설을 취하고 있다.
   2) 검토(양자택일하시면 됩니다.)
      ① 판례 입장을 택하는 경우
         생각건대, 증액처분의 경우에는 당초처분은 증액처분에 흡수됨으로써 독립된 존재 가치를 잃게 된다고 보아야 할 것이므로 증액처분만이 항고소송의 대상이 되고, 감액처분의 경우 일부취소처분의 성질을 가지므로 감액처분으로 취소되지 않고 남은 부분이 취소소송의 대상이 된다는 판례 입장이 타당하다고 여겨진다.
      ② 병존설을 택하는 경우
         감액처분의 경우 당초처분을 기준으로 하면 제소기간의 도과가능성이 있는 바, 적극적인 국민의 권익구제를 위하여 병존설을 택함이 타당하다고 여겨진다.

1. 제3자효 인용재결(원처분 – 취소심판 – 제3자효인용재결)
   1) 학설
      ① 〈제19조 본문설〉 해당 인용재결은 형식상으로는 재결이지만 실질적으로는 제3자에 대한 별도의 새로운 처분이므로 인용재결이 최초의 처분으로서 소의 대상이 된다는 견해
      ③ 〈제19조 단서설〉 제3자효 있는 행정행위에서 인용재결로 피해를 입은 자는 재결의 고유한 하자를 주장하는 것이라는 견해
   2) 판례
      '인용재결의 취소를 구하는 것은 원처분에는 없는 고유한 하자를 주장하는 셈이어서 당연히 취소소송의 대상이 된다'고 하여 〈제19조 단서설〉의 입장이다.
   3) 검토(양자택일)
      ① 제19조 단서설을 택하는 경우
         생각건대, 여기서 원처분은 취소재결이 아니라 제3자효 행정행위 자체이기 때문에 제19조 단서에 따라 재결 자체의 고유한 위법을 다투는 것으로 보아야 할 것이다.
      ② 제19조 본문설을 택하는 경우
         제3자는 인용재결로 인하여 비로소 권익을 침해받게 되므로, 제19조 본문에 따라 인용재결을 대상으로 소를 제기할 수 있을 것이다.

## 2. 취소심판 – 일부취소재결(원처분 – 취소심판 – 일부취소재결)

### 1) 학설

① 〈변경된 원처분설〉 일부취소재결은 원처분의 강도를 감경한 것에 불과한 것으로서 재결 자체에 고유한 위법이 없으므로 원처분을 취소소송의 대상으로 하여야 한다는 견해

② 〈일부취소재결설〉 행정심판기관에 의한 일부취소재결은 당초처분을 대체하는 새로운 처분이므로 행정심판기관의 일부취소재결이 취소소송의 대상이 된다는 견해

### 2) 판례

판례는 감봉처분을 소청심사위원회가 견책처분으로 변경한 소청결정에 대해서 견책이 재량권의 일탈 또는 남용으로서 위법하다는 주장은 소청결정 자체에 고유한 위법을 주장하는 것으로 볼 수 없어, 즉 원처분의 위법을 주장하는 것이므로 소청결정 자체의 취소사유가 될 수 없다고 판시하였는바, 변경된 원처분설의 입장이다.

### 3) 검토

일부취소재결의 경우 원처분과 재결 사이에 질적인 차이가 없고 양적인 차이만 존재한다 할 것이므로 재결 자체의 고유한 위법을 인정하기 어렵다. 따라서 일부취소재결로 인해 감경된 원처분이 취소소송의 대상이 된다.

## 3. 취소심판 – 변경재결(원처분 – 취소심판 – 변경재결)

### 1) 학설

① 〈변경된 원처분설〉 일부취소재결은 원처분의 강도를 감경한 것에 불과한 것으로서 재결 자체에 고유한 위법이 없으므로 원처분을 취소소송의 대상으로 하여야 한다는 견해

② 〈변경재결설〉 행정심판기관에 의한 변경재결은 당초처분을 대체하는 새로운 처분이므로 행정심판기관의 변경재결이 취소소송의 대상이 된다는 견해

### 2) 판례

판례는 감봉처분을 소청심사위원회가 견책처분으로 변경한 소청결정에 대해서 견책이 재량권의 일탈 또는 남용으로서 위법하다는 주장은 소청결정 자체에 고유한 위법을 주장하는 것으로 볼 수 없어, 즉 원처분의 위법을 주장하는 것이므로 소청결정 자체의 취소사유가 될 수 없다고 판시하였는바, 변경된 원처분설의 입장이다.

### 3) 검토

변경재결의 경우 원래 단계적으로 규정된 제재처분의 강도를 감경한 것에 불과하다는 점에서 일부취소재결과 본질적으로 다른 구조를 가진다고 보이지 않는다. 따라서 변경재결로 인해 변경된 '원처분'이 취소소송의 대상이 된다.

## 4. 취소심판 – 변경명령재결(원처분 – 취소심판 – 변경명령재결 – 변경처분)

### 1) 학설

① 〈변경된 원처분설〉 당초부터 유리하게 변경되어 존속하는 감경된 처분을 대상으로 취소소송을 제기하여야 한다는 견해

② 〈변경처분설〉 명령재결에 따른 변경처분은 당초처분을 대체하는 새로운 처분이므로 변경처분을 대상으로 취소소송을 제기해야 한다는 견해

③ 〈변경명령재결설〉 변경명령재결에 따른 행정청의 변경처분은 재결의 기속력에 의한 부차적인 행위로서 변경처분을 하게 된 것이 위원회의 의사이지, 행정청의 의사가 아니므로 변경명령재결이 취소소송의 대상이 된다는 견해

### 2) 판례

판례는 일부인용의 변경명령재결에 따라 당초처분을 영업자에게 유리하게 변경하는 처분을 한 경우, 그 취소소송의 대상은 변경된 내용의 당초처분이지 변경처분은 아니고, 제소기간의 준수여부 역시 변경처분이 아닌 변경된 내용의 당초처분(재결서 정본의 송달을 받은 날)을 기준으로 판단하여야 한다고 하였다.

### 3) 검토

판례의 태도에 따라 당초부터 유리하게 변경되어 존속하는 감경된 처분을 대상으로 소송을 제기하여야 할 것이다. 〈변경된 원처분설〉

## 5. 의무이행심판 – 처분명령재결(거부/부작위 – 의무이행심판 – 처분명령재결 – 처분)

### 1) 학설

① 〈병존설〉 명령재결과 그에 따른 처분이 모두 국민의 권익에 직접 영향을 미치는 처분이므로 각각 소송의 대상이 된다고 보는 견해

② 〈재결설〉 재결에 따른 처분은 재결의 기속력에 의한 부차적인 것에 지나지 않고, 그와 같은 처분을 한 것은 행정청의 의사가 아니라 행정심판위원회의 의사이므로 재결이 소의 대상이 된다는 견해

③ 〈처분설〉 국민에 대한 구체적인 권익침해는 처분이 있어야 현실화된다는 점을 강조하여 명령재결에 따른 처분이 소의 대상이 된다는 견해

### 2) 판례

현재는 조문상 삭제되었지만 처분명령재결과 동일하게 이행재결의 성격을 갖는 '취소명령재결'의 경우에서 병존설의 입장을 취한 바 있다(대판 1993.9.28, 92누15093).

### 3) 검토

재결의 기속력을 강조하면 재결만이 소의 대상이 될 것이나, 국민에 대한 구체적인 권익침해는 재결에 따른 처분이 있어야 한다는 점을 강조하면 행정청의 처분도 소의 대상으로 볼 수 있다. 즉, 양자 모두 타당성 있으므로 국민의 대상 선택 편의를 도모하여 둘 다 가능하다고 봄이 타당하다.

## 16절 기속력과 간접강제, 국가배상책임 인정여부

**문제**

감정평가법인등 A는 국토교통부장관으로부터 '중대한 부정행위'가 있었다는 이유로 업무정지 6개월 처분을 받았다. 이에 A법인은 위 처분이 위법하다며 서울행정법원에 취소소송을 제기하였고, 법원은 처분 사유가 불명확하고 비례의 원칙에 반한다는 이유로 업무정지처분을 취소하였다. 그럼에도 불구하고 국토교통부장관은 판결 이후에도 아무런 후속 조치를 하지 않다가, A법인이 공적업무로 재차 표준지공시지가 업무를 신청하자 '부정행위 이력이 있는 법인이므로 승인할 수 없다'는 이유로 사실상 승인 거부를 하였고, 다시 A법인은 법원에 거부처분취소소송을 제기하여 확정판결을 받았다. 그러나 국토교통부장관은 이에 대해서도 아무런 조치를 취하지 않자 이에 대해 A법인은 법원의 판결에 따라 이전 상태로 복귀시켜야 할 기속력을 위반한 것이라 주장하며, 이행을 강제하기 위해 간접강제 신청을 하였고, 장기간 업무정지를 유지한 행위로 인해 감정평가 수입이 급감하였다며 국가배상청구소송도 병행하여 제기하였다. 국토교통부장관은 '거부처분취소 판결은 그 사유에 대한 판단일 뿐, 새로운 표준지공시지가 업무 승인 신청에 대해 능력을 판단한 것이므로 기속력은 인정되지 않는다'고 항변하였고, 손해배상 역시 '고의 또는 중과실이 없었으며, 재량행위 영역에서 판단한 것일 뿐 위법하지 않다'고 주장하였다. 다음 물음에 답하시오. 30점

(1) 위 사안에서 법원의 거부처분 취소판결에 따른 국토교통부장관의 의무와 관련하여 기속력에 위반되는지 검토하고, A법인이 신청한 간접강제에 대하여 법원이 이를 인용할 수 있는지 여부를 검토하시오. 15점

(2) A법인의 국가배상청구의 성립요건에 비추어 국토교통부장관의 행위가 국가배상책임을 인정되는지 여부를 검토하시오. 15점

| | |
|---|---|
| **(물음1)에 대하여**<br>　1. 논점의 정리<br>　2. 기속력의 의미 및 법적 근거<br>　　(1) 기속력의 의의 및 취지(행정소송법 제30조)<br>　　(2) 기속력의 내용<br>　　　1) 반복금지효<br>　　　2) 원상회복의무(결과제거의무)<br>　　　3) 재처분의무<br>　　(3) 기속력 위반 여부<br>　3. 간접강제 의의(행정소송법 제34조)<br>　4. 사안의 경우 | **(물음2)에 대하여**<br>　1. 논점의 정리<br>　2. 국가배상의 의의 및 국가배상 청구요건(국가배상법 제2조)<br>　　(1) 공무원/직무행위/직무관련성<br>　　(2) 법령위반<br>　　(3) 고의 또는 과실/손해발생/상당한 인과관계<br>　3. 사안의 경우 |

■ 참고조문

〈행정소송법〉

**제30조(취소판결등의 기속력)**

① 처분 등을 취소하는 확정판결은 그 사건에 관하여 당사자인 행정청과 그 밖의 관계행정청을 기속한다.

② 판결에 의하여 취소되는 처분이 당사자의 신청을 거부하는 것을 내용으로 하는 경우에는 그 처분을 행한 행정청은 판결의 취지에 따라 다시 이전의 신청에 대한 처분을 하여야 한다.

③ 제2항의 규정은 신청에 따른 처분이 절차의 위법을 이유로 취소되는 경우에 준용한다.

**제34조(거부처분취소판결의 간접강제)**

① 행정청이 제30조 제2항의 규정에 의한 처분을 하지 아니하는 때에는 제1심 수소법원은 당사자의 신청에 의하여 결정으로써 상당한 기간을 정하고 행정청이 그 기간 내에 이행하지 아니하는 때에는 그 지연기간에 따라 일정한 배상을 할 것을 명하거나 즉시 손해배상 할 것을 명할 수 있다.

―이하 생략―

## (물음1)에 대하여

### 1. 논점의 정리

행정소송법은 처분취소소송에서 법원의 판결이 확정되면, 해당 판결은 당사자인 행정청에 대하여 기속력을 가지며(제30조 제1항), 그에 반하는 후속 처분은 위법한 것으로 평가된다. 사안에서는 국토교통부장관은 감정평가법인 A법인이 공적업무로 재차 표준지공시지가 업무를 신청하자 '부정행위 이력이 있는 법인이므로 승인할 수 없다'는 이유로 사실상 승인 거부를 하였고, 다시 A법인은 법원에 거부처분취소소송을 제기하여 확정판결을 받았다. 국토교통부장관의 행위가 기속력에 위반되는지, A법인의 간접강제 신청이 인용될 수 있는지를 검토한다.

### 2. 기속력의 의미 및 법적 근거

#### (1) 기속력의 의의 및 취지(행정소송법 제30조)

행정소송법 제30조 제1항은 "취소판결이 확정되면 해당 사건에 관한 행정청은 그 판결에 따른 처분을 하여야 한다"고 하여 기속력을 명시하고 있다. 이에 따르면 행정청은 단순히 원처분을 반복할 수 없을 뿐 아니라, 판결의 취지에 반하는 새로운 불이익 조치를 할 수도 없다. 이는 판결의 실질적 기속력으로, 법원의 판단을 존중하고 행정권의 자의적인 반복을 방지하기 위한 것이다. 취소판결을 받은 처분과 동일한 처분이라 하더라도 새로운 사실관계 또는 새로운 법령에 따른 처분은 별개의 처분이므로 기속력에 반하지 않는다.

> ↻ 행정소송법 제30조(취소판결등의 기속력)
> ① 처분 등을 취소하는 확정판결은 그 사건에 관하여 당사자인 행정청과 그 밖의 관계행정청을
> 기속한다.
> ② 판결에 의하여 취소되는 처분이 당사자의 신청을 거부하는 것을 내용으로 하는 경우에는 그
> 처분을 행한 행정청은 판결의 취지에 따라 다시 이전의 신청에 대한 처분을 하여야 한다.
> ③ 제2항의 규정은 신청에 따른 처분이 절차의 위법을 이유로 취소되는 경우에 준용한다.

## (2) 기속력의 내용

### 1) 반복금지효

부담적 처분에 대한 취소소송에서 인용판결이 확정되면 행정청은 동일한 사실관계 아래서 동일한 이유에 의하여 동일 당사자에 대하여 동일한 내용의 부담적 처분을 할 수 없다. 이러한 효력을 반복금지효라 한다. 만약 행정청이 확정판결의 기속력에 저촉되어 동일 사실관계에서 동일한 이유로 동일 당사자에 대해 동일한 내용의 처분을 하게 되면 이는 당연 무효라는 것이 통설·판례의 태도이다.

> 확정판결의 당사자인 처분행정청이 그 행정소송의 사실심 변론종결 이전의 사유를 내세워 다시 확정판결과 저촉되는 행정처분을 하는 것은 허용되지 않는 것으로서 이러한 행정처분은 그 하자가 중대하고도 명백한 것이어서 당연무효라 할 것이다. (대법원 1990.12.11.선고 90누3560판결; 대법원 1982.5.11. 선고 80누104 판결; 대법원 1972.2.29. 선고 71누110 판결).

### 2) 원상회복의무(결과제거의무)

취소판결이 확정된 경우 행정청이 위법한 처분으로 인해 초래된 상태를 제거하여야 할 의무를 부담하는지에 대하여 행정소송법에 직접적인 명문의 규정은 없으나, 행정소송법 제30조 제1항에 근거하여 인정하는 것이 일반적인 견해이다. 대법원도 취소판결의 기속력의 일종으로 원상회복의무(결과제거의무)를 인정하고 있다.

### 3) 재처분의무

신청에 따른 처분, 즉 인용처분(영업허가처분 등)이 제3자의 제소에 의해 절차상 하자가 있음을 이유로 취소된 경우에는 판결의 취지에 따라 적법한 절차에 따라 다시 신청에 대한 처분을 하여야 한다(행정소송법 제30조 제3항). 예컨대 제3자가 참여하는 공청회를 거치지 않았음을 이유로 영업허가가 취소되었다면, 행정청은 적법한 공청회를 거쳐 동일한 허가처분을 할 수 있고 이는 기속력에 반하지 않는다.

> 행정소송법 제30조 제2항에 의하면, 행정청의 거부처분을 취소하는 판결이 확정된 경우에는 그 처분을 행한 행정청은 판결의 취지에 따라 이전의 신청에 대하여 재처분할 의무가 있고, 이 경우 확정판결의 당사자인 처분 행정청은 그 행정소송의 사실심 변론종결 이후 발생한 새로운 사유를 내세워

> 다시 이전의 신청에 대하여 거부처분을 할 수 있으며, 그러한 처분도 이 조항에 규정된 재처분에
> 해당한다(대법원 1997.2.4.자 96두70 결정; 대법원 1999.12.28. 선고 98두1895 판결).

### (3) 기속력 위반 여부

사안에서 법원은 A법인에 대한 업무정지처분이 "처분 사유가 불명확"하고 "비례의 원칙에 반한다"는 이유로 취소하였다. 이는 A법인의 '중대한 부정행위'에 대한 판단이 불명확하거나 인정되지 않는다는 법적 평가를 포함한다. 그럼에도 불구하고 국토교통부장관은 별다른 후속조치 없이 A법인이 추후 공적업무인 표준지공시지가 평가업무를 신청하자 "과거 부정행위 이력"을 이유로 사실상 승인 거부하였고, 이에 대해 A법인이 거부처분취소소송을 제기하여 확정판결을 받았다. 이는 과거 처분 사유를 실질적으로 되풀이하여 A법인에게 반복적으로 불이익을 준 것으로, 법원의 거부처분 취소판결이 확정된 이상 동일한 사실관계를 근거로 불이익을 반복하는 것은 기속력에 명백히 반하는 행위라 할 수 있다. 국토교통부장관이 항변하는 바와 같이 "새로운 신청에 대한 판단"이라는 주장도, 신청 거부 사유가 동일한 사실관계(과거의 부정행위)를 기초로 하여 형식만 다를 뿐 본질적으로 동일한 불이익처분의 반복에 해당하므로 정당화될 수 없다고 판단된다.

## 3. 간접강제 의의(행정소송법 제34조)

현행법은 의무이행소송을 인정하고 있지 않기 때문에 강제집행을 위한 집행력은 생기지 않는다. 그러나 행정소송법은 거부처분에 대한 취소판결의 기속력으로서 재처분의무의 실효성을 담보하기 위해 간접강제제도를 채택하였다. 즉 행정청이 거부처분취소판결에 취지에 따른 처분을 하지 아니하는 경우에는, 제1심 수소법원은 당사자의 신청에 의하여 결정으로써 처분을 하여야 할 상당한 기간을 정하고 행정청이 그 기간 동안에 처분을 하지 아니한 때에는 그 지연기간에 따라 일정한 배상을 할 것을 명하거나 즉시 손해배상을 할 것을 명할 수 있다(행정소송법 제34조 제1항).

> ❯ **행정소송법 제34조(거부처분취소판결의 간접강제)**
> ① 행정청이 제30조 제2항의 규정에 의한 처분을 하지 아니하는 때에는 제1심 수소법원은 당사자의 신청에 의하여 결정으로써 상당한 기간을 정하고 행정청이 그 기간 내에 이행하지 아니하는 때에는 그 지연기간에 따라 일정한 배상을 할 것을 명하거나 즉시 손해배상을 할 것을 명할 수 있다.
> ② 제33조와 민사집행법 제262조의 규정은 제1항의 경우에 준용한다.

## 4. 사안의 경우

A법인은 이러한 행정청의 불이행에 대해 행정소송법 제34조 제2항에 근거하여 간접강제를 신청하였다. 동 조항은 "처분을 이행하지 아니하는 경우에 한하여 상당한 기간을 정하여 처분을 명하

고, 그 기간 내에 이행하지 않을 경우 일정한 금액을 지급할 것을 명할 수 있다"고 규정한다. 법원 거부처분 취소 판결 확정 이후 장기간 아무런 후속조치 없이 처분이 유지되었고, 동일한 이유로 다시 공적업무에서 배제되어 실질적으로 법원의 거부처분취소 판결 취지가 이행되지 않았다. 또한, A법인은 공적업무에서 배제되어 감정평가 수입이 급감하는 등의 회복하기 어려운 손해를 입고 있다. 따라서 A법인의 간접강제 신청은 위 요건을 충족하므로, 법원은 이를 인용할 수 있다고 판단된다.

> **판례**
>
> ● **대법원 판례의 태도(대법원 2021.7.22.선고 2020다248124 전원합의체 판결)**
>
> 재처분의무 불이행 시(부작위채무) 간접강제를 인용하는 것이 최근 대법원 전원합의체 판결의 원칙이며(대법원 2020다248124), 판례는 "부작위채무에 관하여 판결절차의 변론종결 당시에 보아 부작위채무를 명하는 집행권원이 성립하더라도 채무자가 이를 단기간 내에 위반할 개연성이 있고, 또한 판결절차에서 민사집행법 제261조에 의하여 명할 적정한 배상액을 산정할 수 있는 경우에는 판결절차에서도 채무불이행에 대한 간접강제를 할 수 있다. 또한 부대체적 작위 채무에 관하여서도 판결절차의 변론종결 당시에 보아 집행권원이 성립하더라도 채무자가 부대체적 작위채무를 임의로 이행할 가능성이 없음이 명백하고, 판결절차에서 채무자에게 간접강제 결정의 당부에 관하여 충분히 변론할 기회가 부여되었으며, 민사집행법 제261조에 의하여 명할 적정한 배상액을 산정할 수 있는 경우에는 판결절차에서도 채무불이행에 대한 간접강제를 할 수 있다."라고 판시하고 있다.

■ 간접강제 제도에 대하여 – 행정소송법 간접강제(원래 간접강제는 민사집행법에 있는 제도로 행정소송법 제8조에 따라 행정소송법에 특별한 규정이 없으면 민사집행법 규정을 준용하도록 하고 있음)

> ↪ **행정소송법 제8조(법적용례)**
> ① 행정소송에 대하여는 다른 법률에 특별한 규정이 있는 경우를 제외하고는 이 법이 정하는 바에 의한다.
> ② 행정소송에 관하여 이 법에 특별한 규정이 없는 사항에 대하여는 법원조직법과 민사소송법 및 민사집행법의 규정을 준용한다.

Ⅰ. 들어가며
1. 원칙
   행정소송법은 의무이행소송 등을 인정하지 않고 있으므로 집행력의 문제가 생기지 않는 것이 원칙이다.

2. 간접강제의 의의
   현행 행정소송법은 행정청의 재처분의무의 실효성을 담보하기 위해 간접강제를 두고 있다. 즉,

거부처분에 대한 취소판결이 확정되면 판결의 기속력에 의해 재처분의무를 부담하는데, 이를 이행하지 않는 경우에는 당사자의 신청에 의해 결정으로서 제1심 수소법원은 일정한 배상을 명하거나 즉시 손해배상을 할 것을 명할 수 있다.

## II. 간접강제의 행사요건

### 1. 거부처분 취소소송 또는 부작위위법확인소송에서 인용판결이 확정되었을 것

간접강제를 하기 위해서는 거부처분에 대한 취소판결 및 부작위위법확인 판결이 확정되어야 한다.

### 2. 행정청의 상당한 기간 내에 판결의 취지에 따른 재처분의무를 다하지 아니하였을 것

판례에 의하면 행정청이 재처분을 하지 않은 경우뿐만 아니라, 재처분을 하였다 하더라도 취소판결의 기속력에 반하는 등으로 당연무효인 경우도 재처분을 하지 않은 경우와 마찬가지이므로 간접강제의 요건을 갖춘 것으로 본다.

> [민사집행법상 요건 (1) 재처분의무 존재(취소판결로 확인됨), (2) 이행기간 경과(판결 후 장기간 방치), (3) 채무 성질이 간접강제 가능(작위의무 이행)]

## III. 간접강제의 절차 등

### 1. 간접강제의 신청과 결정

당사자의 신청에 의하여 제1심 수소법원이 결정으로써 행한다.

### 2. 강제집행

간접강제 결정에도 불구하고 행정청의 판결의 취지에 따른 처분을 하지 않는 경우에는, 신청인은 그 결정을 채무명의로 하여 집행문을 부여받아 이행강제금을 강제집행할 수 있다.

### 3. 간접강제 결정에 대한 불복

간접강제신청에 관한 기각결정이나 인용결정에 대하여는 즉시항고할 수 있다.

## IV. 간접강제의 적용범위

이 제도는 부작위위법확인소송에도 준용하고 있다. 그러나 무효등확인소송의 경우에는 준용되는지가 문제 되는데

1. (긍정설)입법의 불비로 보아 이를 긍정하는 견해도 있으나
2. (부정설)절차법정주의 관점에서 간접강제 준용규정이 없는 이상 허용되지 않는다고 보는 부정설이 타당하며, 판례의 입장도 마찬가지이다. 따라서 거부처분에 대한 무효등확인판결의 경우에는 간접강제제도를 활용할 수 없다.

## V. 기타

### 1. 소송비용에 관한 판결의 효력

소송비용에 관한 판결이 확정된 때에는 피고 또는 참가인이었던 행정청이 소속하는 국가 또는 공공단체에 그 효력이 미친다.

### 2. 배상금의 성질과 추심

판례는 배상금은 재처분의 지연에 따른 제재나 손해배상이 아니고, 재처분의 이행을 확보하기 위한 심리적 강제수단에 불과하므로, 이행기간이 경과한 후에라도 재처분의 이행이 있으면 배상금을 추심하는 것은 더 이상 허용되지 않는다고 한다.

## (물음2)에 대하여

### 1. 논점의 정리

A법인은 장기간 공적업무에서 배제되면서 감정평가 수입이 급감하는 등 손해를 입었고, 그 원인이 국토교통부장관의 위법한 처분 유지 및 신청 거부에 있다고 주장하며 국가배상을 청구하였다. 이에 따라 국가배상법 제2조 제1항에 따른 국가배상책임의 성립요건을 검토하고, 국토교통부장관의 행위가 국가배상책임을 발생시키는지를 살핀다.

### 2. 국가배상의 의의 및 국가배상청구 요건(국가배상법 제2조)

국가배상이란 공무원 또는 공무를 위탁받은 사인(이하 '공무원'이라 함)이 직무를 집행하면서 고의 또는 과실로 법령을 위반하여 타인의 권리가 침해된 경우에 국가 또는 공공단체가 그 배상책임을 지는 것을 말한다. 국가배상법 제2조에 의한 국가배상책임이 성립하기 위하여는 ① 공무원이 직무를 집행하면서 타인에게 손해를 가하였을 것, ② 공무원의 가해행위는 고의 또는 과실로 법령에 위반하여 행하여졌을 것, ③ 손해가 발생하였고, 공무원의 불법한 가해행위와 손해 사이에 인과관계(상당 인과관계)가 있을 것이 요구된다.

#### (1) 공무원/직무행위/직무관련성

국가배상법 제2조상의 '공무원'은 국가공무원법 또는 지방공무원법상의 공무원뿐만 아니라 널리 공무를 위탁(광의의 위탁)받아 실질적으로 공무에 종사하는 자를(공무수탁사인) 말한다. 달리 말하면 국가배상법 제2조 소정의 공무원은 실질적으로 공무를 수행하는 자, 즉 기능적 공무원을 말한다. 또한 그것은 최광의의 공무원 개념에 해당한다.

국가배상법 제2조가 적용되는 직무행위에 관하여 판례 및 다수설은 공권력 행사 외에 비권력적 공행정작용을 포함하는 모든 공행정작용을 의미한다고 본다. 또한 '직무행위'에는 입법작용과 사법작용도 포함된다.

공무원의 불법행위에 의한 국가의 배상책임은 공무원의 가해행위가 직무집행행위인 경우뿐만 아니라 그 자체는 직무집행행위가 아니더라도 직무와 일정한 관련이 있는 경우, 즉 '직무를 집행하면서' 행하여진 경우에 인정된다.

### (2) 법령위반

1) 학설

① 〈결과불법설〉 손해배상소송이 손해전보를 목적으로 하는 것이라는 전제하에, 국민이 받은 손해가 시민법상 원리로부터 수인될 수 있는지를 기준으로 위법성 여부를 판단하는 견해이다.

② 〈상대적 위법성설〉 행위 자체의 위법, 적법뿐만 아니라 피침해 이익의 성격과 침해의 정도, 가해행위의 태양 등을 고려하여 위법성 여부를 판단하자는 견해이다.

③ 〈행위위법설〉 법률에 의한 행정의 원리 또는 국가배상소송의 행정통제기능을 고려하여 가해행위가 객관적인 법규범에 합치되는지 여부를 기준으로 위법성 여부를 판단하는 견해이다(다수설).

④ 〈직무의무위반설〉 국가배상법상의 위법을 법에 부합하지 않는 해당 행정처분으로 인해 법익을 침해한 공무원의 직무의무의 위반으로 보는 견해로 취소소송의 위법성은 행정작용의 측면에서만 위법 여부를 판단하지만 국가배상책임에서의 위법성은 행정작용과 행정작용을 한 자와의 유기적 관련성 속에서 위법 여부를 판단한다. 즉, 전자가 처분의 전체 법질서에 대한 객관적 정합성을 무게중심으로 하는 반면, 후자는 불법한 처분의 주관적 책임 귀속을 무게중심으로 한다고 한다.

2) 판례

판례는 원칙상 행위위법설을 취하고 있는 것으로 보인다. 즉, 원칙상 가해직무행위와 법의 위반을 위법으로 보고 있다. 그리고 명문의 규정이 없는 경우에도 일정한 경우 공무원의 손해방지의무를 인정하고 있다. 최근 대법원 판례 중 상대적 위법성설 측면의 판결이 있다.

3) 검토

① 법률에 의한 행정의 원리의 실질적 내용을 이루는 인권보장의 측면에서 볼 때 공무원에게 직무상의 일반적 손해방지의무를 인정하는 것이 타당하므로, ② 국가배상에 있어서는 행위 자체의 관계법령에의 위반뿐만 아니라 행위의 태양의 위법, 즉 피침해이익과 관련하여 요구되는 공무원의 '직무상 손해방지의무 위반'으로서의 위법도 국가배상법상 위법이 된다고 보는 것이 타당하다고 생각된다.

### (3) 고의 또는 과실/손해발생/상당한 인과관계

주관설은 과실을 해당 직무를 담당하는 평균적 공무원이 통상 갖추어야 할 주의의무를 해태한 것으로 본다. 과실이 인정되기 위하여는 위험 및 손해발생에 대한 예측가능성과 회피가능성(손해방지가능성)이 있어야 한다. 이 견해가 다수설과 판례의 입장이다. 공무원의 불법행위가 있더라도 손해가 발생하지 않으면 국가배상책임이 인정되지 않는다. 국가배상책임으로서의 '손해'는 민법상 불법행위책임에 있어서의 그것과 다르지 않다. 공무원의 불법행위와 손해 사이에 인과관계가 있어야 한다. 국가배상에서의 인과관계는 민법상 불법행위책임에서의 그것과 동일하게 상당인과관계가 요구된다. 인과관계의 유무는 결과발생의 개연성, 직무상의무를 부가하는 법령등의 목적, 가해행위의 태양, 피해의 정도 등을 종합적으로 고려해야 한다.

## 3. 사안의 경우

국토교통부장관은 A법인에 대한 업무정지처분 및 이후 표준지공시지가 업무 승인 거부와 같은 공권력 행사를 한 바 있으며, 이는 명백히 공무원의 직무상 행위에 해당하며, 이미 법원은 업무정지처분이 "처분 사유 불명확" 및 "비례의 원칙 위반"으로 위법하다고 판단하였다. 그럼에도 장관은 동일한 사실관계를 이유로 A법인을 공적업무에서 배제하였으며 이에 대하여 거부처분취소송을 통해 확정판결을 받았음에도 이를 장기한 방치함으로써 이는 기속력을 위반한 불법행위로 평가된다. 따라서 A법인이 입은 손해는 위법한 공권력 행사에 기인한 것으로 판단된다. 국토교통부장관은 판결에도 불구하고 판결 취지를 무시하고 동일 사유로 불이익을 반복한 점과 다시 장기간 방치함으로써 적어도 중대한 과실이 인정된다. 특히 행정청은 법률전문가 집단으로서 법원의 판결을 정확히 해석하고 그 취지에 따라 처분을 해야 할 의무가 있으므로, 이를 무시한 채 불이익을 반복하고 장기간 방치한 것은 통상의 주의의무를 다하지 않은 것으로서 과실이 인정된다. 또한, A법인은 공적업무 배제로 인해 감정평가 수입이 현저히 감소하였으며, 이는 업무승인 거부와 인과관계가 명확한 손해로 평가할 수 있다. 특히 감정평가업계에서 공적업무는 중요한 수익원이며, 그 배제는 실질적인 경제적 손실을 야기한다. 국토교통부장관은 법원의 거부처분 취소판결에도 불구하고 그 취지를 따르지 않고 장기간 방치함으로써 A법인을 다시 불이익 처우한 점에서 위법한 직무행위에 중대한 과실이 존재한다. 이로 인해 A법인이 실질적인 손해를 입었고 그 사이에 인과관계도 존재하므로, 본 사안은 국가배상법상 국가배상청구의 요건을 충족하며, 국가의 손해배상책임이 인정될 것이라 생각한다.

## 17절 변경명령재결에 의한 후속 변경처분/직권 변경처분 시 소송의 대상과 제소기간

### 문제

A 감정평가법인(이하 'A법인')은 2024년 8월, 감정평가 및 감정평가사에 관한 법률(이하 '감정평가법')을 위반하여 국토교통부장관으로부터 업무정지 3개월의 처분을 받았다. 이에 불복한 A법인은 행정심판을 청구하였고, 중앙행정심판위원회는 2025년 1월, 업무정지 기간이 과도하다는 이유로 감경하라는 변경명령재결을 하였다. 국토교통부장관은 재결의 기속력에 따라 2025년 2월, A법인에 대해 업무정지 1개월로 변경처분(일부취소처분)을 하였다. 한편, B감정평가법인(이하 'B법인')은 업무정지 3개월에 갈음하여 2023년 7월 20일에 국토교통부로부터 과징금 부과처분(3,000만원)을 받았으나, 같은 해 12월 15일 일부 착오가 확인되어 국토교통부장관은 과징금을 감액하는 경정처분(1,000만원)을 하였다. A법인과 B법인은 각각 변경처분 및 감액경정처분이 위법하다며 항고소송을 제기하고자 한다. 다음 물음에 답하시오. 30점

(1) 원처분주의와 재결주의를 설명하시오. 10점

(2) 위 사례에서 각각 어떤 처분이 항고소송의 대상이 되는지 판단하고, 그에 따라 제소기간의 기산점을 설명하시오. 20점

---

**(물음1)에 대하여**

**Ⅰ. 원처분주의와 재결주의 개념**
1. 행정심판법에서 재결의 의의
2. 원처분주의와 재결주의의 의의

**Ⅱ. 행정소송법의 태도(원처분주의)**
1. 행정소송법 제19조는 원처분주의
2. 재결 자체의 고유한 위법이 인정되는 경우
  (1) 고유한 위법의 의미
  (2) 각하재결
  (3) 기각재결
  (4) 부적법한 인용재결 및 제3자효 있는 행정행위의 인용재결
3. 재결 자체의 고유한 위법이 없을 시 판결의 종류

**Ⅲ. 원처분주의에 대한 예외로서 재결주의**
1. 개설
2. 재결주의가 채택되어 있는 예
  (1) 감사원의 재심판정
  (2) 중앙노동위원회의 재심판정

**(물음2)에 대하여**

**Ⅰ. 업무정지처분과 과징금 부과처분**
1. 업무정지처분 의의 및 법적 성질
2. 과징금 부과처분 의의 및 법적 성질 (감정평가법 제41조)

**Ⅱ. A법인이 항고소송을 제기하는 경우 소의 대상 및 제소기간**
1. 변경(명령)재결에 따라 변경처분을 한 경우 소의 대상
2. 제소기간

**Ⅲ. B법인이 항고소송을 제기하는 경우 소의 대상 및 제소기간**
1. 1천만원으로 감액한 과징금 부과처분의 소의 대상
2. 제소기간
3. 소결

**Ⅲ. 결**
1. A법인 사례
2. B법인 사례

> ■ 참고조문
> 〈감정평가 및 감정평가사에 관한 법률〉
>
> **제32조(인가취소 등)**
> ① 국토교통부장관은 감정평가법인등이 다음 각 호의 어느 하나에 해당하는 경우에는 그 설립인가를 취소(제29조에 따른 감정평가법인에 한정한다)하거나 2년 이내의 범위에서 기간을 정하여 업무의 정지를 명할 수 있다. 다만, 제2호 또는 제7호에 해당하는 경우에는 그 설립인가를 취소하여야 한다.
>
> -이하 생략-
>
> **제41조(과징금의 부과)**
> ① 국토교통부장관은 감정평가법인등이 제32조 제1항 각 호의 어느 하나에 해당하게 되어 업무정지처분을 하여야 하는 경우로서 그 업무정지처분이 「부동산 가격공시에 관한 법률」 제3조에 따른 표준지공시지가의 공시 등의 업무를 정상적으로 수행하는 데에 지장을 초래하는 등 공익을 해칠 우려가 있는 경우에는 업무정지처분을 갈음하여 5천만원(감정평가법인인 경우는 5억원) 이하의 과징금을 부과할 수 있다.
>
> -이하 생략-

## (물음 1)에 대하여

## Ⅰ 원처분주의와 재결주의 개념

### 1. 행정심판법에서 재결의 의의

행정심판법에서 재결이란 "행정심판의 청구에 대하여 제6조에 따른 행정심판위원회가 행하는 판단"을 말한다.

### 2. 원처분주의와 재결주의의 의의

① 원처분주의란 원처분과 재결 모두에 대해 소를 제기할 수 있으나, 원처분의 취소소송에서는 원처분의 위법을 다투고, 재결의 고유한 위법에 대해서는 재결취소소송으로 다투도록 하는 것이다.

② 재결주의란 원처분에 대해서는 소송을 제기할 수 없고, 재결에 대해서만 소송을 제기하도록 하는 제도이다.

## Ⅱ 행정소송법의 태도(원처분주의)

### 1. 행정소송법 제19조는 원처분주의

행정소송법 제19조는 취소소송의 대상을 원칙적으로 원처분으로 하고, 재결에 대하여는 그 재결 자체에 고유한 위법이 있음을 이유로 하는 경우에 한하여 제소를 허용하는 원처분주의를 취하고 있다.

## 2. 재결 자체의 고유한 위법이 인정되는 경우

### (1) 고유한 위법의 의미

원처분주의에서 재결이 취소소송의 대상이 되는 경우는 재결 자체에 주체·절차·형식 그리고 내용상 위법이 있는 경우를 말한다.

> 행정소송법 제19조에서 말하는 '재결 자체에 고유한 위법'이란 원처분에는 없고 재결에만 있는 재결청의 권한 또는 구성의 위법, 재결의 절차나 형식의 위법, 내용의 위법 등을 뜻하고, 그중 내용의 위법에는 위법·부당하게 인용재결을 한 경우가 해당한다.
> (대법원 1997.9.12. 선고 96누14661 판결[공장설립변경신고수리처분취소])

### (2) 각하재결

각하재결의 경우, 원처분의 위법이 그대로 유지되고 있으므로 원칙적으로 원처분이 소의 대상이 되어야 할 것이다. 다만, 행정심판청구가 부적법하지 않음에도 불구하고 실체심리를 하지 않고 부적법 각하한 경우에는 원처분에는 없는 재결 자체의 고유한 하자가 있는 경우에 해당하므로 이때는 재결도 취소소송의 대상이 된다고 보는 것이 판례의 입장이다.

### (3) 기각재결

원처분을 정당하다고 유지하고 심판청구를 기각한 재결에 대하여는 원칙적으로 내용상의 위법을 주장하여 제소할 수 없다. 그러나 불고불리의 원칙(행정심판법 제47조 제1항)에 반하여 심판청구의 대상이 되지 아니한 사항에 대하여 재결을 한 경우나, 불이익변경금지의 원칙(행정심판법 제47조 제2항)에 반하여 원처분보다 청구인에게 불리한 재결을 한 경우에는 재결 자체의 고유한 위법이 있으므로 그 취소를 구할 수 있다.

### (4) 부적법한 인용재결 및 제3자효 있는 행정행위의 인용재결

행정심판의 제기요건을 결여하였음에도 불구하고 각하하지 아니하고 인용재결을 한 경우는 재결 자체에 고유한 위법이 있는 경우에 해당한다. 처분의 상대방에게 수익적인 처분이 제3자에 의해 제기된 행정심판의 재결에서 취소 또는 불리하게 변경된 경우에 처분의 상대방은 당해 행정심판의 재결의 취소소송을 제기할 수 있다. 또한, 제3자효행정행위의 거부(⑩ 건축허가거부)에 대한 행정심판(의무이행심판 또는 취소심판)의 재결에서 처분재결 또는 취소재결이 내려진 경우 제3자는 당해 처분재결 또는 취소재결의 취소소송을 제기할 수 있다.

이른바 복효적 행정행위, 특히 제3자효를 수반하는 행정행위에 대한 행정심판청구에 있어서 그 청구를 인용하는 내용의 재결로 인하여 비로소 권리이익을 침해받게 되는 자는 그 인용재결에 대하여 다툴 필요가 있고, 그 인용재결은 원처분과 내용을 달리하는 것이므로 그 인용재결의 취소를 구하는 것은 원처분에는 없는 재결에 고유한 하자를 주장하는 셈이어서 당연히 항고소송의 대상이 된다(대법원 1997.12.23. 선고 96누10911 판결[체육시설사업계획승인취소처분취소]).

## 3. 재결 자체의 고유한 위법이 없을 시 판결의 종류

이 경우에 행정소송법 제19조 단서가 소극적 소송요건(소송의 대상)을 정한 것으로 보아 각하하여야 한다는 견해와 위법사유의 주장제한을 정한 것으로 보아 기각하여야 한다는 견해가 대립하나, 판례는 재결취소소송에서 재결에 고유한 하자가 없는 경우 기각판결을 하여야 한다는 입장이다.

## Ⅲ 원처분주의에 대한 예외로서 재결주의

## 1. 개설

재결주의란 원처분이 아닌 재결만을 취소소송의 대상으로 하는 제도로서, 우리 행정소송법은 원처분주의의 태도를 취하고 있으나(법 제19조), 개별법에서 예외적으로 재결주의를 채택하고 있는 경우가 있다. 이런 재결주의에서는 원처분의 취소를 구하면 부적법 각하가 되며, 원처분의 하자를 주장하는 경우에도 재결의 하자를 주장하는 경우와 마찬가지로 재결에 대한 취소소송을 제기하여야 한다. 한편 재결주의의 경우 행정심판의 전치(傳置)는 필수적이다.

## 2, 재결주의가 채택되어 있는 예

### (1) 감사원의 재심판정

감사원법은 회계관계직원에 대한 감사원의 변상판정에 대하여 감사원에 재심의를 청구를 할 수 있도록 하고(법 제36조), 그 재심판정에 대하여 감사원을 당사자로 하여 행정소송을 제기하도록 함으로써(법 제40조 제2항), 원처분인 변상판정이 아닌 재심판정을 소송의 대상으로 하도록 하고 있다. 대법원은 이를 재결주의를 취하고 있는 것으로 보고 있다.

### (2) 중앙노동위원회의 재심판정

노동위원회법 제26조 제1항은 "중앙노동위원회는 지방노동위원회 또는 특별노동위원회의 처분을 재심하여 이를 승인·취소 또는 변경할 수 있다"고 규정하고 있고, 동법 제27조 제1항은 "중앙노동위원회의 처분에 대한 소는 중앙노동위원회위원장을 피고로 하여 판정서 정본의 송달을 받은 날로부터 15일 이내에 이를 제기하여야 한다"고 규정하고 있다. 대법원은 이를 재결주의를 취하고 있는 것으로 보고 있다.

---

**■ 토지보상법상 원처분주의 판례 해설**

**1. 종전 토지수용법제하에서 재결주의 판례**

　(1) 종전 토지수용법 제75조의2 규정

> ↪ **(구) 토지수용법 제75조의2(이의신청에 대한 재결의 효력)**
>
> ① 이의신청의 재결에 대하여 불복이 있을 때에는 재결서가 송달된 날로부터 1월 이내에 행정소송을 제기할 수 있다. 다만, 기업자는 행정소송을 제기하기 전에 제75조 제1항의 규정에 의하여 이의신청에 대한 재결에서 정한 보상금을 공탁하여야 한다. 이 경우, 토지소유자 등은 공탁된 보상금을 소송종결 시까지 수령할 수 없다.
>
> ② 제1항의 규정에 의하여 제기하고자 하는 행정소송이 보상금의 증감에 관한 소송인 때에는, 당해 소송을 제기하는 자가 토지소유자 또는 관계인인 경우에는 재결청 외에 기업자를, 기업자인 경우에는 재결청 외에 토지소유자 또는 관계인을 각각 피고로 한다.
>
> ③ 제1항의 기간 내에 소송이 제기되지 아니하거나 기타 사유로 제75조의 규정에 의한 이의신청에 대한 재결이 확정되었을 때에는 민사소송법상의 확정판결이 있은 것으로 보며 재결정본은 집행력 있는 판결정본과 동일한 효력을 가진다.
>
> ④ 이의신청에 대한 재결이 확정된 때에는 토지소유자·관계인 또는 기업자는 관할토지수용위원회에 대하여 재결확정증명서를 청구할 수 있다.

　(2) 종전 규정에 의한 대법원 판례

> [판시사항]
>
> 토지수용법상의 토지수용에 관한 취소소송에 행정소송법 제18조가 적용되는지 여부(소극) 및 그 취소소송의 대상(=중앙토지수용위원회의 이의재결)
>
> [판결요지]
>
> 토지수용법과 같이 재결전치주의를 정하면서 원처분인 수용재결에 대한 취소소송을 인정하지 아니하고 재결인 이의재결에 대한 취소소송만을 인정하고 있는 경우에는 재결을 거치지 아니하고 원처분인 수용재결취소의 소를 제기할 수 없는 것이며 행정소송법 제18조는 적용되지 아니하고, 따라서 수용재결처분이 무효인 경우에는 재결 그 자체에 대한 무효확인을 소구할 수 있지만, 토지수용에 관한 취소소송은 중앙토지수용위원회의 이의재결에 대하여 불복이 있을 때에 제기할 수 있고 수용재결은 취소소송의 대상으로 삼을 수 없으며, 이의재결에 대한 행정소송에서는 이의재결 자체의 고유한 위법사유뿐 아니라 이의신청사유로 삼지 않은 수용재결의 하자도 주장할 수 있다.

**2. 현행 규정과 원처분주의 판례**

　(1) 현행 행정소송법 제19조

　　행정소송법 제19조에서는 원처분과 재결 모두에 대해 항고소송을 제기할 수 있지만, 재결에

대한 소송은 재결 자체의 고유한 위법이 있는 경우에 한한다고 규정하여 원처분주의를 채택
하고 있다. 그러나 개별법상 재결주의를 채택하는 경우도 존재한다.

> **⤵ 행정소송법 제19조(취소소송의 대상)**
> 취소소송은 처분 등을 대상으로 한다. 다만, 재결취소소송의 경우에는 재결 자체에 고
> 유한 위법이 있음을 이유로 하는 경우에 한한다.

## (2) 현행 토지보상법 제85조

> **⤵ 토지보상법 제85조(행정소송의 제기)**
> ① <u>사업시행자, 토지소유자 또는 관계인은 제34조에 따른 재결에 불복할 때에는 재결</u>
> <u>서를 받은 날부터 90일 이내에, 이의신청을 거쳤을 때에는 이의신청에 대한 재결</u>
> <u>서를 받은 날부터 60일 이내에 각각 행정소송을 제기할 수 있다.</u> 이 경우 사업시행
> 자는 행정소송을 제기하기 전에 제84조에 따라 늘어난 보상금을 공탁하여야 하며,
> 보상금을 받을 자는 공탁된 보상금을 소송이 종결될 때까지 수령할 수 없다.
> ② 제1항에 따라 제기하려는 행정소송이 보상금의 증감(增減)에 관한 소송인 경우 그
> 소송을 제기하는 자가 토지소유자 또는 관계인일 때에는 사업시행자를, 사업시행
> 자일 때에는 토지소유자 또는 관계인을 각각 피고로 한다.

## (3) 현행 규정에 의한 원처분주의 대법원 판례

[판시사항]
토지소유자 등이 수용재결에 불복하여 이의신청을 거친 후 취소소송을 제기하는 경우 피
고적격(=수용재결을 한 토지수용위원회) 및 소송대상(=수용재결)

[판결요지]
<u>공익사업을 위한 토지 등의 취득 및 보상에 관한 법률 제85조 제1항 전문의 문언 내용과</u>
<u>같은 법 제83조, 제85조가 중앙토지수용위원회에 대한 이의신청을 임의적 절차로 규정하</u>
<u>고 있는 점, 행정소송법 제19조 단서가 행정심판에 대한 재결은 재결 자체에 고유한 위법</u>
<u>이 있음을 이유로 하는 경우에 한하여 취소소송의 대상으로 삼을 수 있도록 규정하고 있는</u>
<u>점 등을 종합하여 보면, 수용재결에 불복하여 취소소송을 제기하는 때에는 이의신청을 거</u>
<u>친 경우에도 수용재결을 한 중앙토지수용위원회 또는 지방토지수용위원회를 피고로 하여</u>
<u>수용재결의 취소를 구하여야 하고, 다만 이의신청에 대한 재결 자체에 고유한 위법이 있음</u>
<u>을 이유로 하는 경우에는 그 이의재결을 한 중앙토지수용위원회를 피고로 하여 이의재결</u>
<u>의 취소를 구할 수 있다고 보아야 한다.</u>
(대법원 2010.1.28. 선고 2008두1504 판결)

## (물음2)에 대하여

### I 업무정지처분과 과징금 부과처분

### 1. 업무정지처분 의의 및 법적 성질

감정평가 및 감정평가사에 관한 법률(이하 '감정평가법') 제39조에서는 감정평가사에 대한 징계로서 자격의 취소, 등록의 취소, 2년 이하의 업무정지, 견책 등을 규정하고 있다. 업무정지처분은 감정평가사가 감정평가 업무를 함에 있어 일정한 기간 동안 업무를 하지 못하도록 하는 의무를 부과하는 것을 말한다. 업무정지처분은 부작위 하명에 해당하며, 감정평가법에서는 2년 이하의 업무정지로 규정하여 법 문언상 재량행위에 해당한다. 다만, 국토교통부장관은 징계위원회의 의결에서 정한 업무정지를 기속적으로 하여야 한다.

### 2. 과징금 부과처분 의의 및 법적 성질(감정평가법 제41조)

과징금은 행정법상 의무위반 행위로 얻은 경제적 이익을 박탈하기 위한 금전상 제재금을 말한다. 과징금은 의무이행의 확보수단으로써 가해진다는 점에서 의무위반에 대한 벌인 과태료와 구별된다. 감정평가사법상 과징금은 계속적인 공적업무수행을 위하여 업무정지처분에 갈음하여 부과되는 것으로 변형된 과징금에 속한다. 이는 인허가 철회나 정지처분으로 인해 발생하는 국민생활 불편이나 공익을 고려함에 취지가 인정된다. 과징금 부과행위는 과징금 납부의무를 명하는 행위이므로 급부하명에 해당한다. 또한, 감정평가사법 제41조에서는 "과징금을 부과할 수 있다."고 규정하고 있으므로 법문언의 규정형식상 재량행위에 해당한다.

### II A법인이 항고소송을 제기하는 경우 소의 대상 및 제소기간

### 1. 변경(명령)재결에 따라 변경처분을 한 경우 소의 대상

#### (1) 문제점

행정심판위원회의 변경(명령)재결에 따라 피청구인이 변경처분을 한 경우 변경(명령)재결과 변경 처분 그리고 변경된 원처분 중 어떤 것이 취소소송의 대상이 될 것인지 문제된다.

#### (2) 학설

① **변경된 원처분설** : 변경명령재결은 원처분의 강도를 변경하는 것에 불과하다는 입장에서 변경된 원처분이 취소소송의 대상이 된다는 견해이다.

② **변경명령재결설** : 변경명령재결에 따른 행정청의 변경처분은 재결의 기속력에 의한 부차적인 행위로서 변경처분을 하게 된 것이 행정심판위원회의 의사이지 행정청의 의사가 아니므로 변경명령재결이 취소소송의 대상이 된다는 견해이다.

③ **변경처분설** : 변경명령재결에 의해 원처분은 소멸되었고, 국민에 대한 구체적인 침해는 변

경처분이 있어야 현실화된다는 점을 강조하여 변경처분이 취소소송의 대상이 된다는 견해
이다.

### (3) 대법원 판례의 태도

판례는 재결 고유의 위법을 부정하는 전제에서, 행정청이 영업자에게 행정제재 처분을 한 후 일
부인용의 (처분)변경명령재결에 따라 당초 처분을 영업자에게 유리하게 변경하는 처분을 한 경
우 그 취소소송의 대상은 변경된 내용의 당초 처분이지 변경처분은 아니라고 판시한 바 있다.

> **판례**
>
> **[판시사항]**
> 행정청이 식품위생법령에 따라 영업자에게 행정제재처분을 한 후 당초 처분을 영업자에게 유리하
> 게 변경하는 처분을 한 경우, 취소소송의 대상 및 제소기간 판단 기준이 되는 처분(=당초 처분)
>
> **[판결요지]**
> 행정청이 식품위생법령에 따라 영업자에게 행정제재처분을 한 후 그 처분을 영업자에게 유리하게
> 변경하는 처분을 한 경우, **변경처분에 의하여 당초 처분은 소멸하는 것이 아니고 당초부터 유리하
> 게 변경된 내용의 처분으로 존재하는 것이므로, 변경처분에 의하여 유리하게 변경된 내용의 행정
> 제재가 위법하다 하여 그 취소를 구하는 경우 그 취소소송의 대상은 변경된 내용의 당초 처분이지
> 변경처분은 아니고, 제소기간의 준수 여부도 변경처분이 아닌 변경된 내용의 당초 처분을 기준으
> 로 판단하여야 한다.**
> (출처 : 대법원 2007.4.27.선고 2004두9302 판결[식품위생법위반과징금부과처분취소])

### (4) 검토

판례의 태도와 같이 행정청이 영업자에게 행정제재 처분을 한 후 일부인용의 (처분)변경명령
재결에 따라 당초 처분을 영업자에게 유리하게 변경하는 처분을 한 경우 그 취소소송의 대상
은 변경된 내용의 당초 처분(변경된 원처분)으로 보는 것이 타당하다고 판단된다.

### (5) 사안의 경우

판례는 행정심판위원회의 변경명령재결에 따라 처분청이 변경처분을 한 경우, 취소소송의 대
상은 변경된 내용의 당초 처분이고, 제소기간의 준수여부도 변경된 내용의 당초 처분을 기준
으로 판단하여야 한다고 판시하였다. 이와 같은 판례의 태도로 볼 때, 해당 사안의 소송의 대
상은 변경된 내용의 당초처분(변경된 원처분)이 된다 할 것이다(업무정지 3개월 처분 → 업무
정지 1개월으로 변경된 원처분인 업무정지 1개월이 소의 대상임)라고 생각된다.

## 2. 제소기간

### (1) 제소기간 의의

> ↪ **행정소송법 제20조(제소기간)**
> ① 취소소송은 처분 등이 있음을 안 날부터 90일 이내에 제기하여야 한다. 다만, 제18조 제1항 단서에 규정한 경우와 그 밖에 행정심판청구를 할 수 있는 경우 또는 행정청이 행정심판청구를 할 수 있다고 잘못 알린 경우에 행정심판청구가 있은 때의 기간은 재결서의 정본을 송달받은 날부터 기산한다.
> ② 취소소송은 처분 등이 있은 날부터 1년(第1項 但書의 경우는 裁決이 있은 날부터 1年)을 경과하면 이를 제기하지 못한다. 다만, 정당한 사유가 있는 때에는 그러하지 아니하다.
> ③ 제1항의 규정에 의한 기간은 불변기간으로 한다.

### (2) 사안의 경우

제소기간의 기산점은 행정소송법 제20조 제1항에 따라 처분이 있음을 안 날로부터 90일이므로, A법인이 2025년 2월경에 변경된 원처분을 통지받은 날을 기준으로 90일 이내에 제기해야 한다고 생각된다.

## Ⅲ  B법인이 항고소송을 제기하는 경우 소의 대상 및 제소기간

## 1. 1천만원으로 감액한 과징금 부과처분의 소의 대상

### (1) 문제점

처분청이 처분 발령 후 직권으로 경정처분(⑩ 감정평가법 과징금 감액)한 경우 어느 것이 항고소송의 대상이 되는지 문제된다. 논의의 실익은 불복 제기기간에 있다.

### (2) 학설

① **병존설** : 변경된 원처분과 변경처분은 독립된 처분으로 모두 소의 대상이 된다는 견해이다.
② **흡수설** : 원처분은 변경처분에 흡수되어 전부취소되었기 때문에 새로운 처분만이 소송의 대상이 된다는 견해이다.
③ **역흡수설** : 변경처분은 원처분에 흡수되어 원처분만이 소의 대상이라는 견해이다.

### (3) 대법원 판례의 태도

> **판례**
>
> **[판시사항]**
> 행정청이 산업재해보상보험법에 의한 보험급여 수급자에 대하여 부당이득 징수결정을 한 후 그 하자를 이유로 징수금 액수를 감액하는 경우, 징수의무자에게 감액처분의 취소를 구할 소의 이익이 있는지 여부(소극) 및 감액처분으로도 아직 취소되지 않고 남은 부분을 다투고자 하는 경우 항고소송의 대상과 제소기간 준수 여부의 판단 기준이 되는 처분(=당초 처분)
>
> **[판결요지]**
> 행정청이 산업재해보상보험법에 의한 보험급여 수급자에 대하여 부당이득 징수결정을 한 후 징수결정의 하자를 이유로 징수금 액수를 감액하는 경우에 감액처분은 감액된 징수금 부분에 관해서만 법적 효과가 미치는 것으로서 당초 징수결정과 별개 독립의 징수금 결정처분이 아니라 그 실질은 처음 징수결정의 변경이고, 그에 의하여 징수금의 일부취소라는 징수의무자에게 유리한 결과를 가져오는 처분이므로 징수의무자에게는 그 취소를 구할 소의 이익이 없다. 이에 따라 감액처분으로도 아직 취소되지 않고 남아 있는 부분이 위법하다 하여 다투고자 하는 경우, 감액처분을 항고소송의 대상으로 할 수는 없고, 당초 징수결정 중 감액처분에 의하여 취소되지 않고 남은 부분을 항고소송의 대상으로 할 수 있을 뿐이며, 그 결과 제소기간의 준수 여부도 감액처분이 아닌 당초 처분을 기준으로 판단해야 한다.
> (출처 : 대법원 2012.9.27. 선고 2011두27247 판결[부당이득금부과처분취소])

### (4) 검토

원처분의 연속성이라는 관점에서 소송의 대상은 변경되어 남은 변경된 원처분으로 봄이 타당하고, 따라서 제소기간 역시 이를 기준으로 봄이 타당하다. 다만, 일부취소처분은 원처분을 변경하는 것으로 독립된 처분으로 볼 수 없어 〈역흡수설〉로 보는 것이 타당하며, 증액 처분의 경우 새로운 효과를 발생시키는 바 〈흡수설〉이 타당하다고 판단된다.

### (5) 사안의 경우

판례의 태도와 같이 변경처분(일부취소처분)은 원처분을 변경하는 행위로서 독립된 행위가 아닌바, 변경된 원처분을 항고소송의 대상으로 봄이 타당하다고 판단된다. 사안의 경우 2023. 12.15. 과징금을 1천만원으로 감액하는 결정을 한바, 변경된 원처분인 1천만원을 소송의 대상으로 하는 것이 타당하다고 판단된다.

## 2. 제소기간

변경된 원처분인 1천만원 과징금 부과처분을 소송의 대상으로 하되, 제소기간은 2023년 12월 15일을 기준으로 보는 것이 타당하다고 생각된다.

## 3. 소결

B법인의 경우 최초 과징금 부과처분후 경정처분(감액)이 있었으므로 경정처분(감액경정처분)이 항고소송의 대상이 된다. 제소기간 역시 경정처분을 통지받은 날로부터 기산한다. 이는 경청처분이 기존 처분을 대체하여 새로운 변경된 원처분으로서의 성격을 갖기 때문이다.

# Ⅲ 결

## 1. A법인 사례(업무정지처분 → 변경된 원처분)

A법인은 국토교통부장관의 업무정지 3개월 처분(원처분)에 대해 행정심판을 청구하였고, 중앙행정심판위원회가 감경변경명령재결을 하자, 국토교통부장관이 이를 반영하여 업무정지 1개월로 변경처분(일부취소처분)을 하였다. 항고소송의 대상은 변경된 원처분(업무정지 1개월의 일부취소처분)이다. 이는 행정심판 재결에 따라 원처분이 변경된 경우, 변경된 원처분이 새로운 처분으로서 항고소송의 대상이 되기 때문이다. 제소기간의 기산점은 변경된 원처분(2025년 2월)을 A법인이 통지받은 날부터 기산한다. 즉, 변경된 원처분이 항고소송의 대상이므로, 그 처분의 통지를 받은 날로부터 90일 이내에 소를 제기해야 한다고 보는 것이 타당하다고 판단된다.

## 2. B법인 사례(과징금 부과처분 → 감액경정처분)

B법인은 과징금 3,000만원 부과처분(원처분)을 받았으나, 이후 일부 착오로 과징금이 1,000만원으로 감액경정처분되었다. 항고소송의 대상 역시 감액경정처분(1,000만원 부과처분)이다. 감액경정처분은 종전 처분을 실질적으로 대체하는 새로운 처분인 변경된 원처분으로 보아야 하므로, 변경된 원처분인 감액경정처분이 항고소송의 대상이 된다. 제소기간의 기산점은 감액경정처분(2023년 12월 15일)을 B법인이 통지받은 날부터 기산하는 것이 타당하다고 생각된다.

판례 및 행정법 변경처분 이론에 따르면, 원처분이 행정심판이나 경정처분 등으로 변경된 경우에는 변경된 원처분이 소송의 대상이 되며, 제소기간도 변경된 원처분의 통지받은 날을 기준으로 한다. 이는 권리구제의 실효성을 보장하기 위한 취지로 이해하면 될 것이다.

<table><tr><td>**18**절</td><td>**사전통지와 의견제출 절차를 이행하지 않은 경우 불복 인용가능성**</td></tr></table>



> **문제**
>
> 감정평가법인등 甲은 특정 금융기관과의 공모를 통해 동일 감정대상에 대해 과도한 평가액을 산정한 사실이 국토교통부 감사관의 조사로 밝혀졌다. 이에 국토교통부장관은 감정평가 및 감정평가사에 관한 법률(이하 '감정평가법') 제32조에 따라 감정평가법인등 甲에 대해 업무정지 3개월의 징계처분을 하였다. 그러나 감정평가법인등 甲은 처분에 앞서 별도의 사전통지를 받은 사실이 없으며, 의견제출이나 소명의 기회를 부여받지 않았다고 주장하면서, 절차상 하자를 이유로 처분의 위법을 다투고자 한다. 이에 대해 국토교통부장관은 위법행위가 명백하고 중대하여 시급히 처분을 발할 필요가 있었으며, 의견청취 생략은 정당하다고 항변하고 있다. 감정평가법인등 甲의 업무정지 처분에서 사전통지와 의견제출 절차를 제대로 이행하지 않은 경우 감정평가법인등 甲이 취소소송을 제기한 경우 인용가능성을 설명하시오. 20점

1. 논점의 정리
2. 사전통지와 의견청취절차
   (1) 사전통지 및 의견제출절차의 의의
   (2) 생략 가능 사유
   (3) 대법원 판례의 태도
   (4) 국토교통부장관 주장의 타당성 여부(생략사유에 해당하는지)
3. 사전통지와 의견청취절차 하자의 독자적 위법성
   (1) 개설
   (2) 학설 및 판례
   (3) 소결
4. 사례의 해결(취소소송의 인용가능성)

## 1. 논점의 정리

감정평가 및 감정평가사에 관한 법률(이하 '감정평가법')에 따라 국토교통부장관은 감정평가법인등 甲에 대해 업무정지 3개월의 징계처분을 하면서 사전통지를 하지 않았고 의견제출의 기회를 부여하지 않았다. 이에 감정평가법인등 甲은 업무정지처분의 절차하자를 주장하여 취소소송을 제기하려고 한다. 국토교통부장관은 위법행위가 명백하고 중대하여 시급히 처분을 발할 필요가 있어 행절절차법상 사전통지 및 의견청취절차의 생략사유에 해당한다고 주장하는바, 주장의 타당성을 살펴보고자 한다.

## 2. 사전통지 및 의견제출절차

### (1) 사전통지 및 의견제출절차의 의의

사전통지란 행정청이 불이익 처분을 함에 있어서 미리 상대방에게 일정한 사항을 통지함으로써 행정절차에의 참여를 보장하기 위한 처분절차를 말한다(행정절차법 제21조). 사전통지는

의견제출의 전치절차이다. 의견제출절차란 "행정청이 어떠한 행정작용을 하기에 앞서 당사자 등이 의견을 제시하는 절차로서 청문이나 공청회에 해당하지 아니하는 절차"를 말한다. 행정절차법은 권익을 제한하는 경우에 대해서 사전통지(제21조)와 의견청취(제22조)를 하도록 규정하고 있다.

> ↪ **행정절차법 제21조(처분의 사전 통지)**
>
> ① 행정청은 당사자에게 의무를 부과하거나 권익을 제한하는 처분을 하는 경우에는 미리 다음 각 호의 사항을 당사자등에게 통지하여야 한다.
> 　1. 처분의 제목
> 　2. 당사자의 성명 또는 명칭과 주소
> 　3. 처분하려는 원인이 되는 사실과 처분의 내용 및 법적 근거
> 　4. 제3호에 대하여 의견을 제출할 수 있다는 뜻과 의견을 제출하지 아니하는 경우의 처리방법
> 　5. 의견제출기관의 명칭과 주소
> 　6. 의견제출기한
> 　7. 그 밖에 필요한 사항
> ② 행정청은 청문을 하려면 청문이 시작되는 날부터 10일 전까지 제1항 각 호의 사항을 당사자 등에게 통지하여야 한다. 이 경우 제1항 제4호부터 제6호까지의 사항은 청문 주재자의 소속·직위 및 성명, 청문의 일시 및 장소, 청문에 응하지 아니하는 경우의 처리방법 등 청문에 필요한 사항으로 갈음한다.
> ③ 제1항 제6호에 따른 기한은 의견제출에 필요한 기간을 10일 이상으로 고려하여 정하여야 한다.
> ④ 다음 각 호의 어느 하나에 해당하는 경우에는 제1항에 따른 통지를 하지 아니할 수 있다.
> 　1. 공공의 안전 또는 복리를 위하여 긴급히 처분을 할 필요가 있는 경우
> 　2. 법령등에서 요구된 자격이 없거나 없어지게 되면 반드시 일정한 처분을 하여야 하는 경우에 그 자격이 없거나 없어지게 된 사실이 법원의 재판 등에 의하여 객관적으로 증명된 경우
> 　3. 해당 처분의 성질상 의견청취가 현저히 곤란하거나 명백히 불필요하다고 인정될 만한 상당한 이유가 있는 경우
> ⑤ 처분의 전제가 되는 사실이 법원의 재판 등에 의하여 객관적으로 증명된 경우 등 제4항에 따른 사전 통지를 하지 아니할 수 있는 구체적인 사항은 대통령령으로 정한다.
> ⑥ 제4항에 따라 사전 통지를 하지 아니하는 경우 행정청은 처분을 할 때 당사자등에게 통지를 하지 아니한 사유를 알려야 한다. 다만, 신속한 처분이 필요한 경우에는 처분 후 그 사유를 알릴 수 있다.
> ⑦ 제6항에 따라 당사자등에게 알리는 경우에는 제24조를 준용한다.
>
> ↪ **행정절차법 제22조(의견청취)**
>
> ① 행정청이 처분을 할 때 다음 각 호의 어느 하나에 해당하는 경우에는 청문을 한다.
> 　1. 다른 법령등에서 청문을 하도록 규정하고 있는 경우
> 　2. 행정청이 필요하다고 인정하는 경우
> 　3. 다음 각 목의 처분을 하는 경우
> 　　가. 인허가 등의 취소

나. 신분·자격의 박탈

다. 법인이나 조합 등의 설립허가의 취소

② 행정청이 처분을 할 때 다음 각 호의 어느 하나에 해당하는 경우에는 공청회를 개최한다.

1. 다른 법령 등에서 공청회를 개최하도록 규정하고 있는 경우

2. 해당 처분의 영향이 광범위하여 널리 의견을 수렴할 필요가 있다고 행정청이 인정하는 경우

3. 국민생활에 큰 영향을 미치는 처분으로서 대통령령으로 정하는 처분에 대하여 대통령령으로 정하는 수 이상의 당사자 등이 공청회 개최를 요구하는 경우

③ 행정청이 당사자에게 의무를 부과하거나 권익을 제한하는 처분을 할 때 제1항 또는 제2항의 경우 외에는 당사자 등에게 의견제출의 기회를 주어야 한다.

④ 제1항부터 제3항까지의 규정에도 불구하고 제21조 제4항 각 호의 어느 하나에 해당하는 경우와 당사자가 의견진술의 기회를 포기한다는 뜻을 명백히 표시한 경우에는 의견청취를 하지 아니할 수 있다.

⑤ 행정청은 청문·공청회 또는 의견제출을 거쳤을 때에는 신속히 처분하여 해당 처분이 지연되지 아니하도록 하여야 한다.

⑥ 행정청은 처분 후 1년 이내에 당사자 등이 요청하는 경우에는 청문·공청회 또는 의견제출을 위하여 제출받은 서류나 그 밖의 물건을 반환하여야 한다.

## (2) 생략 가능 사유

### 1) 사전통지 생략 가능 사유(공중현)

① 공공의 안전을 위해 긴급히 처분을 할 필요가 있는 경우, ② 법원의 재판 등에 의해 일정한 처분을 하여야 함이 객관적으로 증명된 때, ③ 처분이 성질상 의견청취가 현저히 곤란하거나 명백히 불필요한 경우에 생략이 가능하다.

### 2) 의견청취의 생략 가능 사유(공중현포)

① 공공의 안전을 위해 긴급히 처분을 할 필요가 있는 경우, ② 법원의 재판 등에 의해 일정한 처분을 하여야 함이 객관적으로 증명된 때, ③ 처분이 성질상 의견청취가 현저히 곤란하거나 명백히 불필요한 경우, ④ 당사자가 의견진술의 포기를 명백히 표시한 경우 생략이 가능하다.

### (3) 대법원 판례의 태도

행정절차법 제21조 제1항, 제4항, 제22조 제1항 내지 제4항에 의하면, 행정청이 당사자에게 의무를 과하거나 권익을 제한하는 처분을 하는 경우에는 미리 처분하고자 하는 원인이 되는 사실과 처분의 내용 및 법적 근거, 이에 대하여 의견을 제출할 수 있다는 뜻과 의견을 제출하지 아니하는 경우의 처리방법 등의 사항을 당사자 등에게 통지하여야 하고, 다른 법령 등에서 필요적으로 청문을 실시하거나 공청회를 개최하도록 규정하고 있지 아니한 경우에도 당사자 등에게 의견제출의 기회를 주어야 하되, 해당 처분의 성질상 의견청취가 현저히 곤란하거나 명백히 불필요하다고 인정될 만한 상당한 이유가 있는 경우 등에는 처분의 사전통지나 의견청취를 하지 아니할 수 있도록 규정하고 있으므로, 행정청이 침해적 행정처분을 함에 있어서 당사자에게 위와 같은 사전통지를 하거나 의견제출의 기회를 주지 아니하였다면 사전통지를 하지 않거나 의견제출의 기회를 주지 아니하여도 되는 예외적인 경우에 해당하지 아니하는 한 그 처분은 위법하여 취소를 면할 수 없다고 할 것이다(대판 2000.11.14, 99두5870).

### (4) 국토교통부장관 주장의 타당성 여부(생략사유에 해당하는지)

국토교통부장관은 위법행위가 명백하고 중대하여 시급히 처분을 발할 필요가 있었으며, 의견청취 생략은 정당하다고 항변하고 있다. 감정평가법인등 甲은 특정 금융기관과의 공모를 통해 동일 감정대상에 대해 과도한 평가액을 산정하였다는 위법사실을 보았을 때 위법의 대상이 한정되어 있어 공공의 안전을 위해 긴급히 처분을 할 필요가 있는 경우에 해당하지 않는다고 생각한다.

## 3. 사전통지와 의견절취절차 하자의 독자적 위법성

### (1) 개설

행정처분에 절차상 위법이 있는 경우 절차상 위법이 해당 행정처분의 독립된 취소사유가 되는가에 대해 견해의 대립이 있다.

### (2) 학설 및 판례

① 소극설은 절차상 하자만을 이유로 행정처분의 무효를 확인하거나 행정처분을 취소할 수 없다는 견해로서 이는 절차상 하자를 이유로 취소하는 것은 행정상 및 소송상 경제에 반하는 것으로 본다.

② 적극설은 행정소송법 제30조 제3항을 논거로 독립된 취소가 가능하다는 견해로 행정절차의 실효성 보장을 위해서 독립된 취소사유로 보아야 한다고 본다.

③ 절충설은 재량행위인 경우에는 독립된 취소사유로 보아야 하고, 기속행위인 경우에는 행정상 및 소송상 경제에 반하므로 인정하지 않는 견해이다.

대법원 판례는 이유제시에 관하여 기속행위인 과세처분에 있어서 이유제시상의 하자를 이유로 취소한 바 있고(대판 1984.5.9, 84누116), 재량행위에 대하여 식품위생법 소정의 청문절

차에 하자 있는 경우에 취소를 인정한 바 있다(대판 1991.7.9, 91누971). 즉, 판례는 절차상의
하자만으로도 독자적 위법성을 인정하고 있다.

### (3) 소결

절차상 하자를 독립된 취소사유로 볼 것인가의 문제는 절차적 법치주의의 가치와 국민의 권리
구제 및 소송경제 차원의 조화로운 해결이 필요하다. 행정소송법 제30조 제3항의 논거와 국민
의 권익구제 차원에서 행정절차의 적법성 보장이 중시되는바, 절차상 하자의 독자적 위법성이
인정된다고 판단된다.

## 4. 사례의 해결(취소소송의 인용가능성)

사전통지와 의견청취 절차상 하자만으로도 독자적 위법성이 인정되므로 국토교통부장관의 징계
처분은 위법하다고 판단되며, 위법성의 정도를 살필 때 법규위반으로 중대하나 일반인의 견지에
서 명백하지 않아 취소사유의 하자로 판단되므로, 감정평가법인등 甲이 제기한 취소소송은 인용
될 것으로 판단된다.

# 참고문헌


석종현·송동수, 일반행정법 총론, 박영사, 2024
홍정선, 행정기본법 해설, 박영사, 2024
정관영 외4인, 분쟁해결을위한 행정기본법 실무해설, 신조사, 2021
정선균, 행정법 강해, 필통북스, 2024.
박균성, 행정법 강의, 박영사, 2025
정남철, 한국행정법론, 법문사, 2025
김철용, 행정법, 고시계사, 2024
홍정선, 기본행정법, 박영사, 2025
강정훈, 감평행정법 기본서, 박문각, 2025
강정훈, 감정평가 및 보상법규 기본서, 박문각, 2025
강정훈, 감정평가 및 보상법규 종합문제, 박문각, 2024
강정훈, 감정평가 및 보상법규 기출문제분석, 박문각, 2024
강정훈, 감정평가 및 보상법규 판례분석정리, 박문각, 2024
강정훈, 보상법규 암기장 시리즈, 박문각, 2024
홍정선, 행정법 특강, 박영사, 2013
류해웅, 토지법제론, 부연사, 2012
류해웅, 신수용보상법론, 부연사, 2012
김성수·이정희, 행정법연구, 법우사, 2013
박균성, 신경향행정법연습, 삼조사, 2012
박정훈, 행정법사례연습, 법문사, 2012
김연태, 행정법사례연습, 홍문사, 2012
홍정선, 행정법연습, 신조사, 2011
김남진·김연태, 행정법Ⅰ, 법문사, 2007
김성수, 일반행정법, 법문사, 2005
김철용, 행정법Ⅰ, 박영사, 2004
류지태, 행정법신론, 신영사, 2008
박균성, 행정법론(상), 박영사, 2008
박윤흔, 최신행정법강의(상), 박영사, 2004
정하중, 행정법총론, 법문사, 2004
홍정선, 행정법원론(상), 박영사, 2008
노병철, 감정평가 및 보상법규, 회경사, 2008
강구철, 국토계획법, 2006, 국민대출판부
강구철, 도시정비법, 2006, 국민대출판부
佐久間 晟, 用地買收, 2004, 株式會社 プログレス
日本 エネルギー 研究所, 損失補償と事業損失, 1994, 日本 エネルギー 研究所
西埜 章·田邊愛壹, 損失補償の要否と内容, 1991, 一粒社
西埜 章·田邊愛壹, 損失補償法, 2000, 一粒社

한국토지공법학회, 토지공법연구 제40집(한국학술진흥재단등재), 2008.5
한국토지보상법 연구회, 토지보상법연구 제8집, 2008.2
월간감정평가사 편집부, 감정평가사 기출문제, 부연사, 2008
임호정 · 강교식, 부동산 가격공시 및 감정평가, 부연사, 2007
가람동국평가연구원, 감정평가 및 보상판례요지, 부연사, 2007
김동희, 행정법(Ⅰ)(Ⅱ), 박영사, 2009
박균성, 행정법 강의, 박영사, 2011
홍정선, 행정법 특강, 박영사, 2011
강구철 · 강정훈, 감정평가사를 위한 쟁점행정법, 부연사, 2009
류해웅, 신수용보상법론, 부연사, 2009
한국감정평가협회, 감정평가 관련 판례 및 질의회신(제1,2집), 2009년
임호정, 보상법전, 부연사, 2007
강정훈, 감정평가 및 보상법규 강의, 리북스, 2010
강정훈, 감정평가 및 보상법규 판례정리, 리북스, 2010
한국토지공법학회, 토지공법연구(제51집), 2010
국토연구원, 국토연구 논문집(국토연구원 연구전집), 2011
감정평가 및 보상법전, 리북스, 2019
강구철 · 강정훈, 新 감정평가 및 보상법규, 2013
감정평가 관련 판례 및 질의 회신 Ⅰ·Ⅱ(한국감정평가사협회/2016년)
한국토지보상법연구회 발표집 제1집−제19집(한국토지보상법연구회/2019년)
한국토지보상법연구회 발표집 제1집−제20집(한국토지보상법연구회/2020년)
한국토지보상법연구회 발표집 제21집(한국토지보상법연구회/2021년)
한국토지보상법연구회 발표집 제22집(한국토지보상법연구회/2022년)
한국토지보상법연구회 발표집 제23집(한국토지보상법연구회/2023년)
한국토지보상법연구회 발표집 제24집(한국토지보상법연구회/2024년)
토지보상법 해설(가람감정평가법인, 김원보, 2024년)
국가법령정보센터(2025년)
대법원종합법률정보서비스(2025년)
국토교통부 정보마당(2025년)

# 박문각 감정평가사

## 강정훈 감정평가 및 보상법규

**2차** | 종합문제(연습) 2권

**제8판 인쇄** 2025. 8. 20. | **제8판 발행** 2025. 8. 25. | **편저자** 강정훈

**발행인** 박 용 | **발행처** (주)박문각출판 | **등록** 2015년 4월 29일 제2019-0000137호

**주소** 06654 서울시 서초구 효령로 283 서경 B/D 4층 | **팩스** (02)584-2927

**전화** 교재 문의 (02)6466-7202

저자와의
협의하에
인지생략



정가 80,000원
ISBN 979-11-7519-025-2(2권)
ISBN 979-11-7519-023-8(세트)